D1050422

LE PASSAGE

GERMAINE GREER

LE PASSAGE

L'expérience de la ménopause

Traduit de l'anglais
par Annick Baudoin et Marie-France Pavillet

PLON
12, avenue d'Italie
PARIS

SOMMAIRE

Titre original

The Change
Women, Ageing and the Menopause

ISBN Édition originale : Hamish Hamilton, Londres : 0-241-12840-4
ISBN Plon : 2-259-02505-6

A Anne et Julia

1

CELA NE SE RACONTE PAS

Quelques mois après mon cinquantième anniversaire, mon amie Julia et moi étions assises à une terrasse de café à Beaubourg, dans la lumière dorée d'un soleil de printemps. Au coin de la rue, des marchands de quatre saisons vendaient des produits de la campagne encore tout humides de rosée, champignons sauvages, salades amères et brassées de bleuets pour le plaisir des yeux. Nous venions de boire un café délicieux accompagné de croissants qui fondaient dans la bouche.

« Moi, je refuse de vivre comme ça », dit tout à coup Julia. Elle avait les yeux fixés sur une petite vieille grisonnante, qui, un sac en plastique à la main, se frayait timidement un passage parmi les prostituées peinturlurées et les flâneurs du trottoir d'en face. « Je refuse de vivre dans une chambre minable, avec en tout et pour tout une table, un lit et une chaise, en m'achetant chaque jour ma baguette et mon bout de fromage. Je refuse de me fondre dans la grisaille, de devenir invisible. Je repense souvent à ma mère, à ces années où elle ne savait plus où elle en était. Je ne veux pas qu'il m'arrive la même chose. J'y ai bien réfléchi. Pour moi, les vingt ou trente prochaines années n'ont aucun intérêt. Pour en arriver à être écœurée de son propre corps, même si on se bat pour rester présentable et en forme, merci! A quoi bon lutter? On sait bien, de toute manière, que c'est perdu d'avance. Non, c'est vraiment trop injuste. »

L'angoisse de Julia, avec sa façon de télescoper les trente années à venir en un seul lendemain qui déchante, est typique de la ménopause. Nous avions toutes deux traversé la quarantaine sans, pratiquement, avoir l'impression de vieillir. Nous avions, chacune, enterré l'un de nos parents, elle y avait laissé un mari, mais nous étions toutes deux restées au centre de la vie que nous nous étions construite. Et voilà que, tout d'un coup, quelque chose nous filait entre les doigts, tellement vite que nous n'avions pas eu le temps de réaliser ce que cela pouvait bien être, quelque chose, manifestement d'irremplaçable. L'avenir avait l'air sombre. Et notre bel optimisme s'était, apparemment, volatilisé en cours de route. Nous étions incapables d'identifier cette sensation de mélancolie angoissée que j'ai, depuis, appris à reconnaître dans les livres d'autres écrivains :

« Loin derrière elle, loin en dessous de l'horizon, elle savait qu'il y avait encore du soleil. Mais il ne se levait plus, cela faisait des semaines et des mois qu'il ne s'était plus levé pendant son sommeil. Elle continuait à marcher vers le nord, à s'éloigner du soleil. Devant elle s'étendait, à l'infini, un hiver glacial et sombre. » (Doris Lessing, 1973, 218.)

« Ces types, là-bas, ils ont notre âge, ils sont sans doute même plus vieux que nous ! » Julia me montrait une table où deux messieurs aux tempes argentées parlaient à deux femmes à l'élégance coûteuse, beaucoup plus jeunes qu'eux. Elles avaient littéralement l'air de boire leurs paroles. « C'est vraiment scandaleux ! Ils n'ont que l'embarras du choix, quel que soit l'âge des minettes ! Et ça peut continuer des années et des années, alors que nous, on est finies... Ils ne daigneraient même pas nous regarder ! » Sans indulgence, le soleil faisait ressortir les cernes, affaissements, rides, taches et autres grains de beauté de nos visages de cinquante ans. Quand nous avions fait signe au serveur, il avait fait semblant de ne pas nous voir, et quand il avait fini par prendre notre commande, il l'avait apparemment oubliée aussitôt et nous avions été obligées de le rappeler.

« Alors, qu'est-ce que je fais, maintenant ? me demanda Julia. Tu me vois, hantant les bars pour draguer des jeunes ? Tu me vois, m'enfonçant de plus en plus dans le sordide, parce que je ne peux pas vivre sans amour ? Ou alors, c'est métro-boulot-dodo, jour après jour, jusqu'à ce que je sois trop vieille pour travailler. C'est ça, non ? » Elle suivait des yeux la petite vieille anonyme qui, à pas menus, rentrait chez elle, le bout de sa baguette dépassant de son sac en plastique. « Rien que d'y penser, j'en ai froid dans le dos, ça m'empêche de dormir. Qu'est-ce que je vais devenir ? »

J'aurais bien voulu lui débiter les noms d'autres femmes de 50 ans qui, ayant surmonté la crise, s'étaient éveillées à une vie nouvelle, différente, mais ce n'est pas le genre de noms qui vous viennent facilement à l'esprit. Je cherchais des exemples de femmes ayant réussi à se détacher de leur ego corporel pour cultiver leur ego spirituel, mais j'avais beau me creuser la cervelle, sur le coup, aucun nom ne me venait à l'esprit. L'itinéraire intérieur qui mène à la sagesse et à la sérénité est au moins aussi long, si ce n'est plus, que la course à la réussite sexuelle et professionnelle. Et le parcours n'est pas signalisé. Rien ni personne ne nous montre la voie.

La littérature consacrée à la ménopause est, certes, abondante, mais elle n'a pratiquement jamais été écrite par des femmes. En général, les auteurs en sont des hommes, écrivant à l'intention d'autres hommes. Des milliers de femmes lisent bien sagement des centaines d'études analysant leur bien-être, leur santé, leur rôle dans la société, leurs besoins, leurs chances et leurs problèmes. C'est à peine si l'on entend un seul mot émanant des intéressées. Les Maîtres de la Ménopause (par analogie avec les Maîtres de la Folie ou de la Faillite) sont des hommes, comme, par exemple, Wulf H. Utian, qui a découvert la ménopause en 1967. La manière dont il raconte la chose est involontairement révélatrice (1978,9) :

« Me trouvant par hasard à Berlin en 1967, j'ai été invité à visiter un grand laboratoire pharmaceutique. On m'a parlé d'une nouvelle hormone féminine, c'est ainsi que j'ai commencé à m'intéresser à la question. A mon retour au Cap... j'ai pris contact avec le directeur du département de gynécologie de l'université du Cap... et je lui ai expliqué mon projet de clinique de la ménopause. »

La clinique de la ménopause de M. Utian, la première au monde, s'installa à Groote Schuur, où le professeur Christian Barnard avait réalisé deux ans plus tôt la première transplantation cardiaque. On la rebaptisa Clinique de la féminité, puis, comme l'idée commençait à se répandre que l'on pouvait « éliminer » la ménopause, elle fut rebaptisée une nouvelle fois pour prendre le nom de Clinique de la femme mûre. Ensuite M. Utian quitta Le Cap pour le Centre médical du Mont-Sinaï dans l'Ohio. Il reste le doyen reconnu des spécialistes de la ménopause. Le laboratoire pharmaceutique international dont le siège est à Berlin s'appelle Schering. Le groupe fabrique et commercialise dans le monde entier une gigantesque panoplie de préparations stéroïdiennes pour que les femmes puissent toutes recevoir leur dosage hormonal : Gynophase, Gynovlane, Cycloprogynova, Eugynon, Logynon, Microgynon, Minovlar, Neogest, Norgeston, Noristerat, Primolut Nor, Progynova et Proviron. La nouvelle hormone présentée à M. Utian était le valérate d'œstradiol, actuellement vendue sous la marque Progynova, ou sous la marque Cycloprogynova quand elle est associée à un progestatif. En 1978, la ménopause était devenue un marché considérable, Wulf Utian rédigea alors un livre, *Le Manuel de la ménopause : guide de la femme*.

Tandis que Wulf Utian défrichait le terrain pour le laboratoire Schering, son concurrent hollandais, AKZO, se préparait aussi à attaquer le marché des stéroïdes de substitution. En 1969, il dota un organisme au titre pompeux, la Fondation internationale pour la santé, d'un siège à Genève et d'une subvention annuelle de 600 000 francs suisses. Ce budget devait être consacré à « l'amélioration de la santé, en identifiant les problèmes physiques, mentaux et sociaux et en contribuant à leur solution au moyen de programmes de recherche et d'éducation ainsi que par une vulgarisation médicale et scientifique appropriée ». Le premier bénéficiaire en fut leur filiale à 100 % Organon International N.V, qui produit de l'ethinylœstradiol en cachets et sous forme d'implants et la crème vaginale Ovestin. Le développement de la branche pharmaceutique sauva AKZO au début des années soixante-dix ; elle représente aujourd'hui 14 % de son chiffre d'affaires total, qui a dépassé les 50 milliards de francs en 1986. La Fondation internationale pour la santé semble n'avoir été créée que pour publier trois études sur la ménopause. Son directeur général, le docteur Pieter Van Keep, Grand Maître hollandais de la Ménopause, ne le cède qu'à Wulf Utian pour la publication en série d'articles bien informés, tous fondés, au départ, sur la même étude financée par AKZO.

Dans l'optique de développer un marché international pour une nouvelle médication systémique, l'étape suivante consiste à regrouper les professionnels en un corps prestigieux dont les débats seront publiés. Ainsi, en 1976, la Société internationale de la ménopause tint son congrès inaugural à La Grande-Motte, et se dota d'un journal, *Maturitas*, qui devait surtout publier les résultats d'études ultérieures et les tests d'expérimentation des hormones de substitution. Le but ultime était – et est toujours – d'obtenir des subventions gouvernementales afin de proclamer la bonne nouvelle de l'hormonothérapie substitutive, jusqu'aux fins fonds de la planète. Arithmétiquement, c'est tout simple. Les problèmes liés à la post-ménopause, notamment l'ostéoporose, monopolisent des équipements hospitaliers ruineux, des centaines de milliers d'heures par an, et en immobiliseront toujours plus, à mesure que la durée de vie s'allongera dans le monde entier. Il est donc logique d'informer les femmes et de leur conseiller d'utiliser des hormones de substitution. Le ciel m'est témoin que je ne mets nullement en doute les motivations hautement morales et désintéressées des laboratoires Schering et Organon, ou de MM. Utian et Van Keep.

Le point de vue officiel de la Société internationale de la ménopause est le suivant : c'est un faux problème, créé de toutes pièces par la société. Cela ne rend pas forcément malade, les femmes ont simplement besoin de savoir comment se déroule une ménopause normale, si la leur est pathologique ou non, et ce que les médecins peuvent faire pour en soulager les symptômes. Toujours selon cette société, il y a deux manières d'aborder la chose : soit on renvoie la femme en lui disant de se débrouiller comme elle peut, soit on traite son cas comme une maladie de carence. En adoptant un style de vie plus jeune, en mettant l'accent sur la forme physique et une vie sexuelle active, on aboutit à une nouvelle conscience du corps à mesure que l'âge avance. Une fois que l'on a réussi à en faire un sujet à la mode, d'autres organismes professionnels se sont mis à faire des conférences sur le management de la ménopause : le mouvement est bien lancé, il y a fort à parier que cela continuera. Les multinationales pharmaceutiques sont trop heureuses de financer des congrès internationaux dans le monde entier, de manière à faire connaître leurs produits qui pourront ainsi être administrés quotidiennement aux femmes pendant des millions d'années-femmes. Ces réunions internationales étant fort agréables, on ne sera pas surpris de voir les professionnels du tiers-monde se joindre aux discussions pour envisager béatement les perspectives extraordinaires de la commercialisation des stéroïdes à une nouvelle population, innombrable, de paysannes post-ménopausées.

La ménopause est une spécialité de rêve pour le médecin médiocre. Son traitement ne requiert ni finesse de diagnostic ni compétence chirurgicale. Elle ne constitue en elle-même aucun danger vital pour la patiente : si elle meurt, c'est forcément de la faute de quelqu'un d'autre. Cela n'ouvre le champ à aucune poursuite judiciaire. Et puis les femmes sont bien obligées de revenir régulièrement se faire faire des batteries d'analyses et de bilans de santé, tous forts lucratifs pour le médecin, qu'ils soient financés par la patiente ou par la Sécurité sociale. Robert Wilson avait commis la balourdise de révéler dès 1963 les potentialités fabuleuses de l'administration des œstrogènes de substitution du berceau au tombeau. La profession, qui préfère construire son empire avec plus de discrétion, en avait été embarrassée. Quoi qu'il en soit, il est maintenant réhabilité (Van Keep, 1990). Et pendant ce temps-là, ces dames organisent des ventes de gâteaux dans nos provinces pour pouvoir financer la création de cliniques de la ménopause, c'est-à-dire de centres de distribution d'hormones de substitution. Elles travaillent bénévolement, comme les femmes l'ont toujours fait, au grand profit des sociétés les plus riches du monde. Pendant l'été 1988, on créa le Trust Amarante; officiellement, c'est une œuvre caritative dont la fonction est d'« inaugurer une vie nouvelle pour les femmes mûres », en clair d'augmenter la pression sur le corps médical et sur les femmes afin que les uns prescrivent et que les autres acceptent la thérapie des hormones de remplacement. En mars 1988, dans le premier bulletin de cet organisme, qui était en fait une publicité déguisée de quatre pages, citant des preuves fallacieuses de l'efficacité de l'hormonothérapie de substitution, on proposait aux femmes de verser une contribution mensuelle pour soutenir la bonne cause.

« Les femmes qui travaillent peuvent maintenant soutenir le Trust Amarante par prélèvement automatique. Avec votre accord, votre employeur peut nous régler directement jusqu'à 10 livres par mois dont il ne déduira en fait que 7 livres sur votre salaire. Le reste correspond à l'économie fiscale réalisée. Mais si vous souhaitez donner une somme inférieure, le système du don proportionnel au salaire est également très satisfaisant, car le gouvernement nous rembourse les impôts que vous auriez autrement payés sur ces sommes. »

En tout petits caractères, en bas de la dernière page, on pouvait lire une information intéressante : les coûts de production du bulletin avaient été financés par une subvention éducative des laboratoires Ciba-Geigy et Novo. Comme le fit remarquer une observatrice à l'esprit critique acéré, les femmes sont vraiment des cobayes modèles. Dans ce cas précis, non seulement elles paient les médicaments deux fois, directement et en tant que contribuables, s'administrent les drogues elles-mêmes et recrutent d'autres sujets sur lesquels expérimenter... mais pour couronner le tout, elles acceptent de financer la promotion du produit! L'histoire de la médication de la ménopause fourmille de femmes qui ont dit : « Merci, docteur, ça va beaucoup mieux! », qu'on les ait irradiées, électroconvulsées, hystérectomisées, plongées dans l'eau froide, abreuvées d'extraits animaux ou de placebos. Il n'en demeure pas moins que les multinationales qui produisent des œstrogènes à partir d'urine de jument fécondée pour les administrer à toutes les femmes, quotidiennement, pendant trente ou quarante ans de leur vie, sont d'un cynisme invraisemblable.

Au cours des dix ans qui se sont écoulés jusqu'en 1978, Wulf Utian a écrit, ou coécrit, 26 articles sur la ménopause. Il dominait pratiquement la recherche sur l'utilité des hormones de substitution, laquelle se caractérise, soit dit en passant, par des études menées sans rigueur, mais avec beaucoup d'idées préconçues. En 1984, John Gerald Greene, qui avait travaillé dans une clinique de la ménopause à Glasgow, tenta de « bâtir un modèle sociopsychologique cohérent du climatère » (ménopause) en s'appuyant sur « les données existantes de la recherche empirique ». Il rendait, certes, hommage au travail d'Utian, mais fut obligé de signaler qu'il n'existe aucune preuve de l'existence réelle de la maladie de carence tenue par M. Utian et ses disciples pour responsable de la détresse climatérique. Il indiquait aussi que nul ne sait comment distinguer la ménopause elle-même des phénomènes de vieillissement, et qu'une expérimentation rigoureuse en double aveugle démontre que l'effet placebo est tellement puissant qu'il affaiblit considérablement, voire invalide, les prétentions de la médication du choix. Tout en ne portant aucune attaque directe – ce qui serait mal avisé de la part d'un praticien de la ménopause –, il laisse effectivement entendre que l'enthousiasme de Wulf Utian pour l'effet de tonique mental de l'hormonothérapie substitutive n'est pas justifié par ses propres recherches. Au vu de l'étude rigoureuse et systématique menée par M. Greene sur toute la littérature portant sur le syndrome de la ménopause, on finit par se demander non seulement si on peut le soigner, mais même s'il existe.

Un des dogmes du féminisme, c'est que les femmes doivent définir elles-mêmes leur propre expérience. On demandera aux étudiants en médecine de réciter tous les détails du syndrome de la ménopause, tels que les ont décrits MM. Utian et Serr en 1976, mais les femmes, elles, on ne leur demande rien. Il serait indispensable de dégager le climatère de la gangue d'idées reçues qui l'environnent. La ménopause est un stéréotype, dont les femmes ne se délivreront que quand elles en parleront elles-mêmes. D'ailleurs, l'angoisse ne peut que compliquer les choses. Les attitudes négatives envers la ménopause aboutissent à lui imputer la responsabilité d'événements et de situations qui n'ont rien à voir avec elle. Il est intéressant de constater que les intéressées n'ont pas, ou ne reconnaissent pas avoir, une attitude négative face à elle.

« Kayana, Kiyak et Lang (1980) ont pu démontrer, toutes sortes de preuves à l'appui, que les femmes considèrent la ménopause comme exigeant peu d'efforts d'adaptation, par comparaison avec d'autres événements de leur vie... Il est apparu également que les femmes plus jeunes n'en ressentent pas plus d'angoisse que les femmes âgées n'en gardent un souvenir stressant. En réalité, les attitudes négatives par rapport à la ménopause sont plus fréquentes parmi les hommes que parmi les femmes. Ils la considèrent comme un changement de vie de première grandeur. » (Asso, 1983, 113.)

C'est un fait que la campagne d'élimination de la ménopause a été initiée et orchestrée par des hommes. Depuis que c'est devenu un marché fructueux, on a assisté à une véritable explosion de propagande diffusant les idées masculines sur la question, ce que Karen Horney a bien montré :

« Comme toutes les sciences et toutes les estimations, la psychologie des femmes n'a jusqu'à maintenant été envisagée que du point de vue des hommes. Sa validité objective est inévitablement conditionnée par leurs relations affectives et subjectives avec elles. D'après Delius (*Vom Erwachen der Frau*), la psychologie des femmes a effectivement servi de réceptacle aux désirs et aux frustrations masculines. » (Horney, 1967, 56.)

Je crois que Mme Horney serait d'accord pour dire avec moi que si les hommes restent attachés au concept de la ménopause-catastrophe, contrairement aux conclusions évidentes de leurs propres recherches, cela révèle chez eux une charge émotive dont ils sont incapables de se libérer. Les auteurs de l'étude sponsorisée par AKZO en 1975 font référence, à plusieurs reprises, à la « crise de la ménopause » et vont même jusqu'à conclure : « Il est clair que pour beaucoup de femmes, c'est une période troublante, où elles sont confrontées à des problèmes physiques et à un déséquilibre psychologique » (Fondation internationale pour la santé, 1975, 49), alors que leur propre recherche montre que c'est le fait de vieillir qui est, de beaucoup, le plus problématique. Déformer l'argumentation à ce point, cela représente un peu plus que le préjugé du chercheur. Mais n'attendons guère plus de rationalité des rares femmes qui acceptent de se pencher sur la question. Comme l'explique Mme Horney :

« La situation se complique d'un autre élément très important : les femmes se sont adaptées aux souhaits des hommes, elles ont fini par considérer cette adaptation comme leur vraie nature. En d'autres termes, elles se voient, ou se voyaient, comme les hommes voulaient les voir et se sont inconsciemment conformées à l'image que les hommes se faisaient d'elles. » (Horney, 1967, 56-7.)

Celles qui ont fait des études scientifiques ont dû se plier, c'est bien évident, aux exigences d'une discipline masculine, mais même dans ce cas, elles ont tendance à résister aux certitudes irrationnelles des Maîtres de la Ménopause. La remarque de Mme Horney comporte un corollaire important, à savoir que les femmes qui se sont adaptées aux exigences des hommes partagent généralement leur point de vue pessimiste sur la ménopause et souffrent donc davantage. Les hommes considèrent l'événement comme devant marquer un point d'arrêt aux seules fonctions importantes de la femme, c'est-à-dire séduire, stimuler, gratifier et nourrir maris et/ou enfants. Comme ils sont convaincus que l'exercice de ces fonctions fait le bonheur de la femme, il est logique qu'ils cherchent à lui en éviter la perte. Celles qui n'ont pas intériorisé ce point de vue ne craindront pas comme la peste l'arrêt de leur ovulation, mais elles n'échapperont pas pour autant à la calomnie.

Les Maîtres de la Ménopause savourent la certitude de n'être motivés ni par l'appât du gain ni par le goût du pouvoir, mais par un idéal hautement chevaleresque. S'ils proposent des œstrogènes de substitution, ce n'est pas par intérêt personnel, mais pour soulager les souffrances des femmes méritantes. Mme Horney y voit les traces du désir profond qu'ont les hommes de dévaloriser les femmes. Cela correspond plutôt au besoin de montrer qu'elles sont incapables de gérer leur propre destin sans l'aide des hommes, illusion qu'elles ont entretenue dans une large mesure. On ne permet pas à la femme post-ménopausée de n'avoir plus besoin des hommes. On ne lui reconnaît pas le droit de transcender, une fois pour toutes, sa biologie. On décrète qu'elle souffre d'une maladie de carence et les hommes démontrent, une fois de plus, leur supériorité, en fournissant le remède à leur manque. Certaines des enquêtes sur la ménopause mettent ce mécanisme mieux en évidence que d'autres en incluant, par exemple, la question de savoir si les femmes deviennent plus égocentriques (si seulement c'était le cas!).

Les femmes sont restées relativement silencieuses à ce sujet.

Quand des femmes-chercheurs mettent les hypothèses proposées par les hommes à l'épreuve, elles les trouvent généralement sans fondement. Quand elles dressent le bilan de l'efficacité et de la raison d'être de l'hormonothérapie de substitution, elles restent sceptiques. Si l'on se permet de refuser la vision masculine de la ménopause, et que l'on se tourne vers d'autres femmes, on s'aperçoit même qu'il n'est pas facile d'aborder ce sujet de conversation. Spontanément, les femmes n'aiment pas trop raconter leur propre ménopause ; les femmes de lettres, que ce soit dans leurs Mémoires, leur journal intime, des romans ou des poèmes, n'y font même que très rarement allusion. Dans la grande majorité des cas, les femmes ne considèrent pas l'événement comme un facteur de leur développement personnel. Il semble peu probable que nous nous heurtions là à de l'inconscience ou à un manque de pénétration ; et à peine plus probable qu'il s'agisse d'un phénomène d'occultation, qui serait plus inquiétant. Si occultation il y a, et qu'il s'agisse en fait de refuser la vision masculine d'un événement purement féminin, il n'y a rien là de choquant. Si en revanche c'est l'événement lui-même qui est refusé, cela relève de la névrose. Et si l'hormonothérapie de substitution est l'expression comportementale de ce genre de refus, elle est injustifiable.

Par ignorance, on croit que toutes les femmes subissent les mêmes épreuves et réagissent de la même façon. Ce qui se passe au cours de ce qu'un gynécologue du XIXe siècle appelait « cet intéressant développement de l'utérus humain » résume la vie et la carrière d'une femme et lui donne un élan pour le reste de sa vie. C'est le temps des bilans et des décisions, d'où un certain stress. Cette tension peut, ou non, se compliquer de symptômes physiques – ceux-ci, et leurs séquelles, ne nous concernent pas ici.

Depuis que je me passionne pour la femme de 50 ans, j'ai lu biographie sur biographie, Mémoires sur Mémoires, à l'affût du moment décisif où la femme passe le cap et se retrouve au seuil du troisième âge, mais je n'ai trouvé que fort peu de choses. Cela est dû en partie, mais seulement en partie, au fait que beaucoup de mes héroïnes n'ont pas vécu jusqu'à leurs 50 ans. Certaines, comme Mary Wollstonecraft et Charlotte Brontë, sont mortes en couches, d'autres de maladies infectieuses ou d'épidémies. Celles qui ont survécu jusqu'à leur ménopause ont préféré ne pas aborder ce sujet dans leurs livres, même de la manière la plus discrète. Se faire imprimer, c'est accepter de s'exposer en compagnie douteuse. L'arrêt des règles n'a pas plus de chances d'être abordé qu'aucune autre fonction féminine. Il n'en demeure pas moins que l'invisibilité absolue des femmes d'âge intermédiaire dans la culture littéraire anglaise est tout à fait étonnante. Les années du climatère sont des années silencieuses, même pour les harpies les plus vociférantes, et ce phénomène ne peut qu'ajouter à l'angoisse.

En m'habituant à cette réticence, j'ai appris à interpréter non seulement les signes révélateurs de la ménopause elle-même, mais aussi des folles procédures auxquelles les médecins soumettaient les femmes (pour plus de détails sur ce sujet, voir chapitre 6). On lira, par exemple, qu'en 1818 Maria Edgeworth était très déprimée et souffrait d'une « faiblesse alarmante » des yeux. On considère généralement, dans les deux cas, que c'était le résultat de difficultés familiales et du souci que lui causaient les maladies graves qui décimaient alors les paysans irlandais. Mais si on réalise qu'à l'époque elle avait 51 ans, on s'aperçoit qu'il y avait peut-être autre chose. Elle arrêta de lire, d'écrire et de coudre pendant deux ans et se rétablit. Des troubles de la vision surviennent parfois au cours de la ménopause; son médecin a dû s'alarmer et, s'il était comme ses contemporains, il n'a pu que surestimer les symptômes. On imagine mal que la dépression ait guéri grâce à l'inactivité forcée qu'il lui imposa. Seize ans plus tard, elle avait suffisamment bon pied bon œil pour faire du tourisme dans le Connemara et, à 70 ans, elle se mettait à apprendre l'espagnol. Jane Austen lui envoyait un exemplaire d'*Emma*; on lui expédiait de Boston cent cinquante barils de farine pour contribuer à sa lutte contre la famine en Irlande... et comme les porteurs refusaient tout paiement, elle leur tricota à chacun un cache-nez. Elle se montra pleine de vivacité jusqu'à l'âge de 81 ans et mourut sereinement cette année-là, dans les bras de sa meilleure amie, Frances Anne Beaufort, la quatrième épouse de son père.

Dans les romans, quel que soit le sexe de l'auteur, la femme d'âge moyen n'existe pour ainsi dire pas. Toutes nos héroïnes sont jeunes. Même les romancières d'âge mûr optent pour la jeune première. Barbara Cartland a plus de 90 ans et a écrit plus de cinq cent cinquante livres; je doute qu'aucun ne mette en scène une héroïne de plus de 35 ans. Même les femmes d'un certain âge ont le culte de la jeunesse et contribuent au parti pris contre elles-mêmes. Elles essuient des plaisanteries sans fin contre les belles-mères, les femmes ménopausiques et les « vieilles taupes », en général sans un mot de protestation. Même le MLF s'est toujours identifié aux femmes jeunes avec une vie sexuelle active et n'a cessé de considérer les femmes plus âgées comme constituant une force de résistance à leur mouvement. Virginia Tiger, parlant du roman de Doris Lessing *L'Été avant la nuit*, qui traite de la renaissance d'une femme pendant son climatère, se croit obligée de demander : « L'austérité émotive de *L'Été avant la nuit*, la manière dont le roman insiste sur la nécessité pour les femmes de développer une conscience impersonnelle de soi, ne seraient-elles pas le signe que Mme Lessing est désormais en dehors d'une authentique perspective féministe? » (V. Tiger, 1986, 81.).

En réalité, *L'Été avant la nuit* ne traite pas seulement du thème banal de la recherche d'identité, mais V. Tiger n'y a pas reconnu la description précise d'une expérience vécue, absolument et authentiquement féminine, sans doute parce qu'elle n'y a pas été confrontée elle-même, et que rien dans la littérature ne l'y avait préparée. D'une façon générale, les gens ne s'intéressent pas aux femmes, encore moins à leurs problèmes... Les femmes ont tendance à s'intéresser aux femmes exactement comme les hommes, c'est-à-dire à travers leurs rapports avec les hommes. L'histoire fourmille d'anecdotes sur des femmes qui ont servi les hommes de toutes les manières; dès que leur relation à l'homme cesse, on ne parle plus d'elles. On nous rapporte, par exemple, les valeureux exploits de Lady Christian Acland aux côtés de son mari pendant la campagne du Canada – mais après la mort de celui-ci en 1778, quand elle n'avait que 25 ans, et bien qu'elle ait vécu jusqu'en 1815, elle disparaît totalement.

Qui, parmi les lecteurs d'*Emma*, de Jane Austen, se souvient de Miss Bates? Emma la traite cavalièrement, car elle la trouve tellement « bête, tellement contente, tellement souriante, tellement simple et facile... ». Mr. Weston la décrit comme « une vivante leçon dans l'art d'être d'heureux », alors que : « Sa jeunesse s'était écoulée sans distinction, et elle consacrait sa vie de femme à sa mère malade qu'elle soignait de son mieux, tout en essayant de tirer le plus grand parti de ses maigres ressources financières. Et pourtant elle était heureuse, et tout le monde l'aimait et l'estimait beaucoup. »

Mr. Knightley reproche vivement à Emma d'avoir humilié cette pauvre femme; les raisons pour lesquelles il condamne son insouciance ont dû faire tressaillir d'angoisse les lectrices célibataires de Jane Austen :

« Elle est pauvre, elle a perdu l'aisance dans laquelle elle a été élevée, et si elle avance en âge, il y a des chances qu'elle perdra beaucoup encore. »

Si les femmes elles-mêmes, jeunes ou non, se désintéressent des femmes d'âge mûr, nous nous retrouvons devant un problème énorme. Les femmes de plus de 50 ans représentent 17% de la population britannique, dont elles constituent l'un des groupes les plus importants. Considérer un tel groupe comme marginal ne peut relever que d'une appréciation erronée. Mary Wollstonecraft (qui mourut à 38 ans) attaqua furieusement, dans un article de 1792, un sémillant auteur (dont elle avait oublié le nom) car il se demandait ce que faisaient encore sur terre les femmes de plus de 40 ans. Offrons-nous le luxe d'oublier ce sémillant inconnu, il ne nous intéresse guère, mais sommes-nous bien certaines de ne pas nous poser la même question que lui?

Sommes-nous bien certaines, nous, la horde des femmes de plus de 50 ans, de savoir ce que nous faisons sur terre ? Pour la plupart d'entre nous, nul ne recherche plus nos services ni comme maîtresse, ni comme épouse, ni même au travail – à moins que, dans notre métier, on ne manque vraiment de personnel – et même dans ce cas, à 60 ans, c'est fini. Nous n'avons plus qu'à nous occuper de nos affaires, encore faut-il savoir les trouver.

Elizabeth Gaskell écrivit *Cranford* juste après ses 40 ans. Ce fut un succès fabuleux. Tout le monde adorait les dames un peu loufoques de Cranford, surtout Miss Matty, avec son tremblement de la tête et des mains et les célèbres sillons dont ses joues étaient barrées; Miss Matty qui dit : « J'avais de très jolis cheveux, ma chère, et une bouche bien dessinée. » Elle devait dire aussi, et c'est un vrai coup de tonnerre : « Mais, Martha, je n'ai même pas cinquante-deux ans ! » Elle commence à perdre un peu la tête et porte parfois deux chapeaux l'un sur l'autre. Cent pages plus loin, Miss Matty ne marche plus très vite, elle a un peu de rhumatismes et sa vue baisse. Au cas où nous voudrions nous consoler en nous disant que les vieux rajeunissent à chaque génération et que les gens de 50 ans sont plus jeunes aujourd'hui qu'ils ne l'étaient à l'époque, Miss Matty nous arrête tout net en déclarant : « Je sais bien que nous sommes des dames, maintenant, c'est vrai, mais quand j'étais petite, les dames étaient plus vieilles que nous » (76). Bon gré, mal gré, je dois me l'avouer, c'est vrai que j'ai mal à la hanche, que je suis de plus en plus souvent obligée de mettre mes lunettes et que j'ai des trous de mémoire. Je suis plus proche de Miss Matty que je ne veux bien le reconnaître.

Aucune de ces dames ne connaissait le mot « ménopause », mais les plus cultivées connaissaient l'expression plus correcte de « climatère », dérivée du mot grec *klimacter*, qui signifie « période critique ». La notion de climatère est aussi ancienne que la médecine. Aristote avait remarqué que les femmes ne peuvent plus avoir d'enfants après 50 ans, mais jusqu'à une époque toute récente, seuls des gens très irrévérents, comme le poète Byron, se seraient permis de faire référence à « cette année bissextile qui en abat plusieurs d'un seul coup, lorsqu'elle apparaît soudain dans l'âge des femmes » (*Don Juan*, XIV, 52). Byron pousse même l'audace jusqu'à faire allusion au climatère de Catherine de Russie. Mais ce n'est pas un poète comme les autres, dans la mesure où il s'intéressait authentiquement aux femmes, en tant que personnes, et avait conscience de la gravité fondamentale de la question féminine :

« Mais en ce qui concerne les femmes, qui peut pénétrer les souffrances réelles qu'entraîne leur féminité ? La sympathie même qu'éprouve l'homme pour leur situation comporte beaucoup d'égoïsme et encore plus de méfiance. »

Le grand public commença à parler du climatère lorsque la

médecine s'empara du problème pour en faire un syndrome. Il était alors trop tard pour la rendre respectable. La notion médicale de « ménopause » est l'enfant spirituel de C.P.L. de Gardanne, qui décrivit un syndrome qu'il baptisa « la ménéspausie » dans *Avis aux femmes qui entrent dans l'âge critique*, publié en 1816. La « ménopause » ne fut définie qu'en 1899, dans un article sur « les folies de l'âge », que le docteur Clouston fit paraître dans *A System of Medicine by Many Writers* (Système de médecine par plusieurs auteurs), publié par le professeur T.C. Allbutt (VIII, 302), sous le titre : « La folie climatérique. » En décrivant un ensemble de symptômes et en les identifiant à un syndrome au nom frappant, le corps médical s'arrogeait le devoir de traiter la « phase critique », « l'âge critique » de Gardanne, comme une maladie exigeant son intervention, et non comme une étape importante de la vie des femmes qu'elles pouvaient prendre en charge elles-mêmes.

Pour être précis, le mot de « ménopause » s'applique à un non-événement, à savoir la non-apparition des règles. C'est l'invisible Rubicon qu'une femme n'a pas conscience de franchir avant de l'avoir effectivement traversé. Il vaudrait mieux ne pas utiliser des termes inadaptés du style « saut invisible », ils aboutissent à des notions trompeuses comme celle de « l'âge de la ménopause ». Quelques années après l'événement, on va demander aux femmes quand elles ont fait leur ménopause. Il serait plus sérieux de leur demander quand elles ont eu leurs dernières règles, cela, au moins on peut le dater précisément, en mois et en années.

Le climatère se compose, en fait, de trois périodes, dont deux seulement existent vraiment. La première est la péri-ménopause, elle conduit à la dernière menstruation et l'inclut ; la seconde est la ménopause elle-même, c'est-à-dire l'absence de règles, la troisième la post-ménopause. L'époque critique correspond à la cinquième climatérique de la vie d'une femme, le cinquième des sept âges de sa vie. La première, c'est l'enfance, la deuxième, l'adolescence et la puberté, le troisième, le mariage, la quatrième, la maternité. La cinquième marque la fin de sa fécondité et ses débuts en tant que grand-mère. On peut généralement considérer que le climatère commence vers 45 ans pour se terminer vers 55 ans. La plupart des femmes trouvent difficile la transition entre l'état d'animal de reproduction et celui d'animal de réflexion, au cours de ces années que l'on peut appeler intermédiaires. Presque la moitié de leur vie s'écoulera après cette transition, et pourtant rien ne les prépare à ce nouveau rôle, ni dans leur éducation ni dans leur conditionnement social.

L'espérance de vie ne dépassait pas 48 ans au début du siècle, mais comme la plupart des décès survenaient pendant l'enfance ou les couches, la moyenne incluait une certaine proportion de femmes âgées. Celles qui atteignaient leur ménopause dépassaient souvent largement cette étape, même si leur santé ne cessait de se dégrader. La proportion de vieilles filles, parmi ces survivantes, était écrasante, puisqu'elles ne couraient pas les risques de la maternité : le personnage était donc beaucoup plus familier, et moins aimé, que celui de la vieille matrone. C'est ainsi que dans la culture littéraire de l'élite, l'agacement provoqué par les symptômes de la ménopause s'est confondu avec le ridicule de vieilles femmes marginalisées, dépendantes et laides. Depuis qu'au début du siècle, le terme de ménopause s'est mis à figurer dans la littérature médicale, il a toujours été de notoriété publique que c'est une période de dérangement mental et physique. Ce n'était apparemment pas la peine de chercher plus loin.

Ce préjugé était international. Les destinées d'un obscur auteur danois, Karin Michaëlis, furent illuminées du jour au lendemain quand elle publia son roman *The Dangerous Age* (L'Age dangereux), qui rencontra un succès prodigieux, d'abord dans l'Europe germanophone, puis en France et dans les pays anglo-saxons. Chacun des personnages se montrait obsédé par l'idée d'un âge dangereux, même si aucun ne savait au juste ni quand cela pouvait survenir, ni quelle forme cela pouvait prendre. De nos jours, les livres sur la ménopause pullulent. Les pires commencent par une description des organes féminins, comme si les femmes n'avaient pas, toute leur vie, été traitées comme un ensemble d'organes de reproduction féminins, comme si, depuis leur enfance, on ne les avait habituées à voir leur corps en position gynécologique permanente, cuisses ouvertes, lèvres écartées et piquées de longues flèches terminées par des légendes du style « glandes de Bartholin », « introïtus vaginal », etc. Même à sa ménopause, la femme n'est pour la plupart des écrivains médicaux qu'une machine à procréer sur pattes. La description laborieuse de la machinerie maintenant hors d'usage s'étale page après page. On y trouve aussi un schéma longitudinal de la moitié inférieure d'un corps de femme pour exhiber les organes de reproduction, avec d'autres légendes : « épithélium germinal », « tunica albuginea », une coupe transversale, pour bien montrer comment l'utérus s'imbrique entre la vessie et les intestins, et enfin un schéma des glandes mammaires. Les lectrices ont une conscience aiguë d'être des animaux de reproduction qui ne peuvent plus se reproduire, elles réalisent avec horreur qu'elles sont en train d'atteindre le terme de leur vie utile. Elles auraient besoin de se voir sous la perspective nouvelle de *personnes*, pour pouvoir se sentir au moins aussi importantes en tant que cœurs ou esprits, qu'elles l'étaient en tant que matrices. Qu'elles ouvrent un livre sur la ménopause, et elles sont sûres de se retrouver nez à nez avec les mêmes petits croquis que leur médecin n'a cessé de leur dessiner sur son buvard, aussi loin qu'elles puissent se souvenir. On les oblige à faire le pénible relevé, point par point, de la mort de l'utérus : c'est un curieux palliatif à leur chagrin.

Un jour que je me plaignais à une amie de mon âge qu'il n'y ait pas de romans consacrés aux femmes de notre génération, elle me répondit immédiatement que c'était parce qu'il ne nous arrivait jamais rien. Rien? Nos cœurs se brisent, nos vies sont bouleversées, le spectre de la souffrance et de la terreur surgit à tout moment, et on dit qu'il ne nous arrive rien? Si tout le monde croit qu'il n'arrive rien aux femmes de notre âge, c'est uniquement parce qu'elles ne racontent pas ce qui leur arrive. Prenons, par exemple, le cas de Kathleen Sutcliffe.

On ne sait pas si c'est vraiment le jour de son cinquantième anniversaire que son mari lui a téléphoné à son travail pour lui dire (ce qui était probablement faux) qu'il devait faire des heures supplémentaires et rentrerait tard. Elle a demandé qui parlait. « Qui veux-tu que ce soit? » En fait, elle n'avait jamais entendu sa voix au téléphone. Lui a trouvé très amusant qu'elle ne le reconnaisse pas. Mais sa réponse l'a fait tomber de haut : « Ah! c'est Albert! » Il n'était jamais venu à l'idée de John Sutcliffe que cette femme si maternelle, qui lui servait son dîner avant son travail de nuit, puisse avoir un admirateur. Avec ses grands yeux noirs et ses épaisses boucles brunes, tous les garçons lui tournaient autour, en 1941, à l'époque de leurs fiançailles, mais c'était loin, très loin, tout ça... En bonne catholique, Kathleen s'était trouvée enceinte dès sa lune de miel. Après sept accouchements (et un enterrement), elle n'avait plus le temps d'aller à la messe, surtout que son mari était trop occupé par ses activités théâtrales et sportives pour l'aider. Elle était devenue mère de famille, femme au foyer. En 1952, elle avait pris sa vieille mère à la maison et s'en était occupée jusqu'à sa mort, en 1964. Puis elle s'était mise à faire des ménages le soir, le samedi et le dimanche matin, pour pouvoir habiller correctement les enfants. Quant au mari, il dépensait pas mal d'argent pour lui, ses sorties et ses petites amies, mais Kathleen avait l'air de trouver cela normal.

« Elle avait l'habitude, quoi, qu'il soit toujours dehors, au foot et tout ça. Après ils allaient s'cuiter jusqu'à trois ou quatre heures du mat' avec ses copains. Y avait aussi la musique et tout le bastringue. Elle était carrément pas au courant de tous ces trucs-là, alors ça passait. Elle lui demandait jamais rien. » (Burn, 1990, 118.)

Même quand son mari pelotait les petites amies de ses fils, Kathleen faisait celle qui ne voyait rien. Elle était connue dans tout le quartier pour sa générosité et sa gentillesse. Son troisième fils disait : « Ma mère, c'était vraiment une brave femme. Elle gobait n'importe quoi. On lui racontait n'importe quel bobard, elle cherchait pas à savoir. Elle nous laissait jamais tomber. » Le seul luxe de Kathleen était d'aller chez le coiffeur un jeudi sur deux.

Et Albert? Il était policier, habitait à deux rues de chez eux, sa femme avait un bon travail, et elle rentrait tard. De temps en temps, il avait du temps libre. Quand Kathleen promenait le chien de son fils au bord du canal, il promenait le sien : ils s'étaient mis à bavarder ensemble, à y prendre plaisir, puis à en avoir besoin. Ils faisaient rarement l'amour, dans la maison d'Albert, quand sa femme était au travail, et dans sa voiture. Il lui téléphonait de temps en temps à son travail. Son mari, jamais.

Et, si elle avait demandé si c'était Albert, à mon avis, c'est parce qu'elle aurait tellement voulu, elle avait vraiment besoin que ce soit lui. « Quand est-ce qu'on se voit, Albert? » Cyniquement, son mari décida de faire comme si c'était lui. En se faisant passer pour lui, il téléphona plusieurs fois et finit par la convaincre de passer la nuit avec lui à l'hôtel le plus proche. Il lui demanda même d'avoir des dessous affriolants et eut la satisfaction de trouver dans leur chambre une jolie chemise de nuit dans un sac Marks and Spencer. Il ordonna à trois de ses enfants d'être à l'hôtel à l'heure dite. Deux vinrent, et furent tout étonnés de trouver leur mère faisant nerveusement les cent pas sur le trottoir. Leur père la laissa faire quelques minutes, puis il sortit et, l'attrapant par le bras, la força à faire face à ses enfants. « Elle ne lui fit aucun reproche, ne se mit pas à pleurer, ne fit rien de spectaculaire; elle avait l'air paralysée, on aurait dit que son sang s'était figé dans ses veines. » Je ne peux pas vous dire ce qu'elle ressentit quand il lui arracha son sac et en sortit la chemise de nuit neuve. Elle essaya de lui faire croire que ses relations avec Albert étaient innocentes, mais avec la chemise de nuit comme pièce à conviction, c'était peine perdue. Il menaça d'aller chez Albert pour leur dire trois mots, à lui et à sa femme. Alors Kathleen avoua tout. Du coup, il convoqua Albert chez lui et lui intima l'ordre de ne plus jamais la revoir. Les amants désobéirent et se retrouvèrent une fois, mais ils furent surpris par le mari de Kathleen. Cette fois, il menaça de dénoncer Albert à ses supérieurs. Impossible pour Albert de risquer son poste. Il abandonna Kathleen.

Son mari se disait qu'il devrait peut-être lui montrer un peu plus d'affection, alors, de temps en temps, en regardant la télévision, il lui prenait la main ou étendait le bras sur son épaule. A ces moments-là, d'après sa fille, Kathleen avait l'air de « ne plus savoir où se mettre ». Elle n'allait pas bien. Elle grossissait, avait du mal à respirer et souffrait d'une douleur constante près du cœur. On lui fit faire toutes les analyses possibles et imaginables mais on ne trouva rien d'anormal. Elle dut renoncer aux réunions de famille qu'elle faisait toujours à Noël. Il lui fallut aussi arrêter de travailler. La mairie l'installa dans un appartement plus commode, le curé se mit à venir lui apporter la communion tous les quinze jours. Son fils aîné venait la voir, chaque fois qu'il passait dans la région, avec son camion, et ne repartait jamais sans l'avoir forcée à sourire. D'après lui, la scène de l'hôtel lui avait brisé le cœur, c'était comme si elle mourait tout doucement sous leurs yeux. Elle s'éteignit en 1978, moins de dix ans après avoir perdu Albert, et trois ans avant que son affectueux fils aîné ne se rendît célèbre sous le nom de « l'éventreur du Yorkshire ».

Voilà le genre de réalités qui peuvent se cacher derrière le « il ne nous arrive jamais rien, à nous » des femmes de 50 ans. La plupart des lecteurs du livre de Gordon Burn sur l'éventreur *Somebody's Husband, Somebody's Son* (Mari de quelqu'un, fils de quelqu'un) ne le lisent pas pour l'histoire de Kathleen, mais pour celle, macabre, de Peter et de sa femme Sonia. On ne peut que remercier l'auteur d'avoir déterré l'histoire de Kathleen, mais lui et ses lecteurs doivent bien se rendre compte qu'il n'en donne qu'une version extérieure, décharnée. Que représentait vraiment Albert pour Kathleen? Et l'amour physique, était-ce important, pour elle? Pourquoi est-elle si apathique, quand son mari l'humilie? Parce que ce qui lui fait le plus mal, c'est qu'Albert ne soit pas là, alors qu'elle a tant besoin de lui? Est-elle plus déçue encore qu'il ne se soit pas arrangé pour l'arracher définitivement à ce mari qui l'écrasait, la trompait et ne s'occupait jamais d'elle? Ou bien se sent-elle coupable d'avoir, sous l'influence du démon de midi, réduit à néant toute une vie de fidélité à son idéal de mère et d'épouse catholique? S'est-elle laissée mourir? L'histoire de Kathleen Sutcliffe pourrait, comme tout grand mythe, s'écrire et se raconter de mille manières différentes, si seulement une femme de ménage de 50 ans pouvait tenir un rôle de vedette dans notre imaginaire. Et ce changement-là, il faudra bien y arriver, si on veut que les femmes réussissent à retrouver l'équilibre après 50 ans et continuent leur vie sans complexes.

En 1973, Doris Lessing publiait *L'Été avant la nuit.* Dans ce roman, d'après la jaquette, « Kate Brown se retrouve, pour la première fois en vingt ans, devant la perspective d'être seule. Son mari, un grand neurologue, va exercer plusieurs mois dans un hôpital américain. Comme il la pousse à travailler, elle se lance dans un été d'exploration, de découverte de soi et de liberté au cours duquel elle rejette les stéréotypes féminins. Elle ne s'y sent pas plus à l'aise que dans sa garde-robe bien bourgeoise. La manière dont Mme Lessing décrit le gouffre affectif qui s'ouvre béant devant une femme de quarante-cinq ans devenue inutile en tant qu'épouse et mère ouvre la voie à une réflexion beaucoup plus profonde : le face à face terrifiant avec la vieillesse et la mort ».

Comme Doris Lessing est un écrivain important et non une « romancière pour dames », ce sont des hommes qui ont fait la critique du livre, avec respect, mais sans enthousiasme. L'auteur avait déjà commencé à s'intéresser au soufisme et à écrire des histoires non réalistes; elle revenait ici au réalisme pour décrire l'important processus de transformation subi par la femme au climatère.

« Nous sommes ce que nous apprenons.
C'est souvent long et douloureux.
Malheureusement, il ne faisait plus aucun doute non plus
Qu'il fallait beaucoup de temps, beaucoup de souffrance, pour apprendre bien peu...
Le ressentait-elle sincèrement? Oui.
Parce qu'elle était déprimée? Mais était-elle déprimée?
Probablement. » (*L'Été avant la nuit*, 1981, 13.)

La suppression du rôle de mère et d'épouse de l'héroïne est symbolisée, dans le livre, par la décision du mari de louer sa grande maison pendant son absence, puisque les enfants seraient tous dispersés. Doris Lessing évite soigneusement tous les poncifs habituels sur la femme de 45 ans. La sienne est bien habillée et bien conservée, mais : « Elle ne flottait plus dans cette émanation de séduction, semblable à la fine enveloppe, presque invisible, d'une flamme... » (45).

Kate adopte un look plus sexy et ça marche, elle séduit un homme plus jeune qu'elle et part en Espagne avec lui. Mais elle est hantée par un rêve, toujours le même, où elle se voit en train d'essayer désespérément d'aider une tortue à retourner à la mer. Mme Lessing crée une image inoubliable de la vie contre nature.

« Elle se mit à rêver dès l'instant où elle s'endormit. Elle était assise dans une salle de cinéma, et regardait un film qu'elle avait déjà vu, que dans sa vie éveillée elle avait vu deux fois... Elle revoyait cette scène où, sur une île du Pacifique victime de la bombe atomique, une pauvre tortue avait perdu son instinct de l'orientation et, au lieu de retourner dans la mer après avoir pondu ses œufs, comme la nature l'y incitait ordinairement, se dirigeait vers l'intérieur des terres sèches où elle allait mourir » (80).

Une fois rentrée chez elle, elle avait recueilli un chat abandonné :

« La famille avait traité Kate comme une malade, et le chat comme un médicament. " Exactement ce qu'il lui faut pour sa ménopause ", avait-elle entendu Tim dire à Eileen. Sa ménopause n'avait pas commencé, mais il aurait été superflu de le leur dire... Oh! Quel affreux printemps, après cet horrible hiver! Elle avait redouté de devenir réellement folle, car elle était vraiment trop souvent en colère » (113).

La difficulté, dans *L'Été avant la nuit*, vient en partie de ce que le climatère n'est jamais identifié comme facteur, n'est peut-être pas censé être cause, du malaise spirituel de Kate. Mais l'impression qu'elle a d'être vidée de sa substance, écorchée vive, glacée par le vent, est bien typique du climatère. L'affaire fait long feu. Kate tombe malade et après plusieurs semaines de fièvre se retrouve squelettique, les cheveux gris, crépus, comme si ces semaines de maladie l'avaient autant dévastée que les années climatériques. Usée, décharnée, blanchie, elle a la sensation d'être devenue invisible.

Kate s'aperçoit qu'en camouflant les marques de l'âge, elle peut redevenir visible. Finalement, après une période très tourmentée, elle décide d'accepter sa nouvelle condition.

Ce roman est un texte fondamental pour l'auto-définition de la femme de cette fin de siècle. Il n'a pourtant pas inspiré beaucoup d'émules. Le roman de Rachel Billington, *A Woman's Age* (Un âge de femme), est plus représentatif de la majorité, dans la mesure où il traite de tout, sauf du sujet annoncé par le titre. Dès qu'à la mort de son mari, Violet, l'héroïne de la première partie du roman, se lance dans la politique, lady Rachel porte son attention sur sa fille nubile. Violet ne fait plus que des apparitions furtives dans les deux cents dernières pages. Elle meurt en Inde dans des circonstances dramatiques, après quoi sa fille résume l'histoire que lady Rachel a préféré ne pas nous raconter.

« Son problème, c'était de réconcilier sa vie affective et sa vie intellectuelle. L'intellect avait pris le dessus. Cela l'attristait. Elle voulait retrouver ses émotions, mais non les émotions égoïstes d'une jeune fille. Elle voulait mieux » (489).

Et c'est bien là-dessus, en fait, que cela aurait valu la peine d'écrire un roman.

Si on cherche des femmes-phares, on trouve les Premiers ministres Margaret Thatcher, Indira Gandhi, Mme Bandarnaike, Golda Meir. Ce sont, certes, des personnalités de premier plan, et elles ont toutes plus de 50 ans, mais on voit mal comment tirer parti de leur exemple. Elles font la preuve qu'aucune responsabilité n'est trop lourde pour une femme de cet âge, mais il est clair que la grande masse des femmes peut difficilement imiter leur carrière. Une chose est certaine, c'est que ce n'est pas à 50 ans qu'elles ont commencé à gravir les échelons du pouvoir. Au contraire, elles récoltaient à ce moment-là le fruit de longues années de travail au sein du parti et des commissions. Pour elles, ce que l'on perd en vieillissant a trouvé sa compensation, achetée à l'avance, en un sens, au prix de leur jeunesse. Mme Thatcher ne nous montre en rien comment on peut s'accommoder de la perte de ses parents, du départ des enfants, des infirmités croissantes de l'âge. On dit qu'elle prend des hormones de substitution. Faut-il trouver le résultat encourageant ou non ? Difficile à dire, surtout maintenant qu'elle a été mise sur la touche et réduite au silence par les messieurs de son propre parti. On voit bien que l'image de Mme Thatcher a été mise au point par des professionnels, elle est l'illustration d'une certaine idée de la femme mûre, à laquelle la plupart d'entre nous ne peuvent prétendre aspirer. Au lieu de cela, nous scrutons les visages fatigués des autres passagères du bus qui, comme nous, évitent les heures de pointe, en nous demandant quel âge elles ont. « Elle est plus vieille ou plus jeune que moi ? » « Je fais aussi vieux qu'elle ? »

S'il y a peut-être des aspects positifs à ne pas s'intéresser trop à soi, il n'y en a aucun à avoir une mauvaise image de soi. C'est une chose, pour une femme mûre, de ne pas penser à soi, mais si elle en vient à se haïr ou même à se mépriser, il faut s'attendre à toutes sortes de conséquences désastreuses. Malgré les progrès des droits de la femme, la plupart, même les plus cultivées, préfèrent ne pas dire leur âge ou se rajeunir. Ce qui semble impliquer qu'il est plus ou moins honteux de vieillir pour une femme. Simone de Beauvoir a dit que lorsqu'elle a reconnu, à la fin de *La Force des choses*, être au seuil de la vieillesse, les gens en ont été contrariés et choqués. « Vous n'êtes pas vieille, me disait-on. 50 ans, c'est jeune ! » Tous les jeunes de 20 ans savent que 50 ans, c'est vieux. Dans les années soixante, Abbie Hoffmann disait : « Ne croyez jamais les plus de 30 ans ! » Il les avait presque à l'époque... Ce qui l'a tué, ce n'est pas la trentaine, mais la cinquantaine. C'était un grand ami, je l'aimais beaucoup, même si je ne le lui ai pas toujours prouvé. Mais je n'écris pas ce livre pour résoudre les problèmes des hommes face à leur vieillesse. Il n'y a pas place ici pour traiter de la « ménopause des hommes ». Mon but, c'est de démontrer que les femmes sont au moins aussi intéressantes que les hommes, celles qui prennent de l'âge aussi intéressantes que les jeunes. Le climatère, la manière dont les femmes le vivent, leurs stratégies pour s'en accommoder me passionnent. Ce n'est pas une étape qu'il faut franchir à la hâte et encore moins occulter ou nier. C'est de ces années-là que dépend le reste de votre vie, et il ne faut pas oublier que vous n'en êtes peut-être qu'à mi-vie !

2

PAS DE RITE DE PASSAGE

« J'ai parfois l'impression d'avoir douze ans, parfois soixante-dix... Je ne sais plus comment me comporter, surtout avec les hommes. Comment me voient-ils? Je n'en ai pas la moindre idée. C'est une sensation bizarre, que je n'avais jamais avant. » (Mankowitz, 43.)

Le problème n'est pas nouveau. En 1820, la marquise de La Tour du Pin, alors âgée de 50 ans, commençait ainsi ses Mémoires :

« Je n'ai jamais rien écrit que des lettres à ceux que j'aime. Il n'y a pas d'ordre dans mes idées. J'ai peu de méthode. Ma mémoire est déjà fort diminuée... Mon cœur est encore si jeune que j'ai besoin de me regarder dans un miroir pour m'assurer que je n'ai plus vingt ans. Profitons donc de cette chaleur qui me reste et que les infirmités de l'âge peuvent détruire d'un moment à l'autre... » (*Journal d'une femme de cinquante ans,* 37.)

L'état d'esprit de la marquise est typique de la ménopause. En s'achetant un cahier, en écrivant le titre sur la première page, elle accomplissait un rituel improvisé pour marquer la transition – que rien d'autre n'aurait marquée – entre les deux fonctions qui, d'après Rousseau, justifient la vie d'une femme : celles d'épouse et de mère, et une vie nouvelle, que l'on s'imagine mal. Les théoriciens de l'époque (tous des hommes) considéraient que le devoir d'une femme était de plaire; en se lançant dans ses Mémoires elle faisait, en secret, un grand pas. Après avoir passé sa vie à plaire aux autres, la voilà sur le point de se faire plaisir à elle-même. En réalité, elle n'eut pas le temps de continuer ses Mémoires très longtemps, ce fut le début, la rédaction de sa page de garde qui lui servit de rite de passage.

Si elle n'avait pas décidé de marquer elle-même la transition, la marquise aurait sans doute connu la période de malaise qui affecte, à un moment ou à un autre, la plupart des femmes pendant leur climatère. « Comment sommes-nous censées nous habiller? me demanda un jour mon amie Vivian. J'aimerais bien savoir comment on s'habille à notre âge. On ne trouve que des robes-chemisiers en tergal pastel, ou des vêtements dernière mode pour 15-25 ans! J'ai vraiment du mal à trouver des choses qui me plaisent. Il n'y a rien qui fasse féminin et raffiné. Je me fais piquer par mes filles la moitié des affaires que j'achète, elles me disent que cela fait trop jeune pour moi. » A.S. Byatt s'en plaignait aussi dans l'*Independent Magazine* :

« Les fabricants de prêt-à-porter commencent juste à s'apercevoir que plus de la moitié des femmes font au moins du 44. Ils restent convaincus que, même quand on n'a plus une taille de guêpe, on continue à vouloir arborer une garde-robe d'adolescente. Je ne veux ni faire " mémé ", ni porter des paillettes et des drapés de satin, comme dans *Dynasty*. Je voudrais être élégante, tout simplement. Je voudrais m'envelopper dans des tissus superbes, comme les Italiennes. Je peux me l'offrir, contrairement aux jeunes. Que font donc les stylistes? »

Mais ce n'est pas seulement une question de stylistes. A partir de 40 ans, une femme n'a plus le droit de se faire remarquer. La duchesse de Queensberry scandalisa tout le monde, en 1771, en portant une robe rose à un mariage. La narratrice de *Cranford* ne laisse pas Miss Matty coiffer le turban dont elle rêvait, mais lui conseille plutôt de se contenter d'un chapeau « très chic, très dame ». En l'occurrence, c'est une femme plus jeune qui contraint son aînée à renoncer aux couleurs gaies et aux jolies choses.

« Les jeunes femmes ont un sens aigu de ce que l'on peut, ou ne peut pas faire, quand on n'est plus jeune. " Je ne comprends pas, disent-elles, comment une femme de quarante ans peut se teindre les cheveux, s'exhiber en bikini, flirter avec les hommes. Quand j'aurai leur âge... " Ce jour arrive; elles se teignent les cheveux, se mettent en deux-pièces, font des sourires aux hommes. » (S. de Beauvoir, 1963, 291.)

Nous le savons toutes, il n'y a aucune chance pour que l'éclat de la jeunesse soit éclipsé par le savoir-faire des aînées, mais les jeunes ne sont pas conscientes d'avoir « la beauté du diable », au fond, elles ne sont pas sûres d'elles du tout. Quant à la femme mûre, elle ne sait pas trop où elle en est. Elle sait, d'expérience, que rien n'est aussi pathétique que d'essayer de faire passer du vieux pour du neuf, mais qu'est-ce qu'on en fait, du vieux? Aucune femme de 50 ans ne souhaite vraiment rivaliser avec ses filles ni les voir rivaliser avec elle, mais cette rivalité, dans notre société, nous est, de plus en plus souvent, imposée. Il n'y a pas de style reconnu pour les « seniors », aucun moyen de dire, par sa manière de s'habiller et de se comporter : « J'ai mon âge. Respectez-le. »

Historiquement, jamais les générations n'ont été dressées les unes contre les autres comme elles le sont aujourd'hui dans nos familles, où il y a très peu de frères et sœurs, et encore moins de membres de la famille « élargie » : grands-cousins, jeunes oncles et tantes. La confrontation se restreint à la relation parents-enfants, enfants-parents, la famille est donc perçue, par chacun de ses membres, comme polarisée entre leur génération et la nôtre, eux et nous, nous et eux. Et pourtant, extérieurement, dans la façon de s'habiller et de se comporter, il n'y a pas de distinction. Les parents ne peuvent rester complètement en dehors des problèmes de leurs enfants, et vice versa. Ils ne peuvent pas non plus imposer respect ou hiérarchie entre eux et leurs enfants. Les femmes de 50 ans appelaient leurs parents « papa » et « maman », quand elles étaient petites. Leurs propres enfants les appellent aujourd'hui par leur prénom, en se plaçant sur un plan d'égalité.

Au petit jeu de l'interaction sociale, à aucun moment la femme mature ne peut dire : « Pouce! Je ne joue plus! » Elle a le devoir de continuer à être séduisante, même si elle en a assez. Pas question de se dire : « Bon, maintenant je me laisse aller! », ce serait un crime contre le système sexiste. Mais si elle ne se laisse jamais aller, comment saura-t-elle jamais jusqu'où elle aurait pu aller? Si elle n'enlève jamais ses hauts talons, comment saura-t-elle jusqu'où elle pourrait aller à pied, à quelle vitesse elle pourrait courir? Celles qui commencent à s'entraîner au marathon quand elles ne sont plus toutes jeunes, n'iront jamais aussi loin ni aussi vite que dans leur jeunesse, mais quand c'est l'âme qu'on entraîne, on peut très bien n'atteindre un plein développement spirituel et intellectuel qu'après 50 ans. Cela ne demande aucun esprit compétitif de développer les muscles de l'âme; il n'y a pas besoin d'avoir des instincts de tueur. Mais il est vrai que l'athlète spirituel doit franchir des obstacles qui font très mal.

La femme de 50 ans n'a pas le choix : elle ne peut qu'enregistrer la grande transformation qui s'opère en elle, mais, en même temps, elle est obligée de tenir ce bouleversement secret. La honte ressentie à ses premières règles n'est rien, comparée à la gêne prolongée qu'occasionne leur cessation chaotique. Pas une femme n'arriverait dans un magasin, au bureau ou à une soirée, en proclamant triomphalement qu'elle est en pleine ménopause, qu'il faut être gentil avec elle. Aucune n'arbore un badge : « Attention ménopause. Sautes d'humeur fréquentes. » Il n'y a pas de rite de passage pour entourer l'événement de solennité. On n'est censée ni se retirer ni se reposer pour l'occasion. Point de « case de la ménopause » où faire retraite, retrouver ses congénères et bavarder avec elles. Tout ce qu'on peut faire, c'est tenir le coup, en faisant comme si de rien n'était.

L'invisibilité sociale de la ménopause n'est d'aucune utilité. En 1973, un chercheur rapportait :

« J'ai été étonnée de constater que ceux qui s'intéressent le plus à la question sont les jeunes, des deux sexes, qui ont été frappés par la ménopause de leur mère. Un jeune homme m'a dit que le " changement ", pour sa mère, était survenu quand il avait quatorze ans, et qu'elle avait effectivement modifié son attitude à son égard. Alors qu'elle avait toujours été affectueuse et indulgente, elle était devenue difficile et distante. Incapable de comprendre ce qui se passait, il s'était senti coupable, un peu perdu et malheureux. Il trouvait évidemment qu'il fallait débattre de la question au grand jour. » (Mankowitz, 11.)

Un tel témoignage devrait servir de signal d'alarme. Il est clair qu'en l'occurrence, ce garçon ne cherchait pas à provoquer sa mère, comme les adolescents le font si souvent. On ne peut retenir non plus l'hypothèse qu'il se soit montré trop exigeant. En considérant le climatère comme une manifestation pathologique de plus, on crée une raison supplémentaire de ne pas prendre les femmes au sérieux. De même que la vision négative que l'on a des règles se retourne contre l'intérêt des femmes et ne les aide aucunement à les supporter, de même, prendre la ménopause pour l'unique cause de leur changement d'attitude à cet âge les prive de toute respectabilité. S'il existait un rite de passage, il préviendrait du danger époux et enfants enfermés dans leur égoïsme, à un moment où la femme doit faire face à un bouleversement intérieur, sans pour autant la faire passer pour une malade ou une folle.

D'après A. Mankowitz, il n'y a, et il n'y a jamais rien eu qui ressemble à un rite de passage. « La ménopause est pratiquement un non-événement, et il en a toujours été ainsi dans toutes les sociétés. »

« Pourquoi n'a-t-on observé *nulle part* de rite de passage pour marquer la ménopause, alors qu'il y en a pour d'autres événements cruciaux comme la naissance, la puberté, le mariage, l'accouchement et la mort?

« La fonction d'un rite de passage est de donner un sens à un changement capital survenant dans la vie d'un individu, de lui apporter le soutien de la société, de tenter, au moyen de ce rituel, de lui attirer la bénédiction des dieux à ce moment dangereux à la fois pour lui-même et pour la société. Les rites de passage se déroulent en trois étapes : d'abord l'isolement, l'individu se retirant de la société pour être mis en symbiose avec la nature; ensuite l'épreuve du sevrage, parfois douloureux, comportant des privations physiques ou symboliques et la confrontation avec la perte et la mort; enfin une cérémonie de re-naissance et de renouveau – le retour à la société et au monde d'un être transformé » (20.)

La ménopause ne concerne la femme qu'en tant qu'individu; sa naissance et sa mort sont toutes deux célébrées par la société; sa puberté, son mariage et ses maternités impliquent chaque fois l'accomplissement de ses fonctions sociales les plus importantes et c'est bien cela que célèbrent les rites accompagnant ces événements. Au contraire, la ménopause marque le moment où la femme se retire de ce contexte social, et c'est la raison pour laquelle on l'ignore.

Il y a peut-être une autre cause historique, plus difficile à cerner, de l'invisibilité de la ménopause. On a longtemps demandé à la femme d'optimiser ses capacités reproductives, c'est-à-dire d'être enceinte « à répétition »; la ménopause peut ainsi se trouver masquée par la dernière grossesse. De nombreuses sociétés ont connu de tels taux de mortalité infantile (due aux maladies infectieuses), il y avait tellement de fausses couches et d'enfants mort-nés, que les femmes passaient la totalité de la période féconde de leur vie à être enceintes ou en train d'allaiter. Dans ces conditions, l'aménorrhée était leur état normal, la menstruation, au contraire, relativement rare. Les dernières règles pouvaient fort bien survenir juste avant la dernière grossesse, moment auquel il était difficile d'établir le lien avec l'arrêt des fonctions ovariennes. Ce n'est que lentement que la femme se rendait compte, en ne se retrouvant pas enceinte après le sevrage de son dernier nourrisson, que ses années de procréation étaient terminées. L'aménorrhée de l'allaitement se confondait totalement avec celle de la ménopause. Toutes ces grossesses, tous ces accouchements, tous ces enfants à allaiter, à nourrir et à soigner, représentaient un travail épuisant. Quand un nombre suffisant d'enfants avait réussi à survivre, la femme vieillissante n'avait aucune raison de regretter de ne plus avoir à supporter une nouvelle grossesse. D'un autre côté, elle n'avait pas non plus intérêt à le crier sur les toits, car sa ménopause pouvait fournir à son mari une bonne raison pour prendre une seconde épouse plus jeune. (Beyene, 1986.)

Dans leur étude en trois volumes sur la femme, Ploss et Bartels énumèrent des centaines de rites marquant la naissance, la puberté, le mariage et la maternité. Un seul chapitre, fort bref, est consacré aux femmes mûres. Cela peut paraître évident et tout à fait explicable, pourtant, bien qu'il n'y ait pas de rituel d'inauguration publique du troisième tiers de la vie d'une femme, je ne suis pas si sûre qu'il n'y ait réellement aucun rite de passage. La hiérarchie masculine les ignore, sans doute, c'est pourquoi les coutumes des anciens n'en ont pas gardé trace; les femmes ont peut-être leur manière à elles de marquer leur nouvel état et son acceptation, mais ces rites discrets ont échappé à l'attention des anthropologues.

Une des manières évidentes qu'ont les femmes d'extérioriser une transformation interne, c'est de changer de coiffure. En 1924, Harriet Shaw Weaver, mécène, pygmalion et mentor de James Joyce, fut photographiée par Man Ray. Elle avait 48 ans. Ce portrait célèbre montre un profil pur et sévère, et pour la première et la seule fois de sa vie, elle a les cheveux courts. D'ordinaire, elle attachait son abondante chevelure brune en un lourd chignon ; bien peu de ses vieux amis ont dû la reconnaître dans le portrait de Man Ray. Sa famille n'approuvait pas sa coiffure à la garçonne. Elle se refit pousser les cheveux qu'elle enroula en macarons sur les oreilles, ainsi qu'il convenait à la tante célibataire, impeccable, qui s'occupait si bien des petits vieux de la famille. Par cette parenthèse d'un an, tante « Hat » ou « Joséphine », comme elle se surnommait elle-même, exprimait peut-être une révolte ou un renoncement. Le changement spectaculaire traduisait sans doute une altération profonde de sa *gestalt*, mais Mlle Weaver ne donna aucune explication, et les gens ne se demandèrent pas trop longtemps ce qui lui était arrivé.

Dans *L'Été avant la nuit*, Kate décide, pour marquer sa transformation intérieure, de ne plus se faire teindre ni couper les cheveux.

Mme Mankowitz rencontre des traces de rites de passage individuels dans l'analyse jungienne des rêves de ses patientes. Et en regardant autour de nous, nous trouvons des signes de célébrations moins mystérieux et moins cryptiques. Mais comme ils échappent à la caste des grands prêtres que sont les hommes et qu'ils n'impliquent ni acquisitions ni dépenses, ils sont souvent impopulaires et même considérés comme des superstitions arriérées et subversives.

Dans les sociétés méditerranéennes, les femmes d'un certain âge s'habillent en noir. Quand elle perd ses parents, événement qui survient généralement à peu près au moment de la ménopause, la femme se met en noir, pour ne plus jamais porter d'autres couleurs. Cette coutume est considérée comme morbide par les jeunes générations et on ne fait rien pour l'encourager. Ces femmes en noir, qui portent le deuil, en accomplissent les devoirs en se rendant régulièrement sur les tombes de leurs défunts. Cela aussi est remis en cause, de nos jours. Fort peu de gens accordent une quelconque valeur aux tranquilles allées et venues de ces femmes parmi les tombes, ils ne voient pas que ce rituel, inscrit dans la phase comtemplative du développement humain, confère forme et dignité aux accidents de la vie. Telle mère vieillissante n'a peut-être pas eu le temps de pleurer la mort de son enfant, survenue quand ses frères et sœurs monopolisaient son attention. Maintenant qu'ils vivent leur vie, elle vient chaque jour déposer les plus belles fleurs de son jardin sur la petite tombe. Les passants peuvent la regarder d'un air désapprobateur, elle ne leur demande pas de comprendre, elle fait ce qu'elle croit devoir faire à ce moment précis de sa vie, cette pensée lui suffit.

Dans les pays où ces coutumes sont encore bien vivantes, les cimetières ne sont pas tristes. Dans la petite ville de Ticino où sont enterrés les ancêtres de ma mère, le cimetière est propre, bien tenu, resplendissant de fleurs. A la Toussaint, les grand-mères y emmènent leurs petits-enfants et leur parlent de tous les parents qui y sont enterrés, puis elles les font prier pour le repos de leur âme. Dans les sociétés modernes, progressistes, les tombes sont mal entretenues, abîmées, les noms des défunts effacés. Les cimetières sont déserts et lugubres. La plupart des gens ne savent même plus dans quelle ville sont enterrés leurs ancêtres. On n'attache pas de prix à la continuité ni à la vie contemplative. C'est cette indifférence qui marginalise et vide de sens l'âge mûr; le voilà, le vent glacial que la femme de 50 ans sent sur son visage.

La femme qui décide de prendre le deuil pour toujours quitte son rôle d'épouse pour embrasser celui de grand-mère. Habituellement, elle s'attache les cheveux et se couvre la tête d'un châle, le « fazzoletto ». Les hommes y reconnaissent le signe qu'il n'est plus question de lui faire des avances ni même de lui adresser familièrement la parole, même si elle marche lentement dans la rue ou s'assied sur un banc. On lui doit le respect. Le noir la libère, en lui permettant de rester invisible, un peu comme une religieuse sécularisée, qui peut s'adonner à ses propres pensées.

En 1985, en Sicile, j'ai pris le deuil de mon père en m'habillant en noir. Au début, les hommes ne semblaient pas conscients de mon état d'intouchable, ils continuaient à me faire de l'œil et à se faufiler derrière moi pendant que je visitais les temples de Ségeste et de Sélinonte. Il a fallu que je me fasse un chignon et que je me couvre la tête pour que mon deuil soit respecté. J'ai trouvé fantastique, et non pas déprimant, d'être libérée des attentions de ces messieurs. Une autre libération extraordinaire a été de ne plus avoir à me demander tous les matins ce que j'allais mettre. Le noir va avec le noir. On n'a plus à penser qu'aux textures, à ce qui compte le plus pour soi.

Quand la Méditerranéenne jette tous ses vêtements à la lessiveuse pour les teindre en noir, elle accomplit un rite de passage. Elle renonce à un style de vie pour en adopter un autre. Elle pleure peut-être amèrement la fin de sa vie de jeune femme, elle voit peut-être l'avenir avec anxiété, mais elle a du moins la consolation de respecter une procédure prescrite. Son nouveau statut va lui conférer des privilèges. Elle va pouvoir se reposer davantage, passer plus de temps à discuter avec ses voisines sur le pas de sa porte, ou à faire des prières à l'église. Elle pourra même s'en aller des semaines entières, toute seule, en pèlerinage, voyant ainsi pour la première fois le monde extérieur de ses propres yeux.

Toutes ces activités n'ont strictement aucun attrait pour les jeunes, ils ne voient ni l'intérêt ni le plaisir qu'il peut y avoir à méditer. Ils ignorent tout du paysage spirituel qui s'ouvre devant leurs aînés. Le connaîtraient-ils qu'ils ne lui attacheraient pas la moindre valeur. De toute manière, la culture de consommation en dénie l'existence. Dans nos économies de marché, la frugalité et la simplicité des vieux paraissent anathème. Pourtant la tranquille austérité de la vieillesse est un but à rechercher pour beaucoup d'esprits troublés, lorsqu'ils atteignent « le frais crépuscule de la vie, rassasiés d'applaudissements ». Depuis les temps classiques, les poètes n'ont cessé d'exalter les vertus d'un temps de calme réflexion, point d'orgue à une vie agitée. La femme de 50 ans a plus de raisons encore d'attendre ce moment, après la ménopause, où elle peut se permettre de n'être plus la fille, la maîtresse, l'épouse ni la mère de qui que ce soit, et qu'elle peut du même coup se tourner vers elle-même. En 1933, à l'âge de 47 ans, la poétesse Hilda Doolittle se lança dans une psychanalyse avec Freud, car :

« Il y avait cette chose qui me lançait dans la tête. Je dis bien la tête, pas le cœur. Je voulais l'expulser. Je voulais me libérer du vécu à répétition, des pensées à répétition » (16-17).

Au fur et à mesure que l'analyse avançait, elle se retrouva aux prises avec une marée déferlante de moments de vie jamais assimilés qui menaçait de l'engloutir.

« Il ne faut pas que je lâche prise, il ne faut pas que je manque la fin du tableau, sinon je ne pourrai jamais comprendre le sens de l'ensemble, c'est tellement difficile. Il faut que je tienne, ou l'image deviendra floue et la séquence sera perdue » (80).

Se tourner sur soi-même, cela ne veut pas dire être obsédé de soi, même si, à n'en pas douter, certains y voient la marque de la « génération du moi ». Cela veut plutôt dire que vous ne vivez plus exclusivement à travers les sollicitations de votre famille et de votre travail. Vous ne réprimez plus vos curiosités, vos idées, vos intuitions pour laisser les autres exprimer les leurs. Vous avez toujours eu le cœur et l'esprit pleins de sollicitude pour les autres, d'intérêt pour ce qu'ils faisaient : maintenant vous allez pouvoir laisser place à votre propre créativité, elle pourra se déployer, donner sa vraie mesure. Pas nécessairement en public, vous vous tenez sur un seuil qui peut très bien déboucher sur une région de l'esprit, ou de l'âme. On peut chercher non pas à exprimer, mais à comprendre.

On publie actuellement beaucoup de livres à l'intention des femmes. On peut y lire que le changement n'est pas inévitable, que la femme mature peut très bien continuer à être ce qu'elle a toujours été, amoureuse, séduisante et passionnée, épouse modèle, salariée efficace. Ils n'envisagent jamais qu'une femme puisse en avoir assez d'être tout cela, ou se rendre compte qu'elle a vécu jusque-là sans jamais se remettre en question. Ils partent du principe que ce dont la femme a peur, au fond d'elle-même, c'est que sa vie n'ait plus de sens si elle ne fonctionne plus comme amoureuse, épouse ou salariée. Je ne partage pas ce point de vue. Pour moi, les femmes sont des êtres à part entière, elles ont le droit d'exister et ont quelque chose à apporter en elles-mêmes et par elles-mêmes. De plus, le climatère est incontournable, c'est un changement fondamental et, comme les autres changements fondamentaux dans la vie des femmes, il nécessite une préparation mentale et une acceptation profonde. Autrement, il ne peut être ressenti que comme insupportable. Si j'insiste pour ne pas minimiser l'impact de la ménopause ou la présenter fallacieusement comme évitable, je n'irais cependant pas jusqu'à dire, comme Ploss et Bartels, dans les quelques mots qu'ils ont daigné consacrer à la femme vieillissante dans le magazine *Woman* :

« Le climatère signale à la femme que sa vigueur va commencer à disparaître définitivement. Par étapes plus ou moins rapides, mais toujours irréversibles, la femme, à partir de ce moment-là, s'avance vers sa vieillesse » (III, 351).

Cette opinion « scientifique » est affligeante de banalité. Chaque jour qui passe nous rapproche de la mort par « étapes plus ou moins rapides ». Comme nous ne savons pas s'il y en a pour un jour ou cinquante ans, cela ne nous avance guère. On ne peut inverser les pendules ni pour les hommes ni pour les femmes. Pour justifier leur condamnation précoce de la femme de 50 ans à une mort plus ou moins proche, messieurs Ploss et Bartels citent l'opinion totalement anti-anatomique de M. Virchow :

« La femme – aurait-il dit – c'est deux ovaires montés sur un être humain ; alors que l'homme est un être humain, doté de deux testicules » (351).

Le corollaire, c'est que lorsque les ovaires meurent, la femme meurt avec, ce qui n'est évidemment pas le cas. La vérité c'est que M. Virchow, comme la plupart des hommes dont l'intérêt pour la femme passe surtout par les testicules, ne la considère pas comme un être humain mais comme un objet sexuel. En ce qui le concerne, les femmes ménopausées ne l'excitant plus, leur mort ne le gênerait pas. D'ailleurs les femmes qui mesurent la valeur de leur existence à la quantité d'attention masculine qu'elles suscitent adhèrent tout à fait au point de vue de M. Virchow. Celles qui ont plus de fierté que de libido, en revanche, ne se considèrent pas comme des mort-vivantes parce qu'elles sont émancipées du devoir de séduire.

La ménopause est, certes, un changement, mais ce n'est pas un passage de la vie à la mort, ou à une vie de mort-vivante. Si ce changement nous met hors de portée des Virchow de ce monde, ce ne peut être qu'une libération. La femme le comprendrait mieux si ce qu'elle peut y gagner lui apparaissait aussi clairement que ce qu'elle peut y perdre. Par exemple du respect, des privilèges, de l'autorité, du temps à elle. Les gains de cette nature, il faut les institutionnaliser par des signes extérieurs, que ce soit la manière dont on s'adresse à elle, dont elle s'habille, dont les autres se comportent vis-à-vis d'elle. Rien de tout cela ne marque le climatère. Une partie de la difficulté que les femmes affrontent avec ce dernier changement, alors qu'elles en ont déjà tant traversé, c'est qu'aucun signe extérieur ne marque le passage de l'état de mère à celui de grand-mère. Pire encore, en pleine tourmente, elles sont censées faire comme si de rien n'était. Voilà bien le genre de contradictions dans lesquelles les femmes passent leur vie à se débattre.

Il fut un temps où on marquait la puberté en portant des jupes plus longues et en se relevant les cheveux. Cela ne coïncidait pas forcément avec l'événement biologique, mais c'était reconnaître que c'était arrivé, que la petite fille était devenue femme, ou, comme on dit en Italie, « si era fatta signorina ». Dans toutes les sociétés, on dresse des restrictions autour des vierges nubiles, restrictions généralement accompagnées de privilèges compensateurs. La « jeune fille » a maintenant le droit de se parfumer, se maquiller, porter des talons hauts, de jolis dessous et de se coucher tard. La beauté compense les désagréments de la menstruation. Une stratégie similaire nous aiderait bien à supporter le bouleversement du climatère.

Bien que les sociétés dites civilisées ne le marquent plus, le premier bouleversement de la vie d'une femme, la ménarche (le début des règles), reste un immense changement. La petite fille, souvent un peu garçon manqué, assiste à sa propre transformation en un individu du sexe féminin. Et même si elle ne grossit pas trop et s'en tire sans acné, elle est bien obligée de se rendre compte que son corps n'est plus pareil, ne sent plus pareil, ne se comporte plus pareil, ce qui n'est pas forcément très agréable. Un des premiers talents qu'il lui faudra développer est de s'occuper de ses « petites affaires » sans que l'entourage ne s'en rende compte, d'où le Tampax dans la manche en allant aux toilettes, les lessives en cachette dans les pensions et les foyers d'étudiants mixtes. La menstruation serait peut-être mieux vécue si on n'avait pas à se comporter comme si on en avait honte. Les sociétés traditionnelles n'auraient pas, pendant tant de siècles, soumis les femmes qui avaient leurs règles à l'isolement si cela n'avait des aspects positifs. La petite fille qui se retire avec les femmes adultes ayant leurs règles montre à l'évidence qu'elle a grandi. Pour la première fois de sa vie elle est admise à des conversations entre femmes, elle a droit à un moment de repos dans la tâche, jusque-là sans répit, de servir la famille. Elle n'a pas à faire la cuisine, elle est nourrie, ne lave que ses propres vêtements et se repose.

Encore la manière presque entièrement négative dont est vécue la menstruation dans nos civilisations n'est-elle rien, au regard de l'embarras causé par le climatère. Les femmes les plus blasées par rapport à leurs règles sont souvent celles qui cherchent le plus à cacher l'arrêt de leurs fonctions ovariennes. Une femme de 50 ans très intelligente me raconta une fois comment elle s'était cassé la cheville en sortant d'une pharmacie. « C'est bien de ma faute! me dit-elle. J'étais tellement fière d'acheter des Tampax à mon âge! Je fonce dehors et plouf! Je me retrouve par terre! » Je n'ai pas pu m'empêcher de me demander si la caissière avait remarqué son âge, si elle s'était dit qu'elle les achetait sans doute pour quelqu'un d'autre, ou si elle s'en fichait éperdument. Je me suis aussi demandé si la fracture ne révélait pas que sa structure osseuse était déjà ostéoporosique. Quant au saignement dont elle était si fière, ce pouvait fort bien être une hémorragie anovulatoire et non une véritable menstruation, hypothèse très vraisemblable si elle prenait la pilule.

Dans nos sociétés industrialisées, on fait plus de cas du départ à la retraite que de la ménopause. La carte vermeille est tout à fait révélatrice de ce changement d'état. Il n'y a aucun équivalent pour marquer la mort d'un de nos parents, le passage de nos enfants à l'âge adulte et l'arrêt de l'ovulation. L'État et les employeurs se sont érigés en arbitres des événements de notre vie, ce sont eux qui en délivrent les symboles. Une mère en deuil n'ira pas, dans nos pays, exhiber sur son sein la miniature du cher disparu, mais elle est tenue de présenter sa carte vermeille ou de Sécurité sociale à qui de droit. Nous avons tacitement laissé des événements viscéraux tels que la naissance et le deuil échapper à la reconnaissance collective, et il semble bien que nous ayons, du coup, plus de mal à les supporter. En acceptant les hormones de remplacement, qui provoquent des saignements anovulatoires, la femme s'imagine probablement qu'elle a repoussé sa ménopause. Elle se rend sans doute, au contraire, la transition plus difficile, en en alourdissant dangereusement la charge psychique. On saurait mieux ce qu'il en est si on avait une idée plus précise de ce que doit être, idéalement, une vie humaine. Comme ni religion ni psychologie, ni anthropologie ni sociologie ne peuvent nous en fournir le modèle, nous en sommes réduites à improviser, à hésiter d'un expédient à l'autre, d'une fuite en avant à une autre.

On assiste peut-être à une version déformée du rite de passage quand on voit des femmes typiquement préménopausiques harceler leur médecin pour se faire enlever l'utérus. L'hystérectomie est l'opération chirurgicale la plus pratiquée aux États-Unis. En 1988, 30 % des femmes américaines de 45 à 49 ans l'avaient subie. Pour cinq hystérectomies pratiquées aux États-Unis, il n'y en a que deux en Angleterre et une en Suède. Ces contrastes ne s'expliquent pas par une différence d'ordre sanitaire, ni par l'appât du gain des praticiens américains. L'ablation de l'utérus est considérée comme justifiée non seulement par les chirurgiens, mais aussi par les femmes souffrant de dysfonctions utérines relativement bénignes. Les femmes elles-mêmes semblent partager le point de vue exprimé par R. L. Wright (cité dans *Lancet* du 26 septembre 1987, p. 789) :

« Après la dernière grossesse prévue, l'utérus devient un organe inutile. Cela saigne, et c'est une source de complications et même potentiellement le siège de cancers : il vaut donc mieux s'en débarrasser. »

La justification habituelle de l'hystérectomie chez les femmes qui approchent de la ménopause est que cela guérit les hémorragies : un éditorial annonçait encore tout récemment, en 1987, dans *Lancet* : « Bien sûr l'hystérectomie arrête la ménorragie; c'est souvent une solution intéressante pour la femme qui ne veut plus d'enfants... non seulement elle soulage ses symptômes, mais elle lui promet d'autres retombées favorables : elle sera plus régulière dans son travail, pourra faire l'amour à tout moment, fera des économies sur les protections périodiques et n'aura plus à craindre ni grossesse ni cancer de l'utérus. »

Au moment même où *Lancet* détaillait les joies de l'absence d'utérus, des psychologues s'apercevaient que les femmes qui se plaignaient de dépression après une hystérectomie étaient déjà dépressives avant (Gath et *al.*); et commençaient à réaliser que médecins et patientes avaient imputé à l'utérus des problèmes n'ayant rien à voir avec lui. On s'est rendu compte qu'une proportion non négligeable de femmes de tout âge, à qui l'on avait enlevé l'utérus à cause de douleurs pelviennes, souffraient peut-être, en réalité, d'un « trouble somatique » leur faisant transformer un stress ou un malaise d'origine non corporelle en symptômes exigeant un traitement d'automutilation. En 1981, au troisième Congrès international sur la ménopause réuni sous les auspices de la Société internationale de la ménopause, une femme médecin allemande posa la question suivante :

« Comment expliquer que tant de femmes acceptent de se faire retirer, par prophylaxie, un organe sexuel sain ? Une telle frénésie de chirurgie serait impensable pour les hommes car, comme nous le savons tous, ils ne l'acceptent que lorsqu'elle est absolument indispensable. Il est vraiment difficile de répondre à cette question. Il est rare que ce soit une décision courageuse qui soit à la base du consentement à une opération. Au contraire, la décision est souvent influencée par des tendances passives, partiellement auto-agressives. Ces femmes se considèrent, et sont considérées par les autres, comme des objets sexuels, elles se comportent dans la vie, à maints égards, comme des êtres passifs et sont tenues pour physiquement et psychiquement inférieures. L'ablation de l'utérus, pour ce genre de femmes, est comparable à l'ablation des canaux lacrymaux sur un sujet qui pleure. » (Keep et *al.*, 1982, 789.)

Jusqu'ici, personne n'a isolé de groupe spécifique de femmes pré-ménopausées, souhaitant se faire enlever l'utérus, plutôt que de le laisser s'atrophier. Les chirurgiens n'ont pas conscience d'être utilisés pour exécuter un rite de mutilation et, jusqu'à maintenant, ils se sont montrés tout disposés à opérer, tout en sachant que le saignement utérin est un phénomène notoirement idiopathique. En réalité, leur justification était le risque de cancer de l'utérus. Ainsi on a pu lire dans un article sur la ménopause paru dans *Vogue*, cette citation du professeur John Studd : « Dans vingt ans, beaucoup de femmes choisiront délibérément de se faire hystérectomiser à 40 ou 45 ans, quand elles ne voudront plus avoir d'enfants, exactement comme certaines se font stériliser aujourd'hui. Au cours de cette opération, on enlèvera les ovaires, le col et l'endomètre, les trois sites principaux des cancers génitaux. Ensuite, elles suivront une thérapie d'hormones de substitution à vie. »

En d'autres termes, la femme progressiste de l'avenir subira une intervention chirurgicale majeure et mutilante afin d'acquérir une sexualité de synthèse, et ce grâce à l'obligeance des laboratoires pharmaceutiques multinationaux. D'ailleurs, un des aspects les plus déconcertants de l'hystérectomie, c'est qu'elle est encore plus fréquemment pratiquée sur les femmes de médecins.

L'apparition de fibromes est courante chez la femme pendant la quarantaine, mais leur seule présence ne justifie pas l'hystérectomie. Des fibromes assez volumineux peuvent ne provoquer aucun symptôme; d'autres, au contraire, peuvent être à l'origine de douleurs ou de saignements plus abondants au moment des règles. Quoi qu'il en soit, ils rétrécissent et disparaissent en général à l'involution de l'utérus après la mise en repos définitive des ovaires.

L'hystérectomie cause beaucoup plus de décès que les suites de fibromes. Il s'agit d'une intervention lourde, dont les effets secondaires sont nombreux et peuvent être très sérieux; ce n'est pas un traitement approprié pour des désordres moins graves et moins dangereux que l'opération elle-même.

Celles qui acceptent de subir une hystérectomie, et les hystérectomisées qui militent en faveur de l'intervention, ont des attitudes aussi irrationnelles les unes que les autres. Elles résultent, dans une certaine mesure, de l'abus de pouvoir des professionnels, mais on ne peut nier l'existence d'un certain désir d'automutilation chez les femmes, en particulier un désir de s'infliger des blessures dans l'abdomen. On trivialise l'hystérectomie, on dramatise la mastectomie, alors qu'il est tout aussi irrationnel de craindre une mutilation visible (et relativement bénigne) que de réclamer une mutilation interne.

Aucune femme ne traverse le climatère sans avoir une conscience aiguë du changement. La question est de savoir si celui-ci est porteur de progrès ou de troubles : « Jusqu'à une époque toute récente, les spécialistes des sciences humaines ne voulaient pas reconnaître que les hommes et les femmes subissent des changements considérables en prenant de l'âge. En effet, la théorie du développement avait longtemps tenu pour acquis que c'était au cours de l'enfance et de l'adolescence qu'intervenaient l'essentiel des transformations de la personne. Telle une pendule remontée une fois pour toutes, l'adulte était, de ce fait, considéré comme stable, agissant toujours en conformité avec la personnalité et les valeurs qu'il avait intégrées au cours de sa jeunesse. A l'inverse, les scientifiques croient aujourd'hui que c'est le changement et non la stabilité qui donne la note du développement adulte. » (Rossi, 1986, 130.)

Les théories sur les étapes de la vie sont très en vogue, mais elles sont contradictoires. En 1950, Erik Erikson définissait les « huit phases de la vie humaine ». Daniel Levinson reprit cette idée en 1978, et l'utilisa comme point de départ pour élaborer un modèle en forme d'escalier, qui montrait comment en négociant habilement chaque palier, on pouvait passer au suivant. Mais ce modèle psychologique a été critiqué par des sociologues. Pour ces derniers, les changements ne sont pas dictés par la chronologie ou la biologie, mais interviennent lors d'événements cruciaux, et en fonction de la réaction personnelle de l'individu à ces chocs extérieurs. Le degré de complexité sociale du travail et le niveau culturel seraient alors déterminants.

Il est difficile d'appliquer aux femmes, dont la vie est si fertile en changements, cette vision de la destinée humaine. Leurs enfants grandissent, leurs parents meurent, leurs règles s'arrêtent : autant de bouleversements dans leur vie, quel que soit le milieu socio-professionnel. On constate que certaines femmes de milieu modeste ou ouvrier sont plus conscientes de changer que les femmes plus privilégiées (Cf. Van Keep et Kellerhals, 1974 ; Severne, 1979 ; Greene et Cooke, 1980 ; Polit et Larocco, 1980 ; Campagnoli et *al.*, 1981). On aurait pu penser aussi que le travail féminin, comme il ne mène nulle part, offre peu d'opportunités de modèles de développement différents.

Si les théoriciens ne peuvent se mettre d'accord sur la question fondamentale de savoir si la vie humaine procède, ou non, par paliers successifs, il est clair qu'il ne faut pas s'attendre à ce que réapparaissent des rites de passage. Les théoriciens ne prennent, bien évidemment, pas en compte l'importance des phénomènes de stéréotypes culturels ou l'identification à des modèles donnés, car leurs recherches s'appuient sur des questionnaires remplis par des individus. Il est clair, cependant, qu'ils soulèvent une question importante, celle de savoir si la ménopause a été, ou non, trop montée en épingle, servant ainsi de bouc émissaire à d'autres changements plus déconcertants survenant à mi-vie, et concernant les occupations et le rôle social des femmes.

Heureusement, je n'ai pas, dans ce livre, à entrer dans des questions de définitions et de discipline, je laisse cela aux spécialistes des sciences sociales. Pour moi, le facteur important, c'est la conscience qu'a la femme d'un changement fondamental, que celui-ci survienne à la ménopause, à l'occasion d'un divorce ou d'un veuvage, du départ, du mariage, ou de la vie sexuelle de ses enfants. Ce changement aura lieu tôt ou tard. Il sera brutal et catastrophique ou lent et progressif, il se fera par à-coups, ou se divisera en phases parfois rapides, parfois lentes et inexorables. Une seule chose est certaine : il aura lieu, rien ne l'arrêtera.

Interrogées par Dona Lee Davis entre octobre 1977 et décembre 1978, les femmes d'un village de pêcheurs de Terre-Neuve déclaraient voir leur vie comme une suite de cycles de sept ans (79). Mme Davis avait eu beaucoup de mal à faire raconter à ces femmes, endurcies par le travail acharné et le climat rigoureux, leur propre expérience de la ménopause, les symptômes qu'elles avaient eus. Elles se décrivaient souvent comme « en train de changer », que cela se réfère à la grossesse, l'accouchement, l'allaitement et le sevrage, le cycle menstruel ou la ménopause. Elles attachaient beaucoup de prix au courage « discret ». Elles utilisaient en même temps une rhétorique compliquée centrée sur les « nerfs » ; et si on les questionnait sur leurs symptômes subjectifs, elles se retranchaient derrière des comparaisons avec les autres, plutôt que de révéler directement quoi que ce soit sur leur propre compte. Elles ne s'accordaient pas l'attention introspective nécessaire pour pouvoir répondre au questionnaire. Pour elles, une femme qui ne se débrouillait pas toute seule, quand elle était « en train de changer », se noyait dans un verre d'eau. Reconnaître des symptômes, c'était se plaindre, et se plaindre, c'était avouer que l'on n'était pas capable de faire face. Dona Davis fut bien obligée d'en conclure que ses questionnaires habituels sur les symptômes de la ménopause étaient, en la circonstance, parfaitement inadaptés. Il lui fallait laisser les femmes exprimer leur conception de leur propre situation, avec leurs mots à elles, qui ne facilitaient pas la comparaison ou la traduction de notions comme les bouffées de chaleur, l'irritabilité, les douleurs articulaires, les insomnies.

Les concepts modernes qui divisent la vie en quatre ou en huit périodes (ou ne la divisent pas du tout) ne me semblent pas avoir plus de validité, et considérablement moins d'importance culturelle, que les cycles de sept ans des femmes de Terre-Neuve. Cette conception rappelle beaucoup celle de Shakespeare, elle-même fondée sur la division d'Hippocrate selon laquelle la vie humaine comporte sept âges, séparés par des passages critiques appelés climatères. En gros, les sept âges ainsi définis sont les « âges de l'homme ». La vie des femmes est faite de changements tellement tranchés qu'on pourrait parler de métamorphoses. Souvent, ces changements, de la fillette à la femme, à l'amoureuse, l'épouse, la mère et la grand-mère, sont marqués par des transformations physiques importantes. On passe de la fillette maigrichonne aux courbes féminines, de la grossesse à l'obésité, pour revenir à la maigreur première. Les changements biologiques sous-jacents sont en général occultés ou déniés. Seul le passage du célibat à celui de femme mariée, qui, paradoxalement, peut ne comporter aucun changement fondamental dans sa vie ou sa biologie, s'accompagne d'un cérémonial même exagéré, le changement de nom. La cinquième période climatérique marque la fin de tous les bouleversements et transformations physiques qu'impliquent la défloration, la conception, la grossesse et l'allaitement, c'est le changement qui met fin aux changements.

Ma définition des sept âges de la femme ne correspond donc pas tout à fait aux sept âges de Shakespeare. Les sept âges de la femme commencent à la première phase critique ou climatère constitué par sa naissance et sa petite enfance; le deuxième passage difficile est l'adolescence, le troisième la défloration, le quatrième l'accouchement et le cinquième la ménopause. Entre ces seuils troublés s'étendent les périodes de calme que sont l'enfance, la jeunesse, la vie de femme, puis de mère. La cinquième transition ne le cède en portée qu'à la dernière, le grand climatère de la mort. Le climatère n'est pas un rite de passage, mais le passage lui-même. La ménopause étant un non-événement, l'absence de règles, ne prête pas à la ritualisation. Il n'en demeure pas moins qu'en regardant autour de soi, on trouve des exemples de femmes ayant marqué le changement. Quand Joséphine Baker commença-t-elle à adopter des enfants? Quand Nina Berberova quitta-t-elle l'Union soviétique, pour commencer une nouvelle vie? A 50 ans. Quand Hélène Deutsch quitta-t-elle Vienne? A 50 ans, avec la moitié de sa vie devant elle, puisqu'elle devait mourir à 97 ans. Peu de femmes ont recours à un cérémonial aussi énergique qu'Hélène Thayer qui, à 52 ans, alla au pôle Nord à ski, avec son chien. Elle tira un traîneau de quatre-vingts kilos durant vingt-sept jours, et trouva le moyen de survivre à sept confrontations avec des ours polaires, trois blizzards, l'épuisement de ses réserves en nourriture et plusieurs jours de cécité. Hélène Thayer flirtait avec la mort, elle a dû croire sa dernière heure arrivée à plusieurs reprises, elle s'en sortit, ce fut une véritable re-naissance.

Si les femmes veulent célébrer leur cinquième période climatérique en revendiquant des privilèges spéciaux, il faudra qu'elles se les octroient elles-mêmes. En y regardant de plus près, on s'aperçoit qu'en fait, c'est ce qu'elles font. Parmi les traces laissées par d'anciens rites de passage, on peut compter la relation des femmes d'âge mûr avec les bijoux. Le phénomène s'accélère parfois grâce à l'héritage de ceux de sa mère, on se dit que ce serait dommage de disséminer un ensemble. Les pierres précieuses ont un langage, elles sont symboles de beauté inaltérable et de pouvoir spirituel. La femme, plus toute jeune, qui met un collier de diamants pour aller en pique-nique le fait pour se faire plaisir. A son âge, elle peut se découvrir une préférence pour tel ou tel apéritif et pour la première fois on verra apparaître *sa* bouteille sur le plateau. Ou alors, pourquoi pas? Elle se découvre une passion pour le tiercé ou pour le loto. On la voit même, à l'occasion, décider de déménager : elle se choisira une maison plus petite, ou, à la campagne, une maison plus facile à entretenir, où elle puisse faire du jardinage. Certaines décident même de divorcer, après avoir fait l'effort de supporter leur mari pendant des années, au nom des enfants. Quoi qu'elles décident, les jeunes hausseront collectivement les épaules. Les jeunes ne sont pas habitués à les voir prendre la moindre décision, et n'ont jamais douté que leur grand bonheur soit de se consacrer entièrement à eux.

D'autres femmes se contentent de changer de look, de manière plus subtile, à un moment qui leur paraît opportun. Aux alentours de la cinquantaine, beaucoup se font couper les cheveux, arrêtent de se faire faire des couleurs, et commencent aussi à abandonner le maquillage, qui devient difficile à appliquer avec précision, en raison de la presbytie. Elles ne se montrent plus aussi infatigables pour faire les magasins et achètent donc des vêtements dont on se lasse moins vite. Dans la conversation, à mesure que leur narcissisme s'érode, elles se mettent souvent à prendre des risques : elles font des blagues elles-mêmes, au lieu de rire de celles des autres, elles disent ce qu'elles pensent, même si elles savent se heurter à une dérision féroce.

Dans *La Fin de Chéri*, Colette nous montre Léa de Lonval après cette transformation. La voluptueuse « femme d'un certain âge * » qui savait se draper avec un art consommé, n'est maintenant plus qu'une silhouette massive, asexuée, surmontée d'une masse de cheveux blancs. Elle ressemble à un vieillard jovial, convaincu que le remède à tous les maux de l'humanité, c'est un bon repas. Colette ne montre pas un enthousiasme délirant pour son personnage, elle ne cherche pas à savoir comment ni pourquoi elle en est arrivée là; nous, si. Colette, elle, continua toujours à se maquiller et à se parfumer, elle ne laissa jamais son mari la voir avant d'être « présentable ». Jusqu'à la fin, dit-on, elle garda sa « féminité ».

Si la féminité existe, elle ne doit pas se réduire à un trait de khôl et à un sillage parfumé. Colette, comme beaucoup de femmes, craignait la masculinisation qui accompagne la vieillesse. Dans *Chéri*, elle invente une galerie de vieilles femmes grotesques qui représentent l'avenir de son héroïne de 40 ans. Il y a

* En français dans le texte.

la baronne de Berche, que l'âge virilise monstrueusement, au point que des touffes de poils s'échappent de son nez et de ses oreilles et s'épanouissent en moustache sur sa lèvre supérieure. Il y a la très ancienne Lili, avec ses fous rires, son visage lunaire, maquillé comme celui d'une poupée, posé sur un cou ventripotent, qui menace d'épouser le prince Ceste. Léa évitera de suivre les traces de Lili en acceptant l'épreuve. Elle abandonne Chéri, qui peut ainsi épouser une femme de son âge. Marschallin, l'héroïne beaucoup plus jeune du *Chevalier à la rose*, avait eu le même courage.

Pour Léa, la féminité, c'est une discipline de fer; elle ne fait pas de scènes, ne se permet aucun reproche, n'élève jamais la voix. Pour rien au monde elle n'enlèverait son corset, même si elle souffre le martyre – « Nue si on veut, mais jamais dépoitraillée * ». Quand elle a les jambes enflées, elle met ses petites bottes bleues pour que cela ne se voie pas. Elle sait que les couleurs les plus seyantes sont le blanc, près du visage, et le rose très pâle, pour la lingerie et les *déshabillés* *, c'est plus flatteur, on voit moins que les muscles sont distendus et la peau flasque; mais elle se dit aussi que dès que Chéri sera marié, bien casé, elle n'aura plus besoin d'exercer une telle vigilance. A petites touches, Colette dévoile le mépris et la hantise que lui inspire la vieillesse.

« Assise et la joue appuyée, elle pénétra en songe dans sa vieillesse toute proche, imagina ses jours l'un à l'autre pareils, se vit en face de Charlotte Peloux et préservée longtemps, par une rivalité vivace qui raccourcissait les heures, de la nonchalance dégradante qui conduit les femmes mûres à négliger d'abord le corset, les teintures ensuite, enfin les lingeries fines. Elle goûta par avance les plaisirs scélérats du vieillard qui ne sont que lutte secrète, souhaits homicides, espoirs vifs sans cesse reverdissants en des catastrophes qui n'épargneraient qu'un seul être, un seul point du monde – et s'éveilla étonnée, dans la lumière d'un crépuscule rose et pareil à l'aube. » (*Chéri*, 158.)

Colette était obèse. Cela l'aurait bien étonnée d'apprendre que les femmes d'aujourd'hui considèrent l'obésité comme un crime de lèse-féminité bien plus grave que de porter de la lingerie de coton. Les femmes « féminines » d'aujourd'hui préfèrent faire le nécessaire pour que leur chair tienne toute seule, sans le secours de corsets et autres gaines. Elle souffrait également d'arthrite, presque certainement d'ostéoporose, le tout étant certainement aggravé par une vie depuis toujours sédentaire. Sa conception de la féminité est théâtrale : il s'agit de se comporter de telle ou telle manière bien définie et d'avoir les tenues appropriées.

Les femmes âgées peuvent se permettre de considérer la féminité comme une charade, une question de se faire teindre les cheveux, de porter des baleines et de la dentelle écrue, des tartines

* En français dans le texte.

de maquillage comme les travestis, et que cela s'arrête là. Lors du climatère, les femmes ne craignent pas tant de perdre leur féminité : cela, on peut toujours le contrefaire, c'est probablement d'ailleurs toujours une contrefaçon. Elles ont peur de cesser d'être des femmes, au sens fort du mot.

Les lecteurs actuels de Colette ne voient ni ses cheveux teints, ni sa lingerie délicate, ni ses corsets. Ils n'ont pas conscience non plus de son mépris pour la vieillesse. Ce qui éclate, inoubliable, page après page, c'est la marque incontestable d'une femme authentiquement femme, et cela, croyez-moi, cela ne dépend ni d'un bout de chiffon, ni d'une boucle de cheveu ou des fanons d'un cétacé.

Pendant des siècles, nous avons été conditionnées à la féminité, c'est-à-dire à adopter le style jeune fille attardée à perpétuité, si bien que nous ne savons même plus ce que c'est que d'être femme. Les féministes ont passé des années à se bagarrer pour expliquer qu'il existe une énergie féminine qui se définit d'elle-même, une libido féminine qui ne s'exprime pas uniquement par réaction aux exigences du mâle, et une manière d'être et de vivre le monde propre à la femme. Mais nous sommes encore loin de saisir en quoi cela consiste. Pourtant, toute mère tenant dans ses bras une petite fille sent bien que c'est une fille, pas un garçon, et que cette enfant aura une approche spécifique de la réalité qui l'entoure. Que viennent, puis passent, les années de la maternité, ne change rien à l'affaire. Elle est née femme, femme elle mourra : les siècles peuvent bien s'écouler, les archéologues pourront encore identifier son squelette comme celui d'une créature du sexe féminin.

Ce qui se passe, en fait, au moment où la femme vieillit, lors de la cinquième période climatérique, c'est que les hommes n'ont plus envie de manipuler sa sexualité, ils arrêtent de renifler autour d'elle. Ils ne prennent plus la peine de la siffler quand elle passe près d'un chantier. Ils n'éprouvent plus le besoin de montrer qu'ils sont sensibles à sa présence en évaluant ou en saluant ses charmes physiques. C'est fini, on ne la suit plus sur les trottoirs. En 1973, Doris Lessing confiait à une journaliste du *Harper's Magazine* :

« On ne commence à découvrir la différence entre ce que l'on est vraiment, sa personnalité profonde, et l'apparence, qu'en vieillissant un peu... c'est toute une dimension de la vie qui disparaît tout d'un coup et on se rend compte que ce dont on s'est servi, pour obtenir l'attention des autres, c'est de son physique... C'est purement biologique, totalement et absolument impersonnel. Il est vraiment passionnant et salutaire de se débarrasser de tout cela. Vieillir, je vous assure que c'est extraordinairement intéressant » (1986).

Mais cela fait mal. Au début, la femme libérée titube un peu, comme un bagnard dont on vient d'enlever les fers. Quand on ne la voyait que trop, c'était peut-être pénible, mais maintenant qu'on ne la voit plus du tout, elle se sent un peu perdue. Elle n'avait pas mesuré à quel point elle comptait sur sa présence physique, dans les magasins, au garage, dans le bus, partout. Pour la première fois de sa vie, elle se voit dans l'obligation d'élever la voix si elle ne veut pas attendre indéfiniment, pendant que d'autres lui passent devant.

Elle ne se souvient plus, maintenant, à quel point cela l'exaspérait d'être poursuivie partout comme une femelle en chaleur, elle a oublié comme il lui a fallu visiter au pas de course les plus beaux monuments du monde, les yeux rivés devant elle, pour éviter de se faire accoster par les messieurs qui rôdaient autour d'elle; elle ne se souvient plus s'être fait pincer une fesse dans une cathédrale, ou avoir dû partir précipitamment d'un cinéma. Elle apprend, maintenant, à éviter les lourdes portes tournantes que personne ne lui tient ouvertes et les cohues où, étant désormais invisible, elle se ferait bousculer et marcher sur les pieds.

Les femmes qui conservent le point de vue des jeunes, pour qui les vieux sont non seulement invisibles mais inintéressants, ont du mal à faire la transition. S'il n'y a pas de points de repère extérieurs pour l'aider à savoir où elle en est, pas de bouées pour marquer le chenal, même la femme la plus intelligente et la plus sensible peut se retrouver à la dérive, à la merci de dangereux courants.

Simone de Beauvoir a passé des années à lutter contre le mépris qu'elle ressentait pour les gens de son âge. Elle disposait de toutes les ressources qu'un être humain puisse avoir, intelligence, prestige, un travail passionnant, que sa santé et les circonstances lui permettaient de poursuivre, et un extraordinaire cercle d'amis et de relations. Pourtant, elle a fini par vieillir sans grâce, et sans se rendre compte de sa chance. Elle n'arrêtait pas de se répéter qu'elle n'était plus ce qu'elle avait été et perdait un temps précieux dans des regrets amers. Le destin lui a accordé une longévité que ne vinrent ternir ni la maladie ni la pauvreté, mais elle n'avait pas la moindre gratitude, pas la moindre conscience d'avoir de la chance. Bien des gens heureux sont morts plus jeunes, laissant derrière eux une vie qu'ils aimaient, mais Simone de Beauvoir n'avait pas le sentiment de leur devoir quoi que ce soit, en tout cas pas d'être heureuse.

Il faudra bien que les femmes se trouvent un rite de passage, une manière de célébrer ce que l'on peut considérer comme le retour à soi d'une femme. L'idéaliste passionnée, jeune et débordante d'énergie que nous avons été avant la puberté peut revenir sur terre, si on la laisse faire.

Au cours d'un symposium sur « les époques de transformation psychosociologiques dans la vie des femmes », un chercheur californien déclara qu'il était évident que les femmes étaient les mieux placées pour comprendre ce qui se passait dans leur propre vie, et qu'il fallait absolument qu'elles prennent en main la description et l'analyse de ce qu'elles vivaient. (Hancock, 275.)

« Ce n'est que lorsque les femmes acceptaient de regarder en face ce que la vie avait jeté à leurs pieds qu'elles commençaient à se poser la question de savoir si elles faisaient vraiment partie du tableau de leur propre vie. Elles arrivaient à prendre conscience du fait qu'elles s'étaient toujours visualisées comme faisant partie d'une relation heureuse et définitive. Une fois cette belle image brisée, elles commençaient à réaliser que s'investir dans un couple, sans s'être clairement formulé un sens de leur moi, ne pouvait les prémunir du changement, du drame, de la perte. Celles qui réussissaient à se forger un nouveau cadre de vie, dans lequel leur moi devenait sujet, ainsi que l'objet d'attentions, attribuaient cette nouvelle maturité à l'épreuve traversée.

« La manœuvre décisive de ce tournant dans leur développement dépendait de leur capacité d'autonomie et d'initiative personnelle. Celle qui pouvait réagir devant la désintégration de ce en quoi elle avait toujours cru, en remontant à son enfance, y gagnait une force nouvelle sur laquelle s'appuyer, et surtout de la maturité. Celles qui ne trouvaient, dans leur jeunesse, rien d'assez solide, perdaient la bataille » (278).

Avant de traverser son propre climatère, Hélène Deutsch avait une vision pessimiste de la post-ménopause, elle y voyait une régression, de la génitalité à l'immaturité. Elle changea en vieillissant :

« Le devenir biologique de la vieillesse varie d'un individu à l'autre. Comme toutes les périodes de développement de la vie, cela dépend beaucoup des événements vécus au cours de l'adolescence. Selon nos modes de pensée stéréotypés, le passage à l'âge adulte se confond avec la maîtrise des forces tempétueuses de l'adolescence. Pourtant, je suis certaine que ma période de *Sturm und Drang*, qui s'est prolongée longtemps pendant ma vie adulte, est encore bien vivante en moi et refuse de mourir... Amours et extases sont encore là, elles puisent leurs racines dans mon adolescence. Ce sont peut-être des réactions devant la menace de mort, mais en même temps, cela représente l'élan généreux de la période la plus riche de ma vie » (1973, 215-6).

Je crois que la meilleure stratégie pour bien gérer cette période de transition un peu difficile, ce n'est certainement pas de la refuser ou d'essayer de la repousser à plus tard, mais bien au contraire de l'accélérer. Il s'agit de nous retrouver telles que nous étions avant de devenir les outils de notre destin sexuel de reproduction. Nous étions fortes, en forme, heureuses, à ce moment-là, jusqu'à ce que l'adolescence ne vienne nous créer quelques problèmes... Je vous promets que vous pouvez retrouver force, forme et bonheur.

3

CELLES QUI ONT DE LA CHANCE

Si le fait d'avoir 50 ans nous donnait les clefs de la cité (priorité dans les files d'attente, le droit de nous asseoir...), les désagréments du climatère ne seraient pas cher payés. Le docteur Barbara Evans nous dit dans la préface de la quatrième édition de son livre, *Life Change* (Changement de vie) : « Il y a des sociétés qui récompensent les femmes pour les services rendus à l'espèce, en leur accordant, quand elles cessent d'être fertiles, le prestige et la liberté dont elles manquaient pendant la période de leur fécondité. Dans les pays où l'on vénère l'âge, les femmes souffrent moins physiquement de la ménopause. Malheureusement, notre société n'est pas de celles-là » (11).

Il existe encore, effectivement, sur notre planète, des sociétés où le principe de séniorité est accepté et où le respect dû à la femme âgée n'est pas neutralisé par son sexe. Mais je crois qu'aucune d'entre nous ne voudrait, ou ne pourrait, y vivre. On ne sait même pas, en fait, si les femmes respectées en raison de leur âge « souffrent moins physiquement » (c'est-à-dire ressentent moins de désagréments physiques), car aucune étude systématique de leur bien-être n'a jamais été entreprise. Comparée au spectre du labeur et de la souffrance quotidiennes des femmes du tiers-monde, la détresse climatérique doit paraître bien anodine.

Il est vrai que dans des centaines de milliers de villages en Asie et en Afrique, les femmes âgées se retrouvent au centre de l'organisation sociale, mais chacune de ces sociétés subit des tensions considérables. Chaque année qui passe voit un nombre grandissant de ces communautés sombrer sous la pression de l'urbanisation et de la modernisation.

De toute manière, il faut bien comprendre que, même si la « grande famille », telle qu'on la concevait dans l'Asie traditionnelle, peut représenter un modèle valable pour nombre d'entre nous, elle n'a jamais constitué la majorité des familles, dans aucun village. La pauvreté, les conflits, les changements de régimes fonciers, la famine, les migrations, la maladie et la mort étaient autant d'obstacles à son édification. La colonisation n'a rien arrangé. La réussite d'une famille tribale supposait la naissance d'enfants mâles en nombre suffisant et la capacité d'en faire des adultes compétents, ce qui n'était pas chose facile. Cela impliquait aussi des stratégies sociales complexes, une gestion habile du capital familial et des relations humaines, condition de la qualité de la vie. Il fallait surtout un minimum de chance. Plus la famille était nombreuse, mieux elle supportait les bouleversements, car la perte d'un mâle adulte ne la laissait pas fragmentée et décapitée. Plus elle était riche, mieux elle pouvait profiter du naufrage des autres.

Dans les sociétés dominées par ces familles extensives, on ne retrouve pas le fossé habituel entre vie publique et vie privée qui entraîne automatiquement la sujétion de la femme. Pouvoir au sein de la famille égale pouvoir politique. Le rôle joué par la doyenne ne le cède qu'à celui du patriarche, encore cela n'est-il pas toujours le cas.

Dans les familles de type afghan, que l'on trouve, en plus ou moins grande proportion, dans tout le Sud-Est asiatique, la femme n'est pas seule en charge de la socialisation de ses enfants, ce devoir incombe à l'ensemble de la famille. On n'enlève pas non plus les petits à leur foyer pour les faire endoctriner dans des ghettos d'enfants par des professionnels sous-payés. Dans toutes ces familles, les femmes sont assujetties aux hommes, mais la ségrégation les protège en fait dans les interactions quotidiennes. Par exemple, elles ne peuvent être battues ou menacées sans l'assentiment des autres femmes; il y a moins de risques qu'elles soient violées par leur mari parce que leur santé, et celle de leurs enfants, sont d'une importance primordiale. En général, les maris n'ont pas libre accès au corps de leurs épouses, qui dorment souvent avec leurs enfants. Bien que le rapport marital soit important, et les femmes ont souvent une imagerie très vivante et très drôle des rapports sexuels, ce n'est pas la relation unique, ni même fondamentale.

Pour la femme asiatique appartenant à une famille traditionnelle, l'affection de sa belle-mère, de ses concubines et de leurs enfants, et même celle de ses jeunes beaux-frères, compte plus, dans la vie de tous les jours, que les sentiments plus ou moins vifs que lui porte son mari. Dans la société occidentale, au contraire, on estime qu'une relation sexuelle idéale va jusqu'à englober toutes les autres. Cela ne peut qu'augmenter encore l'anxiété de la femme à sa ménopause, lorsqu'elle sent décliner son intérêt pour le sexe. Le cadre familial ne lui offre pas de solution de rechange, sa fonction maternelle se réduisant à cuisiner et à faire la vaisselle à vue, pour une famille à qui on ne peut même plus demander de prendre les repas ensemble.

La femme occidentale ne peut considérer la perte éventuelle de libido que comme synonyme d'inutilité absolue ou même de mort. En prenant de l'âge, la femme afghane est propulsée de plus en plus près du centre vital de la famille – précisément au même point de son évolution intime, la femme occidentale se retrouve hors jeu.

Il ne s'agit pas seulement de faire la cuisine et le ménage. La famille afghane, comme toutes celles du Sud-Est asiatique traditionnel, produit sa nourriture ou l'achète à l'état brut. Il faut calculer avec soin les quantités dont on a besoin, s'assurer de la qualité de la nourriture. L'aînée des épouses est chargée de contrôler l'utilisation des réserves. Qu'elle se trompe dans ses calculs, ou achète des produits avariés, c'est la catastrophe. Il lui faut à tout prix assurer la soudure avec la prochaine récolte, et si le contenu des silos moisit ou est attaqué par les rats, les souris ou les charançons, on sera obligé de racheter au prix fort. Les problèmes de gestion sont au moins aussi complexes que ceux d'un petit restaurant. A mesure que l'épouse vieillit et gravit les échelons du doyennat, il lui incombe une part de plus en plus importante de cette responsabilité. Si elle s'avère incompétente, c'est toute la famille qui en souffre et risque la ruine.

Un observateur est récemment arrivé à la conclusion que le rôle de la femme après la ménopause est tellement essentiel à la survie de sa famille que la cessation des fonctions ovariennes doit être le résultat de la sélection naturelle.

« La ménopause est la forme naturelle et originelle de la contraception, elle libère les femmes pour qu'elles puissent se consacrer à leurs responsabilités familiales et communautaires. Dans de nombreuses civilisations primitives, le prestige de la femme augmente avec l'âge, comme on peut s'y attendre, compte tenu de cet arrière-plan sociologique. » (Parry, 20-21.)

Le destin de la femme, dans la famille traditionnelle archaïque et illettrée, est à la fois difficile et dangereux. Jeune épouse, elle arrive dans une maisonnée étrangère où elle est la dernière servie, mais doit servir tout le monde. Son statut s'améliore nettement quand elle met au monde son premier fils, mais elle est soumise, en toutes choses, à la sujétion de son mari, de sa belle-mère ou de celle qui a été choisie pour remplacer celle-ci : elle doit s'appliquer à leur plaire. A mesure que ses fils approchent de l'âge adulte, la perspective de devenir maîtresse chez elle approche aussi. Elle peut prendre l'initiative de séparer son propre noyau familial de la maison des parents de son mari, si ce dernier est par exemple le cadet ou si elle subit l'ombrage d'une autre épouse. Elle jette ainsi les fondations d'une nouvelle grande famille, où ses fils vivront à leur tour avec leurs épouses. Mais elle peut aussi se retrouver à la tête des autres épouses et des enfants, si sa belle-mère n'a plus la force de le faire, ou si elle meurt.

A tous les stades, elle doit s'adapter à des situations nouvelles; c'est parfois si difficile qu'elle y laisse sa santé.

Dans les sociétés analphabètes ou précapitalistes, la grossesse et l'accouchement sont extrêmement dangereux, on n'est jamais sûre d'y survivre. La femme qui occupe la situation enviable d'autorité sur ses belles-filles et de responsable du clan y sera généralement parvenue au cours de son climatère. Il serait, dès lors, surprenant de trouver chez elle trace de ses désagréments, alors qu'elle a tout lieu de se féliciter de sa réussite.

La gravité de la détresse climatérique est inversement proportionnelle à la difficulté de la vie. Quand la plupart des femmes n'ont plus à craindre l'épreuve terrible de la mort d'un enfant, l'angoisse d'accouchements périlleux, ni à passer le plus clair de leur jeunesse à enfanter ou à allaiter, les aspects négatifs de la fertilité ont tendance à s'estomper. Seuls les inconvénients relativement mineurs de la contraception et de la menstruation viennent ternir « les plus belles années de notre vie ». Comme, lorsque nous avons eu affaire aux grandes familles traditionnelles, cela a toujours été pour tenter de les aider à restreindre leur fécondité, nous nous sommes toujours adressés aux femmes en âge d'avoir des enfants. Nous sommes toujours partis du principe que leurs belles-mères ne pouvaient être que des monstres tyranniques et asexués, qui traitaient leurs brus comme des machines à faire des bébés. Quand nous voyions des jeunes femmes tendues et malheureuses, nous en tirions la conclusion que les mères de leurs maris étaient forcément des croque-mitaines.

En réalité, lorsque c'est le cas, la famille ne tarde pas à éclater. C'est à force d'affection que la belle-mère avisée réussit à maintenir unie la « grande » famille. Sa sagesse, fondée sur son expérience, protège et guide l'activité économique du groupe entier, à l'avantage reconnu de l'ensemble de ses membres. Dans une grande famille bien gérée, la vie doit être perceptiblement plus facile que dans des familles nucléaires autonomes. S'il y a moins de travail parce qu'on le fait collectivement, s'il y a davantage de nourriture parce qu'elle est produite plus rationnellement ou achetée, stockée et préparée à meilleur compte, si les enfants sont plus heureux et courent moins de risques, la motivation pour quitter le groupe ne peut être que faible.

D'un autre côté, si la jeune femme se sent exploitée ou persécutée, rien ne l'arrêtera, elle s'échappera pour avoir sa maison à elle, fût-ce une misérable cabane ou un bidonville. La femme qui, se faisant apprécier par ses belles-filles, réussit à garder autour d'elle tous ses fils, belles-filles et enfants, a une conscience aiguë de sa réussite. Elle est heureuse, même si on ne lui épargne pas les tâches domestiques les plus ingrates, pas plus qu'on ne lui offre les meilleurs morceaux à tous les repas ou qu'on ne la laisse jouer avec les bébés et les petits, toute la journée, ou fumer et boire avec les hommes.

Dans les sociétés organisées sur ce modèle, il existe une hiérarchie féminine fonctionnant en parallèle à la pyramide masculine du pouvoir, avec sa propre sphère d'influence et une force de négociation considérable. Dans la communauté de Ksar-Hallal, au Sahel tunisien, par exemple, « les femmes tiennent successivement une série prédéterminée de rôles correspondant à leur âge, elles y acquièrent des savoir-faire et des relations dans la famille et la maison, au travers desquels elles exercent leur influence et leur contrôle ». (Stamm, 26.)

Les mariages sont arrangés par les doyennes, qui prennent l'initiative des négociations avec les familles voisines, et les mènent à terme. Le côté le plus pénible du système, pour beaucoup de femmes, c'est la séparation, d'abord de leur mère, puis de leurs filles. La douleur de la séparation avec la mère, considérée comme la source de l'amour, est atténuée du fait que les filles sont autorisées à lui rendre de longues visites après leur mariage. Il est de coutume d'aller accoucher chez sa mère et d'y rester plusieurs semaines, parfois même des mois, après la naissance. A la naissance de ses fils et à mesure qu'elle consolide ses relations dans sa nouvelle famille, la femme y acquiert, progressivement, de l'influence, mais elle conserve toujours un profond attachement pour sa mère.

« C'est à travers son rôle de mère de jeunes adultes que la femme exerce le plus haut degré de pouvoir social... Les enfants adultes se tournent souvent vers elle pour lui demander avis et soutien... En vieillissant, les femmes de Ksar-Hallal restent une source d'affection, d'aide et de conseils pour leurs enfants adultes et conservent ainsi leur ascendant dans la famille. Loin de perdre l'orientation principale de leur rôle de mère, elles étendent leur influence aux foyers de leurs enfants mariés » (28-9).

Que les Ksar-Hallal aiment et honorent les vieilles dames ne peut ni rendre leurs coutumes populaires dans nos pays, ni même contribuer à leur survie en Tunisie. En revanche, on retrouve ces valeurs chez les habitants de Madras ou chez les Tamils de Jaffna.

Je pense que peu de femmes, dans la société moderne, seraient très favorables à la suprématie des belles-mères. Je crois que c'est en partie parce que la pensée qu'elles sont condamnées à passer environ trente ans de leur vie dans ce rôle exécrable leur est désagréable. Il est également évident que ce système est très dur pour les femmes sans enfants. Et puis le nombre des femmes célibataires est insignifiant dans ces sociétés, le mariage y est une condition générale puisqu'il est arrangé d'autorité par la famille. Les femmes qui ont eu la chance, à leur climatère, de gagner plus de prestige, d'autorité, de liberté, de loisirs et d'influence sont une minorité. Beaucoup plus nombreuses sont celles qui n'en sont pas encore là, ou n'y sont jamais arrivées.

Les souffrances des veuves dans ces civilisations peuvent être terribles : en Inde elles n'ont en général pas le droit de se remarier, leurs biens sont confisqués, elles sont condamnées à la réclusion et au deuil à perpétuité. Dans des pays comme l'Iran, où les hommes épousent des femmes beaucoup plus jeunes qu'eux, 23 % des femmes entre 45 et 54 ans sont déjà veuves, entre 55 et 64 ans, la proportion s'élève à 48 % (Rudolph-Touba, 233-4). Dans la plupart des pays d'Asie, les veuves sont à la merci de leur famille. Avoir de la chance, c'est garder bon pied bon œil jusqu'à l'âge adéquat, et avoir encore ses fils et son mari. Une femme d'âge mûr est puissante et prospère tant que son mari est vivant, veuve, elle est mise au ban de la société.

Dans les familles nucléaires modernes, il n'y a qu'une seule relation d'intimité qui compte, celle des époux. Si celle-ci ne marche pas, on saborde la famille entière, sans tenir grand compte de ce que pensent les enfants. La femme moderne n'a que deux sources de satisfaction possibles : ses rapports avec son mari et ses rapports avec son employeur. Certaines recherches limitées sur la question semblent indiquer que les femmes qui ont un travail intéressant supportent mieux la ménopause. Il paraît relativement évident que celles qui aiment leur travail en ignorent les symptômes, si elles en ont, aussi longtemps que possible, de manière à pouvoir continuer à travailler efficacement. Pas question, pour elles, que les effets du climatère puissent les disqualifier professionnellement. La ménopause n'a peut-être rien de positif, mais les éléments extérieurs favorables leur permettent de la prendre à la légère.

Les femmes qui ont un travail intéressant et bien payé constituent une autre minorité de femmes favorisées par la chance. La plupart des études portant sur leur comportement ne sont que difficilement transposables aux femmes appartenant à des minorités ou de condition modeste. Beaucoup n'ont subi les épreuves de leur vie de jeune femme que pour être privées, à leur maturité, de la récompense espérée. De nos jours, les femmes de 50 ans qui ont respecté leur mère et ont pris soin de leur grand-mère se retrouvent, sans aucune dignité, confiées aux soins d'étrangers. Elles sont prises dans la transition entre un système qui s'identifiait sans doute à l'entraide des familles ouvrières ou des ghettos, et un nouveau système, considéré comme meilleur, plus avancé.

Au pire, ayant été élevées dans une maison entre mère, grand-mère et tantes, ayant participé avec elles aux mille tâches domestiques, elles finissent leurs jours dans un vilain HLM mal chauffé dont elles craignent même de sortir par peur de se faire attaquer. Chaque signe de vieillissement, quand on est dans cette situation, ajoute à l'angoisse. L'émergence des symptômes correspond alors à une stratégie de survie, car il n'y a que si l'on est malade que l'on s'occupe de vous.

La solitude et la vulnérabilité des vieilles dames sont l'aboutissement de campagnes séculaires, visant à détruire le pouvoir de la mère dans le monde occidental. Elle a abandonné son empire, non pas au père de ses enfants, mais à l'État bureaucratique patriarcal – dont chaque famille autoritaire est un microcosme. Pour pouvoir maintenir son autorité dans nos minifamilles, l'homme doit sans cesse affirmer la priorité de ses exigences sur celles de ses enfants. La femme doit avant tout jouer la carte de l'épouse, elle ne peut attendre de satisfaction en tant que mère. De fait, il lui faudra peut-être confier ses enfants aux soins vigilants de personnels plus ou moins qualifiés pour pouvoir consacrer toute son attention à ses fonctions de partenaire sexuelle de son mari, de porte-drapeau de son argent et de sa réussite professionnelle. Les femmes du XXe siècle ne disposent certes pas d'armées de domestiques pour s'occuper de leurs enfants. On les envoie donc au jardin d'enfants, à l'école, en colonie de vacances, au-lit-avant-que-papa-ne-rentre, ou bien on les laisse à la tendresse dévouée d'une baby-sitter. Celles qui travaillent à l'extérieur, en plus du travail de la maison, ont encore plus de mal à s'adonner pleinement aux joies de l'amour maternel.

C'est dès la conception des enfants que le droit d'une mère est battu en brèche. Des professionnels prennent en charge sa grossesse et son accouchement. Ses enfants n'ont pas accès à son corps, ils dorment loin d'elle. Au lieu de les porter dans les bras ou sur le dos, on les promène dans des poussettes ou des landaus; et pendant des générations, on leur a même refusé le sein. Ce n'est pas la mère qui socialise son enfant, lui enseigne les savoir-faire de tradition familiale. Ces fonctions ont été reprises, très mal, par l'État. On refuse à la mère les honneurs de la maternité.

Tout ce qui lui reste, dans la société de consommation moderne, c'est le rôle de bouc émissaire; la psychanalyse consacre des fortunes et un temps fou à convaincre ses patients de rejeter leurs problèmes sur la mère absente, à qui on ne donne même pas la chance de prononcer un seul mot pour sa défense. L'hostilité à l'égard de la mère est, dans nos sociétés, un signe de bonne santé mentale. Les femmes débordantes d'amour maternel s'entendent dire qu'elles se sont trop identifiées à leur rôle de mère, qu'elles sont possessives, ou trop mères poules. On les force à apprendre à dissimuler leur vulnérabilité, à endurcir leur cœur, et cela, souvent, avant que les enfants ne soient capables de se débrouiller tout seuls. Qu'ils soient immatures, paumés ou même complètement perturbés, à 18 ans, ce n'est plus notre problème – même s'ils ne se gênent pas, eux, pour exploiter notre vulnérabilité quand cela les arrange.

Dans les civilisations où l'amour et l'intimité d'une mère sont considérés comme une des grandes joies de l'existence, c'est une chose merveilleuse que de voir ses filles devenir mères à leur tour. Pour que les mères acquièrent prestige, influence et autonomie en vieillissant, il faut d'abord qu'elles vivent à proximité des enfants adultes. Cela suppose que les employeurs ne les envoient pas, bon gré mal gré, à l'autre bout du pays. Tout aussi fondamentale, une stabilité sociale suffisante pour que puissent se développer des schémas d'interaction et d'accumulation de savoirs qui ne peuvent rester valables que si les transformations économiques et technologiques ne sont pas trop rapides.

Dans les sociétés traditionnelles, la grand-mère remplit des fonctions maternelles chez ses enfants adultes. Elle prend soin de la jeune accouchée, s'occupe des grands quand leur mère est accaparée par un nourrisson, et les intègre dans la communauté, selon les traditions familiales. Dans ces familles-là, il y a une succession de mères, petites ou grandes, dont le rôle est même parfois tenu par des garçons ou des hommes.

On peut encore observer la survivance de tels mécanismes dans quelques communautés ouvrières anglaises, ou chez les Noirs américains :

« Le partage des rôles chez les Noirs aboutit rarement à la dépression des cinquante ans. Bien souvent la " mamie " ou la " tata " partage le foyer et s'occupe des enfants pendant que leur mère travaille; ainsi les instincts maternels de la femme vieillissante ne sont pas refoulés. » (Bart, 215.)

Pour nous, le système du foyer matriarcal implique fertilité galopante, pauvreté, stagnation, donc arriération. La plupart des gens, dans le monde industriel, ne peuvent considérer ces systèmes que comme des situations à fuir plutôt qu'à rechercher. Toute tentative de bâtir une famille tribale en Occident serait, de toute manière, vouée à l'échec, car pour y vivre il faut avoir été conditionné intensivement dès la naissance. La famille nucléaire a déjà bien du mal à survivre jusqu'à ce que les enfants atteignent l'âge adulte, ce n'est donc que dans les circonstances les plus exceptionnelles qu'elle pourrait se transformer en entité sociale plus durable et plus nombreuse. L'obligation d'habiter chez les beaux-parents est généralement considérée comme la sanction de l'imprévoyance. Certes, nombre de couples doivent en passer par là, mais aucun n'en est fier : ils trouvent presque tous que c'est une situation intenable. Tout le monde vous dira qu'habiter dans la belle-famille est une condition suffisante de faillite conjugale.

Chaque année qui passe voit le rôle de grand-mère perdre un peu plus d'importance, il n'y a donc, pour la plupart des femmes, rien à attendre de l'avenir. Il ne leur reste plus qu'à rechercher leur bonheur là où les hommes le trouvent, dans le monde du travail. Et cela se solde par la meurtrissure de la retraite, généralement plus tôt pour les femmes que pour les hommes. Une étude récente sur le bien-être des femmes d'âge moyen a montré que, dans la manière dont elles percevaient les deux paramètres retenus, « maîtrise » et « plaisir », le facteur déterminant était le prestige de leur activité professionnelle. Plus elles avaient une situation de standing, plus elles obtenaient de bons scores en « bien-être ».

La conscience subjective de plaisir était la plus élevée quand la femme réussissait la combinaison mariée-mari présent-job prestigieux (Cf. Nathanson, 1980). Que la femme soit en cours de ménopause, ou qu'elle se considère comme pré ou post-ménopausée ne changeait strictement rien à l'affaire. Quand on leur demandait si elles auraient préféré vivre autrement, les célibataires disaient qu'elles ne se seraient pas mariées, celles qui n'avaient pas eu d'enfants ne le regrettaient pas. Que les enfants soient partis n'avait pas non plus d'importance. Ces résultats peuvent paraître surprenants. Mais l'échantillon n'était composé que de femmes blanches résidant dans une petite ville près de Boston. Je pense qu'il existe au monde des millions de femmes moins privilégiées qui pourraient trouver cette échelle des valeurs plus que contestable.

Nous frémirions presque toutes à la pensée d'entrer dans un zenana ou un harem afin d'y vivre une post-ménopause heureuse, mais nous serions peut-être plus séduites par la manière dont les Tiwis organisent leurs rapports sexuels. Ils vivent sur l'île Melville, en Australie du Nord, et sont convaincus que, de même que les règles sont provoquées par les rapports sexuels, de même leur interruption entraîne l'arrêt de la menstruation.

« Lorsqu'elles atteignent l'âge de la ménopause, les femmes ont pratiquement toutes vécu des aventures extra-conjugales et surtout, elles ont en général déjà eu au moins deux maris... Le premier est souvent beaucoup plus vieux que son épouse, aussi quand elle prend de l'âge, et que son vieillard de mari meurt, peut-elle se remarier successivement avec plusieurs hommes, chaque nouvel époux étant plus jeune que le précédent. Les concubines plus âgées qu'elle risquent également de mourir chacune à leur tour, jusqu'à ce qu'elle se retrouve la doyenne des épouses d'un homme jeune. Quand cela arrive, le jeune homme peut fort bien avoir plusieurs très jeunes épouses avec lesquelles il préfère faire l'amour. Les aventures extra-conjugales de la femme mûre tendent aussi à se raréfier quand les hommes jeunes atteignent l'âge du mariage contractuel. Ces trois faits : âge relatif du mari et de l'épouse, de l'épouse et de ses concubines, et moindre possibilité d'aventures extramaritales, peuvent, conjugués, affecter la fréquence des rapports sexuels ; ce qui explique que les Tiwis considèrent que " l'arrêt des relations sexuelles provoque la ménopause ". » (Goodale, 227.)

Beaucoup de choses peuvent consoler la femme vieillissante de ne plus faire l'amour : « Quand la femme approche la ménopause, son pouvoir et son prestige augmentent immédiatement » (227).

Non contente de détenir une autorité particulière sur son gendre, elle peut, si elle est la première épouse, « passer la journée assise à ne rien faire, et envoyer les autres épouses à la chasse ». C'est elle qui leur explique comment il faut élever les enfants, car elle est la « mère suprême » de tous les enfants des concubines. « Ses filles et les filles de ses concubines continueront, selon toute vraisemblance, à faire partie de son groupe familial jusqu'à sa mort, et resteront donc sous son influence » (227).

Et puis, « les vieilles femmes sont traitées avec beaucoup de respect par leurs fils. Non seulement on s'occupe d'elles et on les soigne, mais on leur demande souvent des conseils, que l'on suit » (227).

On ne peut que se demander à quel point la ménopause serait moins pénible si les femmes y gagnaient pouvoir, prestige et responsabilités, au lieu de les perdre tous trois. Il nous est même difficile d'imaginer un monde où les fils adultes demandent des conseils à leur mère de 50 ans, et les mettent en pratique, et où les enfants sont élevés conformément aux principes de la grand-mère. Le système avait déjà commencé à tomber en désuétude quand Jane Goodale a étudié les Tiwis en 1954 : les veuves ne se remariaient plus, l'administration traitait les maris en chefs de famille et ignorait l'autorité de la femme; les femmes jeunes réclamaient le mariage monogamique moderne.

Les chercheurs ont, en général, voulu démontrer que la ménopause était un phénomène insignifiant, ou au contraire catastrophique.

« En 1880, A. Arnold, professeur de médecine clinique et de neurologie à la faculté de médecine et de chirurgie de Baltimore, soutint qu'aucune des études récentes sur la ménopause n'avait pu mettre en évidence une pathologie associée. En 1897, Andrew Currier traita la conception négative de la ménopause de tradition surannée, dépourvue de tout fondement réel. En 1900, le docteur Mary Dixon Jones fit remarquer avec aigreur, dans un article du *Medical Record*, qu'appeler " période dangereuse " la ménopause était une véritable diffamation contre la moitié du genre humain. Et en 1902, M.C.Mc Gannon écrivit dans *The Transactions of the Tennessee State Medical Association* que la ménopause " n'était une période critique à aucun égard ". » (Banner, 6.)

Dans son annotation de ce passage, Lois Banner cite neuf autres sources, soutenant toutes qu'il n'y a aucune pathologie liée à la ménopause, et les renvoie dos à dos avec ceux qui s'adonnent à la propagande médicale de la « folie climatérique » ou de la « dépression mélancolique d'involution ». Toujours est-il que, quelle que soit la vigueur avec laquelle on a pu soutenir le contraire, le climatère continue bel et bien à être considéré comme un problème.

C'est un peu comme pour les règles : il y a deux manières de voir les choses. Pour les uns, il ne se passe rien d'extraordinaire, tandis que pour les autres cela entraîne une tension et une fatigue si marquées qu'on ne peut s'attendre à ce que les femmes y réagissent rationnellement.

Ces deux points de vue recouvrent autant de misogynie l'un que l'autre. Les minimalistes, pour qui il ne se passe rien, se réservent le droit de mépriser celles qui rencontrent des difficultés, tandis que les tenants du *Sturm und Drang* se permettent de traiter la condition féminine comme pathologique en elle-même. La manière dont les femmes vivent leur ménopause va de pair avec celle dont elles vivent leurs règles : ce n'est « drôle » ni dans un cas ni dans l'autre, mais on s'en arrange. On s'en arrangerait mieux, bien entendu, dans les deux cas, si on se souciait plus des femmes que de faire des affaires. Si la technologie était à leur service, il y a beau jour que l'on aurait compris exactement ce qui se passe dans leur corps autour de la cinquantaine. On pourrait ainsi faire en sorte que les processus naturels ne soient ni frustrés ni faussés.

Il est clair que pour certaines femmes, leurs règles s'arrêtent, un point c'est tout, alors que d'autres subissent jusqu'à dix ans d'épreuves. D'après certaines sources, les deux tiers de la population féminine se sentent aussi en forme que d'habitude. Mary Anderson, dans un livre commandé par le rédacteur en chef médical de chez Faber & Faber et rédigé en 1983, recommande l'approche positive :

« Il est important que les femmes voient la ménopause en perspective, et sachent bien que seul un tiers des femmes, d'après les estimations, souffrent de troubles vraiment gênants... L'auteur en est tellement convaincue qu'elle n'hésitera pas à le répéter au chapitre suivant : le sujet qu'il traite peut fort bien ne jamais concerner la lectrice » (35-6).

Le chapitre suivant portait sur « les signes et les symptômes de la ménopause » et, en tête de liste, Mme Anderson écrivait en majuscules : « AUCUN ». A la fin du chapitre elle affirmait à nouveau :

« De nombreux troubles peuvent, certes, être associés à la ménopause. Mais, surtout chez la femme équilibrée, cultivée et heureuse, celle qui a une vie familiale, sexuelle et professionnelle gratifiante, il peut fort bien n'y en avoir aucun » (58).

Les chercheurs du Centre hospitalier universitaire de King's College, dont John Studd, gynécologue obstétricien consultant et fondateur de l'une des premières cliniques de la ménopause en Grande-Bretagne, voyaient la chose sous un jour un peu différent :

« Bien loin d'être un soulagement souhaité de la fécondité, ces années peuvent représenter un moment de grande tension pour la femme, et on les considère habituellement comme allant au-delà du processus normal de vieillissement. C'est une endocrinopathie chronique associée à diverses altérations symptomatiques et dégénératives qui peut être largement affectée par le milieu socioculturel de la patiente. Les troubles sont assez préoccupants, dans le quart des cas, pour que l'on envisage un traitement spécifique à base d'hormones de substitution. La moitié des femmes ont des troubles minimes, durant de quelques mois à un an. Quant aux autres, elles ne semblent affectées par aucun problème caractéristique du climatère. » (Studd et *al.*, 1977, 3.)

Nulle part on ne nous explique comment M. Studd en est arrivé à ces statistiques. Il me semble peu probable que la thérapeutique des hormones de substitution ne soit proposée qu'à un quart des patientes de la clinique de King's College, mais on voit mal de quels autres chiffres le docteur Studd a pu disposer. La population de la clinique est déjà atypique, dans la mesure même où ces femmes viennent consulter. De plus, le docteur Studd divise la population entre un quart de femmes souffrant de troubles assez graves pour nécessiter un traitement, une moitié de « troubles minimaux » et un quart de « rien à signaler », ce qui est arbitraire.

Les gens qui poussent à la consommation d'hormones de substitution ont une autre attitude. Étant donné qu'ils commercialisent le remède, il leur faut bien encourager les femmes à ressentir la maladie. A lire la préface de Sir John Peel, ancien gynécologue de la reine d'Angleterre, au livre de Wendy Cooper *No Change* (Plus de ménopause) – pamphlet destiné à convaincre les femmes de réclamer une hormonothérapie substitutive – on se demande comment quiconque peut traverser la tourmente sans disparaître corps et biens.

« Les transformations qui affectent à la fois le corps et l'esprit, à la ménopause et plus tard, sont excessivement compliquées. Non seulement il y a des changements hormonaux, mais également émotionnels, sociaux et familiaux. On ignore comment certaines femmes, même si c'est une minorité, peuvent traverser la cinquantaine et la soixantaine sans grand bouleversement physique et émotionnel » (7).

Ce que Sir John, membre de l'Institut royal de chirurgie et de l'Institut royal de médecine, veut dire quand il parle de transformations « excessivement compliquées », c'est que ni lui ni ses distingués collègues n'y comprennent rien. Ils sont parfaitement capables de comprendre des phénomènes infiniment plus complexes, mais on n'a jamais consacré à l'endocrinologie féminine assez d'argent ou d'attention pour y faire le dixième des progrès réalisés, par exemple, en médecine sportive. La gynécologie n'a jamais été une spécialité prestigieuse, pour des raisons si évidentes qu'il est inutile de s'y étendre.

A la vérité, la cinquième période climatérique est difficile pour toutes les femmes, mais seules certaines sont capables de passer le cap sans assistance. Il faut tenir compte de la plus ou moins grande autonomie de la femme, de sa plus ou moins grande endurance à la douleur physique et morale, et de la perception qu'elle a de la souffrance des autres femmes, en particulier les plus jeunes.

Quand on interroge les femmes sur les troubles ressentis et qu'elles acceptent d'en parler, il reste à évaluer leur importance subjective. Les migraines en sont l'exemple parfait. On les range au nombre des symptômes climatériques ; de nombreuses femmes déclarent en souffrir à la ménopause. Cependant, d'autres recherches ont prouvé que celles qui étaient migraineuses à la ménopause s'étaient déjà plaintes de maux de tête, parfois plus fréquents, à d'autres époques de leur vie. Il serait surprenant qu'une femme qui réagit au stress par des migraines n'en ait pas à ce moment-là. Il serait tout aussi étrange qu'elle les associe à la ménopause. D'un autre côté, beaucoup ignorent que les douleurs articulaires, ou les fourmis dans les jambes, sont typiques de la ménopause et sont peut-être l'expression de troubles vasomoteurs.

Mais beaucoup de femmes s'aperçoivent qu'elles n'ont pas forcément intérêt à se plaindre. Les réactions de l'entourage, ou du corps médical, peuvent vous faire regretter d'avoir laissé échapper le moindre soupir : bien souvent, on se rend compte que l'on est mieux placée que quiconque pour affronter l'épreuve. On ne veut ni en faire une montagne ni étaler ses problèmes dans l'indifférence générale. Plutôt que d'ajouter les réactions des autres à ses propres difficultés, on préfère souvent souffrir en silence.

Si les femmes s'intéressent à la question et cherchent, de plus en plus jeunes, à s'informer, c'est qu'elles sont plus conscientes de leur corps et qu'elles comprennent l'importance d'être en forme pour faire face à tout ce qui risque de leur arriver. De même qu'elles avaient préparé leurs accouchements, elles veulent préparer leur climatère. Leur préoccupation se résume ainsi : « Le climatère étant une période de tension somatique exceptionnelle, il faut donc être en condition pour l'affronter, mais quelle condition, au juste ? » Or, quand elles tentent de s'informer sur la meilleure manière de gérer leur carrière post-reproductive, elles se heurtent à la confusion la plus totale.

Quand on ne veut plus avoir d'enfants, on continue quand même à être menstruée. C'est peut-être une bonne chose, mais je n'en suis pas sûre. La femme moderne est menstruée beaucoup plus longtemps que ne l'ont jamais été ses ancêtres, et il semble que la répétition de douzaines d'ovulations frustrées puisse mettre le corps féminin à rude épreuve. Plus les femmes ont subi de grossesses, plus tard elles auront leur ménopause. On pourrait donc, peut-être, retarder le climatère en imitant la grossesse et en mettant, pour ainsi dire, l'utérus au repos plus ou moins longtemps pendant la période de fécondité. Certaines femmes doivent vivre la ménopause simplement comme l'absence de retour de couches après une naissance ; il serait intéressant de savoir avec certitude si ces ménopauses-là ne comportent pas de troubles. Le peu que nous savons semble l'indiquer. Mais, dans ces cas, les symptômes de la ménopause peuvent être masqués par les fatigues d'une grossesse tardive et de l'allaitement, auxquels s'ajoute la charge épuisante du travail manuel et des tâches domestiques dans une famille nombreuse. La détresse du climatère n'est, peut-être, ressentie que par celles qui sont en état de la ressentir. Mais ce n'est pas une excuse pour l'ignorer chez celles qui l'éprouvent.

Celle qui cherche à s'informer, parce qu'elle ne veut pas que son climatère prenne des allures de catastrophe, a bien du mal à faire comprendre la nature de sa demande. On lui dira sans doute qu'elle a toutes les chances d'avoir le même genre de ménopause que sa mère... Ce qui peut s'avérer, suivant les cas, très encourageant, ou au contraire profondément inquiétant. En fait, il est plus que probable que la fille a connu une carrière reproductive tellement différente de celle de sa mère que la faible part d'hérédité est neutralisée par d'autres facteurs. Par exemple, le statut matrimonial, l'âge auquel elle a eu ses enfants, leur nombre, si elle a allaité ou non, utilisé la contraception, fumé, été obèse, eu une activité professionnelle...

Serait-il souhaitable d'être plus jeune à la ménopause, pour mieux en supporter le choc, ou, au contraire, la repousser ? Faut-il maigrir ou prendre du poids ? Faire du sport, ou se reposer ? Peut-on se permettre de boire un peu plus de vin que d'habitude, ou cela risque-t-il de brûler nos réserves en œstrogènes ? Faut-il manger plus, autrement, moins ? Se priver de viande rouge, de fromage et de chocolat ? Et les femmes qui ne ressentent « aucun trouble », que font-elles de mieux que les autres ? Si la pratique médicale suivait les principes du bon sens (ou d'un bon mécanicien) nous aurions sans doute la réponse à ces questions. On en saurait peut-être assez sur les femmes en bonne santé pour comprendre ce qui ne tourne pas rond chez les autres.

Il y a longtemps que l'on devrait avoir identifié le mécanisme qui permet à certaines femmes de ne ressentir aucun symptôme intolérable pendant le climatère. Si une seule femme au monde peut traverser le climatère sans sourciller, toutes doivent le pouvoir. Beaucoup de celles qui subissent des symptômes pénibles veulent savoir si c'est normal, ou s'il y a un problème. On leur fait des réponses contradictoires, sans expliquer pourquoi certaines femmes vivent ce processus naturel sans en souffrir, ce dont on peut inférer que si le processus est naturel, la souffrance n'en fait pas partie intégrante. On ne leur dit pas non plus pourquoi certaines ont des carences et pas les autres. Restons sceptiques sur l'existence d'un groupe de femmes traversant la ménopause absolument sans aucun symptôme. Mais n'oublions pas que l'existence d'une certaine proportion de femmes qui « ont de la chance » justifie le point de vue que c'est un processus naturel et non une maladie.

4

CELLES QUI N'ONT PAS DE CHANCE

« Je vais maintenant vous montrer une veuve de cinquante-quatre ans qui a fait des efforts considérables pour mettre fin à ses jours. » C'est ainsi que le célèbre Kraepelin présentait une patiente à ses étudiants en psychiatrie clinique.

« Cette patiente n'a jamais présenté de troubles mentaux. Elle s'est mariée à trente ans, a quatre enfants en parfaite santé. Elle dit que depuis la mort de son mari, il y a deux ans, elle dort mal. Comme à l'époque elle devait vendre sa maison, parce qu'il fallait partager l'héritage, elle a commencé à se faire du souci, en se disant qu'elle risquait de ne plus avoir de quoi vivre, même si, en y réfléchissant calmement, elle voyait bien que cette angoisse était sans fondement. Elle avait chaud à la tête, elle était faible, énervée, se sentait le cœur oppressé. Et puis elle était fatiguée de vivre, surtout le matin. Elle dit qu'elle n'arrivait pas à dormir la nuit, même avec des somnifères. Un jour, tout d'un coup, elle s'est demandé : " Mais qu'est-ce que je fais sur terre ? Il faut que j'essaie d'en partir. Je pourrai enfin me reposer. Plus rien ne m'intéresse. " Alors elle a pris son écharpe et elle s'est pendue derrière sa maison. Elle a perdu conscience, mais son fils l'a trouvée, l'a décrochée et nous l'a amenée à l'hôpital. »

A l'hôpital elle avait commencé à récupérer un peu, et on lui avait permis d'aller chez sa fille mariée. En moins de deux semaines, son état s'était tellement détérioré qu'il avait fallu l'hospitaliser à nouveau. Elle se remettait lentement, et rechutait souvent.

« Elle n'avait pas, à proprement parler, d'hallucinations, à part l'angoisse de ne jamais guérir. En fait, il semble que la signification réelle du tableau clinique corresponde à une dépression anxiogène accompagnée des mêmes signes que l'agitation mentale – à savoir perte du sommeil et de l'appétit, sous-alimentation chronique. Cela ressemble d'autant plus à l'anxiété du sujet sain, que la dépression survient à la suite de circonstances extérieures très pénibles. Mais il est clair que l'intensité, et surtout la durée de la dépression, vont bien au-delà des limites de la normale. La patiente voit très clairement d'elle-même que ses appréhensions ne sont pas justifiées par sa situation réelle dans la vie, et qu'elle n'a absolument aucune raison de vouloir mourir » (7).

Des expressions comme « situation réelle dans la vie » ou « guérir » n'avaient certainement pas le même sens pour la veuve et pour le docteur Kraepelin. On devine aisément qu'elle n'avait eu, dans la vie, que son mari et ses enfants, lesquels ne devaient pas accueillir leur malheureuse mère avec beaucoup d'enthousiasme. On imagine bien aussi quel arrachement cela avait dû être de devoir quitter la maison où elle avait élevé ses enfants. Sa conduite peut s'analyser, au moins en partie, comme une protestation contre la marginalisation dont elle était victime. On pourrait traduire : « Je n'ai plus de raisons de vivre » par : « Vous ne me laissez aucune raison de vivre », mais les femmes n'ont pas l'habitude d'accuser qui que ce soit sinon elles-mêmes. A l'hôpital, elle était, au moins de temps en temps, le centre d'intérêt du docteur Kraepelin et de ses étudiants, alors pourquoi guérir? Qu'avait-elle à gagner à en sortir? Pour la nourriture et le sommeil, le milieu hospitalier n'a pas la réputation de servir des repas particulièrement appétissants, ni de fournir un environnement propice au sommeil.

C'est en observant des cas de ce genre que Kraepelin en arriva, dans la cinquième édition de sa *Psychiatrie*, à sa définition de la dépression mélancolique d'involution.

« La mélancolie, telle que nous la décrivons ici, commence généralement, et peut-être même exclusivement, au seuil de la vieillesse chez les hommes, et à la ménopause chez les femmes... Un tiers environ des patients guérit complètement. Dans les cas sévères et prolongés, il peut subsister une psychasthénie, ainsi que de légères tendances à l'angoisse. Le raisonnement et la mémoire peuvent également subir une détérioration marquée. Le déroulement de la maladie est toujours pénible. Cela dure en général de un à deux ans, selon la gravité des cas, avec de nombreuses fluctuations » (1896).

Quand la veuve se plaignait d'avoir « chaud à la tête », c'était peut-être un trouble vasomoteur de la ménopause, qu'elle n'avait pas reconnu comme tel, parce qu'elle ne savait pas que c'est un symptôme commun et désagréable, mais sans gravité. De même, la sensation d'avoir « le cœur oppressé » recouvrait sans doute des palpitations, ce qui est désagréable au début, mais pas grave non plus. Cette pauvre femme avait incontestablement rencontré des épreuves.

On est mal préparé à la solitude après vingt-quatre ans de mariage et quatre enfants, de même qu'on est mal préparé à habiter chez quelqu'un d'autre, quand on a toujours été maîtresse chez soi. Elle avait eu beau se battre pour essayer de s'adapter à une situation sur laquelle elle n'avait aucune prise, elle avait fini par craquer. Si elle avait réellement décidé d'en finir, ceux qui l'observaient avaient, eux, décidé que cette décision ne pouvait être rationnelle. Et si les menaces de suicide étaient en fait une forme de protestation, sa conduite était à peine moins irrationnelle. Elle était malade. Incapable de traiter sa situation, le corps médical dut la traiter, elle.

« En général, on ne peut soigner ces malades qu'à l'hôpital psychiatrique, car le désir de suicide est permanent. Il faut surveiller les patients de très près, jour et nuit. On les maintient au lit et on les suralimente, ce qui est difficile, car ils résistent. On prend soin de s'assurer que leur digestion est régulière et, dans la mesure du possible, on essaie de les faire dormir, au moyen de bains et de médicaments. On recommande généralement le paraldéhyde et, dans certains cas, l'alcool ou parfois du trional. On utilise l'opium pour lutter contre l'angoisse, en augmentant progressivement les doses, que l'on réduira ensuite peu à peu... Les visites de la famille ont un effet négatif jusqu'à la fin de la maladie... » (Kraepelin, 1904, 9-10.)

A ce moment-là, je suppose, la patiente décide que cela suffit, et reprend le contrôle de sa vie. Le docteur Kraepelin mit en évidence, dans ce cas précis, l'existence d'un syndrome spécifique au climatère, mais le simple bon sens permet de voir que cette malheureuse veuve avait subi une série de chocs émotionnels catastrophiques, au moment où elle était le moins capable de les supporter. Une ménopause difficile, compliquée de deuil, ce qui n'est pas en soi un phénomène rare, et le sentiment d'exclusion l'expédièrent à l'asile et lui assurèrent une place de choix dans les manuels psychiatriques pour les cinquante années qui suivirent.

La conception de la ménopause en tant qu'« âge dangereux », déjà très répandue à la fin du XIXe siècle, était en soi une cause d'anxiété. Les femmes voyaient s'approcher le moment fatidique avec angoisse, puisqu'il était de notoriété publique que l'on risquait de se transformer en un monstre, ni homme ni femme, couvert de poils, lubrique et méchant. Non seulement elles craignaient d'être condamnées à la « démence climatérique », mais il leur fallait aussi subir les préjugés des gens qui estimaient qu'elles avaient l'âge critique. Qu'elles soient en train de subir leur ménopause, qu'elles en aient enregistré les symptômes ou non, on les traitait comme si c'était le cas. Il y a de quoi être mal dans sa peau et irritable! Si la moindre plainte, venant d'une femme d'âge mûr, est interprétée comme du radotage de veuve ou comme un signe pathologique, on sent qu'il vaut mieux souffrir en silence.

Restait deux stratégies : nier sa ménopause à la seule personne susceptible d'accepter cette dénégation, c'est-à-dire soi-même, ou développer des symptômes rendant indispensable une intervention extérieure et des soins. Or, le traitement ne pouvait être que drastique, car non seulement la femme faisait pression sur son médecin pour qu'il lui prescrive des procédures destructives, en s'abstenant ostensiblement de réagir aux traitements classiques, mais les médecins ne demandaient qu'à céder. Saignées, ventouses, purgations, pertes provoquées chez la femme en cours de ménopause : voilà le genre de mutilations rituelles auxquelles on continuait de se livrer malgré les réactions outragées de quelques médecins et de femmes, plus nombreuses, voyant bien qu'il n'y avait la moindre base thérapeutique rationnelle dans aucun de ces traitements.

En 1798, en plein cœur de la tempête provoquée par l'apparition des premiers hommes sages-femmes, S.H. Jackson, médecin londonien distingué, prit sur lui de s'adresser directement à ses patientes. Le discours qu'il leur tenait comportait, ce qui était fort inhabituel, des remarques sur la façon dont il fallait comprendre la ménopause :

« La menstruation s'arrête, exactement comme elle a commencé. Il se peut que la constitution sympathise avec ces transformations importantes, et qu'elle soit mise à rude épreuve si l'on ne prend pas les précautions indispensables. Mais les lois de la nature sont que l'état général peut être meilleur, avant et après ces altérations localisées, que sous l'influence de la menstruation, qui n'a qu'une seule et unique fonction dans la vie d'une femme. » (Jackson, 20-21.)

L'Américain William Potts Dewees tenta aussi, en 1833, de dissiper l'impression dominante que la ménopause allait de pair avec des risques particuliers :

« L'erreur, communément répandue, que " les femmes sont toutes en danger à cette époque de leur vie ", est pleine de malveillance pour le sexe faible » (148).

Il démontra également que si les femmes de 45 ans sont convaincues que leur avenir est « tellement lourd de menaces horribles... on a toutes raisons de se demander si ce n'est pas l'appréhension qui provoque certains symptômes pénibles accompagnant parfois cette évolution intéressante de l'utérus humain » (145).

Après avoir passé sa vie à mettre des bébés au monde et à soigner leurs mères, la veuve Boivin déclarait, dans son Traité pratique des maladies de l'utérus (Practical Treatise of Diseases of Uterus) traduit en Angleterre en 1834, que « les désordres de la menstruation, qu'ils soient cause ou effet, surviennent très fréquemment à un stade précoce de la vie des femmes, mais il ne semble pas que sa cessation soit propice aux maladies » (13).

Et le traducteur anglais d'ajouter, en note :

« Nous nous contenterons de faire remarquer que l'on a exagéré l'influence de la ménopause. M. Benoiston de Châteauneuf a prouvé, par l'étude approfondie de registres des décès, que la mortalité n'est pas plus élevée chez les femmes que chez les hommes entre 40 et 50 ans. »

Elle avait passé tant d'années au chevet d'accouchées, qui souffraient vraiment le martyre, que la veuve Boivin ne pouvait évidemment pas prendre au sérieux des désordres ne conduisant pas à une mortalité ou à une morbidité accrues.

Même si d'autres praticiens, cherchant à se faire une clientèle lucrative parmi les femmes d'un certain âge, pouvaient décrire avec pathos les dangers de dérangement mental et d'invalidité permanente, la Boivin expédiait tout le climatère en quelques mots :

« Des irrégularités se produisent parfois, signe que l'arrêt est proche. Les règles peuvent être insuffisantes en quantité par rapport aux habitudes et durer moins longtemps. Ensuite, à un moment imprévisible, il peut s'ensuivre un saignement abondant et ininterrompu; ces évacuations peuvent se produire deux fois par mois, ensuite il peut fort bien se passer plusieurs mois sans saignement. Les personnes qui ont été soumises à de telles irrégularités trois ou quatre ans de suite maigrissent beaucoup et s'alarment, mais recouvrent par la suite une santé parfaite » (14).

Samuel Ashwell devait, dix ans plus tard, dans son *Practical Treatise on the Diseases Peculiar to Women* (Traité pratique des maladies particulières aux femmes), consacrer un chapitre entier aux « désordres attenant au déclin de la menstruation ». Il commence assez posément :

« L'opinion s'est trop répandue que le déclin de cette fonction doive nécessairement s'accompagner de maladies graves; c'est là certainement une erreur, car certaines femmes, pleines de santé, traversent cette période sans en être troublées et beaucoup d'autres ne souffrent que d'indispositions légères et passagères. »

Il constate que les femmes ont des idées à elles sur le climatère mais, selon lui, c'est elles qui sont responsables de l'appréhension générale qu'il suscite :

« Les femmes elles-mêmes s'attendent à une période extrêmement troublée, qu'elles appellent " l'époque critique ", " le tournant de la vie ", etc. Il y a des femmes qui n'ont jamais été vigoureuses ni en bonne santé pendant les années marquant le milieu de leur vie, d'autres ont été malades longtemps ou ont eu des maladies utérines chroniques : après cette période, elles acquièrent ce qu'elles nomment " la stabilisation de leur constitution " et recouvrent la santé » (196-8).

Le bon sens de Samuel Ashwell persista dans certains milieux, cependant qu'une conception nouvelle se répandait et, on ne sait pourquoi, prenait figure de certitude absolue. En 1851, un auteur anonyme écrivait un essai sur « La femme et ses relations psychologiques » pour le *Journal of Psychological Medicine and Mental Pathology*, dans lequel il décrivait les transformations sinistres accompagnant l'arrêt de la fonction ovarienne :

« Comme les ovaires s'atrophient, l'apparence extérieure se modifie. La silhouette devient anguleuse, le corps maigrit, la peau se ride. Les cheveux changent de couleur et perdent leur luxuriance, le teint est moins doux et transparent, le menton et la lèvre supérieure se couvrent de duvet... Ces transformations physiques s'accompagnent d'une évolution intellectuelle, morale et caractérielle analogue. En fait la femme se rapproche un peu de l'homme, en un mot c'est une virago... Il n'est pas douteux que son manque de féminité la rende repoussante aux hommes, tandis que son humeur autoritaire et envieuse la rende odieuse à son propre sexe... » (35).

On pourrait croire, à lire ces lignes, que l'auteur n'avait jamais rencontré de bonne grosse mémé joviale. Et, en 1874, J. M. Fothergill continuait sur cette lancée en écrivant dans *The Maintenance of Health* (L'entretien de la bonne santé) que le climatère était une époque de crise, soumettant les femmes à une épreuve au-delà de leurs forces.

« Les minutes des jugements de divorce, les annales des asiles psychiatriques, les dates sur les tombes des cimetières, tout montre la sévérité des contraintes subies par l'organisme féminin au cours de cette transition » (112).

En fait, si M. Fothergill s'était vraiment donné la peine de consulter les archives des tribunaux, des hôpitaux psychiatriques et des cimetières, il aurait pu constater que ses impressions étaient dénuées de tout fondement réel. Il est possible que cette certitude irrationnelle soit venue de France, où Octave Feuillet publiait en 1848 sa nouvelle « La crise » dans la *Revue des Deux Mondes*. « La crise » impressionna tant les esprits qu'on en fît immédiatement une adaptation théâtrale, jouée à la Comédie-Française. C'est l'histoire d'une femme de magistrat qui, peu à peu, devient « bizarre ». Elle qui était si douce et soumise, se met à parler avec aigreur, à faire des remarques maussades et revêches. Son mari trouve dans « sa conversation, autrefois si conciliante, une mélancolie banale, un certain piquant poétique et des tendances socialisantes ». Et comme il serait impensable d'imputer cette attitude à une révolte compréhensible contre la tyrannie domestique, on décide que le problème se résume tout simplement à son « âge critique ». (Cooper, 69-70.)

Certains commentateurs ont vu dans la conscience plus claire que les Français avaient de la ménopause le signe d'une plus grande curiosité scientifique. C'est certainement cet esprit scientifique qui poussa Georges Apostoli, en 1856, à relier un assortiment de lames et d'électrodes à un générateur et à les introduire dans l'utérus, après avoir dilaté le col au moyen d'une sonde utérine au diamètre d'une bougie de dix. Ayant placé une autre électrode sur l'abdomen, il faisait ensuite passer le courant (Allbutt, 316). Le pôle négatif servait à détruire les tissus, le positif à créer une action astringente et de condensation. Les candidates s'empressaient :

« On observe souvent un second effet chez les patientes traitées, une sensation de bien-être qui est souvent manifeste dès le début. Tous les praticiens ayant quelque expérience du traitement par l'électricité des maladies pelviennes ont dû remarquer que, très fréquemment, les patientes disent que le traitement leur a fait du bien, bien avant qu'aucun changement précis ne soit décelable localement. » (Allbutt, 317.)

En 1896, à l'époque où ces lignes étaient rédigées, l'électrogynécologie faisait fureur et avait généré beaucoup de recherches, portant principalement sur l'amélioration technique du matériel. On utilisait des charges de plus en plus fortes, on perçait et on électrocutait des tumeurs fibromateuses, on brûlait allégrement les tissus pelviens. Les patientes mouraient du choc opératoire, d'infection, ou bien c'était la maladie que l'on avait cherché à traiter qui, loin d'être guérie, les tuait. Néanmoins, en plus de cinquante ans, on ne put démontrer le moindre effet bénéfique direct de l'électricité sur le tissu utérin. Il ne restait plus qu'à abandonner la méthode. Vers 1920, ce n'était plus qu'un mauvais souvenir.

En 1858 John Charles Bucknill et Daniel H. Tuke publiaient le premier manuel de psychiatrie, *A Manuel of Psychological Medicine* (Manuel de médecine psychiatrique), qui fit autorité pendant vingt ans. Ils avaient pris la peine de vérifier ce que Fothergill s'était contenté d'affirmer et s'étaient aperçus que l'étude faite par le docteur Webster portant sur 1 720 admissions à l'asile de Bethlem révélait que le retour d'âge était la cause la moins fréquente de démence chez la femme.

« La cause la plus fréquente de troubles mentaux chez les femmes était indiscutablement les suites de couches, dont on comptait soixante-dix exemples. Les maladies utérines, de même que l'allaitement prolongé et la ménopause, étaient par ailleurs souvent enregistrés comme cause apparente du déséquilibre mental chez la femme, mais ils étaient loin d'être aussi fréquents que l'état puerpéral ou l'intempérance » (260).

Ils décrivaient un cas de « mélancolie suicidaire, tournant à la folie furieuse » – « cause probable de la maladie mentale : la période climatérique » :

« Femme du monde. Cinquante ans. A été particulièrement active et intelligente, exemplaire dans ses rapports avec les autres, dirigeant une grande maison avec beaucoup de jugement et de force de caractère... Folle depuis trois mois. État mental : extrêmement troublée. Pleine de sombres pressentiments, angoissée par les problèmes pécuniaires, se demandant avec quoi payer les factures, croit que toute sa famille est ruinée, etc. Entend des bruits qu'elle ne reconnaît pas toujours, ne comprend pas ; d'autres qu'elle prend pour la voix de ses enfants, à qui elle se met à parler. Se plaint de ne plus aimer la vie, supplie qu'on la pende ou qu'on en finisse avec elle. Fait des efforts constants pour mettre fin à ses jours, toujours à l'affût d'objets à se passer autour du cou, se serre la gorge de ses propres mains jusqu'à en avoir le visage bleu : furieuse de ne pas réussir, se fourre des objets divers dans le gosier... » (514).

Sa digestion était « lente », les fonctions utérines arrêtées. On lui rasa la tête pour pouvoir la badigeonner d'une lotion rafraîchissante. Tous ses symptômes étaient plus accusés quand ses intestins n'avaient pas fonctionné, on y mit donc bon ordre à coups de calomel et de jalap, poudre de Seidlitz et pilules d'huile de ricin. Deux ou trois fois par semaine, on lui posait des sangsues sur les tempes. Un soir sur deux on lui donnait un bain chaud, et tous les soirs de la morphine. Au bout de six mois, la pauvre femme suppliait qu'on la laisse rentrer chez elle ; elle avait beaucoup changé, changement qui fut interprété comme de la folie.

« Travaille à l'aiguille ; a des maux de tête, le regard agité, soupçonneux, agressif... Sa mélancolie a fait place à une excitation colérique permanente. Très opiniâtre, ne supporte pas la contradiction, se plaint amèrement de ne pouvoir rentrer chez elle. Il faut souvent plusieurs infirmières pour lui administrer ses médicaments. Sommeil tantôt satisfaisant, tantôt passe la nuit à marcher de long en large dans sa chambre » (515).

C'est pour cela qu'on lui administrait du tartrate d'antimoine et des bains chauds.

« Elle est toujours têtue, toujours en colère, a de fortes antipathies. Cependant, ses remarques sarcastiques et ses observations perspicaces... montrent bien que ses facultés intellectuelles ont gardé toute leur vigueur » (515).

Cela avait été mieux le onzième mois, mais au douzième elle recommençait à se tenir mal, on avait donc administré de fortes doses de calomel.

« Au cours du douzième mois, fluctuations considérables : tantôt coléreuse, s'en prenant à tout le monde, tantôt s'exprimant poliment et avec logique » (515).

A force d'être soumis à des traitements violents, ses intestins ne fonctionnaient plus qu'avec les pilules quotidiennes d'huile de ricin. Pourtant, dix-huit mois après son admission à l'asile, elle fut déclarée guérie et eut la permission de rentrer chez elle.

Bien que ni Charles Bucknill ni Daniel Tuke ne crussent au diagnostic de mélancolie climatérique, la conviction, partagée par la grande majorité des médecins, que cette maladie existait, ne fut pas ébranlée.

Un autre cas de mélancolie aiguë avec hallucinations fut imputé à des causes morales, bien qu'accompagné d'une cataménie peu abondante chez une femme de 44 ans. La pauvre attendait de se faire épouser par son compagnon, quand la femme de celui-ci mourrait, mais sa jeune sœur jeta elle aussi son dévolu sur lui, et le drame qui s'ensuivit persuada le monsieur de ne les épouser ni l'une ni l'autre. A l'asile, on eut beau lui donner des bains tièdes, asperger sa tête brûlante d'eau froide et lui appliquer des sangsues sur les tempes, elle ne montra aucun signe de guérison. On essaya cinq grains d'opium par jour, mais cela la rendit malade, et elle continuait à avoir très chaud à la tête. Ensuite, une fois par semaine, on lui fit des saignées à la nuque en prélevant 170 centimètres cubes chaque fois, mais on ne nota toujours aucune amélioration. Comme on peut l'imaginer, ces tendres soins ne faisaient que renforcer son désir de mourir. Le pronostic était pessimiste.

Pour l'époque, John Charles Bucknill et Daniel H. Tuke n'étaient pas des brutes, ils n'autorisaient pas la camisole de force, même sur les sujets agités, et encore moins qu'on les batte ou qu'on les trempe dans l'eau froide, comme cela se faisait encore dans certaines institutions. Ils ne se permettaient pas non plus d'élucubrer des théories sur le genre de femmes ayant le plus de chances de rencontrer des difficultés pendant leur climatère. Leur travail marqua le début des soins rationnels aux malades mentaux. Il est d'autant plus regrettable que leur scepticisme concernant l'influence de l'utérus sur l'équilibre mental n'ait pas été plus largement partagé. Les femmes elles-mêmes ne le partageaient pas, et produisaient des symptômes de déséquilibre mental correspondant à l'attente du public, somatisant leur souffrance psychique en ayant des symptômes physiques que l'on ne voit plus jamais actuellement.

Au début de ce siècle, les gynécologues affichaient une belle certitude qu'il existait un lien entre l'utérus et le mental. Ils en donnaient pour preuve les patientes dont on avait guéri la folie en corrigeant les rétroversions de l'utérus et les prolapsus par ovariectomie et hystérectomie. Les asiles psychiatriques se mirent à embaucher des gynécologues et à pratiquer ablations totales et hystérectomies, bien avant que ces opérations ne fussent sans risque, comme partie intégrante du traitement psychiatrique.

Dans l'introduction à la première édition française de *L'Age dangereux* de Karin Michaëlis, reprise dans la traduction anglaise de 1912, Marcel Prévost affirmait :

« Le roman le plus lu de toute l'Europe centrale est actuellement *L'Age dangereux*. Les réimpressions se succèdent, le succès du livre ayant bénéficié des controverses qu'il faisait naître » (8).

Marcel Prévost pensait que le roman devait beaucoup à la « science médicale », et qu'il apportait une contribution importante à la psychopathologie sexuelle, alors très en vogue. Une lecture critique du roman révèle qu'en fait, il ne décrit pas le syndrome climatérique et en nie même l'existence. L'héroïne a 42 ans quand elle quitte son mari, qu'elle avait épousé pour son argent, et va s'installer dans une maison virginale. De sa chambre, elle peut contempler les étoiles à travers un plafond de verre. La vie sentimentale de sa jeune cameriste est également gênée par l'impossibilité où sont les femmes de suivre les inspirations de leur idéalisme, et leur capitulation forcée aux exigences de l'homme. Les amies de l'héroïne, bien que d'âge et de tempérament différents, sont elles aussi en difficulté. L'une se suicide, l'autre s'enfuit avec un homme plus jeune qu'elle. L'héroïne invite le seul homme qu'elle ait jamais aimé, dans l'espoir qu'ils deviendront enfin amants. Il vient, mais elle commence à avoir des cheveux blancs, et sa silhouette alourdie ne convient plus à sa robe blanche préférée. Elle s'aperçoit tout de suite qu'il ne l'aime plus et décide de retourner à son mari, mais, hélas! c'est pour le trouver sur le point d'épouser une jeune fille de 19 ans. Elle et la cameriste décident de faire le tour du monde.

Dès le début, l'héroïne de Mme Michaëlis et ses amies savent fort bien que les femmes doivent traverser un « âge dangereux ». Agatha Ussing, celle qui se suicide, a tout gobé, y compris la psychologie conséquente à l'arrêt des fonctions ovariennes.

« Si les hommes soupçonnaient ce qui se passe dans la vie intime d'une femme après quarante ans, ils nous fuiraient comme la peste ou nous assommeraient comme on fait aux chiens fous... Le pire, c'est que je sais que ma folie sera temporaire. C'est une maladie incidente à mon âge... » (58).

Une autre amie a une idée qui me plaît beaucoup :

« On devrait fonder une joyeuse et immense sororité pour les femmes entre quarante et cinquante ans; une espèce de refuge pour les victimes des années de transition... Puisque toutes souffrent de la même chose, elles pourraient s'entraider, pour se rendre la vie non seulement supportable, mais même harmonieuse. Nous devenons toutes plus ou moins folles à ce moment-là, même si nous nous donnons beaucoup de mal pour faire croire le contraire » (90).

Si ses amies connaissent parfaitement la source de leur mal, l'héroïne, elle, est obligée de consulter un « spécialiste de la femme ».

« A quel âge se situe l'" âge dangereux "? Il me regarda avec le plus grand sérieux et répondit : " En réalité il n'y a aucune règle absolue pour ce qui est de l'âge. J'ai eu des cas à quarante ans, mais j'en ai eu aussi à soixante ans. " »

Si les cas du « spécialiste de la femme » n'ont pas de lien avec le climatère, ils doivent être provoqués par autre chose. La clef, dans tous les cas, semble bien être les troubles du comportement avec rejet de la condition féminine. On pourrait aussi considérer la fuite de Nora dans *La Maison de poupée* comme une manifestation de l'âge dangereux. L'héroïne de Mme Michaëlis profite de l'occasion pour élargir le champ d'application de l'expression.

« Nous nous mîmes alors à évoquer les milliers de femmes qui n'avaient été sauvées par la médecine que pour traîner une semi-existence misérable. Celles qui souffrent physiquement pendant des années, et sont oppressées d'une mélancolie dont on ne voit pas la cause. Elles finissent par consulter un médecin, rentrent en clinique et subissent quelque opération terrible » (122-3).

On pourrait croire que Mme Michaëlis partage la conviction générale que les vicissitudes de l'utérus transforment la vie des femmes en un cauchemar pour elles et pour les autres, mais un scepticisme sous-jacent perce dans cet extrait. C'est vrai que les femmes se faisaient charcuter dans l'espoir de guérir toutes sortes de vagues malaises, et l'on obtenait apparemment les résultats souhaités, mais Karin Michaëlis laisse entrevoir que ces procédés étaient peut-être purement et simplement destructeurs. *A priori*, il semble fort peu probable que la ménopause naturelle produise les mêmes désordres que l'on traitait chez les femmes plus jeunes en induisant une ménopause artificielle.

Certains pensaient que les femmes devenaient amorales à leur ménopause, parce que leur sexualité était libérée de sa fonction reproductrice et devenait comparable à celle d'un homme. Mme Michaëlis ne semble pas partager le sentiment général que les femmes se virilisent en vieillissant.

« Personne, jusqu'à maintenant, n'a proclamé cette vérité profonde, qu'avec l'âge – lorsque vient l'été et que les jours s'allongent – les femmes deviennent de plus en plus femmes. Leur féminité continue à s'épanouir jusqu'au cœur de l'hiver » (91).

En fait, l'héroïne a fui un mariage sans chaleur ni passion, non par refus de sa sexualité, mais parce qu'elle avait conscience de l'injustice qu'elle-même et les femmes vivant la même situation s'infligeaient. Malheureusement, c'est pour découvrir que, par rapport à ses contemporains de l'autre sexe, il est trop tard. Mme Michaëlis insiste sur l'impuissance de son héroïne : elle la fait élever par un vieillard qui veut l'épouser dès qu'elle aura l'âge de se marier. Hélas, le vieux monsieur la rejette : elle ne peut en effet cacher le dégoût que lui inspirent ses ardeurs. L'auteur la fait ensuite tomber amoureuse d'un artiste sans le sou, qu'elle abandonne, au profit de l'époux solide et loyal sans lequel elle ne peut survivre. Son divorce est une libération. On peut espérer, peut-être, qu'elle trouvera des satisfactions sexuelles et affectives en faisant son tour du monde : cela doit être à la portée d'une Danoise de 45 ans environ, riche et bien conservée.

Il y a eu de nombreuses tentatives pour démolir la notion d'âge dangereux. En 1923, Laetitia Fairfield étudia les renseignements collectés au cours d'une étude sur la santé des instituteurs anglais, dont les trois quarts étaient des femmes. Ses conclusions furent publiées dans *Lancet*. A l'époque, la phobie de la ménopause avait pris de telles proportions que, je la cite, une « institution célèbre » avait pris l'habitude de se débarrasser de ses employées à l'âge de 45 ans. Laetitia Fairfield s'élevait contre l'injustice d'un tel système et soulignait que cela n'encourageait guère les femmes à faire carrière. Elle montrait qu'imputer toutes sortes de maux à la ménopause pouvait en fait occulter une pathologie réelle, nécessitant des soins, et que la peur de la ménopause pouvait suffire à provoquer des troubles. Elle avait pu constater que l'absentéisme était inférieur parmi les femmes en période climatérique que chez les plus jeunes, sans doute parce que l'absentéisme féminin, nettement plus élevé que celui des hommes pour ces tranches d'âge, n'était en général pas dû à une maladie de la femme elle-même, mais de ses enfants. Au total, les problèmes de santé liés à la ménopause provoquaient moins d'arrêts de travail qu'aucun autre facteur. Elle ajoutait que cela valait la peine d'indiquer qu'elle n'avait relevé aucun cas de troubles mentaux liés à la ménopause. Ce qu'elle dit est le bon sens même :

« Il est clair qu'aucune femme ne se réjouit de ce que la nature lui rappelle, de manière si concrète, que sa jeunesse touche à sa fin. Inévitablement, les plus instables auront du mal à s'adapter à cette nouvelle phase de leur vie. Mais des éruptions " volcaniques " qui sont censées précéder les signes physiques, je n'en ai pas trouvé la moindre trace. D'après ce que j'ai pu observer, les névroses dues à des répressions émotionnelles sont beaucoup plus fréquentes au cours de la trentaine que pendant la quarantaine. On s'aperçoit que ni les caractères de cochon ni les jalousies maladives ne sont l'apanage d'un âge particulier. »

Mais les autres médecins ne furent pas convaincus, même ceux qui écrivaient dans *Lancet*. H. Crichton Miller estimait quelques mois plus tard, dans un article sur « les fondements physiques du désordre émotionnel », que la phobie de la ménopause était absolument justifiée. Il commence par une plaisanterie d'un goût douteux :

« La ménopause présente des problèmes qui concernent toutes les spécialités de la médecine, à l'exception, peut-être, de l'orthopédie. Elle a forcément la signification la plus profonde, d'un point de vue émotionnel, pour les femmes dont les aspirations maternelles n'ont pas été comblées. On ne peut ignorer l'aspect endocrinien, car l'absence de l'hormone ovarienne a des répercussions à la fois sur la thyroïde et sur les glandes surrénales... Il en résulte une vagotonie temporaire qui, lorsqu'elle est consécutive à une sympathicotonie, détermine des changements physiologiques graves. Imputer les névroses de la ménopause à des conflits psychiques, c'est n'exprimer que partiellement la vérité. » (*Lancet*, 23 février 1924, 380.)

Les disciples du docteur Miller, ayant constaté les résultats remarquables du traitement des déficiences thyroïdiennes par l'administration d'extraits thyroïdiens, se mirent à traiter tous ces graves dysfonctionnements avec des substances endocriniennes diverses, dont la plupart étaient absolument sans effet. On vit se développer un énorme business; toutes les boucheries industrielles se dotèrent derechef d'un département médical où l'on tirait des glandes endocrines des animaux d'abattoir les extraits « vitaux ». Le professeur Langmead eut beau signaler, au cours d'une conférence à la faculté de médecine de l'hôpital Sainte-Marie, en 1922, que des extraits de glandes endocrines ne pouvaient en aucun cas exercer l'action bienfaisante que l'on attendait d'eux, et se plaindre de ce que l'endocrinologie soit vouée aux postulats les plus téméraires et au grand commerce (*Lancet*, 14 octobre 1922, 820), le négoce des sucs ovariens ne fit que croître et embellir.

Les extraits ovariens prescrits aux femmes ne faisaient peut-être pas de bien, sauf comme placebos, au moins ne faisaient-ils pas de mal non plus. On ne peut en dire autant des traitements proposés aux hémorragies sévères de la pré-ménopause, lesquels s'avéraient souvent plus dangereux que les hémorragies elles-mêmes. Des messieurs fort érudits imputaient à l'anémie consécutive à ces hémorragies les symptômes les plus divers, depuis des vertiges et des palpitations, jusqu'à la faiblesse générale, en passant par les hallucinations et la nervosité.

Quant aux femmes, elles étaient prostrées de terreur autant que par manque de globules rouges, au point que certaines semblaient vraiment en danger de mort, bien qu'on n'ait jamais pu attribuer un décès à cette cause. Les médecins, incapables à la fois de remplacer le sang perdu et de corriger rapidement l'anémie, recouraient à toutes sortes de techniques pour arrêter le saignement. La plus classique était le curetage, qui met fin aux saignements causés par des résidus de matière placentaire ou par une hypertrophie de l'endomètre. La plupart des saignements auxquels ils avaient affaire étaient dus à des fibromes. Il y avait une solution, consistant à supprimer les saignements en supprimant l'organe lui-même, par hystérectomie. C'était la méthode préférée de nombreux chirurgiens. On l'utilise encore, et c'est toujours aussi peu justifié. D'autres, ayant remarqué que les fibromes rétrécissaient naturellement à la ménopause, étaient favorables à la castration. Même si l'ovariectomie chirurgicale était pratiquée sur d'autres indications, telles la nymphomanie ou « furor uterinus » (qui, si elle a jamais existé, était plutôt le signe d'un déséquilibre thyroïdien), ce n'était certes pas la méthode rêvée pour mettre fin aux saignements de la pré-ménopause.

Halberstadter découvrit en 1905 que les rayons X provoquaient l'atrophie des ovaires chez les lapines. Quelques mois plus tard, on se mit à soumettre les femmes à des doses massives de rayons X pour détruire leurs ovaires et provoquer la ménopause. Il n'était pas facile de s'accorder sur les méthodes ou les quantités à utiliser, car on comprenait mal le mécanisme. Le traitement était long, coûteux, et ne pouvait s'effectuer que dans un hôpital doté d'équipements spéciaux. D'autres médecins préféraient la méthode qui consistait à pratiquer la castration par insertion de barres de radium dans le vagin. L'inconvénient était que cela occasionnait des brûlures locales et des effets secondaires sur d'autres organes, mais l'avantage, que l'équipement était portable, et la méthode plus facile à administrer que les rayons X.

Il y eut certainement, à la suite des traitements, des décès causés par des ulcérations et des brûlures intestinales. La réaction des patientes semblait hautement idiosyncratique, ce qui n'empêcha pas les gynécologues d'envisager de soumettre des femmes toutes jeunes aux radiations, pour juguler les saignements trop importants.

Aujourd'hui, on ne peut que s'étonner de constater que l'on ait pu utiliser des techniques aussi drastiques, mystérieuses et révolutionnaires, sans avoir procédé à des études préliminaires sérieuses. On ne saura sans doute jamais quel carnage cela provoqua. Les victimes n'avaient sans doute pas la moindre idée de ce qui les entraînait vers un décès précoce.

Consulter un médecin, c'est demander un traitement – et se faire soigner, de quelque manière que ce soit, suffit souvent à convaincre la patiente que son état s'améliore. Plus le traitement est cher, dramatique, entouré de cérémonial, mieux l'effet placebo fonctionne. D'autre part, la souffrance climatérique dure peu, tout traitement de six mois peut fort bien coïncider avec la fin des troubles, d'autant que la plupart des femmes attendent des mois, ou même des années, avant de se décider à se faire soigner. Dans le cas de la malheureuse veuve qui avait tenté de se suicider pendant son climatère, il se peut bien que le traitement de sa mélancolie n'ait fait qu'allonger ses souffrances. Si tant est qu'il ait eu quelque effet, c'était sans doute un effet de thérapie d'aversion. Le contraste entre son ancienne vie et sa vie à l'asile était probablement tout au bénéfice de la première, qui par comparaison devait paraître tout à fait acceptable.

Les femmes qui tentent de se supprimer considèrent manifestement leur vie comme insupportable, mais il ne nous est pas possible de décider si c'est à cause de leur climatère. Ces détresses sont toujours plurifactorielles; mettre l'accent uniquement sur le facteur ménopause, c'est demander à la femme de se débrouiller avec ses propres moyens, lesquels sont visiblement épuisés. On ne peut supporter l'insupportable que jusqu'à un certain point.

Celles qui quittent mari et enfants à ce moment-là le font non pas parce qu'elles trouvent le climatère insupportable, mais bien leur mari et/ou leurs enfants. La femme qui se révolte à la ménopause a trouvé la brèche dans son autodiscipline qui lui permettra peut-être de s'échapper vers la liberté. Beaucoup des traitements qu'on lui propose ne sont que des moyens de murer une porte de sortie et de la condamner à la quiescence.

Il y a, certes, un élément de stress dans la ménopause. Il n'est facile pour personne de vieillir, mais c'est plus facile pour certaines que pour d'autres. Il y a des femmes, certains disent une sur quatre, d'autres une sur trois, pour qui c'est beaucoup plus problématique que pour les autres. Les enquêtes portant sur les femmes en cours de ménopause, et pas simplement sur celles qui consultent, donnent des résultats très contradictoires.

On nous annonce que 95 % d'entre elles reconnaissent se sentir irritables (Neugarten et Kraines, 1965), à moins que ce ne soit seulement 35 % (Jaszman et *al.*, 1969b); cependant que seules 21 % se disent fatiguées (Thomson et *al.*, 1973), à moins que ce ne soit 93 % (Sharma et Saxena, 1981). Et c'est soit 78 % d'entre elles (Neugarten et Kraines, 1965), soit seulement 21 % (Thomson et *al.*, 1973), qui passent par une période de dépression, tandis que l'insomnie en touche de 67 % (Sharma et Saxena, 1981) à 27 % (Thomson et *al.*, 1973).

En faisant la moyenne générale de fréquence des symptômes, telle qu'elle ressort des études principales, on obtient des pourcentages voisins de ceux de Jaszman, qui arrivait à la conclusion qu'à l'approche de la ménopause, la femme est susceptible de ressentir fatigue, irritabilité et dépression et, en s'en éloignant, insomnie et déséquilibre mental.

Les symptômes décrits par les femmes qui fréquentent les cliniques de la ménopause se répartissent en trois catégories : somatiques, psychosomatiques et psychologiques. La première regroupe les symptômes considérés comme purement physiques : bouffées de chaleur, sueurs froides, prise de poids, hémorragies, douleurs rhumatismales, douleurs occipitales et céphalées, sensation de froid aux mains et aux pieds, engourdissement, fourmillements ou picotements aux extrémités, seins douloureux, dorsalgies, gonflement des chevilles, troubles intestinaux, ballonnements. Les troubles psychosomatiques comprennent fatigue, migraines, palpitations, vertiges et troubles oculaires (trous aveugles dans le champ visuel).

La distinction entre le physique et le psychosomatique est ardue. Il me semble que décider, *a priori*, qu'une migraine est psychosomatique, constitue une méthode de diagnostic plutôt suspecte. S'il y a rétention de fluides, la céphalée apparaît comme une réaction physiologique à l'engorgement du cerveau. Étant donné qu'aucun chercheur n'a jamais pu démontrer que les bouffées de chaleur soient liées à une déficience en œstrogènes, ou même à une déficience en quoi que ce soit, il semble n'y avoir pas de raison de décider que c'est un symptôme purement somatique. N'importe quelle femme dira aux chercheurs qu'on les a plus volontiers après un événement vexant, ou gênant, que lorsque l'on accomplit tranquillement une tâche ne présentant aucun problème particulier. Ce qui les ennuie, c'est quand cela arrive en public, parce qu'elles se disent que tout le monde s'en aperçoit, autrement ce serait tout à fait supportable. Elles sont parfois accompagnées d'une sorte d'hallucination sensorielle : on dirait que nos vêtements sont devenus brûlants, que nos cheveux nous brûlent littéralement la nuque.

Quant aux symptômes psychologiques, il s'agit plutôt en réalité de symptômes de comportement : irritabilité, nervosité, coups de cafard ou tendances dépressives, trous de mémoire, excitabilité, insomnie, difficultés de concentration, crises de larmes, impression d'étouffer, soucis de santé, « déséquilibre mental », peur de la dépression nerveuse ou de la maladie mentale : tous ces symptômes ont été décrits par les femmes qui se plaignent de détresse climatérique. Certains sont manifestement des réactions à des symptômes physiques existants; la fatigue empêche la femme de s'accommoder de troubles vasomoteurs, qui l'empêchent de dormir la nuit, aggravant encore sa fatigue. Celle-ci s'exprimera de la manière qui lui est habituelle : crise de larmes, de colère, irritabilité.

Les femmes plus âgées ne réagissent pas comme les plus jeunes, il en va de même des femmes en bonne santé par rapport à celles qui souffrent, de celles qui sont heureuses par rapport à celles qui sont tristes.

A tout moment du déroulement du processus, le praticien est appelé à porter des jugements. Il (ou, plus rarement, elle) est conduit(e) à décider si sa patiente prend bien les choses, si elle est stable, si elle a de bons rapports avec les autres. Mais il sait fort peu de choses, ou même rien, des chocs émotionnels qui ont pu ébranler son équilibre, qui sont les personnes de son entourage avec lesquelles elle a des relations satisfaisantes ou difficiles. On considère toujours l'insomnie comme symptôme de désordre psychologique, alors que les habitudes du sommeil évoluent avec l'âge, cela a été amplement prouvé.

Il y a fort à parier qu'un symptôme soit psychologique s'il est typique des réactions habituelles de la patiente à d'autres sources de stress, sans lien avec la ménopause; dans ce cas, le symptôme en question n'est pas à proprement parler lié à la ménopause. Si tous les cliniciens adoptaient l'attitude de S. Bodnar et T.B. Catterill, à savoir que « les changements émotionnels (au cours du climatère) sont d'une étiologie multifonctionnelle, et le climatère peut ne faire qu'accentuer une faiblesse psychique existante » (2), les femmes auraient tort de leur demander de les aider à mieux vivre leur ménopause. Non seulement le concept de « faiblesse psychique » n'a aucun fondement scientifique, mais il est également terriblement moralisateur; pourtant, nombre de Maîtres de la Ménopause y croient, à cela ou à quelque chose de très approchant. Lauritzen, Maître allemand de la Ménopause, va même jusqu'à se permettre d'observer que le climatère dévoile nombre de psychoses et de névroses que les femmes avaient réussi à réprimer jusque-là » (1973, 5).

Il pourrait tout aussi bien démontrer que la ménopause corrode l'ego, et révèle ce qui a été dissimulé, pendant cinquante ans, sous l'armure de la personnalité. De telles implications, et les femmes ne sont que trop disposées à les accepter, mènent directement à la conclusion que si votre ménopause se passe mal, c'est de votre faute.

Celles qui traversent l'épreuve sans sourciller peuvent, en revanche, se sentir supérieures aux autres, ce qui accroît encore la pression sur ces dernières de cacher ou de déguiser leur souffrance. L'un des facteurs psychogéniques est l'anaphobie (peur irrationnelle des vieilles femmes) du médecin, qui est plus concerné par ses relations avec sa mère et avec son épouse que par le comportement de sa patiente.

Les études de la population féminine cherchant à découvrir la fréquence des troubles pendant la ménopause sont rares et peu satisfaisantes. La première a été conduite par le conseil de la Confédération des femmes médecins en 1933. On demanda à mille femmes, de 29 à 91 ans, dont beaucoup étaient dans des hospices, si elles avaient trouvé leur ménopause incapacitante. L'étude concluait :

« Compte tenu de l'impression générale ressortant de la littérature sur ce sujet, il est assez surprenant de constater que sur mille femmes choisies au hasard, environ neuf cents ont déclaré avoir continué leur travail habituel, sans aucune interruption due à des troubles liés à la ménopause. » (*Lancet*, 1933, i, 106.)

Il fallut attendre trente ans pour que l'on tente à nouveau d'étudier la fréquence des troubles dans une population féminine de 45 à 55 ans. Le nombre des symptômes figurant dans ces études variait de 40 à 8 (Greene, 43). Parfois, on a cherché à établir quels troubles étaient réellement liés à la ménopause, auquel cas on incluait quelquefois des femmes plus jeunes dans l'échantillon; et si on pouvait les distinguer des symptômes du vieillissement général, auquel cas on incluait des hommes.

Étant donné le nombre de symptômes formant la « nébuleuse des symptômes de la ménopause », il n'est pas surprenant que les chercheurs n'aient jamais pu déceler de pics statistiques, révélateurs de la prédominance d'aucun, à la ménopause. Aucune femme n'aurait pu survivre si elle les avait tous eus, pas plus qu'elle n'aurait pu les subir pendant toute la durée de son climatère. Quelques études ont semblé montrer que certains troubles ont tendance à survenir avant que la menstruation ne cesse effectivement, d'autres, après. La manière dont les femmes interrogées interprétaient la ménopause elle-même influait manifestement sur la manière dont elles décrivaient leurs ennuis.

Si on pense, comme les biographes de Mme Thatcher, que l'événement peut s'expédier en un mois, on peut bien associer les problèmes de la ménopause à des facteurs extérieurs, et n'en être que plus encline à décider que l'on n'a absolument rien perdu en efficacité pendant la période en question. D'un autre côté, si on vous présente la chose comme la source de tous les maux qui peuvent affliger la femme de cet âge, des symptômes sans aucun rapport avec elle peuvent s'interpréter comme des manifestations de la ménopause.

On est très loin d'être universellement d'accord sur la symptomatologie de la ménopause. Fort peu d'études, par exemple, citent l'acné de la ménopause, alors que certaines femmes, n'ayant jamais connu le moindre problème de peau, se couvrent de boutons pendant le climatère. Des chercheurs hollandais rangent le syndrome du canal carpien au nombre des symptômes dus au dérèglement hormonal; si j'avais su cela il y a deux ans, quand je me suis fait opérer les deux mains (je perdais progressivement le sens du toucher, j'avais des fourmis dans les doigts et des engourdissements douloureux), j'aurais pris des œstrogènes avant de subir une intervention chirurgicale pénible qui s'est terminée par une infection et une faiblesse permanente à une main. Les symptômes étaient sérieux, les muscles de l'une de mes mains commençaient à s'atrophier, il est fort possible que la chirurgie ait été inévitable de toute manière. Possible, mais pas certain.

Le symptôme caractéristique de la ménopause est l'instabilité vasomotrice; on suppose que c'est le résultat direct de l'arrêt des fonctions ovariennes, mais on ne comprend pas le rapport exact entre les deux.

« De tous les troubles que les femmes ressentent à la ménopause, celui dont elles se plaignent le plus souvent et le plus amèrement est la fameuse bouffée de chaleur. Ce phénomène survient quand le mécanisme nerveux qui régule les vaisseaux sanguins est altéré et qu'il en résulte ce que la terminologie médicale dénomme " l'instabilité vasomotrice ". » (B. Evans, 15.)

Cela pourrait ressembler à une explication valable, malheureusement, si l'on en examine les termes de près, on est déçu. Qu'est-ce qu'un mécanisme nerveux? Qu'est-ce, au juste, qui « régule les vaisseaux sanguins »? Et pourquoi la ménopause pourrait-elle altérer leur fonctionnement harmonieux? Est-ce réparable? Même si tout le monde connaît les bouffées de chaleur, nul ne sait au juste pourquoi elles se produisent. Le processus par lequel les vaisseaux sanguins se dilatent est semblable à celui qui fait rougir certains d'entre nous sous le coup de la gêne, mais pourquoi s'affole-t-il à la ménopause? Mystère.

Les études portant sur des femmes en cours de ménopause, prises dans la population générale, pour essayer d'établir combien d'entre elles ont des troubles, donnent des résultats variés. Les bouffées de chaleur, par exemple, touchent de 61 % à 75 % des femmes. Cette information serait inquiétante si le degré de sérieux des symptômes vasomoteurs n'était si variable. Certaines ont l'impression d'avoir reçu une pulvérisation d'huile chaude, mais cela disparaît vite et peut facilement s'ignorer. D'autres sont prises de tremblements et de sueurs froides après que la sensation de chaleur s'est estompée, d'autres encore ont des palpitations, des crises de panique ou la chair de poule. La nuit, ces troubles peuvent causer des insomnies et des sueurs nocturnes, si abondantes qu'il leur faut changer de chemise de nuit et de draps. Certaines ont des bouffées de chaleur à l'issue d'une situation difficile ou après un effort physique; d'autres ne savent jamais quand cela va les prendre. Certaines n'en auront que quelques-unes, en tout et pour tout, d'autres plusieurs par jour, pendant des années. Le quart des femmes concernées en ont pendant plus de 5 ans.

Viennent ensuite les problèmes liés à l'atrophie des muqueuses du vagin et de l'urètre. Celles-ci se dessèchent effectivement à l'arrêt de la fonction ovarienne.

« Dans la vaginite atrophique, le vagin perd sa texture, devient plus lisse et s'amincit, ses cellules souffrent de la perte d'une substance glucidique nommée glycogène. Ceci conduit à la diminution de la sécrétion protectrice d'acide, ce qui prédispose la paroi amincie à l'infection... Le prurit, ou démangeaison de la peau autour de l'orifice vaginal, peut être très gênant et même insupportable. En outre, le vagin étant moins bien lubrifié, plus sensible et moins élastique, les relations sexuelles deviennent de plus en plus difficiles et souvent douloureuses... L'urètre est sujet aux mêmes transformations atrophiques que le vagin, ce qui peut affecter la base sensible de la vessie... » (B. Evans, 16.) Il n'est pas utile de séparer les symptômes du vieillissement de ceux de la ménopause, car la femme les ressent ensemble. Mais ils ne font pas que survenir ensemble, il y a interaction entre eux. Les femmes mènent une vie bien remplie, sans se poser trop de questions sur la vitesse à laquelle elles vieillissent. La première bouffée de chaleur peut arriver comme un coup de tonnerre dans un ciel serein.

L'une des réactions les plus communes est qu'il est trop tôt, alors qu'en fait la ménopause survient à point nommé. Décodons cette expression de rancune : il s'agit en réalité d'une protestation contre la vitesse à laquelle ont passé notre jeunesse et l'enfance de nos enfants. Avoir un regret, qui peut aller jusqu'à l'amertume, ce n'est pas forcément révéler le symptôme pathologique d'un dérèglement profond. La plupart d'entre nous portent un poids de tensions trop lourd pour que le bât ne blesse pas, on a beau s'être battue, toutes ces années où les enfants grandissaient, pour leur procurer toutes ces choses qu'ils nous présentaient comme absolument indispensables, on peut fort bien se retrouver avec de jeunes adultes, qui quittent le foyer sans que nous en ayons profité.

La société de consommation est une société de dupes. Bien des femmes, à la ménopause, en viennent à réaliser qu'elles ont été flouées. Il peut y avoir une période de révolte avant d'accepter cette vérité. Il est normal qu'il y en ait une, car il est loin d'être facile d'accepter d'être déçue. Les femmes laissées à leurs propres ressources s'en arrangent comme elles s'arrangent de tous les autres bouleversements qui constituent une vie de femme, elles s'en arrangent si on leur laisse du champ.

On a pu montrer que les femmes jeunes avaient, envers la ménopause, une attitude plus négative que leurs aînées (Eisner et Kelly, 1980; Dege et Gretzinger, 1982), celles qui se considèrent comme ayant l'âge normal sont moins négatives. Cela montre comment les femmes font face, cela montre aussi, probablement, qu'au fur et à mesure que la ménopause se fond dans le spectre général du vieillissement, c'est ce dernier qui est ressenti comme le plus pénible. Plus une femme est cultivée, plus positive est sa réaction à la ménopause.

« Les familles des femmes de faible niveau d'instruction ont nettement plus de réactions négatives et de préjugés sur la ménopause, pensent qu'on en parle moins en famille et ont tendance à être moins solidaires. Ces familles considèrent aussi que ce qui arrive autour d'une femme, à cette période de la vie, comporte surtout perte et discontinuité, d'où l'instabilité émotionnelle... Les auteurs estiment que ces attitudes négatives sont déterminées d'abord par le milieu socioprofessionnel, et fondées sur une conception simpliste et stéréotypée de la position de la femme après la maternité. Ils ajoutent que celles qui ont eu la vie la plus dure, la moins autonome, sont celles qui font preuve de l'attitude la plus négative par rapport à la ménopause. » (Greene, 140-141.)

Autant pour le préjugé fort répandu que les femmes des « classes laborieuses » ne font pas autant de chichis autour de leur ménopause que les bourgeoises dorlotées. Il paraît évident que si on a une vie difficile, la ménopause n'arrangera rien.

Léon Tolstoï se maria en 1862. Il avait 34 ans, sa femme 18. En gros, elle ne l'intéressait pas, non plus que ses enfants – il lui en fit treize. Tout en prêchant la chasteté, il la prenait quand il en avait besoin, malgré sa propre répugnance, pour la rejeter ensuite. En 1895, à 51 ans, elle écrivit dans son journal intime :

« Ses biographies diront comment il aidait les moujiks à porter les seaux d'eau, mais nul ne saura jamais qu'il n'accordait pas un instant de repos à son épouse et que jamais, en trente-deux ans, il ne donna un verre d'eau à un enfant, ni ne passa cinq minutes à son chevet pour que je puisse me reposer, dormir, faire une promenade, ou même me remettre de toutes mes épreuves. » (Sophie Tolstoï, 126.)

En 1897 elle quitta la chambre conjugale, mais Tolstoï continua à la poursuivre de ses assiduités, quand il en avait envie, se servant d'elle à peu près comme l'aurait fait un violeur. La dernière année de sa vie, il n'en voulait plus, même pour cela. A l'époque, la comtesse Tolstoï était pratiquement devenue folle, on diagnostiqua « paranoïa et hystérie, avec une prédominance de la première ».

Une femme dont la relation première est avec un mari qui n'a de rapports avec elle que sexuels, mais sans la moindre tendresse, est psychologiquement meurtrie – même si son mari ne l'a jamais battue, elle a des blessures internes terribles. Son ego est déjà tellement sapé que l'arrêt des fonctions ovariennes lui ôte la dernière petite parcelle d'estime de soi qui lui restait. Si son mari lui fait bien comprendre que, même s'il consent à lui faire l'amour, son vieux corps (portant, dans le cas de Sophie Tolstoï, la marque de treize grossesses) est laid, elle en arrive à un tel sentiment d'insécurité que la comtesse Tolstoï, à l'âge de 46 ans, écrivait avec désespoir, dans son journal, qu'elle craignait que son époux ne la répudie tout à fait. C'était l'épouse d'un grand artiste, un héros. Les exigences de son ego, et son sentiment de culpabilité par rapport à sa propre sexualité, auraient écrasé des femmes autrement fortes que Sophie, même si elle n'avait pas eu la charge de recopier tous ses manuscrits, gérer sa propriété, ses affaires et sa maison, élever ses enfants et les instruire elle-même, tout en se soumettant à cette sexualité compulsive – tandis que lui jouait les ermites devant le monde. Le verdict de l'histoire, c'est qu'elle fut une mauvaise épouse.

Pendant la ménopause, beaucoup de femmes ont l'impression de changer de personnalité. C'est tellement spectaculaire que c'est presque comme si une personne, celle que vous connaissiez, se retrouvait glissée à l'intérieur d'une autre, la nouvelle. Le changement le plus terrifiant, le plus énervant, c'est la propension à des crises de rage aveugle. La moindre vexation peut réduire celle qui se débat avec sa ménopause à un état de fureur noire, de sorte qu'elle a dit l'irréparable avant même de se rendre compte qu'elle avait ouvert la bouche. Elle se retrouve en train de proférer les pires malédictions, les plus graves menaces, tout cela jaillissant d'elle comme à la force d'une main géante qui la presserait entre ses doigts.

Ce déchaînement de colère s'accompagne parfois d'une sensation d'anxiété physique, presque douloureuse, ou alors on a l'impression d'avoir la tête prise dans un étau, ou une barre douloureuse derrière les yeux. Voilà la réalité que recouvre l'expression pudique des médecins : « irritabilité ». Après ce genre d'accès de rage à en crever, on est épuisée, pleine d'un inutile sentiment de culpabilité, on voudrait bien que rien ne soit arrivé, on voudrait n'avoir ni injurié, ni giflé la victime, ni jeté ou brisé l'objet récalcitrant, ni donné des coups de pied au chat, ou arraché le bouton du lave-vaisselle. Ces mouvements d'humeur n'ont pratiquement pas été étudiés scientifiquement. On n'en connaîtra pas la cause avant que les femmes ne tiennent le journal de bord de leur climatère pour repérer elles-mêmes leur propre parcours. A première vue, ils semblent avoir un rapport avec les troubles vasomoteurs, car les bouffées de chaleur coïncident très souvent avec des périodes de stress, en général associé aux rapports avec autrui. Essayer délibérément de garder son calme ne fait qu'ajouter au stress. Parfois, bouffées de chaleur et crises de colère incontrôlable surviennent après un effort prolongé, comme si un fusible interne avait sauté.

Il y a peut-être une explication plus inquiétante du changement de personnalité à la ménopause. Les habitants du monde industrialisé sont exposés à des taux relativement élevés de pollution par le plomb. On a longtemps pensé que le plomb qui se fraie un chemin jusqu'au corps humain était mis à l'abri dans la moelle osseuse et ne pouvait se déverser dans la circulation sanguine.

En mai 1989, des chercheurs de l'hôpital de Lund, en Suède, découvrirent que la perte accélérée de substance osseuse à la ménopause provoque la libération dans le sang d'une partie du plomb contenu dans la moelle des os longs. Les femmes sans enfants, qui n'ont jamais eu l'occasion de se débarrasser du plomb accumulé, ont plus de risques que les autres d'en avoir des taux anormalement élevés à la ménopause : cela peut dépasser de 20 % le taux pré-ménopausique.

Une recherche conduite à l'université de Rochester a montré que le plomb s'échappant ainsi des os longs s'accumule alors dans les tissus mous. Le cerveau est un tissu mou. Les augmentations rapides des quantités de plomb participant à la biochimie du cerveau sont toxiques : cela affecte la fonction intellectuelle, la mémoire et le contrôle de l'humeur. Il existe deux manières de traiter le problème : l'une, c'est d'éviter les déperditions osseuses, l'autre serait de neutraliser les effets de l'influx de plomb, ou de provoquer son élimination rapide – ce qui est, je crois, pour le moment, impossible.

Malgré la quantité considérable de recherches ayant porté sur les troubles de la ménopause, on en ignore plus que l'on n'en sait. On soupçonne que le syndrome climatérique est déterminé par des facteurs culturels, que sa sévérité est fonction d'autres paramètres pathologiques, environnementaux, socio-économiques et psychologiques. Quoi qu'il en soit, une chose semble certaine : les femmes qui s'imaginent que la solution au problème inextricable qu'il leur faudra surmonter peut leur être fournie par le corps médical se sont historiquement révélées être les grandes perdantes.

5

LES CONSÉQUENCES INÉLUCTABLES

A la ménopause, la femme se trouve confrontée à sa mortalité comme elle ne l'a jamais été auparavant. Une partie d'elle-même est en train de mourir. Si on lui a fait croire, toute sa vie, que le plus important pour elle, c'était sa faculté de procréation, la mort de ses ovaires ne peut que l'affecter profondément. Elle ne peut rien faire pour leur redonner vie. La souffrance de la ménopause touche toutes les femmes, consciemment ou inconsciemment. Le sentiment que c'est le soir de notre vie, que les ombres s'allongent, que notre été est passé depuis bien longtemps, nos journées de plus en plus courtes et de plus en plus mornes, est un sentiment tout à fait juste, il faut le respecter.

Au départ, on a l'impression de s'enfoncer très vite dans la nuit; c'est seulement quand le stress du climatère est passé que la femme vieillissante réalise que l'automne peut être long, doré, plus doux et plus chaleureux que l'été, et que c'est la saison la plus productive de l'année. Le ton élégiaque ne s'efface jamais complètement de sa conscience, mais il ajoute une profondeur au moment présent, alors qu'à la ménopause l'amertume du regret dominait. Quand une femme de 50 ans se dit : « C'est maintenant le meilleur moment de ma vie », c'est d'autant plus profond qu'elle sait fort bien que cela ne durera pas.

Simone de Beauvoir soulignait avec fureur que le temps passait plus vite à partir d'un certain âge, les années filant à toute vitesse, alors qu'elle aurait voulu, au contraire, ralentir leur écoulement pour pouvoir savourer l'instant présent. *Carpe Diem.* Avoir conscience que le temps passe vite a plusieurs avantages : pour commencer, cela exclut l'ennui. Cela n'a guère d'importance que les jeunes jugent les vieux ennuyeux et lents. Les aînés ont parfaitement le droit de ne pas se laisser bousculer, de contempler tout à leur aise le monde fragile qui leur est devenu si cher, indiciblement cher. Viendra le temps, (pour ceux qui ont la chance de ne pas partir quand ils sont encore amoureux de la vie), où cette passion aussi s'étiolera, mais tant que l'on est possédé de cette immense tendresse, il faut lui céder.

La mort est le dénouement inévitable de la vie, mais c'est un privilège que de vieillir. Vieillir et mourir sont des processus différents, mais non distincts. Ils se recoupent, en tant que sujets de recherche, c'est l'une des raisons pour lesquelles nous ne comprenons pas exactement ce que l'âge implique inéluctablement et quels en sont, au contraire, les aspects évitables.

Subjectivement, on ne sent pas vraiment si on est jeune ou vieux. On ne peut que très vaguement évaluer son âge relatif par comparaison avec les autres. A 53 ans, je ne vais pas dire que je suis vieille. On me dira que l'on n'a que l'âge que l'on se sent, qu'il faut refuser de se sentir vieux, mais je ne suis pas convaincue. C'est vrai que je ne me *sens* ni jeune ni vieille, mais je *sais* que je suis vieille. Quand on est plus vieux que la majorité des habitants de la planète, cela paraît un peu bête de persister à se targuer d'être jeune. Les jeunes savent bien que nous ne le sommes plus. S'ils protestent poliment, quand ils nous entendent le dire, c'est qu'il est désagréable de voir quelqu'un se dénigrer. En tout cas, ils ne croient pas que c'est à nous de décider que nous sommes jeunes. Si notre société était fondée sur des groupes d'âge, nous faisant appartenir à telle ou telle génération, on disposerait peut-être de marqueurs objectifs permettant de se situer sur une échelle de séniorité. On pourrait peut-être alors savoir ce que veut dire avoir son âge. Dans certains domaines nous sommes positivement juvéniles, virtuellement séniles dans d'autres. Nous nous sentons plus jeunes que beaucoup de gens dont nous sommes les aînés et plus vieux que d'autres, de la génération de nos parents. Beaucoup d'entre nous ont l'impression de ne pas être à leur place parmi leurs contemporains, et cherchent à s'intégrer dans des groupes plus jeunes, en s'imaginant que cela les rajeunira. En réalité, c'est la compagnie d'une jeunesse obsédée d'elle-même, sans grâce ni délicatesse, qui fait se sentir vieux.

La femme aux prises avec les désagréments du climatère a du mal à s'informer sur ce qui l'attend. L'étude des mécanismes du vieillissement est récente et n'a encore obtenu que peu de résultats, mais ils sont importants à connaître pour celle qui, en pleine ménopause, a l'impression que le sol se dérobe sous ses pieds. Nathan W. Shock, de l'Institut national de gérontologie, tirait en 1986 les conclusions d'études longitudinales du vieillissement – c'est-à-dire d'études centrées sur l'évolution dans le temps d'un groupe témoin plutôt que sur la comparaison des performances des aînés par rapport aux plus jeunes :

« Tout d'abord, relativement peu d'individus se conforment à une évolution type établie d'après des moyennes en fonction de l'âge. Le vieillissement est un phénomène tellement individualisé que les courbes moyennes ne donnent qu'une approximation très grossière de la manière dont chacun accuse les effets du temps.

Il semble difficile de mettre en évidence un facteur déterminant le rythme du vieillissement des différentes fonctions sur un individu. Étant donné les différences de performance de la plupart des variables physiologiques parmi les sujets du même âge chronologique, il semble que l'âge seul soit un médiocre indicateur de performance. Les gérontologues commencent à reconnaître l'influence d'habitudes de vie comme le régime alimentaire, le sport, le tabac, etc., sur la santé et la durée de vie » (739-40).

Les médecins ont beaucoup de mal à distinguer les symptômes de la ménopause de ceux du vieillissement. Il leur est indispensable de le faire, s'ils ne veulent pas se faire accuser de charlatanisme, car on peut facilement leur reprocher de présenter la thérapie de substitution comme l'élixir de la jeunesse éternelle.

Au cours d'une recherche conduite en Hollande par le docteur L.J. Benedek Jaszman (1969b), on remarqua que certains symptômes apparus à la péri-ménopause, notamment palpitations, douleurs articulaires et insomnies, persistaient plus de cinq ans après les dernières règles. On en conclut qu'ils étaient associés non pas à l'arrêt des fonctions ovariennes, mais à l'âge; ce sont d'ailleurs des symptômes qui réagissent peu aux tentatives de compenser les déficiences en œstrogènes. Le professeur Carl Wood arriva à la même conclusion en 1979 dans une étude consacrée aux femmes de Melbourne : troubles du sommeil, douleurs articulaires, palpitations, vertiges, faiblesse et ankylose des extrémités s'observaient plus souvent chez les femmes ménopausées plus tard. (Evans, 51.)

Les transformations associées à l'âge se caractérisent, au total, par une diminution continue, au rythme d'environ 1 % par an, du métabolisme de base, de la capacité vitale, de la capacité pulmonaire, de la vitesse de filtration glomérulaire, de la rétention moyenne d'eau dans les cellules et de la vitesse de l'influx nerveux. Ce n'est là que l'expression biologique et précise de ce que les gens veulent dire, quand ils disent qu'en vieillissant on se « ralentit » et que l'on se « dessèche ». La rapidité du phénomène dépend de facteurs génétiques et de l'environnement; certains vieillissent deux fois plus vite que la moyenne, d'autres, deux fois moins vite. Le ralentissement peut se manifester par la désintégration des fonctions corporelles, à mesure que la transmission des messages se fait moins vite; il peut en résulter de la maladresse, des vertiges, une moins bonne coordination. Les organes ne vieillissent pas tous au même rythme, le cœur bat plus de deux millions et demie de fois sur une vie de soixante-dix ans, aucun autre muscle du corps ne peut, tant s'en faut, approcher une telle efficacité.

Cela n'avance guère la femme en cours de ménopause que de savoir que la glande thyroïde atrophique de l'individu adulte s'hypertrophie et accroît son activité sécrétrice... que la substance fondamentale des tissus conjonctifs augmente... que la quantité de collagène des muscles diminue, surtout dans les membres, moins dans l'abdomen... que parmi les glandes endocrines, ce sont les gonades qui se transforment en premier, puis l'hypophyse, puis la thyroïde, ou que les surrénales tiennent en partie le rôle des gonades jusqu'à ce qu'elles cessent elles aussi leur activité, phénomène appelé « pause surrénale ». Une célèbre étude, conduite en 1937 par Henry S. Simms et Abraham Stolman de la faculté de médecine de l'université de Columbia, montra que les tissus des sujets de plus de 70 ans contenaient « plus d'eau, de chlorures, de bases, de sodium et de calcium » et moins de « potassium, de magnésium, de phosphore, d'azote et d'oligoéléments » que le tissu plus jeune. Les personnes âgées transpirent beaucoup moins et leur transpiration n'a pas une odeur âcre.

L'activité cardiaque diminue. Les fonctions rénales baissent de 35 % entre les âges de 20 et de 90 ans ; le foie rétrécit, le flux de sang dans le foie diminue également. Les médicaments mettent donc plus de temps à agir.

En 1973, des chercheurs ont dit avoir constaté un déclin significatif du nombre de cellules T formées en rosettes dans le sang, entre 46 et 60 ans. Cela signifie que les défenses de l'organisme, sa capacité à réagir par la production d'anticorps, commencent à s'affaiblir (Hausman et Weksler, 1986). C'est peut-être un avantage, les réactions inflammatoires semblant moins violentes chez les personnes âgées. Elles mettent peut-être plus de temps à guérir d'une infection, mais le déroulement de la maladie, par exemple un rhume, est sans doute moins violent. Si l'on pouvait améliorer ou « rajeunir » les réactions immunitaires déclinantes, on pourrait s'attendre à une augmentation des maladies autoimmunitaires et des états inflammatoires comme le rhumatisme et l'arthrite.

La ménopause fait décoller la courbe du vieillissement, qui la provoque et dont elle fait partie intégrante. Cela n'a donc aucun sens de vouloir séparer la manière dont on gère sa ménopause de celle dont on gère son âge. Ce qui se passe au niveau des yeux, des cheveux, des chevilles, des pieds et du tour de taille, à 50 ans, est au moins aussi important que ce qui se passe au niveau génitourinaire.

La femme qui se heurte de plein fouet, à sa ménopause, à la réalité tangible de son vieillissement, devrait avoir le moyen de distinguer ce qui, parmi ses symptômes, est une conséquence inévitable de son âge, de ce qui pourrait être le signe d'un problème de santé. Elle ferait peut-être bien de se demander également si elle vieillit trop vite ou non, et pourquoi. Se laisser grossir, fumer, boire et faire peu de sport, ajoute encore aux difficultés rencontrées par l'organisme. La limite de notre capital jeunesse c'est le degré d'usure de notre composante la plus fatiguée, que ce soit le foie, le cerveau, la peau ou le squelette.

On s'accorde aujourd'hui à penser par exemple qu'avec l'âge, le calcium émigre des os, où il est utile, vers d'autres endroits où il ne l'est pas. La ménopause joue peut-être un rôle d'accélérateur de la résorption osseuse, aspect négatif de ce processus perpétuel qu'est notre squelette, car le manque d'œstrogènes laisse libre cours à l'action de la parathyroïde, glande inhibitrice de la croissance. Il en résulte une raréfaction des travées du tissu osseux, ce qui provoque les fractures caractéristiques du poignet et du col du fémur et les fractures par écrasement des vertèbres, aboutissant à la déformation et à l'effondrement de la colonne vertébrale appelée familièrement « bosse de bison ». La déperdition osseuse est particulièrement rapide dans les cinq à dix ans qui suivent les dernières règles. Les connaissances actuelles ne permettent pas encore de démontrer que l'administration d'œstrogènes de substitution pendant cette période soit réellement suffisante pour la prévenir. En fait, il n'y a pas de récepteurs d'œstrogènes dans les tissus osseux, et nul ne sait pourquoi la thérapie de substitution affecterait l'ostéoporose. (Guinan et *al.*)

« L'ostéoporose n'est pas une maladie individualisée, c'est l'aboutissement final d'un certain nombre d'évolutions qui deviennent de plus en plus fréquentes à mesure que l'âge avance, et mènent à la diminution de la masse osseuse dans le squelette. » (Exton-Smith, 524.)

L'augmentation de la porosité osseuse est plus précoce chez les sujets à squelette adulte relativement léger (par rapport au poids total du corps), dont l'alimentation a été pauvre en calcium, qui ont mené une vie sédentaire ou, pire encore, ont été immobilisés, et chez ceux qui ont reçu des traitements prolongés de corticostéroïdes. La surconsommation de protéines et de phosphores (par exemple si on mange beaucoup de viande rouge) accélère l'excrétion de calcium.

Même un jeune sportif perd de la masse osseuse, s'il reste alité, ou séjourne dans l'espace, en apesanteur. Pour conserver un équilibre normal entre accrétion et excrétion, le squelette a besoin non seulement d'être stimulé par l'action des tendons, mais aussi, semble-t-il, d'être en contact avec le sol. Il serait intéressant de savoir si les femmes d'un certain âge qui s'assoient habituellement par terre, plutôt que sur des chaises, ont autant de fractures du col du fémur, accident qui coûte chaque année tant de millions à la Sécurité sociale. Comme ces femmes-là ne mangent pas de viande rouge, mais des yaourts et des légumes verts, et qu'elles parcourent à pied des dizaines de kilomètres par jour, en portant généralement de lourdes charges sur la tête, il ne doit pas y avoir beaucoup de « bosses de bison » parmi elles. Il vit plus de cent millions et demi de telles femmes sur le sub-continent indien. S'il est vrai que l'ostéoporose a une composante génétique, il faut dire aussi que c'est une maladie de riches. Le salut du squelette, comme du reste de la bête, c'est donc le travail; un bon travail, fatigant, mais pas épuisant. Toutes les autres formes de traitement pour enrayer la déperdition osseuse ont des effets secondaires à long terme.

Même si la paysanne indienne que j'ai citée en exemple plus haut ne souffre pas d'ostéoporose, il n'y a aucun doute qu'elle est vieillie, osseuse, décharnée. Il n'existe aucun moyen d'échapper au vieillissement, que l'on peut observer tout autour de nous, chez tous les êtres animés et sur beaucoup d'inanimés, comme les voitures, les meubles ou les vêtements; mais on ne sait pas exactement en quoi il consiste et pourquoi il se produit. Selon la deuxième loi de la thermodynamique, le mécanisme du mouvement perpétuel est impossible : les biologistes n'ont pas encore été en mesure d'énoncer une loi similaire pour leur discipline. Il semble que les cellules puissent continuer à vivre et à se reproduire indéfiniment, dans un milieu convenable. On ne meurt pas de vieillesse : s'il n'y avait aucune maladie, on se prolongerait indéfiniment. Certains biologistes sont donc arrivés à la conclusion que si la mort est inévitable, le vieillissement est toujours pathologique.

Biologiquement, la mort est utile, la vieillesse ne l'est pas. La plupart des créatures ne la connaissent pas, on ne les voit pas traîner, de plus en plus décrépites : dès qu'elles ont transmis leurs gènes, elles opèrent une sortie élégante. La femelle de la race humaine est unique, parmi les organismes vivants sur cette terre, dans la mesure où sa durée de vie est le double de celle de sa période de reproduction. Mme Papillon aimerait bien continuer à faire l'amour aux fleurs après avoir pondu ses œufs, mais elle n'a pas le choix. La femelle de l'homme est bien la seule qui puisse se bâtir une vie à elle, après avoir satisfait aux devoirs de continuation de l'espèce. Il est tristement ironique que la biologie lui en donne les moyens, mais pas forcément le cœur.

L'une des raisons pour n'avoir pas forcément envie d'aller jusqu'au terme du temps imparti, c'est que ce supplément de vie est oblitéré par les conséquences de l'âge, de sorte qu'on ne lui offre qu'une demi-vie, une vie de potiche. La Sibylle de Cumes était préservée de la mort, mais elle était dans un tel état de décrépitude qu'elle passa le reste de sa vie à la souhaiter. Ceux qui héritent de l'arthrite en même temps que de la longévité (combinaison relativement peu probable) risquent de ne pas en concevoir une gratitude infinie.

Qu'une femme cherche à s'informer des conséquences inévitables de l'âge, elle s'aperçoit que ceux, en général, plus jeunes qu'elle, qui devraient les lui expliquer, lui font perdre son temps, en lui racontant des histoires de centenaires en Géorgie ou au Cachemire. Mais ils sont incapables de la préparer à ce qui l'attend dans les cinquante ans précédant son centenaire. La plupart des études de gérontologie portent sur des sujets déjà âgés. Si on a décidé de ne pas finir ses jours à l'hospice, il n'y a pas grand-chose à apprendre de recherches conduites sur ce genre de population.

L'une des angoisses les plus fortes de la ménopause, c'est de se demander si les crises de confusion, ou les trous de mémoire que l'on a, ne seraient pas les premiers signes d'une maladie d'Alzheimer ou de démence sénile. Nous nous demandons toutes, en voyant une petite vieille tremblante se faire habiller par une infirmière, comment elle a pu en arriver là, et si l'on peut s'en rendre compte. Et quand les jeunes nous traitent avec un mélange de condescendance et de pitié, on se demande si l'on n'en est pas déjà là.

C'est de l'élite masculine vieillissante que vint l'impulsion de s'attaquer au problème de l'âge. Ils voulaient sans doute pouvoir savourer les fruits du pouvoir accumulé au cours de leur vie, à savoir l'amour, l'adulation des jeunes femmes. Au cas où l'on penserait que tout cela n'est que radotage de féministe exacerbée, je tiens à faire un historique aussi bref que possible du machisme exacerbé. En 1889, le professeur Brown-Sequart, de l'Université de Paris, âgé de 72 ans, annonçait à une assemblée de doctes collègues qu'il avait réussi tout récemment à avoir des rapports intimes avec la jeune Mme Brown-Sequart, grâce à des injections d'extraits testiculaires animaux. C'était le premier de centaines de ces médecins de la jeunesse que Patrick McGrady devait surnommer « les Grands Érecteurs ». Sous la férule d'Eugène Steinbach, Serge Voronoff, Julius Romulus Brinkley et Paul Niehans, ils allaient traiter « des papes, des milliardaires, des monarques »... et fort peu de femmes. Niehans soigna le pape Pie XII, après quoi tout le monde se mit à faire aussi des injections de cellules fraîches, sans qu'il fût jamais procédé à leur investigation systématique.

« Un jeune interne confessa (à M. McGrady) qu'il avait traité simultanément deux femmes présentant des troubles de la ménopause avec des extraits hypophysaires. Il avait fait deux séries d'injections, à six mois d'intervalle. Les patientes, ayant fabriqué des antigènes hypophysaires après la première série, avaient subi immédiatement un choc anaphylactique et étaient mortes » (103-4).

Niehans soigna une femme d'une cinquantaine d'années qui présentait de nombreux troubles.

« Huit mois après que la thérapie cellulaire se fut révélée incapable de guérir ses insomnies, cause première du traitement, ses crises de foie avaient disparu... mais ce n'est que six ans plus tard qu'elle avait retrouvé un sommeil régulier.

« “ Vous vous rendez compte? avait dit la crédule patiente. Mes greffes ont mis six ans à prendre! ” » (108).

Clayton Wheeler, qui « traitait, à grands renforts de fleurs et de baise mains, une clientèle majoritairement féminine », était, lui, carrément un escroc. Ses suppositoires aux extraits glandulaires étaient tout simplement à base de viande hachée déshydratée. La thérapie du docteur Niehans fut appliquée à Londres par le docteur Peter M. Stephan à des patientes, non pour remédier au déclin de leurs fonctions sexuelles, mais parce qu'elles s'inquiétaient pour leurs seins. Selon lui, le traitement réussissait à 50 %. La manière dont Patrick McGrady rapporte une conversation avec lui révèle involontairement l'idée qu'ils se faisaient tous deux de la femme vieillissante. A la question « Les gants de toilette, vous arrivez à en faire quelque chose? », Stephan répond :

« Soyons logiques... Absolument logiques. Il y a sein qui tombe et sein qui tombe, non? Je veux dire, ne me donnez pas un cas impossible. Prenons un cas normal. Une femme de cinquante ans. D'accord, cela tombe un peu, elle porte des soutiens-gorge de maintien. Là on peut faire quelque chose. Si c'est des gants de toilette, comme vous dites... Non.

– Vous arrivez à redresser les seins?

– Je l'ai déjà fait. »

Restaurer l'érection sur un pénis vieillissant a, selon ces deux médecins, son équivalent féminin : il consiste à restaurer la turgescence des seins. Tout laisse malheureusement à penser que ce que les hommes venaient chercher chez les « médecins de la jeunesse » c'était l'énergie de la jeunesse, alors que les femmes devaient se contenter de son apparence. Les hommes voulaient jouir, les femmes séduire.

C'est en effet sur leur visage que la plupart des femmes décèlent les premiers signes de l'âge – les rides – dont elles restent souvent obsédées. Aussi extraordinaire que cela puisse paraître, on ne sait pas exactement en quoi elles consistent. L'anatomie de la peau ridée est identique à celle de la peau lisse. Les rides ne sont pas uniquement, ni même principalement, la « marque des ans », elles résultent aussi des agressions répétées d'abord du soleil, et aussi du froid et du vent. Les rides précoces sont également provoquées, bien plus souvent qu'on ne le croit, par l'usage prolongé de nos drogues préférées : alcool, caféine et nicotine. Prenez une Australienne qui vit au soleil, boit et fume : son visage a au moins dix ans de plus que son corps.

Bien sûr, l'âge finit par marquer le visage des femmes, même quand elles vivent à l'intérieur et ne prennent pas de stimulants : les muscles faciaux et la peau se relâchent, à mesure que la couche de collagène s'amincit. Les bonnes sœurs de 50 ans ont un visage lisse et pâle, comparé à celui d'une Australienne de 40 ans, toujours au grand air; on voit bien cependant qu'elles ne sont plus toutes jeunes. Les peaux sèches se rident plus vite que les peaux grasses, les teints clairs avant les mats, lesquels se rident eux-mêmes plus précocement que les bistrés, ces derniers étant plus fragiles que les noirs. Cependant, les femmes noires meurent avant les bistrées, qui meurent plus jeunes que celles qui ont le teint mat, lesquelles vivent moins longtemps que les Blanches, ce qui n'est pas dû uniquement à l'environnement socio-économique.

Le visage d'une femme de 50 ans nous dit non seulement qu'elle a vécu cinquante ans, mais où et comment elle les a vécus. En soi, on ne peut pas dire que ce soit séduisant ou repoussant, puisque après tout la beauté dépend de celui qui regarde, mais la femme elle-même peut avoir le sentiment que son visage en dit trop. Celles qui se sont maquillées toute leur vie sont en fait masquées, mais quand les années s'accumulent, les rides percent à travers le masque. Trop souvent elles marquent des expressions sévères, comme le froncement des sourcils, la moue, les lèvres pincées. Le visage radieux de la jeune fille commence à prendre un air sérieux, angoissé, voire même sombre.

Il ne faut donc pas s'étonner que les femmes d'un certain âge aient toujours l'air inquiètes ou en colère. Normal qu'elles soient prêtes à beaucoup d'efforts pour lisser un visage qui provoque instantanément des réactions négatives! Les plus démunies utilisent des crèmes antihémorroïdes contractantes pour se faire des liftings de courte durée, celles qui en ont les moyens s'offrent un vrai lifting.

Les chirurgiens, qui gagnent des fortunes à réparer les « dégâts des ans », parlent le même langage que les praticiens des hormones de substitution : « Il y a longtemps que vous auriez dû venir me voir. Maintenant vous ne pourrez plus vous passer de moi. » Une fois que l'on s'est fait lifter le visage, on est condamnée à recommencer, ce qui n'empêche pas les mains, le cou et les yeux de vous trahir. L'éclat et la sérénité peuvent s'obtenir à meilleur compte : il suffit de consacrer une demi-heure, avant l'arrivée des invités, à prendre un bon bain chaud, avec ou sans sels vivifiants.

Pourquoi la peau se ride-t-elle? Pourquoi des taches brunes apparaissent-elles sur le dos de la main? Pourquoi le cou se fripe-t-il, pourquoi la peau du décolleté rougit-elle et se hérisse-t-elle comme de la peau de poulet? Pourquoi les ongles des orteils épaississent-ils, en devenant durs comme du bois? Pourquoi les cheveux blanchissent-ils, deviennent-ils plus fins, et, pire que tout, pourquoi tombent-ils? Pourquoi certaines ont-elles une masse de cheveux blancs, d'autres quelques rares mèches décolorées? Pourquoi les articulations bosselées, les pieds déformés, les genoux et les coudes calleux? Pourquoi la vue baisse-t-elle?

Ces transformations superficielles ne sont pas de celles qui intéressent les biologistes, il n'existe pas d'étude savante sur les changements relatifs de l'épaisseur des ongles des orteils sur une période de cinquante ans. Étant donné que « personne ne meurt d'avoir une vieille peau », comme le dit un gérontologue, la plupart des ouvrages de gérontologie ne se penchent pas sur les effets de l'âge sur l'épiderme. La vérité, c'est que la peau, l'organe le plus complexe et le plus grand du corps, vieillit régulièrement tout au long de la vie, et que son analyse peut offrir les indicateurs les plus fiables de l'âge biologique.

Les transformations sont complexes et mal connues; à la ménopause, la sécrétion de sébum diminue très rapidement jusqu'à tomber à un niveau inférieur de moitié à celui d'un homme du même âge. Tout d'un coup, la peau devient visiblement plus sèche et plus fine, alors qu'aucun changement n'intervient dans sa structure complexe. Au fur et à mesure que les années passent, la réaction histaminique décroît peu à peu, ce qui est sans doute une très bonne chose, dans la mesure où on observe généralement une plus grande sensibilisation.

Les personnes âgées sont allergiques à un plus grand nombre de substances, mais leurs réactions sont moins violentes. Elles sont également moins sensibles à la douleur et leurs réactions inflammatoires sont plus lentes; ainsi leurs réactions aux contacts avec les détergents, les cosmétiques et les médicaments sont-elles différentes. Les symptômes apparaissent moins vite, mais ils peuvent provoquer plus de dégâts et être moins réversibles. La répartition du tissu graisseux sous-cutané change, ainsi que la structure vasculaire sous-jacente; il en résulte des transformations dans la rétention de chaleur. Tous ces changements surviennent trop lentement pour que la personne concernée s'en aperçoive, mais il arrive qu'à la ménopause on se rende compte qu'on ne bronze ni ne pèle plus comme avant, et que la plage n'est plus un endroit idéal pour nous.

De même, un métabolisme plus lent ne peut manifestement assimiler autant de nourriture aussi vite qu'un métabolisme rapide. Le stockage des surplus et l'élimination des déchets provoquent une dépense d'énergie que la femme peut préférer réserver à d'autres usages. Des transformations au niveau intestinal altèrent les processus digestifs, de sorte qu'une bonne partie des vitamines et des protéines est tout simplement excrétée. Tout semble montrer qu'en vieillissant, la femme doit manger moins et mieux. Il lui faudrait également augmenter les apports en fibres dans son alimentation. Quant aux transformations du parcours intestinal, l'une des théories en vogue au début du siècle tenait que le vieillissement était provoqué par les méfaits d'un déséquilibre de la flore intestinale, que l'on peut contrecarrer en mangeant du yaourt. Les chirurgiens ne demandaient qu'à enlever des mètres et des mètres d'intestin à des patientes qui juraient ensuite leurs grands dieux que l'opération leur avait rendu jeunesse et vitalité (Trimmer, 81-91). Pour une fois, ce n'était pas de la faute de l'utérus.

Vieillir implique des mutations progressives de nombreux comportements. Comme la ménopause constitue un à-coup dans un processus par ailleurs assez continu, des altérations permanentes peuvent être perçues comme soudaines et aberrantes. L'un des comportements qui s'altèrent, lorsqu'on avance en âge, est le sommeil. Aux alentours de la cinquantaine, les femmes ne sont plus capables de dormir comme des loirs, ainsi que le font les jeunes. Des habitudes de sommeil de huit heures, ou plus, peuvent se transformer en périodes de sommeil beaucoup plus courtes et répétées. Si la femme en cours de ménopause veut à tout prix maintenir ses habitudes d'antan, maintenant inappropriées, elle risque fort de passer des heures au lit, tout éveillée, heures potentiellement utiles. Son adaptation sera encore plus difficile si elle essaie d'ajuster son rythme de sommeil à celui de quelqu'un d'autre, et reste couchée dans le noir, les yeux grands ouverts, à côté d'un partenaire dont les ronflements sonores ne l'avaient jamais dérangée jusque-là. En fait les femmes autour de la cinquantaine ont le seuil d'éveil le plus élevé au cours du sommeil paradoxal, c'est-à-dire que ce sont celles qui se réveillent le plus facilement, et sont le plus sensibles au bruit de la circulation, pendant leur sommeil. Mais personne n'a démontré que mal dormir présentait un risque médical. En tout cas, cet inconvénient est très inférieur au ronflement, qui laisse peser des risques d'hypertension et de maladies cardiovasculaires.

De même, l'éveil nocturne n'est pas forcément un inconvénient. Bien sûr, on regrette un peu, à l'occasion, le sommeil profond et prolongé d'antan, mais il est bon, d'un certain point de vue, que les aînés du groupe montent la garde la nuit, quand les plus jeunes sont profondément assoupis. L'éveil nocturne des primates les plus âgés du groupe a une fonction évidente, celle de veiller à sa survie, c'est d'ailleurs probablement le résultat de la sélection naturelle. Le petit matin appartient aux aînées. C'est l'heure où les petits lutins viennent balayer le foyer de la cuisine et astiquer les casseroles... avec l'aide silencieuse de leur vieille maîtresse. Elle vient briquer sa cuisine avec amour, pour que les plus jeunes membres de la famille n'aient pas à se sentir coupables de ne pas l'aider. Dans le monde entier, les aînées se lèvent très tôt. Elles disent qu'elles n'ont pas besoin de beaucoup de sommeil. Ce qu'elles ne disent pas, c'est que ces heures-là, où elles sont en charge d'une maisonnée de dormeurs, sont pour elles un moment privilégié, et que c'est à regret qu'elles entendent claquer la porte des toilettes et voient émerger les autres, encore tout poisseux de sommeil, furieux d'avoir à se lever. Tant pis s'ils ne remarquent pas que leurs chaussures mouillées de la veille ont été séchées avec soin, leur manteau défroissé!

Il ne faut cependant pas oublier que l'insomnie est une des caractéristiques de la dépression, les habitudes de sommeil des personnes âgées ressemblant d'ailleurs beaucoup à celles des dépressifs. Il est possible que certains des troubles mentaux associés au troisième âge soient aggravés, ou même provoqués par un sommeil pathologique. Pendant le climatère des troubles temporaires se confondent avec les changements progressifs à long terme, les masquent ou même les exacerbent, de sorte que le rythme circadien se trouve précocement et très fortement altéré. La femme concernée aurait tout intérêt à apprendre des techniques de relaxation pour éviter de continuer à ce que des gestes involontaires, ou le fait de retenir sa respiration, ne la réveillent sans arrêt en plein milieu de la nuit. Il se peut qu'elle ait besoin d'un environnement plus calme, loin des bruits de la circulation, ou de grand air, de repos et d'exercice physique, et puis son lit et sa chambre sont peut-être trop chauds. Sont à proscrire : les repas du soir trop copieux, accompagnés d'alcool, de café, de ses cigarettes à elle ou de celles des autres. Si le climatère était respectable, elle pourrait obtenir ce genre de considération sans même avoir à la réclamer. C'était pour y trouver du grand air, du repos, de l'exercice physique et un régime alimentaire adéquat que les dames se rendaient autrefois à Aix-les-Bains, ou, pour les Anglaises, à Buxton – le principe reste tout à fait valable.

6

DES CONNAISSANCES SCIENTIFIQUES LACUNAIRES

La femme possède, dès la naissance, la totalité de son capital en ovules, elle n'en fabriquera jamais plus. Jusqu'à la ménarche, ils sont en sommeil. Les petites filles se développent en taille et en force, apprennent à travailler et à jouer, et leur première « indisposition » est auréolée de mystère. En approchant leur maturité physique, sans nécessairement avoir achevé leur développement en stature et en vigueur, elles commencent à voir apparaître des poils aux aisselles et sur le pubis, leur corps et leur teint changent, et puis, parfois lentement, erratiquement, et non sans douleur, la menstruation commence. De tous les changements qui surviennent à la puberté, le seul qui soit le bienvenu est le développement des seins – lui aussi parfois irrégulier, douloureux ou tardif.

Bien des jeunes, à l'époque de leur ménarche, se demandent comment elles supporteront le reste de leur vie reproductive, voyant que cela commence par sentir si mauvais et faire si mal. Tout ce qui fait partie intégrante du cycle pour de nombreuses femmes : sautes d'humeur, pieds et mains enflés, douleurs dorsales, maux de tête et dépression, tout cela représente une réelle détérioration de la qualité de la vie de l'adolescente. Déjà à ce stade, il arrive qu'on lui fasse comprendre que c'est elle qui fait toute une montagne d'un processus naturel et qu'elle ferait mieux de veiller à son comportement, de se prendre en main... elle devrait être fière, en fin de compte, et remercier le ciel de saigner une fois par mois! Tous les palliatifs à la détresse cyclique sont inopérants, quoi qu'en disent leurs promoteurs.

A 14 ans, quand on se débat au beau milieu d'un chaos hormonal, ce n'est pas particulièrement consolant de savoir que l'on n'aura à supporter le cycle menstruel qu'une trentaine d'années. Quelques rares femmes, celles pour qui la contraception a été une épreuve ou un échec, ou celles dont le système reproductif n'a jamais fonctionné normalement, attendent impatiemment la ménopause, certaines même l'induisent activement en se faisant faire une hystérectomie longtemps avant que leurs fonctions ovariennes ne s'arrêtent. Mais pour la grande majorité, le mot « ménopause » est lourd d'angoisse.

Pour comprendre ce qui se passe quand le cycle se ralentit, puis s'arrête, il faut déjà comprendre en quoi il consiste. D'abord c'est un cycle, c'est-à-dire que l'on a affaire à une série de phases qui s'enchaînent, chacune conduisant à la suivante. Et ce cycle fonctionne par stimulations, sécrétions, réactions et abréactions. La plupart des explications s'arrêtent assez arbitrairement au point où une partie du cerveau, nommée hypothalamus, envoie un signal biochimique à la glande hypophyse pour lui faire libérer sa propre production chimique. La substance porteuse de l'information est désignée par sa fonction. On a ainsi soit le facteur de libération de l'hormone folliculostimulante (FSH) soit le facteur de libération de l'hormone lutéinisante (LH) qui favorise l'apparition du corps jaune. Comme on ne sait pas en quoi le signal FSH diffère du signal LH, certains préfèrent le baptiser GRF, de l'anglais *Gonadotrophin Releasing Factor*, facteur de libération des gonadotrophines.

C'est le FSH qui déclenche le gonflement de certains follicules dans les ovaires et la maturation des ovules. Les follicules stimulés montent à la surface et l'un d'entre eux éclate, libérant l'œuf. On ne sait absolument pas comment est sélectionné le candidat à la maturation ni pourquoi, à un certain moment de la vie de la femme, alors qu'il reste encore beaucoup de follicules, plus aucun ne semble en état de gonfler et d'éclater, quelle que soit la quantité de FSH dans la zone ovarienne. Le mécanisme de sélection de l'ovule à mûrir étant inconnu, on ne sait pas non plus pourquoi il s'arrête parfois chez des femmes jeunes, ni même pourquoi il s'arrête. Quand les ovaires de jeunes femmes cessent de fonctionner, l'analyse d'urine révèle un taux de FSH apparemment normal, et si on leur administre un complément de FSH naturel, leurs ovaires ne réagissent pas. Peut-être produisent-elles des anticorps contre leur propre FSH ou contre leurs substances ovariennes. Il y aurait une autre possibilité : l'existence d'étapes intermédiaires, non encore détectées, dans le processus d'ovulation.

En mûrissant, les follicules sécrètent des œstrogènes, hormones dont les femmes ont besoin pour se sentir bien. A leur tour, les œstrogènes envoient un message au cerveau pour lui signaler que le moment est venu d'interrompre la FSH. A mesure que le taux d'œstrogènes contenus dans le sang s'élève, l'hypophyse se trouve stimulée pour produire davantage de LH, ce qui est le signal chimique provoquant l'éclatement du follicule et la libération de l'ovule. Les œstrogènes servent aussi à indiquer à l'utérus qu'il lui faut reconstruire la muqueuse tapissant sa paroi intérieure, appelée endomètre. Il est essentiel de garder à l'esprit que l'activité ovarienne n'est pas la seule source d'œstrogènes chez la femme non ménopausée.

« Il est fondamental de bien comprendre que la production totale d'hormones sexuelles chez la femme avant la ménopause a deux composantes. Il existe un taux de base relativement constant d'œstrogènes, principalement de l'œstrone produit par conversion périphérique (formation extra-glandulaire) à partir de l'androstènedione. Il s'y ajoute la seconde composante, à savoir une sécrétion fluctuante d'œstradiol par les follicules de De Graaf en cours de maturation et le corps jaune (*corpus luteum*). Il existe également une production constante d'androgènes, dont une faible proportion provient de l'activité cyclique. » (Utian, 1980.)

Le follicule, après avoir éclaté, se transforme en un petit amas de matière jaune que l'on appelle *corpus luteum* ou corps jaune. Celui-ci sécrète à son tour de la progestérone, l'hormone de gestation, dont le but est de fixer la grossesse. La progestérone agit aussi sur l'endomètre, qui s'épaissit, s'enrichit d'une multitude de vaisseaux sanguins et forme des glandes remplies de sécrétions, afin de préparer les conditions d'implantation idéales pour un ovule fécondé, au cas où il en arriverait un. La combinaison de progestérone et d'œstrogènes est le signal chimique indiquant au cerveau qu'il est temps de réduire la production de FSH et de LH.

S'il n'y a pas eu fécondation, la sécrétion d'œstrogènes et de progestérone s'arrête, l'endomètre n'est plus alimenté et commence à se détacher des parois, tombe, et est évacué avec le flux sanguin. En l'absence d'œstrogènes et de progestérone, l'hypothalamus recommence à libérer de la FSH et de la LH, et tout recommence. Au moment de la ménopause, ces processus interdépendants commencent à avoir des ratés et à ralentir. Cela ne se déroule pas de façon continue, le mécanisme habituel se poursuit parfois sur sa lancée, avec des irrégularités, de sorte que le système de relais n'a pas le temps de se remettre en place. On ne sait pas du tout comment se font les rapports interactifs entre hypothalamus, hypophyse et ovaires pendant la pré-ménopause, au moment où le cycle commence à être perturbé.

Peu de recherches ont été conduites pour évaluer les quantités de gonadotrophines et d'œstrogènes en circulation dans le sang chez la femme pré-ménopausée sans traitement, et les analyses faites ont fourni des renseignements contradictoires (par exemple Pincus et *al.*, 1954, Cf. Furuhjelm, 1966). La pauvreté des connaissances et les désaccords constants sur la signification des rares éléments dont nous disposons s'expliquent par la difficulté inhérente au sujet. On peut aujourd'hui mesurer l'activité hormonale de différentes manières, que ce soit par l'étude des traceurs radioactifs, par prélèvements sanguins aux veines périphériques ou dans la glande même, ou encore par prélèvement d'échantillons urinaires sur une durée de vingt-quatre heures, biopsie des tissus récepteurs ou combinaison de ces différentes méthodes, mais, comme la synthèse et la sécrétion hormonales varient en fonction de toutes sortes de stimuli et réagissent à toutes sortes de facteurs, les résultats de ces mesures sont difficiles à quantifier. Les hormones liées à leurs protéines vectrices se comportent tout à fait différemment des hormones libres.

On a, bien entendu, surtout exploité les nouvelles techniques de dosages radio-immunologiques, principalement dans le cadre de recherches portant sur l'efficacité des modes d'administration des hormones de substitution. Des procédés aussi coûteux ne peuvent en effet être financés que dans le cadre des tests de développement de médicaments nouveaux. Personne, absolument personne, ne financerait les recherches à long terme sur la femme en bonne santé, dont le coût serait très élevé. Il est difficile de justifier des recherches à grande échelle, impliquant des techniques d'échantillonnage longues et onéreuses, car on ne peut pas démontrer qu'elles sauveraient des vies, ou influeraient directement sur des maladies mortelles.

Malgré tous les efforts des biochimistes et des cliniciens, et les vastes ressources mises à leur disposition par les multinationales pharmaceutiques, on n'a jamais pu prouver expérimentalement que la déficience en œstrogènes provoque les troubles de la ménopause. La version officielle est que le bien-être de la femme dépend uniquement de l'ovulation et de la menstruation. Ce n'est pas exactement l'impression qu'avait eue la jeune fille, qui, après s'être sentie vraiment aussi bien que possible pendant 14 ans, s'est mise à avoir ses règles, ce qui la rendait malade. Les perspectives ne sont vraiment pas réjouissantes, si les douleurs du milieu du cycle, la tension pré- et post-menstruelle, les crampes, ballonnements, maux de dos, migraines, et tous les embarras du cycle, sont un vrai paradis, comparés à la condition physique de la femme après la ménopause. Ce qui nous empêche de comprendre, c'est le défaut qui entache toute la recherche gynécologique : on n'en sait pas assez sur la femme en bonne santé pour comprendre ce qui ne va pas en cas de problèmes. Les gynécologues sont comme des mécaniciens qui n'auraient jamais travaillé sur une voiture en bon état.

Afin de comprendre le rôle que jouent les œstrogènes pour rester en bonne santé, pleine d'énergie et d'optimisme, il faudrait en savoir beaucoup plus sur les systèmes de sécrétion des œstrogènes et la variabilité de leurs taux dans le sang, à tous les âges. Si la sécrétion d'œstrogènes supprime celle d'une autre hormone, grâce à laquelle la petite fille se sentait bien, il faudrait peut-être étudier les moyens de trouver un substitut à l'hormone de la petite fille, plutôt qu'aux œstrogènes de la femme d'un certain âge. Si cela se révèle impossible, ou inadapté, on pourrait peut-être envisager de stimuler la production d'œstrogènes par l'androstènedione, plutôt que de remplacer purement et simplement les œstrogènes naturels par des stéroïdes de synthèse, chez des femmes souffrant de troubles de la ménopause, ou de carences après leur ménopause.

Nous n'en savons malheureusement pas assez sur la femme, d'une manière générale. On étudie son anatomie comme s'il s'agissait d'un corps d'homme dans lequel on aurait installé un système de reproduction : nos connaissances ne sont donc pas assez précises pour nous permettre de savoir exactement en quoi les équilibres endocrinaux des femmes en bonne santé diffèrent de ceux des femmes malades, ni même quel est leur degré de variabilité, dans un cas comme dans l'autre.

Par exemple, on connaît mal le rôle de la prolactine, qui régit la lactation et, selon certains, pour d'autres espèces, la construction des nids et la migration. Elle est sécrétée en quantités élevées en cas de tension extrême. On pense que certaines stérilités, constatées chez des femmes réussissant très bien professionnellement, à un âge un peu plus avancé que pour la moyenne des jeunes mamans, sont peut-être dues à des taux de prolactine particulièrement élevés. On sait que la sécrétion de prolactine est parallèle à celle d'œstrogènes, augmentant à la puberté pour décliner à la ménopause. L'administration d'œstrogènes semble induire une augmentation de la sécrétion de prolactine, ce qui n'est pas forcément positif.

Après la ménopause, la structure des ovaires change, les cellules qui produisaient des œstrogènes et de la progestérone disparaissent progressivement, et les cellules du tissu nourrissier ou stroma, se multiplient et deviennent de plus en plus actives. On pense qu'elles sécrètent peut-être des androgènes, mais on n'en a aucune certitude.

Une étude importante, menée par Procope en 1968, a permis d'identifier deux groupes de femmes post-ménopausées : chez les unes, les ovaires étaient complètement atrophiés, leur ablation ne modifiait pas les dosages sanguins d'œstrogènes et d'androgènes; tandis que les autres avaient encore une certaine activité ovarienne, produisant notamment des stéroïdes sexuels. Aucune étude ultérieure n'a permis de confirmer cette notion révolutionnaire que « toutes les femmes ne sont pas pareilles » ou d'établir une corrélation entre l'état de santé de la femme et l'état de ses ovaires. Il est possible, par exemple, que les femmes du second groupe ne perdent pas, comme les premières, leur appétit sexuel. De telles différences ont bel et bien été observées et enregistrées chez des femmes post-ménopausées, mais aucune étude systématique du phénomène n'a jamais été entreprise. Les chercheurs se contentent d'en débattre, un peu à la manière dont les philosophes du Moyen Age cherchaient à prouver ou à nier l'existence d'autres mondes par la rhétorique, plutôt qu'en cherchant à mettre au point un télescope.

Une chose est certaine, c'est que l'on ne peut pas reproduire chez la femme post-ménopausée les modèles compliqués des sécrétions hormonales antérieures. On sait que pour obtenir une circulation d'hormones libres, il faut apporter au moins un complément de coûteuses hormones animales. La prescription d'œstradiol par voie buccale ou par injections rend apparemment quelque bien-être à la femme, mais ne peut prétendre remplacer le cocktail hormonal naturel disparu. On ne sait pas précisément pourquoi la femme se sent mieux si elle prend de l'œstradiol, mais on sait qu'il n'est pas nécessaire d'en administrer beaucoup plus que les quantités normalement produites par sécrétion naturelle. Si les œstrogènes sont administrés par voie buccale, la plus grande partie des substances actives se trouve dégradée et excrétée; on ignore par quels cheminements biologiques les agents actifs atteignent les organes cibles. Il est au moins possible, sinon probable, que le traitement aux œstrogènes de substitution, dont le but est de pallier les fluctuations hormonales en cours de ménopause, induise un nouveau type de sécrétions, s'appuyant sur les cellules stromales des ovaires et sur les surrénales. Battre en brèche ces mécanismes délicats à coups de doses massives de stéroïdes exogènes peut en empêcher la mise en place. Les dosages, dans ce genre de traitements, sont le fruit du hasard, de sorte que leur résultat à long terme, pour les femmes en cours de ménopause, pourrait bien être de compromettre leur état de santé et d'accélérer leur vieillissement. Cette éventualité n'est jamais évoquée. En revanche, toute idée que les hommes souffrant d'une déficience en testostérone pourraient se voir administrer, de la même manière, des testostérones de substitution, est repoussée avec véhémence, pour les raisons que je viens d'évoquer.

Il ne faut pas croire que les années de fécondité consistent en environ quatre cent cinquante cycles identiques et uniformes. L'université du Minnesota a lancé, dès 1934, une enquête de grande envergure sur l'histoire de la menstruation et de la fécondité, au cours de laquelle des centaines de femmes ont été interrogées. Cette étude a montré qu'au cours des dix années après la première menstruation, les cycles étaient souvent variables, cette variabilité déclinant avec l'âge. On observait un raccourcissement progressif de la durée du cycle au cours des deux décennies suivantes; en général, les femmes de 25 ans avaient un cycle de trente jours, celles de 35 ans un cycle de vingt-huit jours. Au cours des années précédant immédiatement la ménopause, on observait à nouveau une nette irrégularité (Treloar et *al.*, 1967.) Cette phase de transition était très variable en longueur, et comportait aussi bien des cycles très courts que des cycles anormalement longs.

Il a fallu douze ans à ces mêmes chercheurs pour mettre en place une étude préliminaire destinée à déterminer s'ils pouvaient définir une modèle type des variations du cycle menstruel avant la ménopause, ce qui était d'autant plus difficile que les femmes se souvenaient bien de l'année de leur ménopause, mais avaient oublié les détails des irrégularités l'ayant précédée. On émit donc l'hypothèse qu'une ménopause tardive était associée à une plus grande irrégularité des cycles précédents, et que, comme la ménopause tardive était également associée à un risque accru de cancer du sein, l'irrégularité du cycle était peut-être le facteur crucial (Wallace et *al.*, 1978.)

On s'aperçut que les femmes qui avaient leur ménopause plus tard avaient une phase de transition caractérisée par des intervalles inter-menstruels plus longs et une plus grande irrégularité. Celles qui avaient leurs dernières règles avant 44 ans avaient un cycle moyen de 57 jours au cours des deux dernières années, durée moyenne qui s'élevait à 80 jours pour celles dont la ménopause ne survenait pas avant l'âge de 55 ans ou plus (Bean et *al.*, 1979). Les déviations moyennes par rapport à ces chiffres étaient toujours assez élevées, de 46 ans et demi à 64 ans.

On a constaté, au moyen des relevés de température pendant ces cycles, que c'est la phase folliculaire, c'est-à-dire la période qui s'étend entre la menstruation et l'ovulation – période pendant laquelle le taux de FSH est élevé – qui est prolongée. Le même moyen a permis de constater chez les femmes dont les cycles sont les plus courts, juste avant que la phase de transition ne commence, que c'est la phase folliculaire qui se termine plus vite. La phase du corps jaune reste constante pendant toute la durée de l'époque de fécondité. On observe cependant, pendant la première et la dernière année de menstruation, des cycles sans élévation de température (révélatrice d'ovulation). Entre 40 et 45 ans d'âge gynécologique (calculé en établissant un âge standard pour la première menstruation et en recalculant l'âge réel en fonction de celui-ci), les femmes ont 34 % de cycles sans ovulation (Sherman et *al.*, 1979.)

Plusieurs études ont révélé, en début de cycle, chez des femmes de 46 à 56 ans, des taux de FSH jusqu'à 25 % supérieurs à ceux des femmes de 40 à 45 ans. Tout se passe donc comme si les follicules étaient de moins en moins sensibles au FSH. L'hypothalamus multiplie donc ses signaux vers l'hypophyse. Celui-ci inonde à son tour l'organisme de FSH, ce qui finit par réussir à stimuler un follicule et à enclencher la phase suivante du cycle. Un beau jour, après la dernière menstruation, plus aucun follicule ne réagit. Par sa nature même, ce phénomène est impossible à prévoir. Le processus au cours duquel les sécrétions de FSH commencent à augmenter démarre beaucoup plus tôt que l'on ne l'avait cru, il est déjà bien établi au début de la quarantaine ; ensuite, vers la fin de la cinquantaine, on assiste à une sécrétion accrue de LH.

On a proposé toutes sortes d'explications à ces changements dans les équilibres hormonaux. La plus courante est que les femmes souffrent d'une déperdition en œstradiol, mais cela n'a jamais été prouvé. Une autre possibilité serait qu'elles aient l'équivalent de la substance appelée « inhibine » chez les hommes, substance qui inhibe la sécrétion de folliculine dénommée FRIS (Van Look et *al.*, 1977 ; Chari et *al.*, 1979), qui serait sécrétée en quantités de plus en plus faibles au fur et à mesure que la femme vieillit. Ce corps chimique inconnu agit peut-être directement sur le follicule. D'autres biologistes se sont demandé s'il pourrait s'agir de transformations liées à l'âge dans l'hypothalamus et/ou l'hypophyse induisant la modification des équilibres hormonaux habituels. Chacun sait que plus une femme subissant une fécondation *in vitro* est âgée, plus il faut lui administrer de FSH pour lui faire produire suffisamment d'ovules fécondables.

On ne sait pas pourquoi les follicules réagissent de moins en moins. En 1979, Barry M. Sherman et Robert B. Wallace, de la faculté de médecine de l'université de l'Iowa et Alan E. Treloar, de l'université de Caroline du Nord, ont ainsi résumé le degré et les causes des irrégularités du cycle :

« Les irrégularités des saignements vaginaux chez les femmes à la péri-ménopause peuvent s'interpréter comme le signe d'une maturation irrégulière des follicules ovariens résiduels. Le potentiel de sécrétion hormonale par les follicules restants est moindre, et variable. Les règles peuvent parfois être précédées de la maturation d'un follicule, accompagnée d'une sécrétion limitée d'œstradiol et de progestérone, mais le saignement vaginal survient également après une augmentation, puis une chute, du taux d'œstradiol, sans augmentation mesurable de progestérone, ce qui est compatible avec un cycle anovulaire. » (Sherman et *al.*, 26.)

Ainsi donc, lorsque les femmes approchent la ménopause, elles peuvent avoir des cycles normaux, voire longs, et des périodes de saignements anovulaires. De plus, « comme les épisodes de maturation folliculaire avortée et les saignements vaginaux sont souvent très espacés, les femmes en péri-ménopause peuvent se trouver exposées à une stimulation en œstrogènes persistante, sans doute liée au dysfonctionnement du saignement utérin, fréquent à ce moment-là ».

Curieusement, cette recherche a été motivée par le désir de déterminer la contraception la mieux adaptée aux femmes au moment de la péri-ménopause, et c'est en travaillant sur ce sujet que les chercheurs se sont aperçus qu'il était pratiquement impossible de déterminer le moment précis où survenait la ménopause, même s'ils ne se faisaient aucun scrupule à demander à la femme de la dater. La plupart des études portant sur l'âge auquel elle survient sont fondées sur les souvenirs des femmes faisant partie du panel, et ne semblent pas s'être heurtées à un manque de précision des réponses. Cela a été considéré comme surprenant, au moins par un chercheur. C'est ainsi que le docteur Helen Ware, du département de démographie de l'université nationale d'Australie, réagit à une étude statistique des « facteurs affectant l'âge de la ménopause », étude réalisée sur un échantillon de femmes hollandaises :

« Je suis extrêmement surprise qu'il y ait eu si peu de femmes qui répondent au questionnaire postal de M. Van Keep soit qu'elles ne connaissaient pas la date de leur ménopause, soit qu'elles n'en étaient pas sûres. D'après notre propre expérience, acquise en interrogeant les femmes individuellement face à face, 24 % seulement des femmes connaissent à la fois le mois et l'année de leur ménopause et, si on les aide, seules 26 % parviennent à une estimation du mois ou de l'année, alors que les plus âgées des femmes interrogées n'avaient que 59 ans. » (Parkes et *al.*, 52.)

Il est vraisemblable que les femmes qui n'ont plus eu de règles depuis six mois ou plus se considèrent comme ménopausées. S'il intervient un nouveau saignement, il leur faut réviser cette impression, mais la position est toujours la même, la femme répète la même pensée. Étant donné la confusion et le caractère réellement flou du phénomène, ce dont la femme peut se souvenir, c'est de s'être rendu compte qu'elle était ménopausée, de l'avoir accepté. Faute de mieux, il lui faut bien définir elle-même sa ménopause. Il fut répondu au docteur Ware que les Australiennes étaient sans doute moins sensibilisées à la ménopause que les Hollandaises. Elle préféra ne pas continuer la discussion. Il est probable que les Hollandaises avaient rempli leur questionnaire en se faisant aider de leur entourage familial, qui avait peut-être plus de raisons que la femme elle-même d'identifier un jour et un moment précis. Une telle collusion est évidemment impossible au cours d'un interrogatoire en face à face.

Les spécialistes du contrôle des naissances ne furent satisfaits d'aucune des études ayant tenté d'établir des paramètres statistiques bien définis pour la ménopause, et de déclarer un *terminus ad quem* après lequel il ne puisse plus y avoir d'ovulation.

« Les études des dosages hormonaux confirment que l'ovulation potentielle en période de péri-ménopause est considérablement réduite, mais existante. Pour éviter la conception, les habitudes contraceptives doivent donc être maintenues jusqu'à ce que l'aménorrhée de la ménopause soit définitivement établie. A part l'expérience clinique, il n'existe aucune base permettant de juger si un laps de temps sans règles est susceptible d'être vraiment l'aménorrhée définitive ou non. » (Sherman et *al.*, 30.)

Tout ce que les statisticiens purent calculer, ce fut un ensemble de probabilités fort peu surprenantes : plus la femme était âgée, plus il y avait de chances qu'une période de six mois sans règles soit définitive, à raison de 52 % entre 45 et 49 ans et de 70 % au-dessus de 53 ans. Dix pour cent des femmes interrogées au cours de cette étude avaient eu un nouveau saignement plus d'un an après leurs dernières règles, qui n'était associé ni à une maladie ni à une aucune prise d'hormones (Sherman et *al.*, 30). Là était la surprise ! Dans les milieux médicaux, on considérait en général que « les saignements ne sont jamais normaux en post-ménopause, c'est-à-dire un an, au moins, après les dernières règles. Pour élucider ce que cache ce symptôme sérieux, il faut un D et un C (dilatation et curetage), n'acceptez jamais de vous contenter de moins ». (Shreeve, 4.)

Cette opinion médicale a été émise par le docteur Caroline Shreeve qui pratique les médecines alternatives que sont la phytothérapie et l'hypnothérapie. Le docteur Mary Anderson dit aussi que les saignements en post-ménopause, c'est-à-dire un an ou plus après la cessation de la menstruation, « doivent être étudiés par un spécialiste ».

« L'une des causes les plus fréquentes est un début de cancer de l'endomètre de l'utérus, et si on le décèle à temps, on peut le traiter avec succès. Ni le médecin ni la patiente ne doivent, en aucun cas, ignorer de tels cas de saignements en post-ménopause, quel que soit l'âge de la patiente » (32).

En analysant les données fournies par l'enquête de l'université du Minnesota, les chercheurs n'ont pas relevé un seul cas de « l'une des causes les plus fréquentes » parmi toutes les femmes leur ayant déclaré avoir eu des saignements en post-ménopause, mais c'est peut-être les surestimer que de considérer qu'ils aient vraiment pris la peine de chercher. Voici ce qu'ils avaient à dire :

« De plus, même après une année (360 jours) d'aménorrhée, plus de 10 % des sujets avaient enregistré un saignement vaginal, qui n'était apparemment associé ni à une maladie significative ni à la consommation d'hormones exogènes. » (Sherman et *al.*, 32.)

Le mot « apparemment » semble indiquer que l'on ne se soit soucié ici ni de « D » ni de « C ». Les chercheurs décidèrent qu'il ne pouvait y avoir de certitude que l'activité folliculaire ait véritablement cessé, et que l'on ne pouvait affirmer sans risque d'erreur que la ménopause ait eu lieu.

« Il semble donc prudent de maintenir la contraception, si on la souhaite, pendant une durée minimale d'un an après le début de l'aménorrhée. »

Nous nous trouvons confrontées à une double possibilité : si vous avez un saignement plus d'un an après vos dernières règles, il se peut que vous soyez ménopausée depuis un an, ou, au contraire, que vous ne le soyez pas. Si vous suiviez les instructions du docteur Shreeve, vous vous embarqueriez, dans un cas comme dans l'autre, dans un processus de dilatation et de curetage qui pourrait, dans l'un des deux cas, être parfaitement inutile. Le résultat de ce genre d'« études », c'est que « la plupart des médecins conseillent actuellement aux femmes de plus de 50 ans de continuer leur contraception un an après leurs dernières règles, et aux femmes de moins de 50 ans de la prolonger deux ans après leurs dernières règles ». (Mackenzie, 46.)

A condition, évidemment, de déterminer la date du saignement à considérer comme leurs dernières règles.

Le plus ironique, c'est que si on prend la pilule pendant la périménopause, on peut continuer à avoir des saignements réguliers longtemps après avoir cessé d'ovuler. Il est donc impossible, dans ce cas, de savoir si on est ménopausée ou non.

« Il est difficile de savoir si une femme utilisant la contraception orale a atteint la ménopause, il lui faut donc utiliser une autre méthode, en attendant, pour voir si elle est encore menstruée ou non. » (Mackenzie, 48.)

Évidemment, cela pourrait durer dix ans ou plus. Voilà ce que recommande R. Mackenzie, après avoir conseillé d'abord de continuer la contraception que l'on a toujours utilisée, à condition qu'elle « ait toujours été bien tolérée et n'ait posé aucun problème ». C'est à se demander dans quel monde vivent les spécialistes de la contraception ! Je ne connais pas une femme qui n'ait utilisé qu'une seule forme de contraception, ni qui ait trouvé une seule méthode qui soit « bien tolérée et ne pose aucun problème ».

Aucune femme de plus de 45 ans ne devrait prendre de contraceptifs oraux, de toute manière, à cause des risques élevés d'attaque, de thrombose et de crise cardiaque. A cet âge, il me semble que l'utilisation du stérilet est préférable, à moins que la femme n'ait pas une vie sexuelle régulière, auquel cas il lui faudrait bien accepter l'utilisation des préservatifs masculins. Au cours d'un séminaire sur la contraception orale pour les femmes de plus de 35 ans, organisé par la Fondation internationale pour la santé à Lausanne en 1988, R.K.E. Kirkman, du Centre de planning familial de Manchester, souleva le problème :

« Pourquoi ne pas utiliser le stérilet pendant la préménopause ? Dans ce cas, ne pourrait-on pas le laisser en place un an après la ménopause ? »

J. R. Newton, du département d'obstétrique et de gynécologie de l'hôpital de Birmingham, lui répondit :

« A mon avis, il ne semble pas y avoir de raison valable pour maintenir en place un stérilet au-delà de l'âge à partir duquel le taux d'échec de la méthode est plus élevé que le risque de grossesse sans contraception. Je préfère enlever le stérilet avant qu'il ne s'incruste dans les tissus, ce qui arriverait après la ménopause, et je ne le laisserais en aucun cas en place plus de six mois après les dernières règles. »

Wulf Utian intervint :

« La présence d'un stérilet à cet âge complique souvent l'interprétation des signes cliniques, raison de plus pour l'enlever. »

Le docteur Newton reprit alors :

« Je suis absolument d'accord. Je suis convaincu de la valeur du stérilet comme méthode contraceptive après l'âge de 35 ans. Mais, même si les utilisatrices sont enthousiastes et souhaitent le conserver, c'est à nous de savoir quand le retirer. »

Ces messieurs fort savants ne nous disent pas comment ils s'y prennent pour décider quelles règles sont les dernières, étant donné la fréquence des saignements plus de six mois après la ménopause. Ils ne nous disent pas non plus au bout de combien de temps le stérilet s'incruste dans les tissus. (*Maturitas,* Suppl. 1, 97.)

(Il serait sans doute mal venu de suggérer que des adultes ayant une certaine maturité pourraient trouver des pratiques alternatives à l'intromission, c'est-à-dire la pénétration, pratiques moins exigeantes pour l'homme, donnant plus de plaisir aux deux partenaires, et moins dangereuses pour la santé de la femme. L'imagination en amour, voilà un contraceptif dont personne ne parle jamais.) Malgré les contradictions internes dont son argumentation est remplie, R. Mackenzie fait figurer dans son livre un petit dessin dans lequel on voit une femme radieuse, jetant par la fenêtre, pilules, diaphragmes et préservatifs, avec pour légende : « L'un des avantages de la ménopause, c'est d'être enfin libre des soucis de la contraception et de la conception. » (Mackenzie, 1985, 51.)

De plus en plus curieux, étant donné qu'elle vient juste de consacrer un chapitre entier à nous expliquer que la femme doit continuer à utiliser la contraception pendant la ménopause.

Quand une femme baigne dans son sang une semaine, ne voit rien pendant six mois, a ensuite des règles apparemment normales, puis à nouveau rien du tout, ou une hémorragie, ce n'est pas vraiment consolant de savoir que le corps médical est au moins aussi paumé que semble l'être son système. A la seule question qui l'intéresse vraiment, à savoir « quand cela se terminera-t-il? », on lui répond par d'autres questions : « Quand cela a-t-il commencé ? » « Est-ce que cela a commencé ? » « Cela dure combien de temps ? » On considère généralement que le climatère, ou péri-ménopause, dure une dizaine d'années, de 45 à 55 ans environ. Les désordres hormonaux commencent peu après 45 ans, mais ne se terminent pas forcément avant 55 ans. Il convient donc de cesser de parler de la ménopause comme s'il s'agissait d'un événement isolé, et d'adopter plutôt la terminologie grecque de « climatère » pour évoquer cette période de transformation.

La conclusion de l'étude que présentera Barry Sherman au huitième séminaire biomédical de l'IPPF reconnaissait que :

« ... Les connaissances restent extrêmement lacunaires. On ne peut surestimer l'importance des événements qui surviennent au cours de la péri-ménopause et au début de la ménopause. Viennent s'ajouter aux problèmes immédiats de la contraception pendant les années de la péri-ménopause, au traitement des troubles de la ménopause, les problèmes liés à l'âge, de l'ostéoporose, de l'hypertension, et de l'athérosclérose. De plus les carcinomes du sein et de l'endomètre sont intimement liés aux changements, consécutifs à la ménopause, qui interviennent dans l'environnement hormonal. » (Sherman et *al.*, 32.)

Le docteur Sherman fut ensuite soumis à un feu roulant de questions. Un professeur d'endocrinologie de Bombay voulait savoir s'il existait une corrélation entre les taux d'œstradiol et les troubles liés à la ménopause. Le docteur Sherman lui répondit :

« Peu d'études portent sur la corrélation entre les taux hormonaux et les symptômes. Nos recherches montrent que certaines femmes peuvent avoir des niveaux élevés de gonadotrophines, signe de ménopause, et des cycles irréguliers, cela précédant tout symptôme de plusieurs mois. En faisant des examens sanguins en continu sur des périodes de vingt-quatre heures, nous n'avons pas détecté de relation entre les changements de taux d'œstrogènes et de gonadotrophines et les bouffées de chaleur. On ne connaît pas la médiation de ces symptômes. » (Parkes et *al.*, 54.)

Le docteur Sherman aurait pu citer Hunter et *al.*, 1973, Stone et *al.*, 1975, Aksel et *al.*, 1976, Studd et *al.*, 1977, Chakravarti et *al.*, 1977, Dennerstein, 1987, et Hutton et *al.*, 1978, qui avaient tous étudié les taux d'hormones ovariennes dans le plasma sans trouver de corrélation; mais pour une raison ou pour une autre, il a préféré prétendre qu'il n'y avait pas eu de recherches sur ce sujet. Il aurait dû citer l'exemple donné par Mulley et Mitchell dans *Lancet* en 1976 :

« On n'a, jusqu'ici, pas pu établir de corrélation entre les changements hormonaux et les bouffées de chaleur de la ménopause... Nous soutenons ici qu'il n'y a pas de rapport direct clairement établi entre les bouffées de chaleur et la carence en œstrogènes. » (1397).

W. Utian lui-même dut enregistrer la complexité de cette affaire :

« Le mécanisme des bouffées de chaleur n'est pas encore bien connu. On ne peut plus accepter la théorie, longtemps admise, qu'elles sont causées par l'augmentation des gonadotrophines. Elles ne semblent pas non plus liées avec une concentration spéciale d'œstrone, d'œstradiol ou d'androstènedione dans le plasma. Cela n'exclut pas que la baisse du taux d'œstrogènes ne soit responsable de cette réaction; il s'agit plus d'un état changeant que d'un état absolu. » (Utian, 1980, 110.)

(Il nous faut à ce point étouffer nos applaudissements, car il semblerait que W. Utian soit sur le point d'émerger de son allégeance aveugle à la théorie de la carence ! Mais cet éclair de lucidité ne devait pas suffire à l'empêcher de répéter sans arrêt, dans sa monographie de 1980, que les troubles de la ménopause étaient provoqués par une carence en œstrogènes.) Il poursuit :

« M. Sturdee et ses collègues (1978) ont remarqué que le début des bouffées de chaleur était associé à une augmentation soudaine et passagère de l'action du sympathique. Cette découverte a été contredite (Ginsburg et Swinhoe, 1978.) Hutton et *al.* ont émis l'hypothèse que les catécholœstrogènes intervenaient peut-être dans le processus, mais cela n'est pas prouvé non plus. Les bouffées de chaleur sont associées à une décharge adrénergique endogène et à des catécholamines exogènes (Metz et *al.*, 1978.) On peut espérer que des recherches nouvelles résoudront bientôt cette énigme et permettront peut-être de proposer des alternatives valables au traitement par les œstrogènes. »

Les nouvelles recherches n'ont pas fait avancer les connaissances d'un iota. En 1988, David Sturdee et Mark Brincat, qui sont des inconditionnels de la thérapie par hormones de substitution, ont été obligés de reconnaître :

« Les bouffées de chaleur demeurent une énigme. En découvrir l'origine et le mécanisme permettrait peut-être de comprendre l'étiologie de la ménopause, et de trouver un fondement rationnel à une thérapie spécifique. » (39).

Le professeur indien avait encore une question à poser :

« Qu'en est-il alors de l'appétit sexuel et de ses rapports avec les taux en œstradiol ? »

Question à laquelle M. Sherman ne put que répondre :

« Je ne dispose d'aucun élément concernant la relation entre les taux hormonaux d'une femme et son activité sexuelle. »

Le directeur de la recherche de l'Institut national des études démographiques à Paris demanda si on pouvait reconnaître un cycle au cours duquel il y aurait eu fécondation, mais non implantation, cas où le blastocyste meurt au bout de quelques jours. Il pensait en fait que parmi les cycles erratiques d'une femme sexuellement active autour de la cinquantaine, il pouvait s'en trouver qui aient les apparences d'un cycle anovulatoire, mais ne le soient pas en réalité. Peut-être cherchait-il aussi la cause des hémorragies subites et spectaculaires en période de péri-ménopause. Le docteur Sherman ne put que répondre :

« Je ne connais aucune méthode permettant de distinguer ces cycles. »

Une femme, professeur d'anthropologie physique au collège d'État de Montclair, dans le New Jersey, cita une étude de 1975 démontrant que les femmes post-ménopausées ont encore quelques follicules primaires et secondaires, bien que ceux-ci ne soient pas en très bon état. Elle aurait souhaité savoir si on disposait d'informations sur le délai pendant lequel une femme pouvait conserver des follicules primaires.

Là encore, le professeur Sherman répondit :

« Il n'existe que peu d'études sur cette question et je suis incapable de dire combien de temps les follicules primaires peuvent subsister. »

Le docteur John Studd, qui a ouvert l'une des premières cliniques de la ménopause en Angleterre, écrit dans *Management of the Menopause* (Campbell, 1976) que « les ovaires contiennent le plus grand nombre d'ovocytes (cellules ovulaires) au cours du cinquième mois d'existence du fœtus. Leur nombre décline ensuite et il n'en reste qu'un million à la naissance et seulement vingt-cinq mille à la ménopause... ».

Pour la plupart d'entre nous, vingt-cinq mille œufs, cela peut paraître amplement suffisant. Malheureusement, ces chiffres n'expliquent rien. On ne peut que se demander pourquoi la fécondation commence à décliner avant la naissance, à quoi servent les ovocytes en surnombre, en quoi ceux qui restent diffèrent des autres, et si on pourrait retarder le vieillissement ovarien en rallongeant, par exemple, les cycles menstruels. Le docteur Studd ne fait aucune distinction entre les follicules primaires et les follicules secondaires, de sorte que sa réponse ne correspond pas à la question posée par l'anthropologue.

Le professeur Sherman dut ensuite répondre au professeur émérite des études de la population de la faculté de médecine de Harvard, qui voulait savoir s'il existait des moyens de déterminer si une patiente était réellement ménopausée ou non.

« On a longtemps pensé qu'un traitement de quelques jours à base de gonadotrophine humaine permettait de révéler si une femme avait ou non passé le cap de la ménopause, selon que ce traitement induisait ou non une augmentation du taux d'œstrogènes. »

Mais il ne pouvait justifier cette procédure.

« Je n'ai pas utilisé ce genre de traitement. Certaines de ces patientes ont, dès le départ, des taux élevés de gonadotrophine endogène. On peut les suivre plusieurs mois, puis, tout à coup, elles peuvent avoir une augmentation importante du taux d'œstradiol, suivie de règles, mais nous sommes incapables d'expliquer pourquoi cela se produit à un moment donné... »

Il s'agissait apparemment du problème fondamental, que le professeur émérite d'obstétrique et de gynécologie de l'université d'Aberdeen a formulé de la façon suivante :

« On ne sait pas comment sont sélectionnés les follicules primaires... »

Ainsi, il y a dix ans, les chercheurs ne savaient ni pourquoi ni quand la ménopause se déclenchait, et encore moins pourquoi elle donnait lieu à toute une série de symptômes, du plus trivial à l'insupportable; ils ne savaient pas non plus si ces symptômes concernaient un petit nombre de femmes, certaines seulement, beaucoup d'entre elles ou la plupart. Étant donné que c'étaient des démographes, les personnalités savantes réunies sous les auspices de la Fondation Galton et de la Fondation Ciba en 1979 se devaient de trouver le moyen d'élaborer des stratégies de régulation des naissances applicables aux femmes de plus de 40 ans. C'est pourquoi ils avaient à cœur d'aboutir à une base sur laquelle puisse s'établir un modèle statistique, mais aucun paramètre ne paraissait s'imposer. Si les statistiques marchaient dans un sens, elles ne marchaient pas dans l'autre. D'après l'un des délégués, pour pouvoir dire à une patiente qu'elle était, vraisemblablement, effectivement ménopausée, il fallait que son médecin décompose son dossier médical en fonction d'une demi-douzaine de paramètres, ce qui ne lui permettait encore que d'affirmer une probabilité, probabilité que la femme avait déjà pu deviner toute seule.

Les femmes d'affaires et celles qui avaient une belle situation professionnelle étaient, de manière générale, ménopausées plus précocement, si l'on en croyait des études assez anciennes, mais comme elles avaient tendance à être célibataires, d'autres chercheurs considéraient qu'une certaine fréquence physiologique de rapports sexuels retardait la ménopause (Kish, 599). D'autres tenaient que le mariage opérait une sélection des femmes moins sujettes à une ménopause précoce ou à se « dessécher » comme les vieilles filles.

D'après certaines études, l'âge auquel une femme met au monde son dernier enfant, et le nombre de ceux-ci, sont tous deux associés à des ménopauses plus tardives, ainsi que l'utilisation de contraceptifs à un stade quelconque de la carrière reproductive. On dit aussi que des premières règles tardives s'accompagnent d'une cessation précoce de l'activité ovarienne, mais cette donnée n'est pas fiable. Le tabac accélère tous les processus de vieillissement, y compris celui des follicules ovariens, les fumeuses sont donc, en général, ménopausées plus tôt que la moyenne des femmes; quant aux femmes obèses, elles sont ménopausées plus tard.

Une femme d'âge intermédiaire, choisissant la stérilisation comme dernière méthode contraceptive, après avoir décidé qu'elle a eu assez d'enfants, semble faire sa propre analyse des coûts et des profits : on ne peut que l'y encourager. La stérilisation est actuellement la forme la plus demandée de limitation familiale. Beaucoup trop de femmes attendent que leur fertilité soit déjà sur le déclin pour se faire stériliser, beaucoup trop subissent une hystérectomie après s'être fait stériliser, certaines même quelques mois seulement après l'intervention. Si l'on additionnait toutes les fois où les Occidentales, surtout les Américaines, subissent une forme ou une autre de chirurgie pelvienne :

césarienne, laparoscopie, laparotomie, curetage, avortement, cautérisation, raccourcissement ou ligature des trompes, ovariectomie, salpingectomie, chirurgie du col, amniocentèse, hystérectomie, on ne pourrait manquer de s'apercevoir que toutes ces pratiques consistant à percer l'abdomen et à le couper en morceaux sont à mettre au nombre des techniques d'automutilation psychotiques, avec la particularité peu rassurante qu'en l'occurrence les médecins ne demandent qu'à offrir leur coopération.

Si un homme demande qu'on lui enlève le pénis ou les testicules, on en conclura immédiatement qu'il souffre de dérangement mental. En revanche, si une femme, sans raison valable, souhaite se faire extirper l'utérus, on lui apportera aide et assistance. La castration féminine a toujours constitué une procédure socialement acceptable, on l'a exécutée avec les techniques les plus variées, dont certaines continuaient à être utilisées malgré le risque élevé de maladies ultérieures et de mort. Lorsque l'on aura enfin compris la psychopathologie qui se cache à la fois derrière l'enthousiasme du praticien à détruire les organes de reproduction féminins et la conviction de la femme que ce sont eux qui la rendent malade, on aura fait un grand pas pour redonner à la femme eunuque sa vigueur et son potentiel.

Aucun organe humain n'est opéré aussi souvent que l'utérus, pourtant les médecins sont incapables de s'entendre sur la nécessité de l'intervention ni sur le moment auquel il convient de la réaliser. « En cas de doute, enlevez tout! » : voilà la politique généralement suivie... Mais, même dans ce cas, gynécologues et chirurgiens se disputent sur la question de savoir s'il convient de conserver les ovaires ou de les enlever aussi. Les ablationnistes soutiennent que les ovaires laissés en place peuvent devenir cancéreux, ne peuvent fonctionner que mal, ou pas du tout, et que les femmes hystérectomisées doivent trop souvent subir une nouvelle intervention chirurgicale pelvienne. Les anti-ablationnistes soutiennent, quant à eux, que les patientes se sentent mieux après l'intervention si elles ont encore leurs ovaires, qu'elles ne souffrent ni de bouffées de chaleur ni des autres troubles liés à la ménopause, comme l'ostéoporose, et que le maintien de leur sécrétion en œstrogènes les protège contre les maladies coronariennes. Ce à quoi les ablationnistes répondent que les stéroïdes sexuels exogènes fournissent une meilleure protection contre les séquelles indésirables. Quant aux patientes, elles font en général du prosélytisme pour la forme de destruction qu'on leur a fait subir, et sont, de toute manière, convaincues qu'elles vont beaucoup mieux après qu'avant.

Une femme sur quatre fait des fibromes. On ne sait ni pourquoi ils se forment ni comment les traiter. D'énormes fibromes peuvent s'avérer asymptomatiques, de minuscules, symptomatiques. On pense que ce sont eux (ou autre chose) qui provoquent les fortes hémorragies en période de péri-ménopause, surtout si l'on considère les femmes en début de quarantaine comme en péri-ménopause. A la ménopause, ils s'atrophient généralement, tout en continuant à provoquer, sans que l'on sache pourquoi, des troubles chez certaines femmes. On pourrait peut-être leur proposer une médication systémique susceptible de les faire diminuer. Mais au fond, il est sans doute inutile de se donner le mal d'en chercher une, puisque l'hystérectomie y met un terme définitif, et supprime du même coup tout risque de cancer du col et de carcinome de l'endomètre.

L'hystérectomie est une intervention lourde, impliquant un risque inévitable de fièvre, d'infection et autres complications, mais là n'est pas la question. Il est clair que les fibromes ne devraient pas justifier cette chirurgie destructrice. En revanche, ils constituent une contre-indication à l'hormonothérapie substitutive. En effet, les fibromes sont liés aux œstrogènes, et la prise d'hormones de substitution pourrait empêcher leur involution; pourtant, dans la plupart des manuels consacrés à la ménopause, il n'en est même pas question. Le livre de Wendy Cooper, *Plus de ménopause*, qui n'est en fait qu'une publicité (format livre), pour les hormones de substitution, n'indique pas la moindre contre-indication, comme si aucune de ses lectrices n'était susceptible d'avoir souffert de fibromes ou d'endométrie. Ce genre d'omission encourage la femme qui a des fibromes à penser que c'est grave et rare, et donc à accepter une intervention majeure pour résoudre un problème mineur.

On reste abasourdi devant le nombre de problèmes concernant la ménopause que les chercheurs ont été incapables d'élucider. Pourtant, n'importe quel généraliste se considère comme parfaitement qualifié pour la traiter.

On ne sait pas ce qui se passe.

On ne sait pas pourquoi cela se passe.

On est incapable de dire, dans tel ou tel cas particulier, si la ménopause est sur le point de se produire, en cours ou terminée.

On ne sait pas pourquoi certaines femmes ont certains symptômes, tandis que d'autres en ont de différents, voire même tout un ensemble de symptômes. On ne sait pas non plus s'il est exact que certaines n'en ont aucun.

On ignore quels symptômes sont en relation directe avec la ménopause, lesquels seraient plutôt liés au vieillissement, lesquels enfin seraient indépendants de l'un comme de l'autre.

Tout le monde est d'accord pour associer les bouffées de chaleur à la ménopause, mais on ne sait pas ce que c'est.

On ignore pourquoi certaines femmes transpirent énormément pendant leurs bouffées de chaleur, d'autres immédiatement après, d'autres encore pas du tout, ni pourquoi certaines en ressentent une véritable terreur.

Nul ne sait pourquoi certaines ont des douleurs articulaires intenses à la ménopause.

Nul ne sait pourquoi les habitudes de sommeil sont bouleversées ; on avance parfois que c'est tout simplement la conséquence des troubles vasomoteurs, mais, dans de nombreux cas, les femmes ont des insomnies sans avoir de bouffées de chaleur ou de crises de sudation. Elles n'arrivent pas à dormir, c'est tout. On qualifie parfois ce symptôme de « psychologique ».

On ignore quels symptômes sont physiques, lesquels sont psychosomatiques ou psychologiques.

On ignore absolument quels symptômes pourraient être révélateurs d'un dysfonctionnement par rapport au déroulement normal des processus biologiques en cours.

On ne sait pas dans quelle mesure le vieillissement complique la ménopause, ni même, en vérité, s'il la complique. D'après certaines études, les ménopauses précoces, y compris celles qui sont induites par des radiations ou des interventions chirurgicales, sont les plus difficiles à supporter, mais, là encore, tout le monde n'est pas d'accord.

Toute cette confusion autour de la ménopause est bien révélatrice du véritable brouillard d'incompréhension au travers duquel on appréhende si mal les problèmes de santé de la femme d'âge intermédiaire. L'existence d'une coûteuse panacée, rendant apparemment inutile la poursuite de recherches à long terme fort onéreuses, complique encore les choses. On peut même penser que les chercheurs ne trouveront plus de femmes non traitées à étudier bien avant d'avoir pu établir des conclusions fermes. D'ores et déjà, les recherches sont difficiles, en raison de la présence, dans la population étudiée, d'une grande proportion de femmes hystérectomisées, prenant, ou ayant pris la pilule, et de femmes ayant subi une stérilisation chirurgicale avec ou sans séquelles.

Les praticiens les plus dangereux sont ceux qui refusent de reconnaître qu'il y a trop de choses qu'ils ne savent pas ; un médecin raisonnable est conscient de l'étendue de son ignorance. Si votre médecin (un homme jeune) est doctrinaire, changez-en, et choisissez de préférence un médecin plus âgé (une femme, si possible) qui sait de quoi vous parlez. Le premier pas, pour bien vivre votre ménopause, c'est de vous prendre en charge, de prendre vos responsabilités, c'est de votre santé à vous qu'il s'agit, après tout !

7

L'ALLOPATHIE

Prenez un médecin normalement constitué : s'il a en face de lui une patiente, autour de la cinquantaine, qui se plaint de toutes sortes de maux, il est bien obligé d'identifier une maladie, de manière à pouvoir la soigner. Dans son livre *Life Change : A Guide to the Menopause, its Effects and Treatment* (Un changement de vie : guide de la ménopause, de ses effets et de ses traitements), un des ouvrages faciles à trouver les plus intelligents sur les thérapies par substitution, le docteur Barbara Evans, après avoir recensé tous les troubles dont se plaignent les femmes interrogées par la Fondation internationale de la santé (AKZO), fait la mise en garde suivante :

« On ne peut tenir pour acquis que tous les symptômes soient nécessairement provoqués par la ménopause. Beaucoup d'entre eux seraient considérés par un psychiatre comme relevant d'un état dépressif. Un rhumatologue relèverait également, dans la liste, de nombreux symptômes de polyarthrite rhumatoïde. La ménopause coïncide avec une période de la vie où le stress et les problèmes familiaux s'accumulent et provoquent des difficultés sans rapport avec elle » (17).

Cela n'arrange rien pour la femme si son gynécologue la traite comme une paire d'ovaires morts, son rhumatologue comme une collection d'articulations, son ostéologue comme un squelette, son psychiatre comme un amas de traumatismes, son gérontologue comme non-candidate à ses traitements, et son généraliste comme une raseuse. Dépression, fatigue, irritabilité et insomnie ne sont peut-être pas le résultat direct de l'arrêt des fonctions ovariennes, mais ce sont des facteurs qui peuvent faire ressentir les effets de la déficience hormonale de manière plus aiguë et peut-être même les aggraver. Le syndrome climatérique est le cas typique où la médecine holistique, traitant la personne dans son entier, trouve son application idéale. Il faut non seulement demander à la patiente de coopérer à son propre traitement, il faut aussi qu'elle se livre elle-même à une analyse des coûts et profits, et qu'elle prenne la responsabilité de sa propre stratégie médicale. Si l'on essaie d'assumer tout cela avec quelque confiance, le plus grand obstacle est l'état lamentable de la connaissance médicale de ce qui se déroule dans notre corps.

Historiquement, les médecins à qui l'on demandait de prescrire des palliatifs à la détresse de la ménopause ont vraiment fait de leur mieux. Ils ont fait des saignées, prescrit des purgatifs violents, envoyé les femmes dans les villes d'eau et à la montagne, ils leur ont administré du bromure, du mercure, de l'acide sulfurique, de la belladone et de l'acétate de plomb. Puis, soupçonnant que les problèmes rencontrés par les femmes étaient directement provoqués par la cessation des fonctions ovariennes, ils se sont tournés vers les extraits glandulaires, les hormones végétales et l'utilisation de telle ou telle partie du système de reproduction d'autres espèces, par exemple du corps jaune de truie déshydraté, ou des ovaires de vache et de brebis grillés, mais rien ne marchait.

Quand, en 1923, on isola pour la première fois des œstrogènes naturels, on reconnut immédiatement leur utilité potentielle pour traiter les troubles de la ménopause, mais on ne réussit pas à trouver de mode d'administration satisfaisant. Robert A. Wilson administra à ses patientes des extraits d'ovaires de brebis déshydratés à l'état brut, mais les réactions allergiques l'emportèrent sur toute amélioration clinique. Au cours des années trente, on prescrivit du stilbœstrol, mais les effets secondaires – nausées, migraines et réactions cutanées – se révélèrent pires que les troubles que l'on voulait soigner. Vers la fin de ces années trente, des chimistes allemands réussirent à faire la synthèse du benzoate d'œstradiol, qui était, lui, efficace contre les troubles de la ménopause, mais qu'il fallait administrer par injections. Ce n'est que dans les années soixante, après que le problème de la contraception eut été résolu à la satisfaction des professionnels, si ce n'est des utilisatrices, que les producteurs de stéroïdes orientèrent leurs recherches sur les problèmes de la péri-ménopause.

Le succès, dans les années soixante, des œstrogènes de substitution fut tel qu'entre 1963 et 1973, les ventes de préparations à base d'œstrogènes quadruplèrent, la moitié de la population féminine ménopausée était sous traitement. C'est alors qu'éclata la bombe : l'incidence de cancers de l'endomètre s'élevait à 10 %. Leur progression était nettement moins rapide que celle de l'utilisation des hormones, et cette forme de cancer restait rare, mais les médias n'entrèrent pas dans ces détails. De fait, la présence d'un cancer n'était même pas toujours confirmée.

Ce qui avait augmenté de 10 %, c'est le nombre des diagnostics de cancer de l'endomètre. On procéda à deux enquêtes nationales, l'une en 1948-1949, l'autre en 1969-1971 ; entre les deux, l'incidence des cancers de l'endomètre avait doublé, mais leur mortalité avait été divisée par deux. Étant donné la rapidité incroyable avec laquelle les médecins américains décident les hystérectomies, il est absolument impossible de savoir précisément ce que représentait en fait cette augmentation de 10% des diagnostics de cancers de l'endomètre, surtout si l'on veut tenir compte des différences de dosage considérables d'hormones administrées au cours des premières années d'hormonothérapie de substitution. Tous les cancers génitaux se sont multipliés au cours des cinquante dernières années; il faut peut-être en chercher la cause dans les changements de l'environnement et du comportement, autant que dans l'utilisation de traitements à base d'hormones. Les médecins américains ne purent s'offrir le luxe d'examiner les données ou de pousser plus loin les investigations. Du jour au lendemain, la terreur des procès médicaux leur inspira autant de répugnance à prescrire l'hormonothérapie de substitution qu'ils avaient montré, auparavant, d'enthousiasme pour ce traitement.

C'est demander la lune que réclamer une approche plus rationnelle des problèmes de santé des femmes. Les défenseurs de l'hormonothérapie substitutive furent pris au piège des faiblesses logiques de leur position. Jamais ils n'avaient prouvé qu'il y eût carence en œstrogènes, ni expliqué le mécanisme grâce auquel leur thérapie faisait des miracles. Ils avaient adopté la démarche incorrecte consistant à définir une maladie à partir de la thérapie proposée, et même si l'hystérie suscitée par l'augmentation de l'incidence des cancers de l'endomètre n'était pas plus fondée que l'œstrogénothérapie de substitution, c'est tout le fragile édifice qui s'écroula. Les ventes de préparations à base d'œstrogènes diminuèrent de moitié aux États-Unis, et dans les deux ans les diagnostics de cancers de l'endomètre diminuèrent d'un quart. CQFD. Il était trop dangereux d'utiliser des œstrogènes de substitution. Aux patientes qui disaient qu'elles se fichaient du risque de cancer, leurs médecins, bien informés du risque de procès, répondaient qu'ils ne pouvaient leur permettre de le prendre.

Puis les Anglais entrèrent en lice. En 1976, Stuart Campbell, alors maître de conférences à l'hôpital de la Reine-Charlotte à Londres, résumait ainsi les avatars de l'hormonothérapie de substitution :

« Ce qui s'est passé aux États-Unis n'est pas tellement rassurant. L'alliance manifeste entre les mouvements féministes et certains intérêts dans la profession gynécologique a produit le culte du " Féminines pour toujours ", impliquant que l'on devrait prescrire des œstrogènes du berceau à la tombe. Cette approche thérapeutique spécieuse n'a malheureusement pas été accompagnée d'études épidémiologiques ni d'un suivi suffisant. Il nous arrive maintenant des États-Unis les signes d'un regain d'intérêt pour l'hormonothérapie à cause des découvertes faites par deux études rétrospectives assez mal documentées (*New England Journal of Medicine*, NEJM, 1975), selon lesquelles il pourrait y avoir une association entre la prise d'œstrogènes après la ménopause et le cancer de l'endomètre. Ce syndrome de surthérapie, suivie de sur-réaction, ne peut être évité que grâce à une compréhension profonde des changements psychologiques, hormonaux et pathologiques de la péri-ménopause... Nous en sommes, actuellement, fort loin... »

Si Stuart Campbell avait mieux connu les mouvements féministes, il aurait su que ceux-ci avaient montré, dès le début, une profonde méfiance à l'égard des stéroïdes. Barbara Seaman publia en 1969 *The Doctor's Case against the Pill* (Le Dossier médical contre la pilule) et mena la campagne qui força la commission Nelson sur la sécurité de la pilule contraceptive à inclure, dans ses auditions, les témoignages des femmes. Elle passa ensuite huit ans à étudier les effets de la prise de stéroïdes exogènes sur la santé des femmes, à la suite de quoi elle publia *Women and the Crisis in Sex Hormones* (Les Femmes et la crise des hormones sexuelles), texte émanant du groupe santé du mouvement féministe. Le National Women's Health Network réussit à faire pression sur les laboratoires pharmaceutiques, les forçant à imprimer sur chaque boîte de stéroïdes et d'œstrogènes de substitution la liste complète de leurs effets secondaires et contre-indications.

La position des féministes sur les œstrogènes de substitution a été résumée avec vigueur par Rosetta Reitz dans un article intitulé : « Ce que les docteurs ne vous disent pas sur la ménopause » :

« Ils ne m'ont pas dit pourquoi je continue à avoir un dosage normal d'œstrogènes alors que je n'ai plus d'ovulation. Ils laissent entendre que cela s'arrête net pour pouvoir me vendre leur thérapie de substitution. Mais je ne me laisse pas faire... Je sais que si je n'introduis pas d'œstrogènes étrangers dans mon corps, mes glandes endocrines opéreront la régulation de mon activité hormonale et mes surrénales augmenteront leur sécrétion d'œstrogènes. Les médecins ne savent pas comment cela marche, ni quelle glande non encore identifiée participe également à cette activité, mais ils reconnaissent qu'il en est ainsi lorsqu'ils sont entre eux. (Si une partie des fonds de la recherche médicale consacrés aux hommes sur la lune l'avait été aux femmes sur terre, je considérerais que cet argent a été mieux dépensé.)... Jouer les cobayes avec mon propre corps, avec comme résultats probables mal aux seins, la nausée, des vomissements, des ballonnements, des crampes ou de la tension nerveuse? Tout cela pour qu'ils jouent à la devinette, en me faisant payer, en plus? Jamais de la vie. » (Dreifus, 209-10.)

L'extraordinaire incompréhension dont M. Campbell fait preuve à l'égard de la position féministe est moins excusable que le flou diplomatique avec lequel il parle des « intérêts dans la profession gynécologique ». La conférence internationale au cours de laquelle il fit cette intervention était sponsorisée par certains des plus grands fabricants de stéroïdes à l'usage des femmes, à savoir Ayerst, le laboratoire qui fabrique le Prémarin, produit leader aux États-Unis, ainsi que les laboratoires Schering, Syntex et Abbott.

S. Campbell devait savoir que le culte dit « Féminines pour toujours » n'était pas le fruit d'une alliance contre nature entre le féminisme et certains intérêts financiers, mais l'œuvre du docteur Robert A. Wilson, spécialiste consultant en obstétrique et en gynécologie dans trois hôpitaux new-yorkais, membre éminent de la Fondation américaine d'obstétrique et de gynécologie et de la Faculté internationale de chirurgie, membre associé de onze autres sociétés savantes et président de la Fondation de recherche Wilson à New York. Robert Wilson avait administré l'œstrogénothérapie à cinq mille patientes, pendant plus de quarante ans, avant de se mettre à faire du prosélytisme en 1962. En 1963, lui et sa femme Thelma travaillèrent ensemble à des articles où ils démontraient les avantages d'un « dosage adapté d'œstrogènes de la puberté à la mort » et proposaient d'« éliminer la ménopause ». En 1965, quand il écrivit le texte fondamental *Féminines pour toujours*, Wilson avait déjà écrit, seul ou en collaboration, treize publications sur l'œstrogénothérapie et accumulé les vingt et un titres dont on trouve la liste complète à la page 177 de l'édition anglaise de 1966. *Féminines pour toujours* se propose d'impressionner tant et si bien la femme moyenne qu'elle en perde son bon sens. Un autre Grand Maître de la Ménopause, Robert Greenblatt, déclarait dans une préface retentissante :

« Les femmes ne seront réellement émancipées que lorsque les contraintes qui leur sont imposées par les carences en hormones auront été supprimées. Alors seulement elles pourront s'accomplir sans interrompre leur quête de santé mentale et physique continue » (15).

On se demande ce que cela peut bien vouloir dire. La plupart d'entre nous seraient étonnées d'apprendre qu'elles sont partie prenante d'une telle « quête ». La rhétorique de Robert Greenblatt semble sous-entendre que la santé mentale et physique est, pour la plupart des femmes, aussi mystérieuse et difficile à atteindre que le Saint-Graal.

« Le docteur Wilson formule aussi les prophéties poétiques d'un jour lointain où il confère à la femme le droit d'être féminine pour toujours » (15).

Cela fait vraiment plaisir de constater que de savants messieurs du corps médical ont fini par accepter l'idée que les femmes pouvaient avoir des droits; un peu moins plaisir, cependant, de découvrir que les Maîtres de la Ménopause se considèrent comme ayant l'apanage de les conférer eux-mêmes. A l'époque, les heureuses récipiendaires des œstrogènes de substitution étaient déjà au nombre « de six à douze mille ». M. Wilson ne semble pas troublé par l'imprécision de ses propres chiffres, qui semble pourtant révélatrice d'un certain manque de sérieux dans le suivi des patientes. Pour compenser, il nous déclare qu'il suffit de regarder ces femmes pour les reconnaître.

« Les signes extérieurs de cette jeunesse qui défie le temps sont un port bien droit, un contour des seins bien souple, une peau douce et tendue sur le visage et sur le cou, des muscles fermes, et cette vigueur, cette grâce, typiques de la femme en bonne santé. A cinquante ans, ces femmes-là sont encore très bien en short et en robe à manches courtes » (17-18).

Quelle femme oserait en demander plus? Robert Wilson était certain que la ménopause était une maladie « sérieuse, douloureuse et souvent invalidante » (29). Il avait « connu des cas où la souffrance physique et mentale qui en avait résulté avait été tellement insupportable que la patiente s'était suicidée » (39).

« J'ai vu des femmes non traitées se faner jusqu'à devenir des caricatures d'elles-mêmes. Certaines avaient perdu jusqu'à quinze centimètres de stature à la suite de transformations osseuses pathologiques provoquées par le manque d'œstrogènes. D'autres subissaient des troubles métaboliques d'une telle ampleur que cela les mettait littéralement en danger de mort.

« Si les symptômes physiques peuvent réellement être terribles, ce qui me paraît plus tragique encore, c'est la destruction de la personnalité. Certaines femmes, quand elles se rendent compte qu'elles ont perdu leur féminité, s'enfoncent dans une stupeur d'indifférence. Même ainsi, elles ont relativement de la chance. Selon moi, il est plus bouleversant encore de voir des femmes sensibles assister à leur propre déclin avec une cruelle lucidité » (39-40).

On ne peut qu'espérer que la conviction absolue qu'avait le docteur Wilson que la ménopause, maladie terrible, était la seule cause de tous les maux, physiques et mentaux, dont se plaignaient ses patientes d'âge mûr, ne lui a pas fait faire trop d'erreurs de diagnostic. Dans son enthousiasme pour l'éliminer, il se mit bientôt à prescrire des stéroïdes de substitution aux femmes avant, parfois même longtemps avant, l'apparition des premiers symptômes. Il s'inventa un stéréotype de femme « riche en œstrogènes », compagne parfaite pour l'homme, aux seins fermes, partenaire active en amour, libérée des tensions de la menstruation. Il considérait comme ses ennemies les « vieilles commères » qui murmuraient que sa drogue miracle provoquait immoralité et cancer; ses premières publications visèrent la seconde de ces terreurs irraisonnées. La découverte de l'incidence accrue des cancers de l'endomètre chez les femmes sous hormonothérapie substitutive mit un point d'arrêt à sa merveilleuse entreprise.

En 1978, le professeur Campbell et le docteur Malcolm Whitehead publiaient les résultats de leur propre recherche. Parmi les 167 patientes qui venaient à leur consultation de l'hôpital de King's College, il s'en trouvait trois qui avaient déjà un cancer de l'endomètre, et pas moins de onze qui avaient déjà des signes d'hyperplasie utérine. Lorsque l'on administra de la progestérone à ces onze femmes, la paroi interne de leur utérus redevint normale. Les docteurs Campbell et Whitehead mirent alors au point un système de médication séquentielle qu'ils administrèrent à 46 patientes. On leur donnait des œstrogènes, puis des progestatifs pendant la seconde moitié du cycle; en d'autres termes, ils décidèrent d'imiter le rythme de sécrétions de la menstruation et d'induire un saignement. Sur les 46, il n'y eut qu'un seul cas d'hyperplasie, au lieu des trois à six auxquels on devait s'attendre avec une médication d'œstrogènes en continu. On considéra que ce résultat justifiait d'imposer les saignements et les autres effets secondaires des progestatifs aux 46 femmes (Whitehead, Campbell et *al.*, 1978; Whitehead, McQueen et *al.*, 1978; Campbell, McQueen et *al.*, 1978).

En 1980, John Studd rédigea une publication concernant un groupe de 745 patientes des hôpitaux de Dulwich et de Birmingham. Soixante-douze d'entre elles, ce qui représente environ 10%, avaient souffert d'hyperplasie utérine à un moment ou à un autre. Il en existe trois sortes : l'hyperplasie kystique, l'hyperplasie adénomateuse et l'hyperplasie atypique. Cette dernière est la plus inquiétante, car environ la moitié des femmes ayant ce type de développement excessif de l'endomètre finissent par avoir un cancer de l'utérus. Parmi les femmes du groupe concerné, il n'y en avait que quatre de ce type, 60 avaient de l'hyperplasie kystique, la moins inquiétante. Celles-ci guérirent toutes après avoir pris des progestatifs; il en fut de même pour six des huit patientes souffrant d'hyperplasie adénomateuse, et même pour deux des femmes souffrant d'hyperplasie atypique. Les traitements ne furent pas, en fait, administrés de la même manière à toutes les patientes. Certaines, ayant eu des implants, avaient plus de risques que les autres de développer une hyperplasie utérine : celles-ci ne prenaient pas de progestatifs sept jours par mois et plus de la moitié firent de l'hyperplasie, alors que parmi les autres on n'en comptait que 15%. Lorsque l'on allongeait la prise de progestatifs de sept à dix jours, ce pourcentage tombait à 3%, et quand on le portait à treize jours, il disparaissait complètement. (Studd et *al.*, 1980, 1981.)

Voilà sur quel genre d'observations se base la prescription de progestatifs pour équilibrer l'action des œstrogènes sur l'endomètre. Il vaut mieux ne pas poser de questions indiscrètes sur le groupe de plus de neuf femmes sur dix, dans l'échantillon de John Studd, qui ne montrèrent aucun signe d'hyperplasie utérine, tout en suivant un traitement d'œstrogènes non associés à des progestatifs; il faut que tout le monde prenne des progestatifs à cause de la minorité qui fera de l'hyperplasie si elle n'en prend pas.

Personne, évidemment, n'est en mesure d'identifier les individus appartenant à cette minorité. On ne sait pas non plus quelle serait la plus petite quantité de progestérone suffisante, ni s'il faut faire desquamer la paroi interne de l'utérus tous les vingt-huit jours, tous les six mois ou une fois par an. Cela ne poserait pas de problème, évidemment, si c'était drôle de prendre des progestatifs, mais en général ils rendent les femmes plus malades que la ménopause. Il est peu vraisemblable qu'une Britannique ait le loisir de décider elle-même des avantages et des inconvénients de la prise de progestatifs, puisqu'il y a toutes chances pour que son gynécologue soit arrivé à ses propres conclusions et ne sanctionne pas la prise d'œstrogènes hors association avec des progestatifs, même si l'on pense que les progestatifs neutralisent une bonne partie des effets bénéfiques des œstrogènes.

La progestérone est l'hormone qui agit sur la paroi interne de l'utérus pendant la seconde moitié du cycle menstruel, la phase des sécrétions. Elle bloque l'accumulation d'œstrogènes dans l'endomètre et suscite la formation d'une enzyme qui transforme les œstrogènes de manière à empêcher la sur-stimulation de l'endomètre. On pense que c'est cette sur-stimulation qui conduit à une augmentation du nombre des cancers de l'endomètre chez les femmes prenant des œstrogènes de substitution. La progestérone est inactive si on la prend par voie orale, car elle est détruite par les sucs digestifs; c'est pourquoi on a mis au point des progestatifs de synthèse administrables par voie orale, le norethistérone et le norgestrel. Si les œstrogènes donnent aux femmes une sensation de bien-être, c'est le contraire pour la progestérone, car « cela augmente les besoins énergétiques du corps et cela affecte la quantité de sel excrétée par les reins. Cela peut aussi rendre la peau grasse et provoquer de l'acné. Il est également possible que cela rende les seins sensibles, provoque de la dépression, des douleurs dorsales, des crampes abdominales, ainsi que des ballonnements. On peut réduire ces effets secondaires en abaissant le dosage et en variant le type de préparation ». (Evans, 45.)

On pense que les œstrogènes fournissent une certaine protection contre les maladies cardiovasculaires, que les progestatifs neutralisent vraisemblablement. Il a été révélé au cours d'une conférence sur « La prévention des maladies cardiovasculaires » qui s'est tenue en juillet 1987 que, si les œstrogènes jouent un rôle protecteur en augmentant les triglycérides et en diminuant les lipoprotéines de basse densité (facteurs de risque), les progestatifs annulent cet effet protecteur. L'association de la pilule contraceptive avec une incidence accrue des thromboses veineuses profondes et des embolies pulmonaires est indéniable ; on pensait jusque-là que les œstrogènes en étaient responsables, mais il semble maintenant beaucoup plus vraisemblable que ce soient les progestatifs qui constituent le facteur de risque.

Au total, une femme qui prend la pilule a cinq fois plus de risques de faire une thrombose ou une embolie que si elle n'en avait jamais pris. L'étude réalisée en 1977 par le Collège royal des médecins généralistes sur la contraception orale arriva à la conclusion que l'incidence des maladies artérielles chez les femmes ayant utilisé des contraceptifs oraux n'avait pas de rapport avec les variations du dosage en œstrogènes auxquelles elles avaient été soumises, mais avec la quantité de progestatifs contenue dans leurs pilules. Les femmes qui souhaitent prendre la responsabilité de leur santé elles-mêmes devraient donc mettre en balance le risque accru de maladie cardiaque et de thrombose veineuse avec le risque accru de cancer de l'endomètre. Ce n'est pas chose facile, car les données statistiques sont impénétrables.

Ce qui s'est passé aux États-Unis est totalement différent de ce qui s'est passé en Grande-Bretagne, les points de vue sur les progestatifs cycliques vont du scepticisme à la méfiance la plus totale et les traitements aux œstrogènes sans association avec des progestatifs sont toujours considérés comme une option viable. Les instructions détaillées aux prescripteurs et aux patients qui sont, par ordre de la Food and Drug Administration américaine, contenues dans chaque boîte de Prémarin, notent sèchement :

« Bien que les informations recueillies doivent encore être considérées comme préliminaires, une étude semble montrer que l'administration cyclique implique moins de risques que l'administration en continu... Si l'on utilise une thérapie concomitante à base de progestatifs, les risques potentiels incluent des effets négatifs sur le métabolisme des hydrates de carbone et des lipides... »

Le même John Studd, qui prescrivait des progestatifs sur des périodes de treize jours pour prévenir l'hyperplasie utérine, disait encore dans la préface de l'édition révisée du livre du docteur Evans, publié en 1988 :

« Il nous faut également déterminer s'il existe un risque de cancer, et dans ce cas, quel équilibre hormonal il faudrait établir pour éviter de stimuler trop la paroi intérieure de l'utérus. »

Déterminez, messieurs ! Pendant ce temps-là, beaucoup de femmes sont obligées d'abandonner l'hormonothérapie substitutive parce qu'elles ne supportent pas les progestatifs dont elles n'ont peut-être pas besoin.

Qui est susceptible de développer un cancer de l'endomètre dû aux œstrogènes de substitution? Personne. La probabilité de la maladie est d'un pour mille ou moins, on ne peut donc pas utiliser raisonnablement le mot « susceptible ». Si l'on a déjà une tumeur produisant des œstrogènes sur un autre site, par exemple les ovaires, les risques d'avoir également un cancer de l'endomètre sont d'un, ou peut-être deux sur cinq. Les femmes qui souffrent d'un cancer de l'endomètre ont plus de risques que les autres de développer une tumeur du sein et aussi de faire de l'hypertension artérielle. Celles qui ont eu une ménopause tardive et les obèses ont plus de risques de cancer de l'endomètre que les femmes minces ménopausées relativement tôt, mais celles qui ont eu des enfants ont moins de risques que celles qui n'en ont pas eu.

Le moindre risque de cancer terrorise tout le monde, et les médecins tiennent comme vérité d'évangile qu'aucun risque de développer une maladie fatale ne devrait jamais être couru. Cependant, personne ne semble trop se soucier du risque beaucoup plus élevé que font courir aux femmes les maladies cardiovasculaires : celles-ci tuent quatre fois plus que tous les cancers de l'utérus, du col et du sein réunis. Jamais, dans l'analyse des statistiques, on n'a mis en regard l'augmentation du nombre des cancers de l'endomètre et la diminution des décès causés par les crises cardiaques. Un groupe de chercheurs de la faculté de médecine de Caroline du Sud a étudié l'historique de toutes les femmes d'une grande communauté de retraités qui étaient mortes de maladies coronariennes; ils sont arrivés à la conclusion que les femmes qui avaient suivi une œstrogénothérapie avaient moitié moins de risques que les autres de mourir d'une maladie de cœur. Les femmes américaines ont eu 30 % de moins de crises cardiaques entre 1976 et 1981, depuis que l'œstrogénothérapie substitutive est pratiquée couramment.

« Le nombre des décès, corrigé en fonction de l'âge, dus à une cardiopathie ischémique chez les femmes blanches américaines représente plus de quatre fois le total des victimes du cancer du sein et de l'endomètre. Si les effets protecteurs de l'œstrogénothérapie substitutive sur le risque de mortalité par cardiopathie ischémique sont réels, ce résultat bénéfique ferait plus que compenser les effets carcinogènes des œstrogènes. » (Ross et *al.*, 860.)

On est encore loin d'avoir tous les éléments. On sait, bien sûr, que les femmes sans ovaires, ou dont les ovaires ne fonctionnent pas, ont beaucoup plus de risques de mourir d'une maladie du cœur, ou des artères, que celles qui sécrètent des œstrogènes, mais on ne sait pas pourquoi. Chacun sait aujourd'hui que les maladies cardiovasculaires sont plus fréquentes chez les sujets dont les taux sanguins de cholestérol, de triglycérides et de lipoprotéines sont élevés. Les femmes menstruées ont des taux beaucoup plus bas que les hommes ou que les femmes ménopausées, et leur taux de cholestérol est le plus bas quand leur taux d'œstrogènes est le plus élevé. Les œstrogènes ne diminuent cependant pas le niveau de tous les lipides sanguins ; on sait fort bien qu'ils augmentent le taux des triglycérides, ce qui induit un risque de coagulation du sang plus rapide. Ils augmentent le niveau des lipoprotéines de haute densité, qui peuvent être réabsorbées à travers les parois artérielles en transportant du cholestérol, et ils diminuent le taux des dangereuses lipoprotéines de faible densité. Au total, de manière générale, on peut dire que les œstrogènes de substitution semblent conférer une certaine protection contre les maladies cardiovasculaires.

Lila E. Nachtigall, professeur d'obstétrique et de gynécologie à la faculté de médecine de l'Université de New York, et le docteur Lisa B. Nachtigall ont passé en revue les publications de Burch et *al.* (1974), Gordon et *al.* (1978), Hammond et *al.* (1979), Pettiti et *al.* (1986), Bush et *al.* (1983, 1987), Barrett-Connor et *al.* (1989) et Knopp (1988) : elles ont abouti à une conclusion que l'on entend de plus en plus souvent, à savoir que la protection contre les maladies cardiovasculaires devrait être la première motivation pour prescrire des œstrogènes de substitution ; le soulagement des troubles vasomoteurs et la lutte contre l'ostéoporose n'étant que des bénéfices secondaires. (*Geriatrics*, mai 1990.) D'après Cummings et *al.*, « un effet positif de l'œstrogénothérapie, même faible, sur les maladies coronariennes, pèserait bien plus dans la balance qu'une quelconque augmentation du risque mortel du cancer soit de l'endomètre, soit du sein » (2448).

Si l'on associe des progestatifs aux œstrogènes, l'effet sur le mécanisme de protection par lequel les œstrogènes diminuent le taux de cholestérol et augmentent le taux de HDL est loin d'être clair. La pharmacologie des progestatifs est complexe, mais il paraît évident qu'il en faudrait de nouveaux, mieux adaptés, pour réduire les effets secondaires et maintenir la qualité de la vie que l'on cherche à prolonger. Henderson et *al.* prétendent que les hormones progestatives provoquent moins d'effets secondaires, mais ils disent également dans le même article que « pendant la phase progestative de l'hormonothérapie substitutive, les effets bénéfiques sur les taux de lipoprotéines sont partiellement neutralisés, sinon inversés... cela varie en fonction des différents progestatifs et des dosages ».

Cela explique en partie pourquoi les chercheurs britanniques ne constatent pas d'effet bénéfique des œstrogènes sur les « risques d'attaque et d'infarctus du myocarde ». Thomson et *al.* (1989) ne peuvent que dire :

« Il n'est pas prouvé que l'utilisation de l'hormonothérapie substitutive, telle qu'elle a été prescrite en Grande-Bretagne ces dernières années, constitue un facteur déterminant pour les maladies cardiovasculaires, que ce soit comme risque ou comme protection. »

Les Américains diraient que c'est parce qu'ils veulent à tout prix associer des progestatifs aux œstrogènes que les Britanniques en détruisent l'effet le plus important.

Le cancer de l'endomètre est détectable et plus facile à traiter que les maladies dégénératives du cœur et des artères, mais le mot « cancer » a une telle charge émotive que l'on considère qu'aucun risque, si faible soit-il, d'aucun cancer, si guérissable soit-il, ne doit être pris. Le traitement du cancer de l'endomètre, à savoir l'hystérectomie, est l'une des opérations les plus souvent pratiquées dans nos hôpitaux, mais on ne laisse aucune femme décider de prendre le risque d'avoir à la subir le cas échéant. La détection précoce du cancer de l'endomètre se fait par aspiration de l'utérus et même chez des femmes qui suivent des traitements séquentiels incluant des progestatifs, il est recommandé d'examiner périodiquement l'état de la paroi interne de l'utérus.

Cet examen exigeait autrefois dilatation et curetage sous anesthésie générale. On peut aujourd'hui faire des prélèvements du tissu de l'endomètre sans anesthésie. Pour une fois, le docteur Evans apporte une contribution positive sur ce point :

« On peut généralement introduire ces curettes par le col. Environ 4 % des femmes trouvent cela douloureux. En tant que patiente j'ai trouvé que l'insertion du système d'aspiration Isaacs le plus récent n'était pas désagréable. Ces techniques constituent une avancée de première importance pour le traitement des femmes en période de ménopause. Celles qui suivent un traitement, surtout sans progestatifs, devraient subir ces examens régulièrement afin de repérer tout changement de l'endomètre, comme le leur demandera leur médecin » (105).

C'est le médecin qui demande, remarquez-le bien, pas la femme ! Inutile de demander à un généraliste de s'exercer à l'usage de la curette ou de la canule, quand on ne peut même pas lui demander, en règle générale, un examen clinique approfondi, ou même de toucher si peu que ce soit ses patientes. Même les gynécologues refusent d'utiliser les petites curettes et les aspirateurs, à moins d'avoir suivi une formation spéciale, et trouvent toujours une justification pour ne pas reconnaître qu'ils ne savent pas s'en servir.

Les avocats de l'hormonothérapie substitutive considèrent que la détresse des femmes, à la ménopause, est provoquée par une déficience, comme le diabète résulte de la déficience en insuline. S'il est vrai, comme le dit le docteur Barbara Evans, qu'« il n'est pas raisonnable de prendre des œstrogènes sans preuve nette de déficience, car le risque peut ne pas être justifié », il n'est sans doute jamais raisonnable d'en prendre, car la preuve de la déficience n'est jamais clairement établie. Pour qu'elle le soit, il faudrait que l'on en sache plus sur les taux en œstrogènes de femmes dont la transition ménopausale est plus facile. Les recherches conduites par Barry M. Sherman et ses collègues ont montré que « la transition ménopausale, par menstruation irrégulière, n'est pas une période où la déficience en œstrogènes est marquée. Les concentrations très faibles en œstradiol, caractéristiques chez les femmes ménopausées, peuvent ne pas se manifester avant une période de six mois d'aménorrhée environ. Comme les épisodes de maturation avortée des follicules et les saignements vaginaux sont souvent fort espacés, les femmes peuvent être exposées, pendant la péri-ménopause, à une stimulation en œstrogènes persistante en l'absence de sécrétion cyclique régulière de progestérone, situation que l'on peut considérer comme associée au dysfonctionnement des saignements utérins fréquent à cette période ».

Autrement dit, les femmes peuvent fort bien souffrir d'un excès, plutôt que d'un manque d'œstrogènes pendant la ménopause. Cela ne nous surprendra pas de constater que la première question à laquelle le docteur Sherman était incapable de répondre était la suivante :

« Y a-t-il une corrélation entre les taux en œstradiol et les symptômes de la ménopause? Certaines de nos patientes ont des troubles, tout en ayant des taux en œstradiol et autres œstrogènes tout à fait normaux. » (Parkes et *al.*, 48.)

Le docteur Sherman dut répondre :

« Il n'y a pas beaucoup d'études systématiques qui aient été faites sur la corrélation entre les taux hormonaux et les symptômes. Nos études montrent que certaines femmes peuvent avoir des taux de gonadotrophines caractéristiques de la ménopause et des cycles irréguliers plusieurs mois avant d'avoir des troubles. En faisant des tests sanguins en continu sur des périodes de vingt-quatre heures, nous n'avons détecté aucun lien entre les changements de concentration en œstrogènes et en gonadotrophines et les épisodes de bouffées de chaleur. La médiation de ces symptômes est inconnue. »

Autant pour « la preuve évidente d'une carence ». Il semble au moins vraisemblable que la détresse climatérique soit causée par un excès d'œstrogènes, et non par un manque.

Bien qu'il y ait déjà dix ans que Sherman ait mené ses recherches et qu'il se soit passé pas mal de choses depuis, on ne connaît toujours pas les mécanismes par lesquels l'administration d'œstrogènes soulage la détresse climatérique. Les femmes plus âgées ne souffrent ni de bouffées de chaleur ni de crises de sudation nocturne. On pense que c'est parce que leur organisme s'est habitué à fonctionner avec le faible taux d'œstrogènes dérivés de l'androstènedione sécrétée par les surrénales et complété par une quantité beaucoup plus réduite, sécrétée par les ovaires, la quantité totale provenant de ces deux sources n'excédant pas le cinquième du taux antérieur à la ménopause (Vermeulen, 1983). D'un autre côté, les femmes qui acceptent l'hormonothérapie substitutive peuvent avoir jusqu'à cinq fois plus d'œstrogènes dans le sang qu'elles n'en avaient avant la ménopause, il ne faut donc pas s'étonner que, quand elles l'interrompent, leurs symptômes réapparaissent, décuplés. Ce qui est bizarre, c'est que cela ne leur arrive pas à toutes. Si le syndrome climatérique est vraiment une maladie de carence, il devrait durer aussi longtemps que la carence elle-même. La vérité, c'est qu'il n'en est rien.

Quand un allopathe prescrit des œstrogènes à ses patientes, il fait peut-être de l'homéopathie sans le savoir. En effet, le principe de l'homéopathie, c'est de prescrire justement l'élément qui cause le déséquilibre, de manière que l'organisme arrête d'en sécréter et que l'on puisse recouvrer l'équilibre au fur et à mesure que l'on diminue les doses. Il se pourrait que le fait de donner aux femmes beaucoup plus d'œstrogènes qu'elles n'en ont jamais produit elles-mêmes fasse croire à leur organisme qu'il est inutile de se dessécher en œstrogènes pour prévenir la panne ovarienne.

Et si ces femmes qui prétendent lutter contre la ménopause en inondant leur corps de FSH, et en maintenant les sécrétions d'œstrogènes à un niveau élevé, mettaient en cause, sans le vouloir, d'autres fonctions vitales, de sorte que leur organisme se retrouve avec des quantités insuffisantes d'endomorphines et de corticostéroïdes ? Une telle dysfonction expliquerait certaines des manifestations les plus étranges de la ménopause, par exemple les douleurs articulaires et les « fourmis », et même les célèbres bouffées de chaleur. Auquel cas on s'apercevrait que la carence portait non sur les œstrogènes, mais sur d'autres produits dont la chimie du corps a besoin. Même dans ce cas, la prescription d'œstrogènes apporterait un soulagement, en libérant l'hypothalamus de la nécessité de produire de plus en plus de FSH et d'œstrogènes pour le laisser revenir à un fonctionnement normal.

Tant que l'on ne sait pas si les femmes qui ont une ménopause sans symptômes ont quelque chose que les autres n'ont pas, affirmer que la détresse climatérique est une maladie de carence ne repose sur aucune base logique. Considérant que les femmes plus âgées s'adaptent à des taux en œstrogènes très inférieurs, il serait sans doute plus intelligent de se demander quel est le déclencheur biochimique qui facilite la transformation, et d'essayer d'amorcer la pompe. Comme on ne dispose pas de milliers d'heures de recherche pour étudier la chose, on préfère traiter le problème symptomatiquement. Ce que l'on fait, en réalité, c'est de nier le processus qui tente de se mettre en place, et de faire descendre la femme du barreau de l'échelle de la vie qu'elle a atteint à celui du dessous, où elle attendra indéfiniment d'accomplir sa cinquième période climatérique.

Malheureusement, malgré sa rigueur apparente, le docteur Evans elle-même succombe à la théorie des troubles induits par carence.

« Si les symptômes principaux sont les bouffées de chaleur ou les sudations avec dessèchement vaginal et envie d'uriner trop fréquente, il est clair que la patiente souffre d'une carence en œstrogènes » (101).

En cas d'hésitation, administrer des œstrogènes et voir si la patiente se sent mieux, voilà, en fait, à quoi se résument les avertissements du docteur Evans. On ne peut, effectivement, pas nier que les patientes se sentent beaucoup mieux quand elles sont sous œstrogènes, tellement mieux d'ailleurs que c'est à ce moment-là qu'elles réalisent à quel point cela allait mal avant. Des études innombrables peuvent démontrer comment cette thérapie marche à la fois pour les problèmes vaginaux, de vessie, d'urètre, ainsi que sur le cerveau, le contrôle des humeurs dépressives, l'instabilité nerveuse, le stress, l'anxiété, l'insomnie, la libido, l'orgasme, le système osseux, la peau, les cheveux, le système cardiovasculaire, la longévité, le bonheur conjugal, les performances intellectuelles, etc., jusqu'à ce que l'on en arrive à se demander s'il est moral de refuser les œstrogènes, au lieu de se demander si c'est une bonne chose d'en prescrire.

Disposant de cette panacée, la plupart des médecins se contentent de la prescrire à certaines de leurs patientes, pour des périodes limitées. Comme le dit le docteur Evans :

« Chaque médecin a ses propres critères pour déterminer le dosage, le type d'hormone, utilisée seule ou en association, et la meilleure méthode d'administration du produit, en fonction de la patiente. Toutes les femmes sont différentes : chacune réagit à sa manière, chacune a ses besoins » (102-3).

Il doit falloir beaucoup de chance pour arriver à une entente parfaite entre médecin et patiente.

On parle de l'hormonothérapie de substitution comme s'il s'agissait d'un seul traitement bien défini, alors que cela recouvre en réalité un éventail incroyable d'options différentes (comme pour la pilule). Il peut s'agir d'un traitement à court ou à long terme, voire même jusqu'au terme naturel d'une vie pas très naturelle. Quant aux méthodes d'administration, on a le choix : voie buccale, injections, implants sous-cutanés, applications locales, absorption transcutanée de crèmes, gels ou timbres. La méthode choisie par votre médecin dépend plus du talent commercial du dernier délégué médical lui ayant rendu visite que d'une recherche objective de la méthode la mieux adaptée à votre cas particulier. Votre gynécologue a beau savoir que « les femmes sont toutes différentes », il n'a aucun moyen de déterminer en quoi elles diffèrent. Il ne peut que vous faire une ordonnance et vous demander de le tenir au courant. Évidemment, si vous acceptez un implant, cela ne sert pas à grand-chose de savoir si cela va bien ou mal, étant donné qu'une fois posé, ce n'est pas évident de l'enlever.

Tous les œstrogènes ne sont pas adaptés au traitement des troubles de la ménopause. Les moins chers, c'est-à-dire les œstrogènes de synthèse dérivés du goudron de houille et utilisés pour les pilules contraceptives, n'augmentent pas le taux d'œstrogènes dans le sang. Les œstrogènes naturels, dérivés de tissus vivants et donc beaucoup plus coûteux, sont efficaces, ainsi que certaines combinaisons d'œstrogènes naturels et de synthèse. Les préparations habituellement prescrites pour les troubles de la ménopause sont toujours des hormones naturelles liées à un transporteur, tels Prémarin, Harmogen et Progynova ou bien des œstrogènes semi-synthétiques comme l'éthinylœstradiol et le mestranol.

Celles qui préfèrent la voie buccale ont le choix entre les préparations à base d'œstrogènes : Prémarin, Harmogen et Progynova, et l'éthinylœstradiol génétique. Il ne s'agit absolument pas de versions différentes du même produit. Les œstrogènes contenus dans le Prémarin sont dérivés de l'urine de juments fécondées. Il en existe trois concentrations différentes, symbolisées par les couleurs : le jaune est deux fois plus fort que le marron et le violet deux fois plus fort que le jaune. L'Harmogen est un sulfate d'œstrol de pipérazine, il n'en existe qu'un seul dosage. Le Progynova, valérate d'œstradiol, est valable pour les traitements courts, il y en a un fort et un faible. L'éthinylœstradiol générique se vend également en deux concentrations.

Ce n'est évidemment pas à la patiente de faire sa sélection parmi cette vaste panoplie, mais à son médecin. C'est également à lui de décider si elle doit prendre ses médicaments en continu, ou par périodes de trois semaines suivies d'un repos. Il peut aussi prescrire trois semaines d'œstrogènes, suivies d'une préparation à base de progestérone, pour contrecarrer l'effet des œstrogènes sur la paroi utérine. Ou encore trois semaines d'œstrogènes seuls, une combinaison d'œstrogènes et de progestatifs la troisième semaine et rien la quatrième.

On trouve sur le marché onze préparations différentes à base de progestatifs, utilisant sept hormones différentes ayant chacune un mode opératoire et des effets secondaires différents. Si l'on tient compte de toutes les permutations possibles entre œstrogènes et progestérone, et de toutes les posologies envisageables, on en arrive à des centaines de possibilités légèrement différentes les unes des autres. Pas un médecin, même dans une clinique spécialisée, ne peut s'y retrouver. On prescrit parfois des progestatifs aux femmes qui ne supportent pas les œstrogènes, pour prévenir l'ostéoporose et les bouffées de chaleur, alors que ces troubles sont censés être provoqués par une carence en œstrogènes. Pourquoi les progestatifs seraient-ils efficaces, ce n'est pas très clair. L'une des urgences les plus criantes, pour améliorer l'hormonothérapie de substitution, serait de développer de meilleurs progestatifs et de meilleures méthodes d'administration.

On trouve actuellement, en Angleterre, trois sortes de médications séquentielles. La première, commercialisée sous le nom de Cycloprogynova, consiste en onze comprimés blancs de valérate d'œstradiol, suivis de dix comprimés orange de progestatif norgestrel puis sept jours sans rien. Le fabricant recommande cette méthode pour une utilisation à long terme. Vient ensuite le Prempak-c, consistant en cycles ininterrompus de vingt-huit jours de Prémarin, en association, pendant les douze derniers jours, avec des comprimés de Norgestrel. La dernière, baptisée Trisequens, se présente sous la forme d'un calendrier circulaire. En en faisant le tour, la patiente prend successivement douze comprimés bleus à l'œstradiol et à l'œstrol, dix blancs contenant œstradiol, œstrol et noréthistérone (un progestatif) et enfin six rouges contenant les mêmes produits, à dosage plus faible. Elle est censée avoir un saignement pendant la période rouge.

Pourquoi des régimes si différents les uns des autres? Lequel choisir? Encore n'avons-nous envisagé que les traitements par voie buccale, nous n'avons pas encore épuisé les options! On peut aussi traiter le syndrome climatérique par injections de testostérone à effet retard, ce qui est plutôt curieux, si l'on retient l'hypothèse que les troubles sont dus à un manque d'œstrogènes. Les laboratoires Schering ont retiré du marché leur préparation combinant testostérone et valérate d'œstradiol. Sans explication. Cette association était destinée à éviter certains des effets indésirables des œstrogènes pris seuls, tels qu'hémorragies, fibromes et problèmes de seins, ainsi que ceux qui sont provoqués par les androgènes pris seuls, à savoir la virilisation. Les effets secondaires de ce médicament, énumérés par le fabricant, incluaient augmentation de la libido, nausées et vomissements, anorexie, vertiges, irritabilité, seins douloureux, prise ou perte de poids, réactions cutanées allergiques et, chez certaines patientes particulièrement sensibles, changement de voix. Les hormones étaient présentées sous forme d'esters dans une solution huileuse, elles mettaient quelques semaines à se disperser dans l'organisme, puis on renouvelait l'injection.

En Angleterre, les implants, d'une durée de vie de six à neuf mois, sont beaucoup plus demandés que les injections. Ce sont des plaquettes d'œstradiol, ou bien d'œstradiol et de testostérone, ou encore de testostérone seule, que l'on insère sous la peau. On ne sait pas très bien pourquoi, mais c'est la technique qui marche le mieux pour restaurer les libidos défaillantes. Il est vrai que l'administration de testostérone provoque une augmentation instantanée de la sensibilité génitale, mais la patiente se rend bien compte que cette susceptibilité n'a rien à voir avec ses réactions sexuelles normales. D'ailleurs, si une femme ne vit pas une vie de couple hétérosexuel, on ne lui propose pas ce traitement, car la tension génitale diffuse qu'elle ressentirait ne pourrait que la soumettre à des situations dangereuses et compromettantes ou à des crises de masturbation humiliantes. Si une femme célibataire se plaint de manque de libido, on ne la soigne pas.

Quand on donne à une femme mariée, de 40 à 50 ans, un traitement à la testostérone pour augmenter sa libido, ce n'est pas la femme que l'on traite, mais le couple ; le moins que l'on puisse dire, c'est que l'éthique de la cure est douteuse. Sachant qu'aucune étude n'a jamais pu établir de lien entre le déclin de la libido chez les femmes d'âge moyen et une déficience en œstrogènes ou en testostérone, on est en droit de se demander si le déclin de la libido est véritablement pathologique. En administrant de l'hormone masculine à une femme mariée qui ne s'intéresse plus au sexe, on ajuste consciencieusement sa sexualité à celle de son mari : cela montre jusqu'où les femmes sont prêtes à aller pour avoir la paix. Même le docteur Evans écrit : « La méthode est utile pour les femmes ayant de graves problèmes conjugaux ou psychosexuels » (109).

La médicalisation de la vie quotidienne est ici poussée jusqu'à l'absurde. C'est le mari qui devient un problème de santé pour la femme, et la testostérone dont on la bourre, c'est pour lui. Si le problème de la femme était un désir refoulé pour un mari impuissant, ou qui ne s'intéresse pas à elle, il est clair qu'on ne lui donnerait pas de testostérone. On la lui refuserait tout net si son problème psychosexuel était de se sentir attirée par les jeunes garçons et les filles. On lui administre une hormone à elle, mais c'est pour un autre ; qu'il soit désirable ou non, il faut à tout prix qu'elle ressente du désir pour lui, car c'est son mari.

On conseille aux femmes qui ont un implant de prendre des progestatifs oraux sept à dix jours par mois, afin d'induire un petit saignement ; en fait, c'est un peu plus qu'un conseil, c'est une condition : si elles ne promettent pas d'en prendre, on ne leur pose pas l'implant, connu pour être plus efficace au niveau de l'utérus que les autres formes d'œstrogènes. On sait, grâce aux femmes suivies à Dulwich par le docteur Studd, qu'elles ont trouvé gênants les effets des progestatifs, elles avaient même tendance à arrêter d'en prendre. Les œstrogènes absorbés par voie d'implant n'affectent pas les lipides sanguins, alors que les progestatifs pris par voie orale le font. Certains des symptômes amenant les femmes de Dulwich à interrompre l'absorption de progestatifs étaient peut-être le signe des effets secondaires assez graves que peuvent provoquer dans la circulation sanguine les progestatifs seuls. Les éléments dont nous disposons semblent prouver qu'il ne faudrait certainement pas administrer de progestatifs oraux aux femmes ayant fait des thromboses pendant la grossesse, et même sans doute ne pas leur en donner du tout.

Certains symptômes de la ménopause, comme les démangeaisons et les rapports sexuels douloureux, provoqués par l'atrophie du vagin, se soignent par applications locales de crèmes aux hormones. Ce sont les symptômes les plus clairement associés à une déficience en œstrogènes, mais, curieusement, les œstrogènes administrés par voie buccale ne sont pas toujours efficaces, aussi prescrit-on parfois ces crèmes en association avec le traitement par voie orale. Le problème, c'est que les œstrogènes traversent très rapidement les parois vaginales et agissent directement sur l'utérus. On est d'ailleurs en train d'expérimenter une méthode d'administration des contraceptifs par applications vaginales, en partant de ce principe, et les résultats semblent encourageants. Les crèmes et les pessaires aux œstrogènes peuvent provoquer de l'hyperplasie utérine, c'est pourquoi on peut les associer à des progestatifs oraux. Il existe d'autres crèmes et gels permettant l'absorption percutanée que l'on applique par massage sur la région abdominale. Il est véritablement extraordinaire que la méthode la plus utilisée en France soit pratiquement introuvable en Angleterre. Il s'agit de l'Œstrogel, fabriqué par Besins, gel à l'œstradiol que l'on fait pénétrer sur la peau des cuisses. Les Françaises le trouvent beaucoup plus agréable que les timbres à coller. Le principe de l'administration percutanée, c'est qu'elle permet d'obtenir le résultat souhaité avec des niveaux très inférieurs en œstrogènes, en court-circuitant le foie, où le stockage d'œstrogènes n'est pas bon. L'efficacité de la méthode est telle qu'il faut considérer comme irrationnelle la prise d'œstrogènes par voie buccale.

Au hit-parade des médications à la disposition de l'hormonothérapie de substitution, l'une des mieux classées est le timbre, mis au point par les laboratoires Ciba-Geigy. Il s'agit d'une petite enveloppe circulaire transparente contenant une quantité infime d'hormone dans un gel translucide; le timbre se colle sur le ventre ou en haut de la cuisse, et s'absorbe peu à peu à travers l'épiderme. Il en existe trois dosages, toujours très en dessous de ce que contiendrait une pilule à avaler. Cette méthode est brevetée par Ciba-Geigy, mais les timbres sont chers, et les médecins n'aiment pas trop les prescrire.

Il semblerait donc que les œstrogènes de substitution retardent les pendules, pour la femme ménopausée, en imitant son ancien équilibre hormonal, plutôt qu'en l'aidant à accomplir la transition dont dépendra son état ultérieur de santé. Mais il est difficile d'évaluer si l'utilisation de stéroïdes exogènes pendant la périménopause perturbe le système au cours duquel les surrénales assurent la sécrétion d'œstrogènes. Très peu d'expériences ont tenté de mesurer les taux sanguins d'androstènedione, le précurseur des œstrogènes, pendant le climatère, avec ou sans hormonothérapie (par exemple Vermeulen, 1983, Brody et *al.*, 1987); on est donc dans le flou le plus complet. Les femmes ne sécrètent pas que des œstrogènes et de la progestérone, elles sécrètent aussi d'autres hormones, comme la testostérone. Les taux de testostérone baissent à la ménopause, mais seulement aux deux tiers des niveaux antérieurs.

Le petit livre du docteur Evans, *Un changement de vie*, est le seul ouvrage destiné aux profanes qui ne simplifie pas la complexité de la question des bienfaits éventuels de l'hormonothérapie de substitution. Elle ne cache pas que toutes les expériences en double aveugle ont démontré un effet placebo étonnamment élevé.

« Cela a été clairement démontré par des études conduites à l'hôpital de Chelsea. Les femmes acceptant de participer à l'expérience en double aveugle étaient soit en post-ménopause, soit au stade où les règles sont rares, avec des intervalles d'au moins trois mois. Au cours d'une enquête de quatre mois, toutes les femmes dont les symptômes étaient graves prirent un placebo pendant les deux premiers mois, remplacé par des œstrogènes les deux mois suivants. Celles dont les symptômes étaient moins sévères participèrent à une enquête d'un an, au cours de laquelle on leur donna un placebo les six premiers mois et des œstrogènes ensuite. Elles devaient remplir un questionnaire au début de l'étude, et ensuite tous les deux mois » (47).

Au cours de l'expérience courte, certaines femmes sous placebo enregistrèrent des progrès sur des points notoirement liés à la déficience ovarienne, à savoir bouffées de chaleur et dessèchement vaginal, comme pour les insomnies, l'irritabilité, les maux de tête, l'anxiété, la fréquence du besoin d'uriner, la mémoire, l'humeur, l'optimisme, la peau et l'allure. Il est évidemment impossible de dire si les progrès revendiqués seraient survenus même sans placebo. Impossible également de dire si l'effet prophylactique de recevoir un traitement important, et plus d'attention que n'en obtiennent généralement les patientes en consultation à l'hôpital, avait déclenché des sécrétions d'endorphines au niveau de l'hypothalamus, grâce auxquelles elles allaient mieux. Peut-être aussi leur première appréciation subjective des symptômes était-elle exagérée.

Les résultats de l'enquête longue s'avérèrent encore plus mystifiants. L'effet placebo ne fonctionna pas pour les bouffées de chaleur ni le dessèchement vaginal, que les femmes aient commencé ou terminé l'expérience par là. La récurrence des bouffées de chaleur fut tellement marquée chez les femmes qui étaient sous placebo après le traitement aux œstrogènes, qu'elles se rendirent toutes compte qu'on leur donnait un placebo : on ne pouvait donc plus dire que l'expérience était en double aveugle. Personne, malheureusement, ne se demanda si l'interruption de l'hormonothérapie de substitution n'accentuait pas les troubles vasomoteurs.

Malgré ces découvertes, on considère qu'il n'est pas déontologique d'administrer des placebos aux femmes se plaignant de détresse climatérique, car on sait que les œstrogènes les soulagent. La déclaration de consensus signée par W. Utian dans *Maturitas*, en 1990, marque probablement le signal d'arrêt de l'expérimentation en double aveugle de l'hormonothérapie de substitution.

Une autre expérience fut conduite en 1981 par le docteur Jean Coope à Macclesfield : là encore, les femmes qui prirent un placebo après avoir été sous hormonothérapie substitutive subirent une recrudescence très marquée de leurs bouffées de chaleur. Au cours de l'expérience, un groupe était sous hormonothérapie pendant six mois, sous placebo pendant les deux mois suivants, après quoi on leur donnait un nouveau placebo sous forme de comprimés exactement de la même forme et de la même couleur que les comprimés d'œstrogènes, à nouveau pendant six mois, tandis qu'un autre groupe recevait la véritable hormonothérapie en dernier. Les deux groupes enregistrèrent des progrès identiques pendant les deux premiers mois, ensuite seules les patientes sous hormonothérapie continuèrent à progresser, mais l'état des autres n'empira pas.

Les preuves des effets positifs de l'hormonothérapie de substitution sur les désordres mentaux liés à la ménopause ne sont guère mieux établies :

« Le docteur F. P. Rhoades, qui a étudié 1 200 femmes postménopausées aux États-Unis souffrant de troubles de la mémoire, de dépression et de fatigue, dont il considérait l'origine comme psychiatrique, trouva que 95 % d'entre elles avaient fait des progrès après deux ans de traitement aux œstrogènes. » (Evans, 50-51.)

Ce qui n'est pas miraculeux, sachant que, d'après le docteur Barbara Ballinger, les désordres psychiatriques liés à la ménopause apparaissent avant la cessation des règles et durent habituellement environ un an. Si les conclusions de B. Ballinger sont justes, les patientes du docteur Rhoades se seraient peut-être mieux trouvées de ne subir aucun traitement. (Cf. Lozman et *al.*)

Wendy Cooper, dont le livre *No Change* (Plus de ménopause), facile à se procurer, porte aussi sur les mérites de l'hormonothérapie de substitution, est journaliste. Elle a publié son premier article sur l'hormonothérapie de substitution dans le journal *London Evening News* en 1973.

« Une fois dans une vie de journaliste, on tombe sur un sujet tellement intéressant, important et exigeant qu'il est impossible de l'épuiser ou de s'en débarrasser d'un trait de plume. On peut en présenter des dizaines de moutures pour des dizaines de journaux et de magazines. On s'épuise soi-même, mais on n'épuise pas la question. Contrairement à ce qui se passe d'habitude, l'intérêt et les réactions du public, bien loin de diminuer, augmentent à mesure que l'on revient sur le problème. On finit par s'apercevoir que ce n'est pas nous qui dominons le sujet, mais lui qui nous domine » (9).

Ces constatations devraient servir de signal d'alarme. Aucun journaliste ne devrait se permettre de s'engager à ce point dans une croisade, surtout quand il s'agit d'une croisade publicitaire pour une panacée, et tout particulièrement quand il y a, derrière, l'un des groupes de pression les plus puissants du monde, à savoir les grands laboratoires de l'industrie pharmaceutique multinationale.

Wendy Cooper voua donc sa vie à l'hormonothérapie de substitution, sa maison était pleine à ras bords de littérature consacrée à la question. Elle reçut entre autres cinq mille lettres de femmes en difficulté. Au bout de deux ans de ce régime, elle se décida à écrire un livre destiné à encourager les femmes à utiliser les stéroïdes pour éliminer la ménopause, qu'elle intitula *Plus de ménopause*. Elle se fonde sur des prémices que les femmes pourraient trouver discutables : elle croit par exemple que « les femmes ont le droit de vieillir de manière comparable au processus de vieillissement de l'homme, en évitant le déclin abrupt, le vieillissement accéléré et l'atrophie des organes sexuels qui rend les rapports douloureux, la réciprocité impossible et la vie conjugale très pénible » (13).

Le bonheur de la femme consiste, semble-t-il, à correspondre exactement aux besoins de l'homme. Précisément comme on a cherché, à la fin du XXe siècle, à calquer l'orgasme féminin sur celui de l'homme, on voudrait maintenant les faire vieillir de la même manière. La thérapie hormonale de substitution est particulièrement efficace pour stopper et inverser l'atrophie progressive du vagin. Wendy Cooper fait remarquer qu'elle reprend le flambeau là où s'arrêtait la contraception.

« La bataille pour une contraception moderne est gagnée... Les femmes ont, pour la première fois, réussi à prendre le contrôle de leur propre biologie pendant leur période de fécondité, elles sont en mesure de planifier leur famille et leur vie, et sont enfin sur un pied d'égalité dans la compétition avec les hommes... Aussi, maintenant que la libération biologique est à portée de la femme jeune qui la souhaite, de même que la connaissance approfondie des mécanismes chimiques complexes régissant les hormones sexuelles a permis le développement de la pilule contraceptive, de même elle va nous apporter une seconde révolution biologique tout aussi radicale et profonde, au bénéfice de la femme plus âgée » (16).

Quand, au début des années cinquante, Carlo Djerassi et Geoffrey Pincus se rendirent compte des applications potentielles du fait que l'on pouvait supprimer l'ovulation, en utilisant des stéroïdes tirés d'extraits tissulaires d'ignames mexicaines, leurs « connaissances des mécanismes chimiques complexes régissant les hormones sexuelles » étaient très imparfaites. Les premières pilules supprimaient l'ovulation, mais on ne savait absolument rien des effets de l'ingestion de stéroïdes sur la chimie du reste du corps. On finit par réduire énormément les dosages mais, entre-temps, des épisodes regrettables avaient eu lieu. Encore aujourd'hui, on connaît mal le cheminement biologique des agents stéroïdiens avalés par les femmes. Au bout de quarante ans, la pilule se prend encore par voie orale, quotidiennement, et continue à affecter le système endocrinien tout entier, au lieu de ne toucher que sa cible. Au bout de quarante ans, les femmes qui la prennent continuent à en trouver les effets légèrement, extrêmement ou abominablement désagréables. Tel Pangloss, Wendy Cooper estime que l'utilisation contraceptive des stéroïdes est la meilleure possible dans le meilleur des mondes possible. La manière dont elle aborde l'hormonothérapie de substitution n'est guère plus judicieuse.

S'il faut en croire les nombreuses études affirmant avoir prouvé l'action protectrice de l'hormonothérapie de substitution sur chacun des organes du corps féminin, il est injustifiable de la refuser à qui que ce soit, ou d'interrompre un traitement commencé. Pourtant, d'autres études portant sur l'adoption et la durée effectives du traitement indiquent que le taux d'utilisation est bas. Les défenseurs de l'hormonothérapie vous diront que c'est parce que les médecins sont trop indifférents, trop conservateurs, ou ne se soucient guère des souffrances des femmes d'âge mûr. Il s'est déjà formé des groupes de pression pour améliorer l'image du traitement, et inciter davantage de femmes à le réclamer. Ils utilisent la rhétorique des droits de la femme, et soutiennent que toutes les femmes ont droit à l'hormonothérapie substitutive qui leur serait refusée par des médecins antiféministes.

Il est vrai que l'attitude des médecins n'est ni cohérente ni logique. La plupart des médecins anglais ne la prescrivent que pour des durées très courtes, et en cas de symptômes aigus, comme s'il s'agissait d'un analgésique tranquillisant. Certains, surtout les Américains, la prescrivent avant même l'apparition des symptômes de la ménopause, et essaient d'y maintenir leurs patientes jusqu'à la fin de leurs jours. Le Maître allemand de la Ménopause C. Lauritzen est convaincu que l'hormonothérapie de substitution doit être poursuivie très longtemps :

« La substitution devrait, dans tous les cas, être poursuivie sur une longue période. En ce qui concerne l'ostéoporose, un traitement de dix à quinze ans semble nécessaire pour obtenir une prévention à vie. Des effets positifs durables sur les maladies cardio-vasculaires sont observés après une médication de cinq ans. Cependant, la substitution à vie est rare et la plupart des patientes abandonnent pour diverses raisons » (1990).

En fait, on n'a jamais démontré effectivement l'effet préventif sur le développement de l'ostéoporose, tout simplement parce qu'on n'a jamais réalisé d'études longitudinales sur des groupes nombreux. Il est tout de même ennuyeux d'être condamnée à prendre un médicament tous les jours, contre une maladie que l'on n'aura peut-être jamais!

Pauline Kaufert et Penny Gilbert ont souligné que des médecins du Manitoba, de même que leurs confrères de Montréal, interrogés au cours d'une étude antérieure par Margaret Lock, suivaient « une collection de modèles cliniques divers, certains prescrivant des œstrogènes pratiquement à toutes leurs patientes, d'autres se montrant plus sélectifs. Le seul facteur commun était que chacun était absolument convaincu de détenir la vérité » (1986).

P. Kaufert et P. Gilbert appréhendaient qu'avec l'augmentation des coûts des soins aux femmes âgées la pression en faveur de l'hormonothérapie de substitution ne devienne irrésistible à l'époque de la ménopause. Les Danois se sont livrés récemment à une enquête pour faire le point sur dix ans de thérapie. On adressa un questionnaire à toutes les femmes nées en 1936 et habitant quatre petites villes autour de Copenhague. 526 répondirent sur 597. Parmi elles, 37 % avaient suivi une hormonothérapie à un moment ou à un autre, 22 % l'utilisaient encore. 42 % de celles qui l'avaient utilisée avaient commencé le traitement pendant leur pré-ménopause (dont 40 avaient subi une hystérectomie). Parmi les 40 % qui avaient interrompu leur traitement, 28 % disaient qu'elles n'en avaient ressenti aucun soulagement, tandis que 44 % avaient enregistré des réactions désagréables, comme la prise de poids, des nausées, des saignements irréguliers ou les seins engorgés. Sept pour cent étaient tombées malades, sans lien de cause à effet avec la thérapie, et 12 % avaient eu des attitudes négatives, c'est-à-dire qu'elles détestaient les saignements induits, avaient peur ou trouvaient le traitement trop cher. La durée moyenne d'utilisation par celles qui n'avaient pas abandonné était de vingt-trois mois; les deux tiers des femmes n'avaient utilisé qu'une seule préparation, bien qu'une femme en ait essayé six.

Cet exemple est typique des pays où l'hormonothérapie de substitution a été le plus largement adoptée, où l'on observe généralement un pourcentage élevé d'abandons et une durée de traitement courte, même chez celles qui disent avoir trouvé qu'il leur faisait du bien. Une étude canadienne récente a montré, et c'est surprenant, un pourcentage d'adoption du traitement beaucoup plus bas (McKinley, 1987 ; Barlow et *al.*, 1991 ; et aussi Rees et Barlow, 1991). L'accueil que les femmes réservent à l'hormonothérapie est encore fort loin de justifier l'optimisme de ses promoteurs.

Les médecins déconseillent en général aux femmes de parler entre elles des traitements qu'elles suivent. Étant donné que l'immense majorité des recherches autour de l'hormonothérapie de substitution ont été financées directement ou indirectement par les producteurs, il faut bien qu'elles se constituent un dossier elles-mêmes en se renseignant directement auprès d'utilisatrices, pour savoir ce qu'elles en ont pensé, et pèsent le pour et le contre en connaissance de cause, avant de prendre une décision. Il faut aussi qu'elles tirent leurs propres conclusions sur le mode d'administration le plus souhaitable, au lieu de se laisser entraîner dans l'erreur facile de croire que l'hormonothérapie de substitution constitue le remède unique et miraculeux à tous leurs maux. Il faut absolument qu'elles persistent à refuser qu'on fasse pression pour qu'elles se contentent de ce qui existe. C'est à cette condition seulement que les laboratoires multinationaux poursuivront leurs recherches afin d'aboutir à un cocktail hormonal qui produise les effets voulus en évitant les retombées indésirables.

8

LES TRAITEMENTS TRADITIONNELS

Quand la grande et belle princesse Philippa, fille de Guillaume le Bon, comte de Hollande et du Hainaut, débarqua à Douvres en 1327, pour faire la connaissance de son époux par procuration Édouard III d'Angleterre, auquel elle était fiancée depuis l'enfance, elle apportait dans ses bagages le dictionnaire botanique de sa mère. Toutes les femmes, même les plus grandes dames, soignaient alors elles-mêmes les gens de leur maison. La plupart ne savaient pas lire et utilisaient des recettes transmises par leur mère, en les adaptant légèrement en fonction de la saison et du lieu. Philippa, loin de sa mère et de son pays, allait devoir se référer à son superbe livre enluminé qui contenait la description et les propriétés de ces herbes en latin et en anglais, des illustrations des parties intéressées, et des dessins des plantes sauvages poussant sur la terre d'Angleterre. Elle allait donner à son mari sept fils et cinq filles.

Il ne faut donc pas s'étonner de trouver dans le recueil de la reine Philippa de nombreux remèdes destinés à « provoquer la secondine » (le retour de couches) et à déclencher les règles, faire « naître un enfant mort » et « nettoyer la mère » (c'est-à-dire l'utérus), ainsi que pour les « flux menstruels » et pour les femmes dont les saignements sont trop abondants ou trop fréquents. Un ou deux semblent destinés aux femmes plus âgées, la myrrhe, par exemple, pour le « réconfort de la femme en tant que mère et la dissipation des humeurs », ou bien le *calametum* pour « tirer le superflu dans la femme », mais en général, ils semblent plutôt s'appliquer aux infections liées à la maternité qu'aux inconforts de la ménopause.

Il est fort rare que les femmes qui se soignaient elles-mêmes aient disposé, comme la reine Philippa, d'un texte écrit faisant au moins référence à une autorité masculine, puisque le manuscrit contient une version du *circa instans* de Mattheus Platearius. Les savants laïcs de l'école italienne acceptaient de se pencher sur les maladies de femmes, mais les moines qui copiaient et traduisaient leurs travaux à l'usage des dispensaires et des infirmeries de leurs monastères omettaient, pour des raisons évidentes, pratiquement tout ce qui avait trait aux femmes et à leurs organes de reproduction. Les religieuses qui les soignaient étaient plus démunies et moins instruites, elles accomplissaient leur tâche sans le secours de grands manuscrits de parchemin. Une fois que les plus érudits de ces messieurs, qu'ils soient moines ou non, avaient établi leur autorité, il leur fallait la défendre, non contre les femmes ou les praticiens, mais contre leurs rivaux.

L'histoire documentaire de la médecine ancienne consiste principalement en une hiérarchie de textes, et fort peu de références empiriques montrant le fonctionnement pratique de ces remèdes. Les contemporains des anciens praticiens se faisaient soigner non par les émules d'Hippocrate, de Galien ou de Paracelse, mais par leur mère ou leur grand-mère, qui faisaient de leur mieux, avec ce dont elles disposaient. Les « guérisseuses » raboutaient les os, saignaient, mettaient les enfants au monde, combattaient infections et vermines, soignaient les bubons et frictionnaient les articulations douloureuses à grands renforts d'embrocations, de vulnéraires, d'électuaires, de teintures, de sirops et de tisanes, variables selon le lieu, le climat et la saison. En dépit de l'activité des érudits, ce vaste savoir ne fut jamais systématisé. Les dictionnaires botaniques parvenus jusqu'à nous ne représentent qu'une infime partie de la médication telle qu'elle était universellement utilisée.

Les femmes guérissaient parfois leurs malades, mais en général leur activité consistait à calmer et réconforter leurs patients plutôt qu'à lutter contre la maladie elle-même. Les rituels magiques ou semi-magiques accompagnant la plupart des soins avaient certainement un effet prophylactique. Les herboristes d'antan n'avaient guère les moyens de se faire accroire qu'elles retrouveraient la santé, même si elles en avaient eu le temps. Les remèdes aux souffrances de la ménopause sont enfouis dans des prescriptions générales destinées, non pas à réduire ou arrêter les règles, mais à lutter contre l'insomnie, la léthargie, la mélancolie ou les attaques.

La pharmacopée ancienne comportait des centaines de remèdes spécifiques pour faire venir les règles. Parmi eux, très peu, ou aucun, ne doit être vu comme visant à retarder leur cessation. On pensait que l'« obstruction » ou la « suppression » de la menstruation chez des femmes jeunes était un symptôme sérieux, principalement parce que l'on considérait la menstruation comme l'évacuation nécessaire du sang superflu ainsi que des humeurs mauvaises; les traitements variaient en fonction de la cause probable et du type somatique de l'individu. Certains des traitements destinés à réduire les saignements trop abondants auraient pu être utilisés avec profit par des femmes plus âgées, mais la métrorragie de la ménopause, pour désagréable qu'elle soit, est clairement un phénomène autolimité ne mettant pas la vie en danger. L'hémorragie de la jeune femme étant trop souvent mortelle, c'est pour répondre à ce besoin bien plus urgent que les préparations anciennes à base de plantes, destinées à réduire ou arrêter les flux féminins, étaient si nombreuses.

L'une des plantes médicinales anciennes destinées au traitement du syndrome climatérique est l'*agnus castus*, qui est encore utilisée. Il s'agit d'un arbuste de la famille des verbénacées, dont le nom savant est *Vitex agnus castus*. L'un des manuscrits médicaux rédigés en anglais les plus anciens qui nous soient parvenus commence par ces mots : « L'*agnus castus* est communément nommé gattilier. » Il procède ensuite à une description minutieuse des particularités et de la géographie de cette verbénacée, et nous dit ensuite que « la vertu de cette plante est qu'elle tient en chasteté hommes et femmes ». (Brodin, 119.)

D'après Dioscoride Pedanius (I, 103) et Pline (*Naturalis historia*, XXIV, 59), les Athéniennes en mettaient des feuilles sur leur couche afin d'éviter les rêves lascifs quand leur mari n'était pas là. Ses propriétés anaphrodisiaques reconnues lui valurent le nom populaire d'arbre de la chasteté. Comme les moines en faisaient une poudre dont ils assaisonnaient leur nourriture pour tenter d'éloigner les désirs coupables, on l'appelait aussi « poivre de moine ». Le moine cistercien Andrew Boorde, auteur de *The Breuiary of Helthe* (Bréviaire de la santé), dont la première édition (elle devait être suivie de nombreuses rééditions) parue en 1547, donne une recette à base d'*agnus castus* pour qu'hommes et femmes « gardent courage », c'est-à-dire ne soient pas victimes de désirs concupiscents.

D'après l'encyclopédie des plantes et des simples de Malcolm Stuart, « les graines d'*agnus castus* contiennent des substances semblables aux hormones qui réduisent la libido chez l'homme et peuvent apporter une solution à certains problèmes hormonaux féminins. L'arbre de la chasteté est actuellement utilisé dans plusieurs préparations d'usage gynécologique ». Le docteur Stuart précise que la vertu anaphrodisiaque ne s'applique qu'aux hommes, pensant sans doute que les stéroïdes végétaux qu'il contient sont similaires aux œstrogènes. En fait, il semble clair que l'*agnus castus* est utile en cas de détresse climatérique non pas parce qu'il imite les sécrétions d'œstrogènes, ou agit comme un précurseur d'œstrogènes, mais parce que c'est un antagoniste des androgènes et qu'il supprime les sécrétions de testostérone pour les deux sexes.

La pharmacopée végétale ancienne disposait d'autres sédatifs utérins reconnus, dérivés de l'écorce séchée de la racine de *viburnum prunifolia*, la cenelle ou épine noire, et de l'écorce séchée de sa sœur, la *viburnum opulus*, viorne. Toutes deux sont efficaces pour traiter la métrorragie de la ménopause. La cenelle est commune en Amérique où elle figure dans plusieurs pharmacopées indigènes, tandis que *virbunum opulus*, commune dans nos jardins, figure encore dans les pharmacopées d'Europe centrale. L'extrait de la grande pervenche à fleurs, *vinca major*, mauvaise herbe envahissante, a également un effet calmant sur les muscles lisses. Comme elle réduit aussi la tension et dilate à la fois la coronaire et les vaisseaux périphériques, elle est utile aux femmes pour qui la détresse climatérique se complique d'hypertension. L'édition de 1826 du dictionnaire botanique de Culpeper dit que « les Français l'utilisent pour arrêter les flux féminins. C'est un bon médicament pour les femmes, on peut l'utiliser avec profit pour l'hystérie et autres crises ». Culpeper recommande l'infusion de la plante verte ou l'utilisation de son essence au dosage de deux onces, ce qui paraît excessif.

L'*alchemilla mollis*, ou manteau de la vierge, est également l'une des rares plantes citées spécifiquement pour le traitement de la ménopause. L'utilisation prolongée des feuilles séchées, prises en infusion, soulage à la fois la métrorragie et la détresse climatérique. La petite sœur de l'*alchemilla mollis*, l'*alchemilla alpina*, est considérée comme plus efficace, mais est également plus difficile d'accès. Culpeper indique qu'un bain chaud prolongé dans lequel on aura fait infuser des feuilles de manteau de la vierge peut prévenir les fausses couches; le même effet de sédatif utérin pourrait être utile pour les symptômes de la ménopause.

La plante sans doute la plus importante pour traiter les symptômes de la ménopause est l'*hyosciamus niger* ou jusquiame. Son association persistante à la sorcellerie vient sans doute du fait que les vieilles femmes l'utilisent depuis les temps les plus reculés. La plante a des effets sédatifs, analgésiques et antispasmodiques connus; on trouve dans ses feuilles plusieurs alcaloïdes : l'hyosciamine, l'atropine et l'hyoscine, qui ont toutes des fonctions thérapeutiques utiles.

« La jusquiame endort et calme toutes sortes de douleurs : elle fait merveille contre les douleurs oculaires et d'autres parties... Les lavements de pieds dans une décoction de jusquiame provoquent le sommeil pareillement d'en respirer les fleurs. » (Gerard, 87-8.)

« C'est une plante saturnienne. Les feuilles sont propres à calmer les inflammations oculaires, ou d'autres parties du corps; bouillie dans du vin et utilisée comme foment, elle réduit toutes sortes d'enflures... ainsi que la goutte, la sciatique et les douleurs articulaires, si elles procèdent d'une chaleur. Appliquée sur les tempes, avec du vinaigre, elle soulage les maux de tête et aide à dormir ceux qui en sont empêchés par de fortes fièvres. » (Culpeper, 72.)

On l'a utilisée avec succès contre l'hystérie, dans les temps modernes. Dans le *Bréviaire de la santé* de Boorde, 1547, il est conseillé aux insomniaques « de confectionner un dormitoire de jusquiame et de l'appliquer sur les tempes » (Pt II, fol. XXI).

Pratiquement aucun des textes médicaux ne fait référence aux tensions psychologiques du climatère. Les travaux sur l'hystérie et la mélancolie sont légion, et chacun de ces termes est un véritable fourre-tout décrivant des états divers, mais il n'est jamais question spécifiquement des souffrances mentales de la femme en cours de ménopause. La notion classique de l'hystérie nous vient d'Hippocrate, qui considérait l'utérus non comme un organe ordinaire, mais une créature mystérieuse, impérieuse, rebelle, vivant dans le corps de la femme, et la torturant si elle ne satisfaisait pas à ses exigences en montant vers le haut de son corps et en la suffocant. Sa disparition, si l'on y réfléchissait bien, pouvait représenter une libération de cette tyrannie et de sa folle voracité, qui forçait les femmes à risquer leur vie dans la loterie de la grossesse et de l'accouchement.

L'idée que les tensions de la ménopause étaient en fait les sursauts de l'agonie de ce sauvage utérus persista, dans certains milieux, jusqu'au milieu du XVIIIe siècle. On en trouve un exemple dans *L'Histoire naturelle de la femme* de Moreau de la Sarthe (1803), où il est expliqué que si la femme survit jusqu'au climatère, l'utérus se rebelle contre l'abandon forcé de son pouvoir sur l'organisme. L'utérus, en cours de ménopause, « bouleverse tout le système vivant, et occasionne surtout des affections nerveuses et une altération profonde dans les fonctions digestives ».

Les tenants de cette théorie voyaient l'anxiété de la ménopause, l'insomnie, et même les bouffées de chaleur, que l'on pouvait également observer chez des hystériques plus jeunes, comme des variantes de l'hystérie, qu'il fallait donc traiter de la même manière.

On ne trouve, hélas, pas de réflexion systématique sur les maladies de femmes dans les manuels de médecine anciens. On y traite en long, en large et en travers des accidents et des plaies affectant les hommes, mais tout ce qui concerne « l'intimité féminine » est tabou. Même dans le livre de la reine Philippa, le patient générique est « un homme », et les premiers textes imprimés suivent la même convention. Quand c'est une femme qui écrit, comme le fit Mary Trye en 1675 pour défendre son père des calomnies de son rival, le docteur Stubbe, la réticence à aborder les problèmes féminins est encore plus marquée. A la fin de *Medicatrix, Or the Woman-Physician* (Medicatrix, ou la femme médecin), l'auteur, dont le patient générique est encore un homme, vante les mérites de son art et des pratiques que son père lui a enseignées, et fait remarquer pour ce qui concerne les « maladies de femmes » :

« Pour les crises d'hystérie, la maladie verte, les pertes, la stérilité, l'obstruction, les flux de diverses espèces, etc. Les maladies incidentes à ce sexe sont nombreuses, il n'est pas convenable d'en parler ici, je les omets donc volontairement... » (Trye, 1675.)

De même, les théoriciens de la mélancolie ne voyaient rien qui distinguât la dépression de la ménopause de la mélancolie de la femme en général. La théorie classique expliquait cet état comme résultant d'un excès de l'une des quatre humeurs composant la condition humaine, en l'occurrence la bile noire. Le mot d'humeur commença sa carrière avec le sens de fluide du corps, et prit progressivement le sens associé d'état d'esprit, jusqu'à ce que la référence anatomique ne disparaisse complètement, au profit du sens secondaire. Dans des textes comme *Anatomy of Melancholie* (Anatomie de la mélancolie), de Robert Burton, on passe librement d'un point à un autre du continuum psychosomatique, de sorte que la biochimie est tenue responsable de la détresse mentale et spirituelle, qui aggrave à son tour les déséquilibres biochimiques. Il semblerait, dès lors, que l'on puisse espérer une meilleure compréhension de la nature complexe du syndrome climatérique de la part des spécialistes de la mélancolie, que de celle des théoriciens de la médecine; encore eût-il fallu qu'ils s'intéressent aux femmes de cet âge. En réalité, ils ne se sont intéressés que de loin à la mélancolie féminine, quelle qu'elle soit. Dans son *Treatise of Melancholie* (Traité de la mélancolie) (1586), Timothy Bright suggère un traitement des dépressions conduisant à l'aménorrhée; c'est l'un des seuls qui pourraient s'appliquer aux femmes moins jeunes :

« Si cette mélancolie s'abat sur filles ou femmes, et que leurs règles ne viennent pas, il faut couper les veines des cuisses ou des chevilles, et leur faire boire moult boissons de racines, de fenouil, persil, petit houx, garance et autres en faisant grand usage aussi de la germandrée, de l'armoise. On leur fera prendre des bains de siège et des bains dans des décoctions de mauve, de camomille, feuilles de laurier et de matricaire, et on versera du miel dans l'eau pour lui donner goût bien plaisant » (264).

Bien que les médications qu'il nomme en premier ne sont pas de celles que l'on recommande ordinairement pour les femmes mûres, les bains dont il fait la description sont sédatifs et antispasmodiques. Il ajoute, de plus, que la section veineuse doit être exécutée à la lune montante pour les femmes plus jeunes, mais à la pleine lune pour les aînées. Des spasmolytiques similaires figurent dans les recettes de bains calmant la mélancolie, que l'on trouve dans plusieurs carnets de recettes anciens, comme celui de Mary Fairfax, qui date de 1632 :

« Pour préparer un bain contre la mélancolie. Prendre des mauves, des pariétaires, trois poignées de chaque; des fleurs de camomille, de mélilot, de chaque une poignée, des roses trémières, deux poignées, de l'hysope, une grosse poignée, des graines de fénérique, une once, et faire bouillir le tout dans neuf gallons d'eau, jusqu'à la réduction du tiers, ajouter ensuite un quart de lait nouveau, et prendre le bain à la température du sang ou un peu plus chaud. » (Famille Fairfax, 16.)

Une poignée est une mesure précise : cela représente autant de brindilles de trente centimètres que l'on peut en tenir dans une main. Il est difficile d'imaginer une vieille femme se donnant autant de mal pour se soigner elle-même. Si une femme plus jeune, sa petite-fille, par exemple, confectionnait un bain aussi délicieux pour soulager les souffrances d'une autre, c'était une preuve d'affection qui devait largement contribuer au succès de la thérapie.

Cela pourrait être amusant, mais il ne serait pas très réaliste, d'essayer de remettre au goût du jour les remèdes « de bonne femme » à base de plantes. La majorité des femmes n'ont pas le choix : il leur faut bien chercher aide et assistance auprès du corps médical pour résoudre les difficultés rencontrées pendant le climatère. L'étude de ce qu'on leur proposait avant la panacée de l'hormonothérapie substitutive laisse songeur, mais ne nous enseigne pas grand-chose d'utile. Le mot de ménopause n'existe que depuis Gardanne, qui l'inventa en 1821, mais les phénomènes accompagnant l'interruption de la menstruation avaient été observés bien longtemps auparavant. On pensa d'abord que les troubles résultaient du fait que la menstruation ne pouvait plus évacuer les humeurs excrémentielles de l'utérus, et c'est cette notion qui inspirait l'appréhension des femmes au début de leur climatère. Dans *Anatomie de la mélancolie* (1628, 1632), Burton résume la théorie héritée d'Hippocrate, Cléopâtre, Moschion, et les autres *gynæciorum scriptores*, auteurs ayant décrit la mélancolie de damoiselles, veuves et femmes stériles d'antan, dont « le cœur et le cerveau sont offensés de ces vapeurs vicieuses venant du sang des menstrues... offensés par les exhalations fuligineuses de la semence corrompue, qui trouble la cervelle, le cœur et l'esprit... la maladie entière procède de cette inflammation, putridité, vapeurs aussi noires que fumée, etc., et de cela viennent les soucis, la tristesse et l'anxiété, l'obfuscation des esprits, la douleur, le désespoir et toute la suite... aux nonnes et aux demoiselles les plus anciennes, c'est le plus familier » (I, 414).

Burton donne une description exacte des bouffées de chaleur et des palpitations :

« Le diaphragme et le cœur brûlent et battent furieusement, et quand la vapeur ou les exhalaisons sont troublées, elles montent, le cœur bat, souffre grièvement et faiblit... Elles sont desséchées, elles ont soif, tout d'un coup elles ont chaud, fort troublées par les vents, elles ne peuvent dormir, etc. et sont parfois en tel état de stupéfaction et de distraction qu'elles se croient ensorcelées » (I, 415).

Une demoiselle ancienne et stérile n'aurait pas mieux décrit la chose. Burton était célibataire et menait une vie monastique, il était cependant absolument convaincu que l'origine de tous ces maux était une « tempérance forcée ». Ses observations confirment l'impression que le climatère a été historiquement associé aux femmes qui n'avaient pas péri à la loterie de l'enfantement, et étaient en général vierges, veuves ou stériles. Étant sans doute plus familier avec les servantes qui ne pouvaient se marier à cause de leur statut, il avait aussi remarqué qu'elles ne manifestaient pas la même détresse.

« ... On verra rarement une servante, une malheureuse bonne à tout faire, même ancienne, toujours au travail, et un travail pénible... avoir des troubles de ce genre... » (I, 416).

Les idées de Burton, qui concernent aussi bien le syndrome prémenstruel que le syndrome climatérique, ne sont que la somme de l'orthodoxie médicale de l'époque. En 1683, le médecin Thomas Sydenham écrivait dans une lettre en latin à son collègue William Cole que le sang de la menstruation était destiné à sustenter le fœtus dans l'utérus, et devait être évacué si la fécondation n'avait pas lieu en temps utile. Dans cette lettre, publiée dans ses *Opera Universa* en 1685, et dans une traduction due à John Pechey, licencié du Collège de médecine, en 1701, Sydenham ne parlait guère des femmes d'âge mûr, si ce n'est pour proposer un traitement pour les pertes excessives durant le climatère :

« Mais pour ce qui concerne le flux qui survient peu avant que leurs règles ne cessent, c'est-à-dire environs à quarante-cinq ans, si elles ont eu des flux précoces, mais aux environ de cinquante si elles ont commencé un peu plus tard, je dirais de ces flux qu'ils sont un peu comparables à la bougie qui donne plus de lumière avant de s'éteindre, ils coulent violemment, et soumettent les pauvres femmes à des crises d'hystérie presque incessantes, par raison de la quantité de sang continuellement évacuée... » (337).

Sydenham commençait sa thérapie par des saignées :

« Saigner au bras huit onces de sang, le lendemain matin, donner une purgation commune, qui doit être répétée tous les trois jours, deux fois, et chaque soir au coucher pendant tout le traitement; qu'elle prenne un anodyne fait d'une once de diacodium. »

Sydenham n'explique pas pourquoi il prescrit des saignées et des purgations, alors universellement prescrites pour le syndrome climatérique. Tous deux étaient censés réduire la « pléthore », dont on pensait qu'elle était à l'origine du syndrome. La pléthore, comme son nom l'indique, était une « condition morbide due à un excès de sang ». Certains considéraient que le sang lui-même était de piètre qualité, étant « plein de matière excrémentielle », à cause de l'excrétion défectueuse des déchets, par suite de sudation, salivation, défécation, miction et menstruations insuffisantes. Il fallait pratiquer saignées et purgations, si l'on suspectait un état de pléthore, afin d'éviter l'hémorragie, et pour réduire ce que l'on considérait alors comme un flux hémorragique de sang complet, et non l'écoulement de sang de menstruation sans fibrine. Les crises d'hystérie décrites par Sydenham étaient sans doute des réactions de terreur pure, car les saignées chez les femmes jeunes étaient souvent annonciatrices de mort prochaine.

En 1698, John Pechey avait déjà publié la thérapie de Sydenham en se l'appropriant dans *A Plain and Short Treatise of an Apoplexy, Convulsions, Colick, Twisting of the Guts... and several other Violent and Dangerous Diseases* (Court et simple traité de l'apoplexie, des convulsions, coliques, torsions des intestins... et plusieurs autres maladies violentes et dangereuses). Ce faisant, il avait des intentions louables :

« Ce petit livre sera peut-être utile aux dames charitables de ce pays... Elles trouveront ici des explications simples, et les médications les plus courantes » (Préface, i).

Il donne la recette de la « potion purgative ordinaire », recette identique à celle que l'on trouve dans une autre traduction des prescriptions de Sydenham, publiée en 1694 sous le titre de *The Compleat Method of Curing Almost All Diseases* (Méthode complète pour guérir presque toutes les maladies) :

« Prendre une demi-once de tamarin, deux drachmes de séné, une drachme et demie de rhubarbe, les faire infuser dans une quantité suffisante d'eau de fontaine, puis dissoudre, dans trois onces du liquide filtré, une once de solution de sirop de roses, et une once de solution de manne de frêne » (23).

En 1701, Pechey plaçait une publicité pour ses pilules purgatives à la fin de sa traduction de l'*Opera Universa* de Sydenham. Il les vendait au prix relativement élevé de un shilling et six pence. Ces pilules furent les ancêtres d'une longue lignée de « pilules de femmes », destinées à l'automédication, qui se vendaient encore fort cher au milieu du XIXe siècle. (*British Medical Journal*, 1907, ii, 1653-68; Brown, 1977.)

Il est vrai que les connaissances anatomiques de Sydenham étaient empiriques et scientifiques; en revanche, ses prescriptions semblent avoir été influencées par la doctrine paracelsienne des sympathies; l'aspect le plus frappant de l'espèce de nougat médicinal qu'il demandait aux apothicaires de confectionner à l'intention des femmes souffrant d'hémorragies sévères à l'occasion de la ménopause, c'est que sa couleur était celle du sang.

« Prendre deux onces de pétales de roses séchés, une drachme et demie de trochisques de terre lemnienne, deux scrupules d'écorce de grenade et idem de corail rouge, un scrupule de pierre de sang, idem de sang de dragon, idem de bol arménique, confectionner un électuaire avec une quantité suffisante de sirop de corail simple ; qu'elle en prenne gros comme une belle noix de muscade le matin et à cinq heures de l'après-midi... » (338).

La terre de l'île de Lemnos était certes considérée comme astringente, mais surtout, elle est d'un rouge remarquable, rien ne contient autant de pigments rouges que la grenade ; le corail ne possède pas la moindre propriété médicale, à part l'association psychologique produite par la fraîcheur de son rouge et le fait que dans l'eau, c'est une plante, mais que dès qu'il est exposé à l'air, il se pétrifie. Le sirop de corail est sans doute une préparation à base de plante, peut-être la dentaire, *dentaria bulbifera*, que l'on utilisait sous forme de poudre diluée dans du vin pour arrêter les flux.

La pierre de sang, l'héliotrope de Pline, était une sorte de jaspe veiné de rouge, dont on pensait qu'elle possédait la propriété d'étancher le sang. Le sang de dragon, résine rouge d'une variété de palmiers méditerranéens, est cité dans le livre botanique de la reine Philippa, où on le conseille aux femmes qui ont des règles trop abondantes. Le « bol arménique » était une terre d'Arménie, rouge pâle, dont on faisait un usage interne contre toutes sortes d'épanchements. On notera avec intérêt que, lorsque cette recette d'électuaire figurera dans des pharmacopées plus tardives, mais toujours dérivées de Sydenham, il ne sera plus précisé qu'elle est particulièrement recommandée pour les métrorragies ménopausiques.

Pour accompagner son rouge électuaire, notre patiente devait boire six cuillerées du julep suivant, dont les ingrédients étaient tous d'humble origine et utilisés depuis des siècles :

« Prendre trois onces d'eau de bourgeon de chêne et idem d'eau de plantain, une once d'eau de cannelle, idem de sirop de roses séchées, et de l'esprit de vitriol en quantité suffisante pour le rendre agréablement acide » (338).

L'utilisation du distillat de bourgeons de chêne, juste avant l'éclosion des feuilles, était tout à fait traditionnelle chez les herboristes pour « arrêter toutes sortes de flux chez l'homme et chez la femme », et le « jus de plantain clarifié étanche toute manière d'épanchements, même les règles des femmes, quand elles sont trop abondantes » (Culpeper, 1826). Dans la recette de Sydenham, l'adjonction de sirop de roses, d'eau de cannelle et de vitriol n'a d'autre but que de camoufler les humbles origines de la potion. On ne lésinait pas sur le temps, les efforts ni l'argent pour traiter la malade, dont l'antichambre devait être pleine de gens occupés à concocter des préparations. Sydenham prescrivait une seconde purge, que l'on préparait en ajoutant au plantain de l'ortie, aussi inestimable comme astringent que comme antihémorragique :

« Prendre des feuilles de plantain et d'orties, en quantité suffisante, les écraser ensemble dans un mortier de marbre, en extraire le jus, le clarifier ensuite : qu'elle en prenne, froid, six cuillers trois ou quatre fois par jour. Après la première purge, appliquer l'emplâtre suivant sur les reins :

« Prendre du diapalme, et de l'emplâtre *ad herniam* en parties égales, les mélanger et les étendre sur cuir. »

Le diapalme est un mélange dessiccatif d'huile de palme, de protoxyde de plomb et de sulfate de zinc, que Sydenham faisait mélanger avec un autre composé que l'on utilisait pour réduire les hernies par voie externe. Il pensait peut-être plus ou moins que le rétrécissement naturel de l'utérus, qui démarre à la périménopause, mettrait bientôt fin, tout naturellement, aux hémorragies de la ménopause, et qu'il était donc souhaitable de le renforcer plutôt que de l'entraver. Après avoir administré à la malade l'électuaire rouge, le julep astringent, la purge rouge et la purge verte, et lui avoir posé un bel emplâtre, on lui accordait enfin une récompense qui semble avoir toujours fait partie des traitements des troubles de la ménopause.

« Il lui faudra un régime rafraîchissant et consistant, mais il sera convenable de lui permettre de boire un peu de vin de Bordeaux, une à deux fois par jour. Cela peut sembler impropre, par raison que cela élève l'ébullition, cependant le vin redonne des forces... c'est pourquoi il sera très profitable à la femme ainsi affectée... »

Le régime rafraîchissant faisait partie des remèdes de bonne femme pour soigner la ménopause. Quand la marquise de Sévigné était aux eaux en 1675, Bourdelot la mit à un régime de « melons et de glace » (I, 150) au grand scandale de ses amis, convaincus que ce traitement la tuerait. La marquise avait 49 ans, il semble probable que le traitement était destiné à soigner des métrorragies ménopausiques. Quelques mois plus tard, elle se plaignait de douleurs articulaires : « Vous le pouvez bien croire, ma fille, que si ma main pouvait écrire, ce serait pour vous assurément, mais j'ai beau lui proposer, je ne trouve pas qu'elle veuille » (Lettre 487). « Je fais des lavages à mes mains, qui au moins me donnent de l'espérance... » (Lettre 489).

Mais la marquise était loin d'en avoir fini de ses désagréments, car la « cure » provoqua une enflure alarmante et pendant plusieurs semaines elle se plaignit de douleurs volantes. Il s'agit peut-être d'une mauvaise traduction de l'*ardor volaticus*, le nom latin de bouffées de chaleur. Son fils Charles, imputant les souffrances de sa mère à une « réplétion des humeurs », la suppliait de prendre de « la poudre de Delorme ». La violence avec laquelle sa sœur réagit contre ce traitement est un indice supplémentaire que l'indisposition de la marquise était, au point de départ, une détresse climatérique, considérablement aggravée par le traitement qu'on lui avait fait subir (I, 190).

« Êtes-vous devenu fou, mon frère, de vouloir donner de l'antimoine à notre mère ? Elle n'a besoin de rien d'autre qu'un léger régime et, à l'occasion, d'une potion rafraîchissante. »

En mai, la marquise se transporta à Vichy, elle y prit les eaux, ce qui impliquait en boire, mais aussi aspersions, séances de sudation et bains.

« Les suées, qui affaiblissent tout le monde, me redonnent de la vigueur, c'est amplement prouver que mes désordres procèdent d'une surabondance d'humeurs (I, 224).

Vu l'œuvre de Sydenham et de Pechey, on peut se demander pourquoi l'historiographe officiel de la ménopause, Joel Wilbush, membre du Collège royal d'obstétrique et de gynécologie du Canada, n'hésite pas à affirmer :

« Les premières références en anglais aux désagréments associés au climatère féminin se trouvent dans un guide destiné aux femmes, publié au début du XVIIIe siècle. » (Wilbush, 1988.)

Il fait ici référence à *A Rational Account of the Natural Weaknesses of Women and of Secret Distempers peculiarly Incident to Them* (Relation rationnelle des faiblesses naturelles aux femmes et de leurs désordres secrets les plus ordinaires). Aucun exemplaire de la première édition n'est parvenu jusqu'à nous. Le titre qu'il donne est celui de la troisième et de la septième édition. *The Ladie's Physical Directory or a Treatise of all the Weaknesses, Indispositions and Diseases Peculiar to the Female sex from Eleven Years of Age to Fifty or Upwards* (Répertoire médical des dames : traité de toutes les faiblesses, indispositions et maladies particulières au sexe féminin de l'âge de 11 ans à 50 ans et plus), citant une édition plus tardive de 1739 :

« ... Entre les âges de quarante et de cinquante ans, leurs règles deviennent irrégulières, puis s'interrompent, alors elles sont fréquemment troublées par une douleur sévère à la tête, au dos, et dans la région des reins, souventes fois aussi par des coliques douloureuses, des tranchées, et un relâchement, en d'autres temps de violentes vapeurs et mêmement des chaleurs fiévreuses, des douleurs rhumatismales ici ou là et un malaise général » (I).

Bien qu'il donne ses propres recettes, le médecin anonyme refuse d'identifier certains des ingrédients, comme sa « poudre minérale », car son intention première est de vendre ses préparations. La manière dont il décrit la confection de ses « gouttes utérines » montre clairement qu'elle est hors de portée de la pharmacie familiale la mieux équipée et justifie amplement le prix élevé de trois shillings et six pence qu'il en demande. La malade souffrant de métrorragie devra subir une saignée de huit onces au bras, puis une purge, comme le recommandait Sydenham ; on lui donnera ensuite la « poudre rafraîchissante d'anodyne », l'« électuaire tempérant » et l'« apozème consolidant », pour un coût total de quinze shillings et six pence. L'infirmier anonyme n'explique pas ses traitements, ses prescriptions ne sont tirées d'aucune pharmacopée, classique ou autre, mais il recommande vivement à sa clientèle de se méfier des imitations.

J. Wilbush considère ce pamphlet commercial de charlatan comme les prémices de l'entrée de la ménopause dans la littérature médicale. Il croit même pouvoir établir un lien entre ce livre et les progrès de l'espérance de vie des femmes à cette époque : si elles atteignaient sans encombre l'âge de 20 ans, elles vivaient en moyenne presque 10 ans de plus en 1730 qu'en 1680. En vérité, notre auteur anonyme se préoccupe plus d'exploiter la nouvelle population de femmes des classes moyennes ayant reçu quelque instruction que de promouvoir les connaissances médicales. Il ne s'appuie jamais sur aucune autorité, et ne fait jamais non plus référence à ses collègues, sauf pour vilipender un rival qui l'avait plagié et avait obtenu un succès de scandale en mentionnant la masturbation féminine. D'ailleurs, il n'est pas certain qu'il ait réellement été médecin lui-même. Il n'a que dédain pour les remèdes utilisés par les « sages-femmes, guérisseuses et autres bonnes-femmes, qui entreprennent principalement de soigner les indispositions secrètes du sexe féminin » (1742, Sig. A2).

« De la colle de poisson bouillie dans du lait, des pilules à la térébenthine, de la sauge frite avec des œufs, des fleurs d'arcangèle, du bol d'Arménie, appelé vulgairement bol armonique, du spermaceti, de la confection d'alkermès, de l'eau de pouliot, de l'eau du docteur Stephens et de l'eau de bryone, communément appelée eau d'hystérie, voilà en quelque sorte toute leur pharmacie. »

La difficulté de diagnostic était de déterminer si l'absence de règles était due à la cessation naturelle des fonctions ovariennes, ou si c'était de l'aménorrhée. On continua à penser, jusqu'au XIXe, que l'absence de flux menstruel pouvait provoquer des symptômes dangereux. Bucknill et Tuke notaient en 1858 :

« L'aménorrhée est une cause ou une conséquence fréquente, ou concomitante à la maladie mentale, si elle guérit, on retrouve la santé mentale » (436).

Dans l'ensemble, cette observation était exacte; ce qui est inhabituel chez Bucknill et Tuke, c'est qu'ils reconnaissent ne pas comprendre la connexion entre aménorrhée et troubles mentaux, mais ils pensaient manifestement que si l'on réussissait à corriger l'aménorrhée, la patiente retrouvait la raison. (Aujourd'hui, on inverserait les choses, et on considérerait que le retour de la menstruation est signe de guérison.) Les médecins n'étaient pas toujours aussi prudents ou rigoureux. Sydenham et l'auteur anonyme de *A Rational Account* (Une relation rationnelle) ne croyaient, certes, ni l'un ni l'autre, que les désordres de la ménopause étaient la conséquence directe du fait que l'évacuation menstruelle n'avait pu purger le sang des « humeurs excrémentielles », mais la plupart des autres praticiens en étaient convaincus. Ils soignaient les troubles du début du climatère en organisant ou en encourageant une « menstruation de rechange ». Tout saignement chez la patiente devait être encouragé, à aucun prix on ne pouvait le laisser tarir. Si l'on n'observait aucun écoulement sanguin, que ce soit d'un ulcère ouvert, d'hémorroïdes, ou des saignements de nez, on ouvrait une veine et on saignait la patiente, ou bien on lui appliquait des sangsues à l'anus ou à l'aine. Mieux encore, on pouvait provoquer un écoulement constant en pratiquant une incision et en la maintenant ouverte à l'aide de sétons à mèches, les fils traversant les chairs et restant en place. Bien que cette méthode soit manifestement dérivée de la littérature médicale classique, Wilbush attribue ces pratiques barbares aux soigneuses :

« Les guérisseuses essayaient d'abord de prolonger une excrétion " naturelle " en utilisant des emménagogues, en appliquant des sangsues aux parties génitales, ou bien, en se faisant aider de barbiers, elles pratiquaient des phlébotomies directes. Quand ces méthodes échouaient, elles ouvraient d'autres exutoires : purgations, incisions, cautères, sétons ou autres méthodes » (2-3).

Il cite l'exemple de la dame de *Gil Blas* qui préservait l'éclat de la jeunesse au moyen d'un exutoire sur chaque fesse, mais il omet d'ajouter que ces incisions étaient régulièrement rouvertes par un chirurgien du sexe opposé, ce qui fait tout l'intérêt de l'épisode.

Toutes ces mesures étaient, en fait, utilisées par les hommes, y compris des praticiens fort distingués. Certains allaient jusqu'à introduire l'aiguille du séton dans le col de l'utérus. Wilbush écrit :

« Le traitement était loin d'être agréable, pourtant les femmes n'étaient que trop empressées à le subir. Hantées par la menace de perdre leur pouvoir de séduction, et donc une grande partie de leur pouvoir tout court, elles étaient disposées à accepter n'importe quelle mesure promettant des résultats » (3).

Il ne cite aucune autorité pour étayer cette affirmation. Les rares éléments d'information semblent plutôt montrer que les médecins restèrent attachés à ces procédures pendant plus de cent ans, malgré les protestations de leurs patientes. C. Locock, traitant des désordres de « la période critique » dans *The Cyclopedia of Practical Medicine* (L'Encyclopédie de médecine pratique), publiée en 1833, est parfaitement clair à ce sujet :

« Le déclenchement d'écoulements artificiels, au moyen d'exutoires, de sétons et de vésicatoires, qui ont connu autrefois une grande vogue, n'est plus de mode, à cause de l'horreur que de tels remèdes inspirent aux patientes ; mais, en vue de ce qu'ils se produisent souvent naturellement, il n'est pas douteux que leur emploi plus fréquent serait éminemment avantageux. »

C'est peut-être parce qu'il croyait que les tortionnaires des femmes ménopausiques étaient d'autres femmes que J. Wilbush n'hésite pas à identifier un net élément iatrogène dans leurs souffrances :

« Il est significatif qu'à l'exception peut-être de plusieurs symptômes comme les chaleurs fiévreuses [bouffées de chaleur?], les douleurs rhumatismales [douleurs ostéoporosiques?], et les vapeurs [troubles émotionnels?], les souffrances décrites en détail par le médecin anonyme d'Une relation rationnelle sont largement iatrogènes, c'est-à-dire qu'elles sont très probablement causées par les soins... Les douleurs dorsales et " dans la région des reins " étaient sans doute dues aux emménagogues, qui affectaient souvent les voies urinaires en provoquant une strangurie. Les " coliques douloureuses, tranchées et relâchement " étaient dus aux purgatifs, tandis que les maux de tête et " malaises " étaient soit fonctionnels, soit iatrogènes. On peut en dire autant des vapeurs et, dans une certaine mesure, des " douleurs rhumatismales " et des " chaleurs fiévreuses ". Le caractère iatrogénique des symptômes énumérés constitue la preuve d'un traitement traditionnel de la détresse climatérique » (3).

Conclusion : les patientes génèrent leurs symptômes, à moins qu'elles ne soient soignées par des femmes, auquel cas ce sont ces dernières qui les provoquent. J. Wilbush ne semble pas se rendre compte que l'on tourne en rond, si l'on identifie le syndrome climatérique à ses symptômes, pour accuser ensuite les personnes (du sexe féminin) qui tentent de les soulager de les avoir provoqués elles-mêmes. En réalité, les symptômes étaient à la fois endogènes et iatrogènes, les souffrances les plus atroces ayant été infligées non par les sages-femmes traitées avec tant de mépris par leurs homologues du sexe fort, mais par les médecins célèbres. Ceux-ci torturaient régulièrement les monarques et leurs enfants aussi sauvagement que des Indiens attachant leurs victimes au poteau de torture, pour reprendre l'expression de l'historien Macaulay. Parmi les femmes cultivées, la méfiance vis-à-vis des médecins était traditionnellement très marquée. Les procédures chirurgicales douloureuses se justifiaient par la conviction masculine que la ménopause était « *l'enfer des dames* * ». Le but de cette propagande était, comme c'est encore le cas aujourd'hui, de créer une vaste et lucrative spécialité médicale.

Le médecin américain William P. Dewees indiquait au milieu du XIXe siècle que durant les quelques mois précédant la cessation de la menstruation, les pertes sont plus fréquentes, parfois très abondantes, entrecoupées de longues périodes sans saignements. Contrairement aux autres médecins, il ne traitait pas l'aménorrhée de la ménopause. Il réservait la plupart de ses traitements

* En français dans le texte.

aux hémorragies du climatère, que lui et ses contemporains les plus éclairés considéraient comme le seul aspect dangereux du processus. Il en décrit les conséquences avec réalisme :

« La femme découvre également que son état général se trouve affecté : elle est pâle, affaiblie et nerveuse, ce qui résulte de la fréquence et de l'abondance exagérée de ces pertes... » (146).

Il propose des traitements mesurés et intelligents.

« A cette période de la vie, rien ne préserve mieux la femme des dangers résultant de ces troubles qu'un régime de vie régulier... Une alimentation à base de laitages et de légumes, avec de l'eau pure comme boisson, de l'exercice physique régulier, mais modéré. On évitera la constipation en mangeant des fruits de saison en quantité suffisante, du pain de son si nécessaire, mais sans avoir recours aux laxatifs, sauf en cas de nécessité absolue » (149).

Quand elle avait des saignements importants, la femme devait s'étendre et éviter tout mouvement, ne serait-ce que de se retourner dans son lit. Il fallait que la chambre soit fraîche, la nourriture et les boissons froides, et on devait disposer des vessies de glace autour d'elle, tout en évitant qu'elle n'ait froid aux jambes et aux pieds.

« On devrait également lui administrer oralement deux ou trois grammes d'acétate de plomb, toutes les heures ou toutes les deux heures, avec une quantité suffisante d'opium ou de laudanum » (150).

Pour prévenir un « retour excessif », saignées et autres poisons, il avait recours à l'extrait de ciguë ou fenouil sauvage, et toutes les variétés de boissons alcooliques et d'épices étaient totalement proscrites. Dewees savait pertinemment qu'il ne contrôlait que très imparfaitement les saignements excessifs et, ce qui est fort rare, il nous laisse entrevoir les méthodes d'un autre praticien qui réussissait mieux que lui. Il nous dit qu'« une de ses patientes avait entendu dire par une vieille femme que le *hiera picra* était un remède infaillible pour ce qu'elle avait. De nombreuses préparations de l'ancienne pharmacopée grecque portent ce nom, qui signifie les « amertumes sacrées » et décrit un composé d'aloès et d'écorce de cannelle, qui a été utilisé constamment pendant des siècles. Le *hiera picra* figurait déjà en 1586 dans le clystère pour la mélancolie de Timothy Bright, accompagné de guimauve, de rose trémière, de pariétaire, de camomille, de houblon, de mélilot et d'autres plantes, en décoction dans de la bière, avec du miel, dans lequel on infusait des fleurs de romarin (262).

Dewees ne se gênait pas pour exprimer le mépris que lui inspirait ce genre de charlatanisme, mais à son grand dépit, la « vieille femme » citait deux cas qu'elle avait traités avec succès. Il eut l'honnêteté d'interroger les deux femmes qui « recommandèrent chaudement » le traitement. Celui-ci consistait en une demi-once de *hiera picra* dissoute dans une pinte de gin, dont il fallait boire un verre chaque soir au coucher. C'est ce que fit sa patiente, qui fut soûle toute la nuit, et malade le lendemain. Elle avait recommencé ce soir-là, en se disant qu'elle ne réagirait peut-être pas aussi violemment la deuxième fois, mais cela avait été aussi mal (152). Dewees avait alors fait faire des pilules avec un dosage beaucoup plus faible de *hiera picra*, mélangé à de l'huile de girofle et à du sirop de rhaei, celles-ci eurent le résultat souhaité.

Le premier livre à être entièrement consacré à la ménopause fut le *Conseils aux femmes de l'époque de l'âge de retour*, qui parut en 1839, et réédité en 1840 sous le titre de *De l'âge critique chez les femmes*, par C.F. Menville. L'auteur pensait que c'étaient les derniers sursauts de l'utérus à l'agonie qui provoquaient les troubles dont se plaignaient les femmes. La tâche du médecin était de corriger le dérangement nerveux et digestif, qui n'était de toute manière que temporaire.

« ... Lorsque les forces vitales cessent de conspirer vers l'utérus, elles augmentent celles de l'esprit et du reste du corps. Passé l'âge critique, les femmes ont l'espérance d'une vie plus longue que les hommes, leur esprit acquérit [*sic*] plus de netteté, d'étendue et de vivacité * » (47).

Samuel Ashwell écrivait plusieurs années plus tard que les femmes de complexion pléthorique, « qui ont été en bonne santé avant le retour d'âge, deviennent souvent corpulentes quand il est accompli, et sont plus susceptibles que d'ordinaire aux attaques d'apoplexie, de paralysie, d'obstruction pulmonaire et de toux ». Il n'approuvait pas pour autant les mesures destinées à réduire la pléthore.

« Je soigne actuellement une dame qui n'a plus de règles depuis trois ou quatre ans, et qui, ayant adopté un régime végétarien très strict, et à force de prendre, depuis le début, des purgatifs presque tous les jours, est maintenant dans un état de faiblesse, d'irritabilité et de névralgie qui lui gâche la vie » (200).

Ashwell prescrivait aux femmes encore menstruées des purgatifs, des saignées légères, de l'exercice physique et l'abstinence de vin et autres boissons alcoolisées. Ces interdictions d'alcool sont si fréquentes, que l'on a toutes raisons de suspecter que la tradition populaire encourageait les femmes affligées de troubles climatériques à boire plus qu'il n'était habituellement considéré comme convenable.

« J'ai récemment observé des cas de désordres mentaux, manifestement provoqués par l'abus de vin et d'alcool pendant la période du déclin de la cataménie... Dans l'un de ces cas... ces stimulants avaient été employés dans l'espoir de soulager un état de langueur et de dépression. La maladie mentale avait toutes les caractéristiques de la manie violente, finissant par aboutir à un état de démence, dont nous avions bien peur qu'il ne fût

* En français dans le texte.

incurable. La patiente guérit complètement, cependant, en deux ans. Les remèdes efficaces ont été la pose fréquente de sangsues sur le col de l'utérus, des purgations modérées, un régime nourrissant, accompagné de liqueur de malt et de vins légers, et une vie très calme à la campagne » (202).

On appelle parfois le gin « la ruine des mères », c'est la raison pour laquelle on a supposé qu'il était peut-être utilisé comme abortif. Mais il est plus vraisemblable, médicalement et linguistiquement, que ce surnom fasse référence au fait que l'on encourageait les femmes à l'utiliser, au moment de la ménopause, pour lutter contre « l'abattement », alors que l'alcool était généralement interdit aux femmes en âge d'enfanter. Le résultat assez rapide de cette pratique, pour les femmes d'un certain âge, était que bon nombre d'entre elles devenaient alcooliques. La buveuse de gin type du XIXe n'est pas la jeune mère de la gravure de Hogarth *Rue du gin*, mais bien plutôt la Sairy Gamp de Dickens.

On voit, en lisant Ashwell, que la théorie de la « menstruation de rechange » n'avait pas encore disparu et que l'on continuait à pratiquer les écoulements sanguins forcés :

« On insistait beaucoup, autrefois, sur l'utilisation des sétons et des exutoires, mais ils ne sont pas souvent nécessaires... »

Il préfère des procédures moins drastiques :

« D'autres mesures de dérivation se présentent, tout naturellement, comme des bains de siège à la moutarde, les bains de pied, les frictions aux embrocations stimulantes, le brossage, la continuation des rapports sexuels, et l'encouragement par tous moyens agréables de la cataménie » (201).

L'utilisation d'anti-irritants au moment de la ménopause était un sujet de querelle fort prisé des médecins de dames. En effet, dès que la ménopause attira l'attention des professionnels, ils entrèrent en concurrence, entreprirent de bafouer les théories et les méthodes de leurs confrères, et d'écrire des livres pour justifier leur propre thérapie (et faire leur publicité). Ils perfectionnèrent un admirable « savoir-vivre » en chambre de malade, grâce auquel les dames de la société d'un certain âge allaient se précipiter chez eux. L'exemple parfait du médecin de dames est Edward John Tilt. Ayant fait sa médecine à l'hôpital Saint-George à Londres, il alla ensuite se spécialiser à Paris, où, grâce aux efforts de Gardanne, Moreau de la Sarthe, Brierre de Boismont et Dusourd, le syndrome climatérique était beaucoup mieux connu qu'en Angleterre. Il voyagea, en tant que médecin de la famille, avec le comte Shuvaloff, puis s'installa à Londres, en 1850, et devint le médecin attitré des femmes du monde.

E. Tilt n'était absolument pas d'accord avec ceux de ses confrères qui déclaraient, à l'époque, qu'il ne se passait rien d'important au cours du « septième septennat » de la vie d'une femme. Il citait Brierre de Boismont, qui avait étudié le cas de

107 femmes, dont 80 avaient beaucoup souffert, et aussi sa propre expérience : parmi 539 femmes, il n'en avait rencontré que 39 qui ne s'étaient plaintes d'aucun trouble. Mais il refusait également d'adhérer à l'idée que la ménopause soit dangereuse en elle-même. Les descriptions du climatère auxquelles il se livre dans *The Change of Life in Health and Disease* (Le Retour d'âge en bonne santé et dans la maladie) sont fondées sur une habitude rare : celle d'écouter les femmes. Elles sont foncièrement judicieuses. Tilt voyait le climatère comme une période de tension somatique exceptionnelle, dont « émerge une superbe série de mouvements critiques, dont l'objet est de doter la femme d'une vigueur plus grande qu'auparavant » (4). Il faisait remarquer que les femmes plus âgées sont beaucoup moins sensibles à l'infection que les jeunes, et plus résistantes que celles qui sont encore soumises à la menstruation, aux grossesses et aux accouchements. Il assignait aux aînées le rôle nouveau de veiller sur les jeunes mères, et d'être les arbitres du bon goût et des bonnes manières.

« Une observation s'applique au traitement de tous les désordres de cette époque de la vie – il faut laisser faire le temps. La nature ne marche pas à la vitesse du chemin de fer. Il est impossible qu'une habitude de trente-deux ans s'interrompe sans périodes d'hésitations, sans à-coups, et sans que la femme ne souffre de quelque infirmité avant de recouvrer la santé » (116).

Il ne serait jamais venu à l'idée de E. Tilt d'essayer de retarder ou de contrecarrer le phénomène naturel du climatère. Pour lui, on ne devrait pas stimuler l'utérus au moment où il rétrécit, et les femmes qui envisageaient de devenir mères à ce moment-là risquaient leur santé physique et mentale. Il cite des exemples de femmes d'âge mûr, traitées pour leur absence de règles, alors qu'elles avaient cessé d'ovuler, qui sombraient dans la mélancolie et la démence après une série d'hémorragies anovulatoires. Chaque fois qu'il rencontrait chez une patiente un regain d'intérêt sexuel sans stimulus extérieur, il suspectait une cause pathologique, et il avait relevé suffisamment de maladies de l'utérus pour confirmer ses présomptions. S'il se trouvait un stimulus externe, l'excitation utérine de la femme amoureuse aboutissait à mettre ses jours en danger.

A aucun moment E. Tilt ne fait référence aux exigences sexuelles d'un mari. Il ne se préoccupait que du bien-être de la femme elle-même. Il retraçait toujours la totalité de la carrière reproductive de ses patientes, en commençant par leurs expériences à l'époque de la puberté, et traitait chacune de la façon la plus appropriée à son type, qu'il classait en trois catégories : « pléthorique », « chlorotique » ou « nerveuse ».

« Aller aux eaux » était, selon lui, « la manière à la fois la plus agréable et la plus efficace de recouvrer la santé au moment du retour d'âge ». Rien n'était plus orthodoxe, et même populaire. Il y avait bien longtemps que les femmes d'un certain âge représentaient une proportion importante de la population des villes d'eau, comme Tunbridge Wells, en Angleterre, où elles avaient précédé la mode. Il aimait envoyer ses clientes dans des endroits plus lointains, comme Aix-en-Savoie, plus connu maintenant sous le nom d'Aix-les-Bains, où « elles combinaient des eaux médicinales variées avec le plaisir de la bonne société et de paysages magnifiques ». Il encourageait également ses patientes à éviter les excitations sexuelles, à prendre des bains tièdes trois fois par semaine, et à faire de la chaise longue plusieurs heures par jour. Elles devaient manger moins, un seul grand repas par jour, et éviter les viandes rouges.

Les restrictions alimentaires pour les personnes âgées remontent loin, mais c'est une histoire largement non écrite. Je ne suis pas sûre que l'*establishment* médical ait eu une compréhension parfaite de la physiologie du vieillissement, ou qu'il s'y soit beaucoup intéressé. Mais il semble que les personnes à qui il incombait de s'occuper des personnes âgées comprenaient fort bien que leurs besoins alimentaires n'étaient plus les mêmes. En 1775, une dame inconnue répondit à un « monsieur » qui se plaignait de ne plus pouvoir manger de viande, à cause de ses dents, par un poème, qui fut publié dans le *Gentleman's Magazine*.

« Vous me dites, monsieur, que vos dents se déchaussent,
Et qu'à ce train bientôt vous n'aurez que la sauce
Et, si je n'oublie rien,
Je vous ai dit que c'était bien,
La nature, en effet n'a pas voulu,
Que l'on mâche ce que l'on ne digère plus. »

La viande rouge n'est en effet pas à conseiller aux personnes âgées, car le phosphore qu'elle contient accélère la résorption osseuse.

« Quoi! plus de viande ne mangerais?
De faim, à coup sûr je mourrais!
Que voulez-vous, madame, que je mande
D'aussi bon, d'aussi sain que la viande? »

La liste fournie par la poétesse commence assez mal, par du lait bouilli et du pudding à la farine et à l'eau, puis elle s'améliore :

« Quand vous serez las de ceux-ci,
Les petits pois et les radis,
Les légumes les plus variés
Qu'on fait pousser au potager,
Satisferont votre appétit.
Les simples potages,
Sont bons à tout âge

Mais le repas du magistrat
Serait la mort du grand-papa. »

On pourrait faire remarquer ici que les repas des magistrats étaient bien souvent la mort des magistrats, tout autant que des grands-papas. Le régime pauvre en cholestérol, mais riche en fibres, de notre poétesse se poursuit par une concession, et de bons conseils concernant les œufs et le poisson :

« Les œufs seront parfois plaisants,
Mais n'en mangez pas trop souvent,
Et si vous voulez mon avis,
Le meilleur aliment est le riz...
Mais ce qui serait vraiment bon,
C'est deux fois la semaine, du poisson...
Encore une chose et vous aurez
De victuailles plus qu'assez
Des fruits, de toutes les sortes,
Que dans la poche l'on emporte,
Pommes, poires et guignes
Et le riche produit de la vigne... »

A vrai dire, les femmes d'aujourd'hui auraient tout intérêt à suivre ces conseils : leur santé, comme leur porte-monnaie, s'en trouveraient fort bien. Il suffirait de remplaçer l'horrible pudding à la farine et à l'eau du début de la liste, par des crêpes à la farine complète et des chapatis, pour aboutir à un régime absolument adapté aux seniors. La poétesse considère comme évident que son gentleman a accès à un potager, sa recommandation de légumes variés présuppose bien sûr qu'ils soient frais.

Lorsque le docteur J. Tilt conseillait à la femme de réduire son alimentation, à l'époque de la ménopause, il se fondait probablement plus sur son expérience clinique que sur le fonds de connaissances et de bon sens auquel faisait appel, soixante-dix ans plus tôt, notre poétesse, mais sa conclusion est aussi juste. Il est tout aussi fermement opposé à l'absorption d'alcool pour traiter le syndrome climatérique.

« Ne cherchez en aucun cas de réconfort contre la langueur, la faiblesse ou la nervosité dans le vin, les cordiaux et l'alcool, au moyen desquels on n'obtient qu'un mieux-être temporaire au prix d'une aggravation de la faiblesse, des bouffées de chaleur et des symptômes nerveux » (123).

L'alcool brûle l'infime quantité d'œstrone qui permet encore à la femme de garder l'équilibre. Il y a ici une association curieuse, car l'œnothère, utilisée par certaines femmes comme précurseur des œstrogènes, est un antagoniste de l'alcool, d'où son nom grec. La méthode du docteur Tilt vise à aller dans le même sens que ce qui est en train de se produire dans le corps, en tentant de l'aider, et d'accélérer la transition. Comme ses prédécesseurs, il recommande des prélèvements de sang par saignées ou par application de sangsues en cas de saignements importants à la périménopause, mais seulement pour les femmes de type pléthorique. Par rapport à nos critères, il a sans doute la main un peu lourde pour les purgatifs. Ses sédatifs préférés, pour celles qui « étaient poussées à la limite de la folie par l'excitation ovario-utérine », étaient le camphre, la lupuline, l'hyoscine et l'opium.

« L'hyoscine est un remède sans prix pour traiter les maladies des femmes, qu'il soit administré en extrait dans des pilules, ou topiquement dans des emplâtres » (97).

L'hyoscine est notre bonne vieille jusquiame. Le docteur J. Tilt recommande avec insistance d'en utiliser des extraits frais, obtenus par pression de la plante macérée. Il omet malheureusement d'indiquer le degré de dilution souhaitable, et la jusquiame est extrêmement toxique. On obtient le camphre en distillant le vieux bois de camphrier, *cinnamomum camphora*, originaire de Chine et du Japon. On en connaît les propriétés thérapeutiques depuis Avicenne (980-1037), l'abbesse Hildegarde de Bingen l'utilisait au XIIe siècle. Au XVIIIe siècle, le « camphire » était considéré comme idéal pour traiter l'état maniaque. Sous forme d'inhalation, il guérissait évanouissements et convulsions. En frictions, il provoquait une inflammation et on l'utilisait comme anti-irritant; pris par voie interne, il provoquait vomissements, crises de diarrhée et sueurs. Il avait également un pouvoir stimulant sur le système nerveux, ou, à doses plus fortes, anesthésiant. Un dosage encore plus fort fonctionnait comme anti-convulsif. Les composants des cristaux ou de l'huile blanche de camphre sont le safrol, l'acétaldéhyde, le terpinol, l'eugénol, le cinéol, le pinène et le phellandrène. Le camphre figure dans la pharmacopée pour ses propriétés d'antiseptique doux, ses propriétés carminatives, d'expectorant léger, d'analgésique léger, de rubéfiant et de parasiticide. A première vue, on ne comprend pas bien pourquoi E. Tilt dit que « le camphre est fait pour les femmes, il leur convient toujours, alors qu'il ne convient jamais aux hommes » (105), mais il a été utilisé par voie interne comme sédatif pour calmer des crises d'hystérie, de convulsions et d'épilepsie. A Cuba, il servait d'aphrodisiaque, ce qui, conjointement à son usage anti-hystérique, semble indiquer qu'on lui prêtait une action directe sur l'utérus. Il n'y a certainement aucune raison de se priver des inhalations d'esprit de camphre pour soulager la détresse climatérique, cela semble plus indiqué que d'en prendre par voie orale.

Le docteur Tilt prescrivait également la « lupuline », que l'on extrayait du houblon *(humulus lupulus)* pour ses vertus soporifiques et – croyait-il – anaphrodisiaques. Ses méthodes préférées, pour l'administration de sédatifs, étaient les pessaires et les suppositoires. Les médicaments qu'il utilisait n'étaient pas tous aussi respectables que ceux dont nous avons parlé plus haut. Il n'hésitait pas à avoir recours à l'opium ou à la belladone, ou encore au soufre « pour toutes les maladies de l'âge ». Il partageait également l'enthousiasme suisse pour l'eau de laurier-cerise, que l'on obtenait par distillation de feuilles de *prunus laurocerasus*. Cette préparation est actuellement considérée comme trop dangereuse et ses propriétés sédatives, dues à la présence de dérivés de cyanure, n'ont jamais été démontrées.

D'une manière générale, l'attitude de Tilt était exactement à l'opposé de l'école actuelle, qui traite la ménopause comme une maladie de carence. Il aurait certainement considéré comme immorale et pernicieuse la méthode consistant à administrer aux femmes des hormones, afin de leur permettre de continuer à éprouver un désir sexuel, ou à y répondre. Il prescrivait l'ambre gris pour « résister aux effets surexcitants de la civilisation actuelle sur le système nerveux, en étouffant les stimuli reproductifs, qui, s'ils se poursuivent, ne peuvent qu'être préjudiciables à la santé ». Pour lui, le processus de la ménopause était aussi naturel que celui de l'accouchement. Dans les deux cas, son devoir était le même : faciliter les choses et diminuer les souffrances de la patiente. Si l'on observait des crises de sudation excessives, il ne fallait pas chercher à les stopper ou à inhiber les sécrétions, mais bien au contraire les encourager, grâce surtout à des bains, car le bain chaud fonctionnait comme « un cataplasme géant » pour le corps entier. Il n'était pas très favorable à l'application de sangsues à l'utérus, non plus qu'à l'utilisation de contre-stimulants et de vésicatoires, les méthodes préférées de Fothergill et Ashwell. Il revenait indéfiniment au traitement le plus populaire, qui réussissait le mieux :

« Le voyage renforce très efficacement le système nerveux, car il place la patiente dans une situation absolument nouvelle, qui retient toujours son attention, éveille son intérêt, captive ses facultés, et la libère de pensées parfois obsédantes » (127).

Un autre Fothergill, le docteur J. Milner Fothergill, publiait en 1855 *The Diseases of Sedentary and Advanced Life : A work for Medical and Lay Readers* (Les Maladies de la vie sédentaire et de la vieillesse : étude à l'attention des médecins et des profanes). Il devait mourir de diabète trois ans plus tard. Dans ce livre, il donne son point de vue sur le « retour d'âge ».

« A cette époque de leur vie, les femmes sont souvent en mauvaise santé. Elles sont fréquemment fortes, leurs muscles se relâchent, et le cœur, étant un muscle, est faible; elles sont incapables d'efforts physiques importants, qui leur donnent des palpitations. Le système nerveux est souvent affaibli, elles ont du mal à diriger leurs humeurs et deviennent maussades et chagrines, ou nerveuses et irritables » (113).

Le docteur Fothergill aurait été furibond si quiconque s'était avisé de parler de ses propres problèmes de santé d'une manière aussi peu charitable. En réalité, il était obèse, une véritable montagne, et était célèbre pour son mauvais caractère.

« La digestion devient fréquemment irrégulière, l'alimentation capricieuse. Quant aux fonctions utérines, leur transformation s'opère de diverses manières. Parfois une femme stérile devient mère, comme Sarah dans la Bible, quand tout espoir de descendance est évanoui. Ou bien une veuve, ou une vieille fille, dont la conduite a toujours été irréprochable, se met à développer de violentes tendances érotiques... » (113-4).

Fothergill voit de la goutte partout, peut-être parce qu'il en était tourmenté : des règles douloureuses, à la péri-ménopause, étaient sans doute dues à « une goutte latente ou refoulée ». Mais ce n'est pas tout.

« La flatulence n'est pas rare, ce qui ajoute aux troubles cardiaques et aggrave la nervosité. Des crises d'essoufflement ou de palpitations surviennent, sans être provoquées par l'effort. Elles ont parfois des flatulences, ou une goutte latente affectant les nerfs vasomoteurs. Ou encore la patiente se réveille avec l'un ou l'autre de ces troubles, ou les deux, et en est gravement alarmée... » (115).

La seule manière de se prémunir de ces dérangements est un « régime régulier » et une alimentation légère.

« Un vin généreux pourra être indiqué, il pourra aussi être commode d'avoir quelque stimulant à portée de main quand ces crises de palpitation ou autres surviennent. Il est bon de s'allonger quand on ne se sent pas bien, de manière à limiter les exigences corporelles. Il faudrait administrer quelque tonique, comme la digitale ou la strychnine, le muguet ou la belladone, qu'il faut combiner avec un carminatif, la cascarille, ou un autre aromatique » (115).

Bien que la constipation soit à éviter, il ne faut pas que la femme en cours de ménopause souffre de tranchées, elle ne doit rien boire de froid.

« Si ces ennuis ne sont pas soignés, la patiente ferait bien de changer de médecin, afin d'en trouver un qui connaisse bien la question et ses exigences » (115).

Le docteur Fothergill craint que la malade mécontente ne se retourne contre son médecin. Avec ou sans assistance médicale, le climatère finit par s'achever :

« Quand les perturbations du retour d'âge se terminent, la femme se retrouve dans une période de calme; soulagée de ces tumultes qui marquent sa période de fécondité, elle mène une vie presque asexuée, sauf dans des cas très rares, dont l'illustre George Eliot fut un malheureux exemple » (115).

Il est assez choquant que le docteur Fothergill se permette de parler, au sujet de George Eliot, de fatalité, résultant d'une passion intempestive, alors que son livre était destiné au grand public, et qu'il le publiait à peine quatre ans après le mariage et la mort de l'écrivain. Le 9 avril 1880, le célèbre chirurgien Sir James Paget était venu voir George Eliot et, au terme d'une longue consultation, lui avait conseillé d'accepter la troisième demande en mariage de Johnny Cross, bien que, âgée de 60 ans, elle fût de vingt ans son aînée. (Haight, 1969, 536.)

Pendant leur voyage de noces à Venise, Johnny Cross, qui ne devait montrer de signes de dérangement mental ni avant ni après l'incident, bien qu'il ait vécu fort longtemps, s'était jeté dans le grand canal depuis le balcon de leur chambre d'hôtel. Les gondoliers l'avaient repêché, on lui avait donné du chloral pour le calmer, et son épouse avait télégraphié à son frère Willie, pour lui demander de venir l'aider à le soigner. Il s'était remis, et ils avaient poursuivi leur voyage à travers l'Autriche et l'Allemagne. J. Cross vécut jusqu'en 1924, mais « l'illustre George Eliot » devait mourir quelques mois plus tard. L'incident de Venise fut officiellement imputé à un dérangement intestinal. (Nous reparlerons plus tard de la vie conjugale de George Eliot.) Le biographe de Mme Eliot, Haight, ne découvrit la vérité qu'en 1968, mais Fothergill fait montre d'une certitude absolue. Pour lui, il était hors de doute que Mme Eliot était folle de désir pour son mari. Il ne se faisait aucun scrupule pour la citer, parmi ses collègues, comme cas fatal d'excitation utérine, critiquant ainsi tacitement le distingué collègue, Médecin Extraordinaire de Sa Majesté, qui lui avait conseillé de mettre ses jours en danger.

A la fin du siècle, on commençait déjà à administrer aux femmes des extraits glandulaires animaux, en général inertes. Les médecins prêtaient une attention intense aux fibromes, qu'ils tentaient d'extirper par des méthodes hautement expérimentales et souvent dangereuses, comme l'hystérectomie chirurgicale, la castration aux rayons X, et l'ablation de l'endomètre par électro-cautérisation. Si on leur avait dit qu'ils craignaient et haïssaient l'utérus tout autant que les vieux moines du Moyen Age, ces doctes messieurs auraient certainement réfuté l'accusation avec horreur, pourtant ils s'acharnaient sur cet organe avec un tel luxe d'inventions que cela défie l'explication. Quelque effroyable que fût la procédure, les femmes ne manquèrent jamais, qui, non seulement étaient enchantées d'apprendre que leur utérus était la cause de tous leurs maux, et acceptaient de subir les tortures les plus invraisemblables que puissent infliger curettes, électrodes de radium ou sondes utérines, mais en plus y laissaient volontiers des fortunes.

9

LES MÉDECINES ALTERNATIVES

Certaines patientes, notamment celles qui n'étaient pas trop malades pour se défendre, se sont révoltées quand le corps médical s'est penché sur leurs problèmes et s'est mis à leur infliger toutes sortes de procédures envahissantes. Si les soins traditionnels, qui consistaient à vous anéantir à grands renforts de purges et de vomitifs, à provoquer des suées abondantes, à saigner, parfois massivement, jusqu'à déclencher convulsions et syncopes, avaient la moindre efficacité, il semble bien qu'ils aient alors fonctionné comme thérapie d'aversion ou par effet de choc. Les patientes ne ressentaient quelque soulagement, après ces traitements violents, que parce qu'on les laissait enfin en paix, tout simplement. Quand on a proposé des méthodes alternatives de soins, les femmes d'un certain âge ont été parmi les premières à vouloir en bénéficier, que le prophète du nouveau système soit ou non un homme particulièrement charismatique.

De nombreux traitements alternatifs reposent sur le même principe : le corps n'est pas une entité hostile, doué d'une tendance innée à se détraquer douloureusement, mais un mécanisme homéostatique, capable de surmonter tout seul la plupart des désordres, si on lui en donne la moindre chance. Un corollaire va souvent de pair avec cette notion : la civilisation moderne agresse le corps, le soumet à des niveaux de stress toxiques, ainsi qu'à une multitude de poisons générés par l'environnement. « On tombe malade quand on viole les lois de la nature » : cette conception, typique de l'alternative, n'est en réalité pas tenable. Un malade, souffrant de malaria ou maladie du sommeil, obéit à la loi de la nature selon laquelle le parasite de la malaria, le trypanosome, ne peut survivre que dans son corps. Les maladies liées à l'âge suivent également une loi naturelle : tout ce qui naît meurt un jour. Pourtant, nous acceptons presque tous les deux maximes d'Hippocrate selon lesquelles il faut renforcer les mécanismes d'autodéfense du corps et que le traitement ne devrait pas provoquer plus de dégâts que la maladie elle-même.

Même si on vit moins longtemps et plus mal dans les pays non industrialisés, nous savons que l'industrialisation et l'urbanisation ont des conséquences néfastes sur la santé. Tout en sachant qu'elle devrait avoir une activité physique importante pour minimiser les risques d'ostéoporose, la citadine est désarmée : elle ne peut faire de la marche sans se mettre en situation d'insécurité ou s'exposer à la pollution des gaz d'échappement. Si elle ne travaille pas, elle est condamnée à devenir une chiffe molle, si elle travaille dans un bureau, c'est la vie sédentaire plus des transports épuisants : ni l'un ni l'autre ne seraient conseillés par un praticien de « la médecine douce ». Les vendeuses s'en sortent encore plus mal : quel que soit leur âge, elles doivent rester debout toute la journée ; le soir, elles sont trop fatiguées pour rentrer à pied, à supposer que ce soit bien prudent. Étant donné que la plupart des femmes ne peuvent absolument pas observer les préceptes de base des soins alternatifs, elles ont le plus souvent intérêt à profiter du seul traitement que le corps médical puisse offrir au syndrome climatérique et aux inconvénients du vieillissement, à savoir l'hormonothérapie substitutive, thérapie drastique pour vie brutalisée.

Une chose devient très claire à la ménopause, c'est que la santé se mérite. Plus question d'abuser de notre organisme sans que cela ne tire à conséquence. Mériter sa santé, cela pourrait vouloir dire décider de quitter la ville, mais quand on a toujours vécu en milieu urbain, se retrouver transplantée à la campagne peut s'avérer d'un ennui mortel. On peut, malgré tout, entreprendre avec profit des stratégies d'autopurification, tout en restant au cœur de la cohue et de la pollution.

Un excellent rite de passage pourrait être la cérémonie du renoncement à nos drogues. Le sucre et le tabac, le café, le thé et l'alcool exacerbent les troubles vasomoteurs, le temps des bouffées de chaleur est donc le moment idéal pour les abandonner tous. L'alcool brûle le peu d'œstrogènes dont la femme dispose après la ménopause et gêne le métabolisme du calcium. L'huile d'onagre, que l'on conseille ordinairement aux femmes comme précurseur des œstrogènes, possède une autre fonction qui pourrait être plus importante à cette époque de la vie, c'est celle que suggère son nom botanique, œnothère, c'est-à-dire anti-alcool. Le sel et le café peuvent favoriser l'excrétion du calcium : les femmes devraient les éliminer de leur alimentation. Ne croyez pas que les comprimés au calcium peuvent compenser le refus de se priver de café, de sel et d'alcool : tout ce qui risque d'arriver, c'est qu'ils suscitent la formation de calculs rénaux, au lieu de prévenir la résorption osseuse.

Rien n'est plus difficile que de vouloir arrêter progressivement

– en général, une renonciation brutale marche mieux. La renonciation la plus brutale aux mauvaises habitudes alimentaires est la suppression pure et simple de l'alimentation, c'est-à-dire le jeûne. Il n'est pas plus difficile de jeûner que d'acheter, préparer, servir et manger de la nourriture, sans parler de débarrasser la table et de faire la vaisselle. Cela peut paraître plus triste de ne pas manger que de le faire, mais les processus d'excrétion activés par le jeûne sont vraiment spectaculaires, assez spectaculaires pour empêcher de penser à ce dont on se prive. Beaucoup de régimes recommandés par les médecines douces incluent des périodes plus ou moins longues de jeûne, dans l'optique de fournir une secousse, qui fasse sortir des ornières d'une mauvaise habitude, afin d'enclencher une autorégulation souhaitable. Les spécialistes conseillent de ne pas jeûner sans surveillance; certains demandent même à leurs patients de n'absorber que de l'eau distillée, pendant plusieurs semaines, en milieu hospitalier. Dans les hôpitaux d'hygiène naturelle, comme l'école de santé Herbert Shelton, les patients sont tenus à la chambre et mis au repos pendant toute la période du jeûne :

« La plupart des patients souffrent de maladies chroniques dont ils veulent à tout prix se sortir, leur motivation facilite le contrôle du comportement. Beaucoup se sont soignés sans succès pendant des années, avec des méthodes médicales orthodoxes. Ce sont souvent des femmes, à la cinquantaine ou à la soixantaine, qui considèrent ce traitement comme la dernière chance d'inverser le courant de la détérioration de leur santé... » (Roth, 21.)

Un tel régime est au moins aussi punitif que les tortures mises au point par la médecine allopathique conventionnelle à l'intention des femmes. Il ne faut pas s'étonner qu'avec un système aussi autoritaire, il y ait autant de rejets. Les patients se comportent comme des enfants gâtés, et persuadent ou paient les infirmières pour qu'elles leur apportent de la nourriture, des bonbons ou de l'alcool. La femme moyenne a bien assez de bon sens pour décider comment jeûner et combien de temps. Si c'est elle qui a pris la décision, il y a plus de chances pour qu'elle s'y tienne. De nombreuses religions demandent à leurs fidèles (excepté les femmes enceintes et les travailleurs de force) de jeûner un jour par semaine. Cela ne peut pas faire de mal que de n'avaler que de l'eau un jour par semaine, cela peut même être salutaire. Les naturopathes recommandent de stimuler l'excrétion des toxines pendant le jeûne à l'aide d'une brosse au long manche, le brossage activant la circulation. On peut aussi, pour aboutir au même résultat, prendre un sauna et se frictionner doucement avec de jeunes pousses de bouleau.

La plupart des thérapies alternatives prennent du temps et demandent beaucoup de volonté, elles peuvent ainsi absorber l'énergie mentale qui, autrement, serait utilisée à soupirer après les mauvaises habitudes abandonnées. Pourquoi ne pas remplacer l'envie d'un bonbon, de chocolat ou d'une cigarette, par la méthode la plus ancienne et la plus simple de purification du corps, boire beaucoup d'eau? Mais attention, l'eau du robinet, bue en grande quantité, peut certes vous rincer les reins et la vessie, mais aussi vous faire ingérer des quantités importantes de nitrates et de chlore, il faut donc prendre la précaution de la filtrer efficacement ou trouver d'autres sources. Il est aussi intéressant, et difficile, de devenir connaisseur en eau, de chercher l'eau parfaite, que de choisir un vin, mais c'est beaucoup moins coûteux. Quand on a été élevé à l'eau recyclée et javellisée, on s'imagine peut-être que l'eau n'a pas de goût, mais les gens qui n'ont jamais bu d'eau « de tuyau » connaissent les caractéristiques des différentes sources de leur région, et sont tout à fait capables de distinguer d'où vient telle ou telle eau. Savoir distinguer les différentes saveurs de l'eau, c'est avoir déjà fait un bout de chemin sur la voie de la désintoxication.

Depuis les temps les plus reculés, les hommes ont attribué aux sources des propriétés sacrées, magiques ou médicales. On a découvert très tôt l'intérêt thérapeutique de boire de l'eau de source riche en minéraux. Quand l'eau qui sourdait si inexplicablement du sol était impropre à la boisson, l'animal humain trouvait d'autres moyens de l'utiliser : pour soulager ses maux et ses douleurs, ou pour débarrasser son épiderme d'infections et de parasites. On a découvert, dans les bains sulfureux de l'île de Malte, des accessoires de bain datant de l'âge du cuivre. On utilisait les bains de mer pour des raisons similaires. Avant de pénétrer dans l'eau salée, les patients s'enterraient dans les galets, la boue ou le sable chaud des rivages. Les femmes d'âge mûr ont toujours représenté une part importante de la clientèle des établissements de bains de mer ou des villes d'eau. Il y a vingt ans, on ne voyait sur les plages de Sicile, maintenant jonchées de jeunes corps en quête de bronzage, que des groupes de grand-mères. A partir d'un certain âge, on peut ne pas avoir envie de s'exhiber en telle compagnie, mais la natation est un type de sport auquel les citadines devraient s'adonner dès qu'elles le peuvent.

L'hydrothérapie, système d'automédication reposant sur les vertus curatives de l'eau, est l'une des plus anciennes médecines alternatives.

« Cela peut inclure des applications d'eau chaude et froide, par voie interne ou externe, sous forme de bains, compresses, enveloppements froids, pulvérisations, douches ou bains de siège dans lesquels la moitié inférieure du corps est immergée dans de l'eau chaude ou froide, tandis que les pieds sont mis dans une eau de température contrastée. » (Weskott, 140.)

L'hydrothérapie se développa en réaction aux mauvaises conditions dans lesquelles se déroulaient souvent les cures dans les villes d'eau à la mode. Par exemple, les maladies contagieuses, les désagréments du climat auxquels on s'exposait, le manque de personnel, et les offenses à la pudeur dues à l'insuffisance de vestiaires et au mélange des sexes. (Donegan, 1986.) John Floyer fut le premier à prôner l'usage privé des traitements par bains d'eau froide, dans son ouvrage *Psychrolusia, or History of Cold-Bathing* (Psychrolusia, ou l'histoire des bains froids), publié à Londres en 1702 et réédité cinq fois dans les vingt ans qui suivirent.

Les idées de Floyer reçurent un accueil très favorable; il fut suivi par l'Américain John Smith, qui publia *The Curiosities of Common Water* (Les Curiosités de l'eau commune) en 1723. L'écrivain anglais Tobias Smollett en était un adepte convaincu, à en croire son *Essay on the External Use of Water* (Essai sur l'usage externe de l'eau) (1752), ainsi que John Wesley, d'après sa *Primitive Physic* (Médecine primitive) (1747). Mais le grand prophète de la cure d'eau-universelle panacée fut Vincent Preissnitz, qui mit au point tout un programme d'ablutions et d'élimination par transpiration. Il ouvrit en 1826 un centre d'hydrothérapie à Grafenburg, en Silésie. Le régime comportait non seulement une cure d'eau, mais aussi force grand air, exercice physique, et une alimentation simple, nourrissante, toujours froide. En 1840, il s'était fait une jolie clientèle parmi les grands de ce monde, qui n'en revenaient pas du mieux-être obtenu, en fait, par un processus de désintoxication régulière. En Amérique, l'hydrothérapie fut une folie durable, elle comptait un million d'adeptes.

Vient ensuite, parmi les thérapies alternatives européennes les plus vénérables, l'homéopathie, système de traitement conçu par Samuel Hahnemann au début du XIXe siècle. Pour soulager les désagréments causés par l'âge et le climatère, la méthode homéopathique consiste à établir une relation entre les symptômes et le profil complet de la patiente. On part du principe que les symptômes sont produits par la réaction du corps à des facteurs agissant sur lui. Le traitement homéopathique consiste à imiter la fonction altérée en opposant les semblables, de sorte que l'organisme peut cesser son opération de défense : les symptômes disparaissent alors d'eux-mêmes. Par exemple, on traite une inflammation avec une substance inflammatoire. On détermine laquelle en fonction du profil du malade. Tous les remèdes consistent en des traces infimes de l'agent actif, à prendre en granules, à jeun. Avant tout traitement homéopathique, le patient doit renoncer à tous les toxiques, y compris café, thé, alcool et nicotine. Un homéopathe qui n'imposerait pas à ses malades cette condition *sine qua non* leur ferait perdre leur temps et leur argent. Au début, le remède peut aggraver les symptômes, ce qui montre que c'est le bon. Au fur et à mesure qu'ils disparaissent, il faut diminuer progressivement les doses, puis les supprimer tout à fait. L'efficacité des traitements homéopathiques ne repose peut-être que sur la combinaison de la désintoxication et d'un effet placebo, mais j'ai utilisé avec succès des médicaments homéopathiques pour soigner des maladies chroniques chez des animaux, cas où ni l'un ni l'autre ne peuvent avoir joué.

Au cours d'une étude menée en Finlande, des médecins ont abouti à la conclusion que le ginseng soulageait les symptômes suivants : dessèchement vaginal, bouffées de chaleur, crises de sudation, tension, anxiété et palpitations. C'est ce que rapporte Wendy Westcott dont le livre *Alternative Health Care for Women* (Les Programmes de santé alternatifs à l'usage des femmes) consacre deux pages et demie sur plus de 170 à la ménopause. Le ginseng est la plus utilisée de toutes les herbes médicinales. Son nom grec, *panax*, a la même racine étymologique que le mot panacée, qui signifie remède universel. Le nom chinois transcrit par ginseng vient de mots signifiant « de la forme d'un homme », ils se réfèrent à la racine, tronc épais dont partent des radicelles ressemblant à des membres. Il y en a en fait plusieurs variétés : le *panax pseudoginseng*, originaire des zones humides et boisées de Mandchourie et de Corée, le *panax quinquefolium* ou ginseng américain, le *panax fructicosum*, utilisé comme aliment et comme médicament dans certaines parties de la Polynésie, et le ginseng de Sibérie, l'*eleutherococcus senticosus*. Le plus important est le *panax pseudoginseng*, qui se vend sous diverses formes, la plus précieuse étant le ginseng rouge de Corée. La plante a été tellement recherchée au cours des siècles que l'on n'en trouve plus que rarement à l'état sauvage en Chine et en Corée. On la cultive de plus en plus, sous le contrôle rigoureux des gouvernements. La plante met 9 ans à arriver à maturité. Ses vertus, reconnues depuis longtemps par la pharmacie orientale, le sont maintenant aussi par les érudits de la pharmacie occidentale, qui ont créé le néologisme d'« adaptogène » pour expliquer la combinaison des fonctions tranquillisantes et énergisantes du ginseng. La racine de ginseng contient :

« Des huiles volatiles, comprenant de la sapogénine et du panacène (qui stimulent le système nerveux central) ; une saponine, la panaxine, de l'acide de panax, de la ginsenine (ayant un effet hypoglycémique) ; un glucoside, le panaquilon (stimulant des vasoconstricteurs) ; des ginsenosides ; des phytostérols ; des hormones ; de la vitamine B1 et B2 ; du mucilage ; plusieurs autres substances, se combinant pour produire un effet total complexe. » (Stuart.)

Comme leur nom l'indique, la plupart de ces constituants ne se trouvent dans aucune autre plante. Étant adaptogène, le ginseng est particulièrement indiqué dans des périodes de stress somatique exceptionnel, donc à la péri-ménopause. La difficulté, pour la patiente, est de déterminer la posologie et sous quelle forme le prendre. Il en existe une grande variété de présentations commerciales, qui prétendent toutes, pour des raisons différentes et contradictoires, constituer le mode d'administration le meilleur et le plus efficace. Mais ce n'est pas le médicament idéal pour celles qui se sentent agitées, plutôt qu'apathiques.

Anton Mesmer fut le premier à utiliser l'hypnose pour soigner des malades. Il avait fait des études de philosophie, et obtint son diplôme de docteur en médecine à Vienne en 1766 en présentant un traité sur l'influence de l'univers sur la santé. Comme le médecin anglais Richard Mead, il pensait que le soleil et la lune semblaient exercer une sorte de « magnétisme minéral ». Ses premières expériences consistèrent à placer des aimants sur les parties affectées; quand il constata qu'il obtenait des résultats tout aussi extraordinaires par le toucher manuel, il passa de la théorie du « magnétisme minéral » à celle du « magnétisme animal » pour en expliquer le mécanisme. Les autorités viennoises s'étant émues de ses pratiques, il s'installa à Paris en apportant dans ses bagages ses théories et ses méthodes. Il les perfectionna en introduisant des thérapeutiques de groupe. Les malades étaient réunis dans une pièce sombre, autour d'un énorme baquet rempli d'eau et de limaille de fer magnétisée, aux accents d'une douce musique. Chaque patient, placé devant une tige de fer articulée qui sortait du baquet, dirigeait lui-même celle-ci sur les parties malades de son corps. Le but était d'induire une espèce d'état de transe, conduisant à des crises convulsives qui entraînaient la guérison. Quand il créa la Société de l'harmonie pour former d'autres praticiens, les médecins de la Faculté exigèrent que l'on enquêtât sur la réalité du phénomène. Les commissions chargées de cette tâche se livrèrent à une étude très consciencieuse, et conclurent à l'inexistence des fluides magnétiques dans le corps humain. Nul ne pouvait cependant nier l'efficacité de ses traitements; on finit d'ailleurs par comprendre, longtemps après Mesmer, que les mécanismes hypnotiques passaient par le cerveau et non par des fluides.

On utilise toujours l'hypnose, non pour soigner des désordres mentaux, mais dans le cadre de traitements de symptômes physiques complexes, dont le syndrome climatérique. On pourrait peut-être réussir à stimuler par l'hypnose la production d'œstrone dérivée d'adrénostènedione. Mais le mécanisme est peut-être tout autre : on se souvient en effet de l'importance de l'effet placebo constatée par les expérimentations sur l'hormonothérapie de substitution. Si, par l'hypnose, on réussit à supprimer la peur d'être privée d'œstrogènes, de « ne plus être une femme », cela ne pourrait avoir qu'un effet positif sur l'impression subjective de bien-être ressentie par la patiente, ce qui pourrait à son tour stimuler les sécrétions internes. Le docteur Caroline Shreeve, auteur de *Overcoming the Menopause Naturally* (Surmonter la ménopause par la nature), conseille à celles qui rencontrent des difficultés sexuelles à la ménopause,

« de consulter un hypnothérapeute. Les réactions de stress et d'anxiété, auxquelles s'ajoute l'incapacité de se détendre, sont au cœur de nombreux troubles psychologiques, des phobies et des angoisses ressenties par les femmes au cours de la quarantaine et de la cinquantaine... Les hypnothérapeutes sont armés pour traiter dépressions et angoisse, phobies, habitudes indésirables comme l'alcoolisme et le tabagisme, et les activités compulsives comme de se ronger les ongles et de refaire plusieurs fois la même chose pour se libérer de ses inquiétudes; ils soignent également les maladies psychosomatiques... » (91).

Bien qu'elle-même hypnothérapeute, le docteur Shreeve attache plutôt plus d'importance à l'autohypnose, telle que la décrit une veuve de 53 ans (66). La malade se plonge elle-même dans un état d'hypnose après avoir pris un bain, en s'allongeant dans une chambre sombre et en se concentrant sur la flamme d'une bougie. Puis elle compte jusqu'à dix, en se répétant qu'elle entre en transe, de plus en plus profondément. Quand elle obtient un état second et réussit à se visualiser comme de l'extérieur, elle se dit : « Je suis parfaitement détendue, parfaitement calme. J'ai de plus en plus de mémoire. Je suis heureuse, sereine, détendue », et elle se croit. Il semble que la clef du succès soit la relaxation, que l'on peut réussir non seulement par hypnose ou par autohypnose, mais aussi par « entraînement autogène » : on commence par apprendre à étirer tous ses muscles, puis à les relâcher totalement, pour en arriver à être molle comme une chiffe, entièrement concentrée sur le processus physique de la respiration. Il faut alors visualiser les parties individuelles du corps et se dire ce qu'on y ressent, de sorte qu'elles finissent par « obéir ». Comme cette technique diminue la tension, la personne interrogée par le docteur Shreeve, une institutrice célibataire de 52 ans, réussit à espacer beaucoup ses bouffées de chaleur, qu'elle traitait par autosuggestion.

« Le Centre de training autogène de Londres énumère toute une série de désordres liés au stress, sur lesquels les méthodes autogènes s'étaient montrées efficaces. Citons la fatigue, l'insomnie, l'anxiété, l'angoisse des examens, les problèmes circulatoires, dont certaines maladies cardiaques liées au stress, l'hypertension artérielle, la migraine... l'obésité, les crises de sudation nerveuses, l'alcoolisme et le tabagisme, les sentiments de dépression, d'infériorité, de tension et d'hostilité. Citons encore problèmes gynécologiques, tension prémenstruelle et syndrome de la ménopause, et la dépendance à certains médicaments comme les antidépresseurs, les tranquillisants, les somnifères, les médicaments contre la tension, etc. » (60).

Il existe d'autres moyens de faire jouer l'esprit sur la matière, parmi lesquels le yoga, la méditation transcendantale ou autre, et le biofeedback. Ils ont tous un point commun : pour qu'ils marchent, il faut que la femme s'engage véritablement. Ces méthodes ne font que systématiser sa propre tentative de prendre le contrôle de la situation, et d'elle-même : il s'agit en fait de diverses manières de faire la même chose. On ne peut pas parler de « bonnes » ou de « mauvaises » thérapies, mais de façons de faire différentes correspondant à des personnalités différentes. Les femmes qui n'arrivent pas à se discipliner pour des problèmes comme l'alcool, la nicotine, la caféine ou la boulimie, le font sans problème, une fois qu'elles ont investi suffisamment de temps et d'énergie mentale dans un système d'autorégulation. Au lieu de dire non à tout un ensemble d'habitudes compulsives, elles disent oui à une nouvelle conception de la personne. Elles en arrivent à « renaître » sans passer par la religion. Traditionnellement, bien sûr, les femmes qui avaient dépassé l'âge de la maternité « renaissaient » dans et par la religion, elles jeûnaient, méditaient et priaient quelqu'un qui leur était extérieur. Quand elles le faisaient de tout leur cœur, les résultats étaient les mêmes pour ce qui est du détachement et de la tranquillité.

Les thérapies qui demandent à la femme de se soumettre au contrôle d'une autre personne, d'accepter qu'on la mette en transe, qu'on lui perce la chair avec des aiguilles, qu'on exerce une pression sur ses pieds, les lobes de ses oreilles, ou ses points d'acupuncture, à moins que l'on ne lui manipule les articulations ou que l'on ne lui fasse des massages à l'huile aromatique, ne pourront jamais la convaincre que c'est elle-même qui dirige les opérations. Or les psychologues nous disent que c'est essentiel. Le climatère, c'est le moment où il faut se prendre en charge : d'ailleurs, une partie du choc de la ménopause, c'est l'effet douche froide de découvrir que l'on n'a pas le choix, qu'il faut le faire. Il peut être extrêmement agréable d'avoir des thérapeutes professionnels qui s'occupent de soi; une femme qui n'est plus caressée se sent bien mieux après des séances de massage. Et si le traitement lui a coûté très cher, elle a intérêt à faire en sorte qu'il marche. Mais sans argent, pas question de s'offrir des séances de massage, d'acupuncture ou de psychothérapie, même si on en a très envie.

Le meilleur moyen d'aborder le climatère, c'est d'être en forme. A cette époque de la vie, les besoins alimentaires diminuent fortement. A la ménopause, il faut réduire la consommation alimentaire globale et éliminer les protéines et le cholestérol. On peut, dans une certaine mesure, réduire les désagréments nocturnes en prenant des mesures de bon sens, comme de manger moins le soir. Une cuillerée de miel au coucher augmente le niveau de sucre dans le sang, ce qui peut éviter de se réveiller en proie à un cauchemar terrifiant. Il faut aussi éviter les drogues habituelles, que ce soit le café, le thé, le chocolat ou le gin : elles ne font qu'empirer le bouleversement chimique en cours.

On est souvent tenté par l'alcool, à cause de son effet revigorant et sédatif temporaire, mais au bout du compte, le résultat est épuisant. Je crois personnellement que l'alcool brûle le peu d'œstrogènes qu'il reste à 50 ans et ne fait qu'augmenter le malaise général. Il est bien certain que la femme qui boit systématiquement au dîner a beaucoup plus de chances de se réveiller le cœur battant, trempée de sueur dès que l'effet de l'alcool est passé. Les allopathes ne se préoccupent absolument pas des mauvaises habitudes de leurs patientes, particulièrement en ce qui concerne l'alcool. Ils ne leur demandent jamais quelle est leur consommation journalière, pas plus qu'ils n'imposent qu'elles s'en abstiennent comme condition d'obtention du traitement. C'est peut-être une marque du poids considérable du lobby des spiritueux, qui a tellement imprégné notre culture, que l'on voit des hôtels consacrer une partie de l'argent avec lequel vous payez votre chambre à acheter des petites bouteilles de cognac pour vous les « offrir » sur l'oreiller. La femme qui les boit n'est pas raisonnable, c'est le moins que l'on puisse dire. On n'a pas mesuré les effets cumulatifs de mauvaises habitudes comme de fumer, boire ou ingurgiter du café ou du thé à longueur de journée, mais il est clair que cela ne facilite pas la délicate négociation des rapides de la ménopause.

Depuis les premiers balbutiements de la médecine, hommes et femmes ont cherché à découvrir la fontaine de jouvence. Les comédies classiques grecques ou romaines nous montrent des exemples de beautés décaties, à qui un adroit charlatan fait croire, par ses flatteries et ses manipulations, qu'elles ont repoussé la vieillesse. Mais de manière générale, la thérapie du rajeunissement a été conduite par des hommes et pour des hommes. Après tout, l'un des avantages de la jeunesse éternelle est qu'elle permet aux petits chefs sur le retour de profiter de toutes les jeunesses qui leur tombent sous la main.

Historiquement, beaucoup ont cru que l'on pouvait s'approprier la jeunesse d'une autre créature en la détruisant et en absorbant une partie de son corps vivant. De nombreuses histoires mettent en scène des despotes qui faisaient tuer de jeunes vierges pour pouvoir préserver leur propre jeunesse en buvant leur sang, ou en s'y baignant. D'autres se contentaient de respirer l'haleine des jeunes filles ou de sucer leur lait. Le meurtre et le cannibalisme ne sont plus de mise pour l'homme moderne; les pourvoyeurs les plus récents de jeunesse éternelle se sont contentés de piller des races non humaines. Les rajahs hindous affligés de torpeur ou de débilité générale mangeaient du testicule de tigre. Depuis qu'en 1889 le professeur Brown-Sequart s'injecta, à l'âge de 72 ans, des extraits de testicules animaux et annonça sa « réjuvénation », l'accent porte sur la virilité. Brown-Sequart fut suivi par Arnold Lorant, qui écrivit *Old Age Deferred* (La Vieillesse remise à plus tard). Serge Voronoff transplanta des centaines de glandes de testicules de chimpanzés, vulgairement nommées « glandes de singe » dans les organes génitaux de mâles du genre humain. Alexis Carrel, qui maintint un cœur de poulet en vie pendant 30 ans, croyait que l'homme « s'usait » prématurément à cause de l'insécurité, du surmenage et d'une alimentation défectueuse. Ilya Metchnikoff était convaincu que le vieillissement était provoqué par les ravages de bactéries intestinales et conseillait de manger du yaourt pour les neutraliser, en se disant sans doute que les paysans géorgiens, d'une longévité extraordinaire, mangent du yaourt tous les jours. Alexandre Bogolometz, qui est censé avoir injecté à Staline son élixir, le sérum antiréticulocytotoxique, pour prolonger ses jours, tenait qu'

« un homme de 60 ou 70 ans est encore jeune. Il n'a encore vécu que la moitié de sa vie naturelle. On peut soigner la vieillesse, comme toutes les autres maladies, parce que ce que nous considérons comme tel est en réalité un phénomène anormal et prématuré ». (Hannon, 50.)

L'élixir de jouvence qui a connu le plus grand succès a été la solution saline de cellules fraîches provenant d'organes extraits de fœtus d'agneau. On en injectait dans des tissus dégénérés au cours de ce que l'on a appelé la thérapie cellulaire de Niehans. L'âge moyen des patients était de 45 ans. Selon lui, les hommes vieillissent à 60 ans, quand les sécrétions glandulaires commencent à diminuer, l'âge biologique des femmes étant déterminé par la ménopause, au moins 10 ans plus tôt. Niehans ne croyait évidemment pas que la thérapie cellulaire pouvait empêcher la dégénérescence des ovaires. Il traita des milliers d'hommes en vue, et quelques femmes, parmi lesquelles Gloria Swanson, la reine d'Espagne Victoria Eugenia, Marlène Dietrich, les sœurs Gish, Hedda Hopper et Ann Miller.

Les femmes sont peu représentées dans la clientèle des médecins de la jeunesse, lesquels considéraient généralement que, tandis que les hommes mûrs souhaitaient garder leur potentiel sexuel, les femmes vieillissantes ne souhaitaient conserver que leur pouvoir de séduction. D'après un article de Jean Seward pour le *Daily Express*, le docteur Peter M. Stephan

« indiquait qu'idéalement une femme devrait commencer à se faire faire des piqûres à environ trente ans, puis les renouveler tous les cinq ans, pour pouvoir rester au mieux de sa forme toute sa vie... " Je ne promets pas de l'empêcher de vieillir, disait le docteur Stephan, mais elle vieillira bien et comparativement lentement... Elle aura sans doute l'air d'avoir entre dix et quinze ans de moins que son âge toute sa vie " » (Hannon, 106).

D'après Jean Seward, grâce à la version Stephan de la thérapie de Niehans, rebaptisée « immunologie thérapeutique », la mémoire s'améliore, la fatigue s'efface, la peau, les cheveux et les ongles sont plus beaux, les muscles retrouvent la fermeté, les rides s'atténuent et la peau du visage se relâche beaucoup moins. En 1980, David Abbott, le Wendy Cooper de l'immunologie thérapeutique, écrivit sa propre version de *Plus de ménopause*, qu'il intitula *New Life for Old* (Une nouvelle vie contre l'ancienne). Il y racontait des cas qui rappelaient étrangement le courrier de Mme Cooper. La patiente B avait contacté le docteur Stephan pour la première fois à l'âge de 45 ans ; il avait diagnostiqué « un épuisement total » et administré un traitement comprenant divers extraits tissulaires animaux, après quoi elle pouvait proclamer :

« Tout ce que j'ai pu réussir dans la vie, tout mon développement, a été rendu possible grâce au traitement cellulaire et à l'habileté et les connaissances que *(sic)* Peter Stephan et son père ont appliqués. J'ai des journées de dix-huit heures que je vis à plein, je suis en bonne santé, pleine de vitalité et mon allure reflète les deux. » (Abbott, 126-7.)

Abbott était convaincu que l'immunologie thérapeutique allait être adoptée à l'échelle nationale. Stephan se tenait prêt : il n'attendait qu'une chose, c'est que tous les généralistes soient dûment endoctrinés dans les techniques ancillaires nécessaires, pour balayer tous les autres systèmes de médication et conférer à l'humanité « le secret de la jeunesse éternelle ».

La gelée royale, autre élixir de jeunesse, a également survécu au discrédit. On a, certes, prouvé qu'elle ne contenait rien de plus extraordinaire que des vitamines B. Des exportations américaines furent saisies en 1962, mais on en trouve encore, à prix d'or, sur les rayons des magasins de diététique. Vous trouverez des gens qui « ne jurent que par cela ». Le docteur Ana Aslan combattait le vieillissement au Gérovital (tout simplement du chlorhydrate de procaïne). Quand elle vint en Angleterre, en 1959, cette thérapie tomba également en discrédit, bien que le docteur Aslan ait elle aussi des patientes qui juraient qu'elles se sentaient plus jeunes et en bien meilleure santé qu'avant de prendre de son élixir. Et quand les pionniers des hormones de substitution commencèrent leur carrière, ils eurent à cœur de se distinguer soigneusement des marchands de jeunesse. Mais les avions entiers de femmes, venant des quatre coins du monde et convergeant sur la clinique d'Atlanta du docteur Greenblatt au début des années soixante-dix, arrivaient avec la même suggestibilité qui avait si bien fonctionné pour Stephan, Aslan et l'industrie de la gelée royale.

C'est René Maurice Gattefosse qui inventa le terme d'« aromathérapie » en 1928. Les techniques en furent ensuite développées par le docteur Jean Valnet qui utilisa d'abord les huiles essentielles de plantes pour soigner les brûlures sévères et les blessures de guerre, puis en psychiatrie, et fonda la Société française de phytothérapie et d'aromathérapie. Comme pratiquement tous les systèmes de soins alternatifs, l'aromathérapie prétend traiter la personne dans son entier plutôt que la partie malade ; la maladie est considérée comme découlant d'un déséquilibre des énergies corporelles, qu'il est possible de compenser par l'absorption d'huiles volatiles sélectionnées. On peut soit procéder à des applications directes sur la peau, par massage ou par compresses chaudes ou froides, par des crèmes, des lotions ou des eaux aromatiques, ou bien par bains. Cependant *Aromatherapy : An A to Z* (L'Aromathérapie de A à Z) de Patricia Davis, directrice de l'École d'aromathérapie de Londres et membre fondateur de la Fondation internationale des aromathérapeutes, n'illustre pas l'idée que l'absorption des éléments volatils des huiles de plantes agissent sur le corps entier. La patiente est divisée en tronçons, on l'encourage à se soigner en utilisant des méthodes connues depuis le dictionnaire botanique de la reine Philippa ; de fait, Patricia Davis dit que l'aromathérapie est utilisée depuis quatre mille ans. Cela fait encore plus longtemps que les hommes respirent des odeurs plus ou moins agréables et en constatent les effets, allant de la nausée à la somnolence. Au chapitre de la ménopause, Patricia Davis décrit un traitement plus éclectique qu'aromathérapeutique :

« Chaque femme vit la ménopause à sa manière, et l'aromathérapeute doit en tenir compte en établissant le traitement. Plusieurs des huiles essentielles qui s'avèrent efficaces pour traiter les irrégularités de la menstruation chez la femme plus jeune peuvent être utilisées pour réduire les problèmes physiques. Le géranium, en particulier, qui est un équilibrant hormonal, et la rose, qui a une action tonique et purifiante sur l'utérus et contribue à régulariser le cycle menstruel. L'huile essentielle de camomille peut également être utile, grâce à ses propriétés calmantes, adoucissantes et antidépressives. Toutes les huiles antidépressives, comme la bergamote, la sclarée, le jasmin, la lavande, le néroli, le santal et l'ylang-ylang peuvent être utilisées avec profit.

« A cette époque de la vie, beaucoup de femmes sentent décliner leur féminité et, là encore, la rose peut les aider à se sentir féminines et désirables » (222-23).

La reine Philippa aurait été étonnée d'apprendre que l'essence de roses « a un effet puissant sur l'utérus », « purifiant, régulateur et tonique », précieux pour celles « qui ont des règles irrégulières ou qui sont tendues, tristes et déprimées » (290). Les meilleures sont la française et la bulgare, que l'on obtient par la méthode de l'enfleurage : les pétales de roses sont étalés sur des cadres de verre enduits de graisse et empilés les uns sur les autres, de sorte que les essences pénètrent la graisse par pression légère. Les pétales sont renouvelés tous les jours, jusqu'à ce que la graisse soit saturée. Elle est ensuite agitée dans de l'alcool pour en extraire les huiles essentielles. Il est tentant de se demander si l'efficacité de l'essence de roses n'est pas en relation directe avec son prix astronomique, qui sert en tout cas d'indicateur objectif de la valeur que lui attachent l'utilisatrice et les autres, en particulier l'aromathérapeute dont les soins attentifs ne sont pas gratuits. Il est une méthode plus facile pour extraire l'huile des roses de votre jardin : les étaler sur une mousseline imprégnée d'huile d'olive raffinée mise à plat sur des plaques de verre empilées, changer les pétales tous les jours. Au bout de trois semaines, on doit pouvoir tordre les mousselines pour en exprimer l'huile de rose à utiliser sur le corps. La distillation est possible. On peut utiliser n'importe quelles roses des variétés Gallica, Damascena ou Centifolia.

Par géranium, Patricia Davis entend le *pelargonium odoratissimum*, entrant parfois dans les eaux de toilette pour hommes, qui n'a aucune application médicale en dehors de l'aromathérapie. Elle dit que Culperer considère cette plante comme étant sous l'ascendant de Vénus, ce dont elle infère qu'elle a quelque affinité avec les organes de reproduction féminins. En fait, Culperer ne décrit pas le *pelargonium odoratissimum* du tout. Il décrit deux autres représentants de la famille des géraniums, le géranium robertin et le bec de grue ou géranium des prés, qui n'ont, ni l'un ni l'autre, d'application dans le traitement des maladies de femmes.

Parmi les huiles antidépressives, la plupart n'ont aucune indication médicale en dehors de l'aromathérapie. La bergamote n'a rien à voir avec ce que nos jardiniers appellent ainsi, c'est en réalité de l'huile extraite à froid de l'écorce du *citrus bergamia* sicilien. La sclarée n'est autre que la *salvia sclarea*, utilisée depuis des siècles pour parfumer le vin. Mme Davis dit ailleurs que l'huile de jasmin est un « précieux tonique utérin », effet passé totalement inaperçu partout ailleurs; si c'est le cas, on peut cependant mettre en question son utilité quand l'utérus est en phase involutive. Le néroli est l'huile d'oranges de Séville et a probablement un effet tonique comparable à l'essence de bergamote. L'ylang-ylang est de l'huile de *cananga odorata*, arbre asiatique.

Mais l'aromathérapie ne se contente pas de plonger la patiente dans des odeurs. Patricia Davis va plus loin sur la question de la ménopause :

« A cette époque de la vie, il devient encore plus important de prendre de l'huile d'onagre et de compléter l'apport alimentaire en vitamines de tous les groupes, en insistant tout particulièrement sur celles du groupe B, ainsi qu'en sels minéraux et en oligo-éléments. Il est conseillé également de prendre du calcium, car à mesure que la sécrétion d'œstrogènes diminue, les os peuvent se fragiliser... le fenouil contient des œstrogènes végétaux, la tisane de fenouil est donc une boisson précieuse » (223).

Patricia Davis revendique les propriétés les plus extraordinaires pour cette plante commune :

« Le fenouil est l'une des plantes qui sont connues depuis des millénaires pour leurs effets sur le système génital féminin. On pense actuellement que ses propriétés sont liées à la présence d'une hormone végétale – une forme d'œstrogène – dans sa structure. Le fenouil peut contribuer à la régularisation du cycle menstruel... Il est utile à la ménopause, dans la mesure où il réduit les désagréments causés par les perturbations hormonales. De plus, il stimule la sécrétion d'œstrogènes par les surrénales quand les ovaires ont cessé de fonctionner. Tout le monde a besoin d'œstrogènes, hommes et femmes, pour maintenir le tonus musculaire, l'élasticité de la peau et des tissus conjonctifs, une bonne circulation et des os solides; en maintenir l'apport peut donc retarder certains effets dégénératifs du vieillissement » (131-2).

Si elle pense au *fœniculum vulgare*, ses composants connus ne comportent apparemment aucun « œstrogène végétal », la graine contient du d-pinène, du camphène du d-alpha-phellandrène, de la dipentine, 50 à 65 % d'anéthol, du fenchone, du méthyl-chavicol, des aldéhydes, de l'acide anisique et parfois du 1-3-diméthyl-butadiène. Cultivé, ses caractéristiques peuvent varier beaucoup, le bulbe que nous mangeons est très différent de la fleur séchée que l'on utilise comme condiment, elle-même n'ayant rien à voir avec les brindilles sèches sur lesquelles on grille le poisson. Patricia Davis ne précise nulle part quelles parties de la plante on utilise pour faire sa « tisane », ni comment les œstrogènes végétaux qu'elle est censée contenir survivent au procédé.

Il est vrai que l'on trouve de précieux stéroïdes dans les plantes, par exemple, les stéroïdes sexuels utilisés dans la contraception sont extraits de l'igname mexicaine de la famille des dioscoréacées. L'agave, la salsepareille, certaines plantes de la famille des *solanum* et le soja contiennent tous des stéroïdes végétaux ou phytostérols. Mme Davis confond peut-être le fenouil avec le fenugrec, *trigonella fœnum-græcum*, parfois appelé *fœniculum græcum* (Ross et Brain, 1977, 150-58.) Le fenugrec, que l'on cultive comme plante fourragère, et dont les graines et les feuilles sont utilisées en cuisine, est effectivement une source importante de stéroïdes; c'est d'ailleurs le bon vieux « fénérique » qui entrait dans la composition du bain de Mary Fairfax contre la mélancolie.

L'aromathérapie, comme les autres formes de médecine alternative, ne prétend être efficace qu'à la condition que la patiente corrige son alimentation en excluant les toxiques comme le thé, le café, le tabac et l'alcool, et fasse suffisamment d'exercice physique. Si ces conditions sont remplies, on peut n'avoir besoin d'aucune autre thérapie; si, en plus, la patiente prend des vitamines et des diurétiques à base de plantes et des carminatifs, il est impossible d'évaluer le rôle précis posé par l'aromathérapie dans l'amélioration de son état.

Cela dit, il est évident que les arômes ont effectivement un effet immédiat et puissant sur les organismes vivants, que ce soit pour les attirer ou les repousser. Les réceptifs olfactifs communiquent rapidement avec le cerveau, auquel ils font passer un message fort. Dans les années soixante, Ivan Popov, l'aventurier de la médecine qui introduisit le premier le placenta et les extraits embryonnaires dans les produits de beauté, travaillait pour le fabricant de parfums français Anton Chiris. Il dressa un tableau de quatre cents aromatiques, en les répartissant en fonction de huit caractéristiques de base : frais, stimulant, exaltant, érogène, lourd, narcotique, tranquillisant, anti-érogène. Quand Patrick McGrady l'interviewa pour son livre *Les Médecins de la jeunesse*, il lui déclara être convaincu que

« si quelque chose doit révolutionner le rajeunissement dans un avenir proche, ce sera les aromatiques, surtout les stimulants et les tranquillisants. Seuls, ils ont des propriétés fantastiques. Utilisés en association avec d'autres traitements, ils possèdent souvent un pouvoir synergique puissant, augmentant et accélérant beaucoup les résultats bénéfiques normaux. De plus, leur utilisation est d'une simplicité totale ». (McGrady, 179.)

Popov s'intéressait également à la réflexothérapie.

« On en a beaucoup parlé entre les deux guerres. Mais on a écrit tellement d'absurdités à ce sujet qu'il avait fini par être abandonné. La réflexothérapie consiste simplement à respirer les aromatiques. Par l'intermédiaire de certaines terminaisons nerveuses, il s'établit une communication directe avec le cerveau. On l'étudie actuellement à la faculté de médecine de Paris. Ils brûlent certaines parties de la muqueuse du nez et produisent des effets sur d'autres parties du corps. Mais ce système est trop brutal et peu naturel. On a guéri ainsi de nombreuses maladies, dont certains cas de paralysie. On a également constaté qu'ils avaient un effet sur les dérèglements hormonaux » (179).

Vingt ans plus tard, Patricia Davis choisit de s'intéresser à la réflexologie plutôt qu'à la réflexothérapie. Il s'agit d'exercer, manuellement ou à l'aide d'un petit vibrateur, une pression sur certaines parties du pied, afin de produire des réactions sur le reste du corps. (P. Davis, 1988, 284.) Un point sous la voûte plantaire est associé aux glandes surrénales, et l'utérus a deux points de réflexologie : un juste derrière le talon, et l'autre neuf à dix centimètres plus haut, sur la jambe. D'après Westcott, les massages de pied sont particulièrement utiles pour les problèmes de la ménopause.

L'idée que des substances volatiles puissent, en agissant sur les extrémités nerveuses très sensibles du nez, affecter le cerveau, ou pénétrer la circulation sanguine par inhalation ou à travers la peau, n'est pas, en soi, improbable. Il est déjà plus difficile d'ajouter foi au principe selon lequel le pied serait relié par des sympathies mystérieuses à chacun des organes du corps, surtout si l'on pense que les acupuncteurs nous disent, eux, que les organes sont connectés par des méridiens conduisant l'énergie sur toute la longueur du corps, de l'oreille ou de la main.

Le principe de vouloir traiter une partie du corps en infligeant une douleur à une autre ne semble pas plus justifié que la notion de contre-irritant qui, au XVIIIe siècle, justifiait certaines thérapies particulièrement douloureuses. Quand nous voyons faire passer du courant électrique dans des aiguilles d'acupuncture pour stimuler la production d'endorphines, d'autres pratiques nous reviennent à l'esprit qui consistaient également à tenter d'enrayer le développement de maladies sur certains organes en y faisant passer du courant.

La femme qui cherche des remèdes à ses maux trouvera dans les livres de botanique anciens de nombreux traitements contre l'insomnie, les bouffées de chaleur, la nervosité, les troubles intestinaux, la léthargie, les tendances dépressives, les ballonnements et autres. Il n'y a aucune raison de ne pas essayer de faire ses propres combinaisons. Il faut choisir soi-même le mode d'administration qui paraît le meilleur, sans oublier toutefois que les substances de la pharmacopée végétale sont loin d'être anodines. L'*agnus castus*, par exemple, que l'on appelle aussi poivre du moine, peut brûler la gorge si on le prend en infusion. Le *solanum dulcamara*, que l'on utilise contre les sudations nocturnes, et la jusquiame sont trop toxiques pour l'usage interne, sous quelque forme que ce soit. L'huile de jusquiame, ou un cataplasme de feuilles fraîches sont efficaces contre les douleurs articulaires, les femmes souhaitant l'essayer pour la détresse climatérique pourraient faire un essai avec des emplâtres extérieurs, tels le « dormitoire » d'Andrew Boorde, dont je pense qu'il devait s'agir d'une compresse imprégnée d'extraits frais. Par ailleurs, on utilise encore en homéopathie des quantités infinitésimales de teinture de jusquiame.

Il existe un moyen simple et agréable de tirer parti des effets calmants de l'huile volatile contenue dans le strobile femelle du houblon : c'est de cueillir du houblon sur les haies à l'automne, de faire sécher les fleurs montées en graine à l'abri du soleil, et d'en garnir un petit oreiller. Ainsi, pendant ses insomnies, on pourra en respirer le parfum, sans avoir à déranger les autres ou à se lever. Il convient de placer les fleurs dans un sachet de mousseline que l'on place lui-même dans une taie de batiste fine, facile à laver. La reine Élisabeth Ire d'Angleterre demandait à ses dames d'honneur de joncher le sol de sa chambre de mélilot (*melilotus officinalis*), mais pour éviter les taches vertes sur la moquette, on pourrait faire une variante du coussin de houblon en employant soit cette fleur, soit n'importe quelle plante au parfum soporifique. Autre méthode d'utilisation des sédatifs végétaux : verser quelques gouttes de l'huile essentielle dans le bain du soir pour en inhaler les constituants actifs.

La plupart des plantes médicinales vendues dans le commerce sont non seulement vieilles et sans valeur, mais elles peuvent même être contaminées par la présence de corps étrangers, ou ne pas correspondre à l'étiquette. Le contrôle de qualité habituel ne s'applique pas aux préparations d'herboristerie, qui sont souvent très coûteuses. Les préparations à base d'herbes fraîches sont non seulement plus fiables, mais aussi généralement beaucoup plus efficaces, et il en faut beaucoup moins. La sève exprimée de plantes fraîches fermente très vite et peut devenir dangereuse, la réfrigération peut en annihiler l'efficacité.

Tous les remèdes traditionnels sont lents à agir, il faut du temps pour en constater les effets. Quand on cueille des herbes, il faut s'assurer qu'elles n'ont été touchées ni par des herbicides ni par d'autres poisons, comme le plomb des gaz d'échappement. Il y a des cas, par exemple si les plantes sont cultivées en serre, sur une terre trop riche ou trop arrosée, où elles s'affaiblissent et perdent les propriétés acquises dans des conditions de végétation naturelles.

On n'aborde pas les remèdes de bonne femme comme la pharmacopée commerciale standardisée. Il serait ridicule d'aller dans le premier magasin de produits biologiques venu acheter des remèdes qui ont autrefois été associés à diverses maladies, en s'imaginant qu'on peut les prendre comme on prendrait de l'aspirine. Idéalement, la malade devrait faire elle-même sa récolte, en suivant soigneusement toutes les indications qu'elle pourra trouver sur les parties de la plante à employer, l'époque idéale de cueillette, la façon de l'utiliser. Les plantes fraîches peuvent s'employer en décoction et en infusion, on peut les faire macérer dans de l'huile ou du vin blanc, ou les sécher soigneusement à l'abri du soleil. Certaines, comme le cresson et la roquette, qui contiennent toutes deux du calcium, se mangent crues. Il y a deux façons d'apprendre à connaître le comportement des plantes, et éventuellement leurs vertus : les étudier dans leur habitat naturel et les cultiver. La meilleure manière, et de loin, d'en absorber les constituants actifs, c'est de marcher ou de travailler parmi les plantes vivantes : à chaque petite feuille froissée, ils pénètrent la peau par contact. Faire de la montagne avec un sac d'herbes et de fleurs fraîches sur le dos, c'est absorber les éléments volatils par une circulation sanguine bien oxygénée, condition impossible à reproduire chez un thérapeute ou dans une salle de bains.

On n'a sans doute pas prêté suffisamment d'attention à l'efficacité de l'absorption de substances thérapeutiques dans la circulation sanguine par la voie olfactive. Les œstrogènes végétaux sont connus pour exercer une influence puissante sur le comportement des animaux. Le rut, chez de nombreuses espèces, est provoqué par la présence d'œstrogènes dans les pâtures au printemps, il agit sans doute plus par inhalation que par ingestion. A cet égard, les êtres humains semblent se comporter exactement comme les autres espèces. Qu'il fasse beau ou non, presque tout le monde a la joie au cœur au printemps. Certaines femmes ont remarqué que même si la plupart de leurs cycles sont anovulatoires, elles ovulent en cette saison. Nos récepteurs de phytostérols, s'ils agissent effectivement sur l'organisme, se situent très vraisemblablement dans les voies respiratoires supérieures. Il est peu probable que l'on puisse trouver des modes d'administration de dérivés de phytostérols ne présentant pas les mêmes problèmes de surdosage et de chemins biologiques inadaptés que l'utilisation actuelle de stéroïdes du cheval.

Des millions de femmes découvrent les joies du jardinage entre 45 et 55 ans. Certains s'imaginent que c'est parce qu'elles n'ont rien d'autre à faire. En réalité, il y a toujours autre chose à faire, comme le savent fort bien tous les jardiniers amateurs. Le temps que l'on y passe est toujours pris sur une autre tâche moins agréable. On ne peut dire que ce soit un bon exercice physique, car on passe trop de temps pratiquement sans bouger, ou dans des positions incommodes, et pendant ce temps-là les muscles se refroidissent, les articulations se coincent, et on a de plus en plus froid aux pieds, quand ils ne sont pas mouillés. Il est vrai que les maux de reins et le jardinage vont de pair, mais qu'on ait mal au dos ou pas, on se sent mieux après avoir travaillé dans son jardin. L'effet est tellement proche du « tonique mental » obtenu par l'hormonothérapie de substitution que l'on a toutes raisons de suspecter qu'il existe des œstrogènes volatils dans les plantes vivantes qui ne survivent pas à la conservation.

Lady Mary Wortley Montagu, qui était très raffinée et sortait beaucoup, époustoufla tous ses amis en se mettant au jardinage à l'âge de 57 ans. En 1748, elle écrivait à sa fille :

« Je viens de passer six semaines à ma laiterie, j'y suis encore. Elle est à côté de mon jardin... qui est mon grand bonheur... Il se trouve sur une rive surplombant l'Oglio de cinquante pieds, formant une sorte de péninsule; on descend à la rivière par de douces marches taillées dans le gazon... Ce n'était qu'une simple vigne quand j'en ai pris possession il y a moins de deux ans, je l'ai, à peu de frais, transformée en un jardin que je préfère (sans parler du climat merveilleux) à celui de Kensington. Les vignes italiennes sont plantées par petits bosquets adossés à des rangées régulières d'arbres (communément des fruitiers) et forment entre elles des festons, que j'ai transformés en pergolas, pour pouvoir me promener pendant les chaleurs sans en être incommodée. Je me suis fait une salle à manger de verdure, où l'on peut disposer une table de vingt couverts... C'est loin d'être vaste, mais si joli que – sans fausse modestie – je n'ai jamais vu de jardin rustique plus agréable, produisant en abondance toutes sortes de fruits... Je crains que ma description ne vous donne qu'une idée très imparfaite de mon jardin » (II, 402-4).

Quinze jours plus tard elle écrivait à nouveau :

« Je suis vremment [*sic*] aussi heureuse de mon jardin qu'un jeune auteur de sa première pièce quand elle a été bien accueillie par le Tout-Londres, et je ne puis, pas plus que lui, m'empêcher d'importuner tous mes amis pour leur faire dire leur aprobation [*sic*]... Je dois vous dire que j'ai fait deux petites terrasses, élevées de douze marches chacune, au-dessus de ma grande promenade... Dans mes espaliers, j'ai mêlé autant de rosiers et de jassemins [*sic*] que j'ai pu en mettre, et dans le potager j'ai évité de mettre aucune plante désagréable à la vue ou à l'odorat, ayant un autre potager plus bas pour les choux, les oignons, et l'ail. Tous les chemins sont garnis de plates-bandes, en plus des parterres qui sont plus nobles... Le jardinage est certainement ce qui me plaît le plus après la lecture... » (II, 407-8).

La lettre était accompagnée d'un petit plan montrant à sa fille le terrain, divisé en allées couvertes, et la salle à manger de verdure, surmontée d'une coupole. Elle l'ignorait sans doute, mais son esquisse suit exactement le plan de l'*hortus conclusus* médiéval qui figure le jardin d'Éden. Un jardin est une œuvre d'art cinétique, ce n'est pas un objet figé mais un devenir perpétuel, ouvert, biodégradable, nourrissant, comme tout l'art féminin. Le jardin est la meilleure thérapie alternative qui soit.

10

LA SOUFFRANCE

Il y a deux raisons à la souffrance de la femme en retour d'âge, l'une extérieure, l'autre intérieure. Cette souffrance, qu'aucun deuil ne peut exprimer ni apaiser, est moins aiguë que la douleur. Sa grisaille quotidienne ne se laisse pas apaiser par les larmes. Dépourvue de noblesse ou de sentiments élevés, elle est dégradante. La femme qui vieillit se sent malheureuse, parce qu'aux yeux du monde elle est devenue une pauvre vieille. La raison extérieure de sa détresse est l'attitude des autres à son égard. La raison intérieure est la conscience qu'elle a de sa disgrâce qui persiste malgré la réaction classique, qui est de nier l'apparition de la ménopause, ou pire, de la vieillesse. Alors que la seule façon pour la femme d'affronter cette disgrâce est d'affirmer catégoriquement qu'elle appartient bien à ce groupe méprisé, mais forte de la certitude intérieure de différer du stéréotype. Et de savoir que la disgrâce où elle est tenue relève tout simplement d'une stupide étroitesse d'esprit.

Traiter quelqu'un, n'importe qui, de vieille, est une insulte. En 1785, William Hayley dédicaça un essai en trois volumes sur les vieilles filles, *A Philosophical, Historical and Moral Essay on Old Maids* (Essai philosophique, historique et moral sur les vieilles filles), à Elizabeth Carter, poète, philosophe et... vieille fille. Il s'attendait à ce que tout le monde, Miss Carter y compris, s'accorde à trouver ces créatures « curieuses, crédules, maniérées, envieuses et dotées d'un mauvais caractère », défauts que compensait un peu, tout de même, leur aptitude à la « naïveté, à la patience et aux bonnes œuvres ». Miss Carter donna raison à William Hayley en n'acceptant pas sa dédicace avec la « bonne grâce et la politesse » attendues. Elle se sentit offensée, et considéra le terme de « vieille fille » comme outrageant.

C'est dans l'association sexe-vieillesse que réside l'insulte. Se faire appeler, vieux, vieux garçon ou même vieux connard n'est pas aussi offensant. Je pense moins ici à l'anaphobie des hommes qu'à celle des femmes à leur propre égard, qui rend encore plus pénible leur inévitable vieillissement. Comment accepter, même si c'est compréhensible parce qu'elles sont souvent opprimées par des plus âgées, que des jeunes femmes se conduisent méchamment envers leurs aînées et se moquent d'elles? Il est vrai que les professeurs, les surveillantes, les directrices, les belles-mères, les travailleuses sociales, sont souvent des femmes d'un certain âge que les plus jeunes perçoivent comme intervenant dans leur vie de façon critique et désapprobatrice. Une des caractéristiques de l'oppression veut que ceux qui en ont souffert la reproduisent dans l'organisation sociale et tyrannisent les personnes qui se trouvent juste en dessous d'elles hiérarchiquement. C'est ainsi que la chef de rayon à qui on a toujours interdit de s'asseoir le défendra aussi à ses jeunes vendeuses, même si (ou parce que) d'être restée si longtemps debout pendant de longues années la fait elle-même abominablement souffrir des jambes. Et la jeune vendeuse la maudit intérieurement et ostensiblement. Chose étrange, on n'en voudra jamais aussi amèrement à un homme se conduisant de la même façon.

Malgré leurs cheveux gris, les femmes écrivains n'ont pas non plus accepté la vieille femme en elles et le portrait qu'elles en font est d'une intolérance toute masculine. Dans les romans de George Eliot, par exemple, rares sont les femmes de 50 ans. Et la mère de Adam Bede, « vieille femme inquiète et maigre bien qu'encore vigoureuse » (Eliot, 1895, 54) passe son temps à pleurnicher et à gémir alors qu'elle n'a pas encore atteint la cinquantaine. La création de ce personnage trahit le propre refus de vieillir de George Eliot qui s'identifie de façon trop évidente, et écœurante, à la fille éternelle. « La mère depuis longtemps disparue, dont le visage nous revient peu à peu lorsque nous contemplons nos rides dans le miroir, a autrefois pesé sur nos jeunes âmes de son humeur inquiète et de son obstination irraisonnée » (56). Ainsi, l'inquiétude d'une femme âgée ne peut être de l'inquiétude, mais de « l'humeur » et sa ténacité devient « une obstination irraisonnée ». Toutes les vieilles femmes sont des mégères, toutes les vieilles mégères sont de vieilles toquées. Eliot ne s'intéresse évidemment pas à Lisbeth ni au changement qui intervient dans sa vie et dans son caractère après la chute dans la rivière et la noyade de son mari alcoolique. Un jour peut-être, une romancière écrira *La Délivrance de Lisbeth Bede*.

Cette hostilité des jeunes femmes envers leurs aînées se manifeste à tous les stades du développement féminin. Qu'une jeune femme lance, à voix haute ou basse, une insulte à une femme plus âgée, elle utilisera presque toujours le terme de « vieille ». Pour une petite fille de 12 ans, une garce idiote est une vieille garce idiote même si elle n'a pas encore 30 ans. Les hommes préfèrent les jeunes femmes, les femmes les préfèrent donc elles aussi. La culture d'aujourd'hui ne cesse d'inciter les jeunes femmes à se considérer supérieures parce que plus jeunes. Comment, en effet, dans notre civilisation du vide-ordures, pourrait-on imaginer qu'on puisse s'améliorer avec les années et acquérir des qualités appréciables ?

Curieusement, les femmes âgées ne semblent ni s'étonner ni s'offenser d'être ainsi traditionnellement ridiculisées. Elles restent impassibles devant les spots publicitaires qui les montrent trop idiotes pour se servir des instructions d'un paquet de détergent ou pour comprendre qu'un nouveau produit chimique permet de laver du linge sale dans de l'eau froide. Et devant un comédien se gaussant de la voix criarde d'une vieille mégère au menton à barbe et au chapeau ridicule, au postérieur rigidement pointé en arrière et aux pieds déformés par les oignons, elles rient, comme tout le monde.

Pour créer et imposer ces stéréotypes, la coopération des femmes elles-mêmes est indispensable. Si les femmes auteurs de spots publicitaires ou directrices artistiques de campagne publicitaire sont rares, les actrices prêtes à caricaturer leur mère ou leur propre personnage ne manquent pas. Pour une campagne de lancement de nouveaux services et de nouveaux tarifs, les Telecom britanniques ont fait appel à une actrice juive de 45 ans avec ce rôle : tourner en ridicule une mère juive de 55 ans qui perturbe sans arrêt le téléphone. C'est drôle mais, comme souvent dans l'humour anglais, c'est discriminatoire envers les personnes âgées, les femmes et les Juives. Ce n'est certainement pas grâce à ce spot que les femmes d'âge mûr se sentiront moins marginalisées ou moins inadaptées. Or une telle campagne ne soulève aucune protestation : c'est que personne, pas même ces femmes-là, ne se soucie des femmes âgées.

Cette campagne des Telecom britanniques s'appuie sur le mépris où l'on tient généralement les femmes âgées. Certains spots publicitaires, par exemple ceux conçus pour la promotion de la bière, vont plus loin et n'hésitent pas à utiliser la haine. Le personnage mis en scène fait souvent partie d'une bande de vieilles sorcières en train de caqueter et de jaser de façon incompréhensible. Pendant ce temps, le héros mâle sirote sa bière synthétique, qui lui fait peu à peu perdre conscience de ces bruits surnaturels et le délivre de l'influence maligne des vieilles femmes.

Le rôle de la publicité dans notre culture est très important. Les études de marché étudient les attitudes et réactions des gens pour savoir quelle image rendra le produit désirable et indispensable. Cette image ainsi que les dialogues qui l'accompagnent sont donc basés sur des préjugés. La publicité renforce ceux qui existent déjà dans le public auquel elle s'adresse. Seule une publicité très subtile et intelligente, et donc peu efficace, peut renverser le système. Le vieillissement de la population fait apparaître un nouveau marché capable d'acheter de nouveaux produits et services, qu'il s'agisse de maisons de retraite, de plans d'épargne retraite, de services fiscaux de toutes sortes, de produits de santé, de traitements, de tourisme, etc. Mais comment les vendre? On ne vend rien avec de vieux visages et des corps déformés, ne serait-ce que parce que la plupart des gens se sentent plus jeunes que leur âge. Une personne âgée n'achètera pas une voiture que la publicité présenterait comme lui convenant car elle ne veut pas se sentir cataloguée comme telle. Aucune personne âgée ne veut participer à un voyage ne comprenant que des gens de son âge. C'est dans cette perspective qu'une campagne publicitaire pour une compagnie aérienne avait eu l'idée astucieuse de mettre en scène une vieille dame faisant la fête dans des lieux exotiques tandis que son fils marié et sa famille s'inquiétaient à son sujet, la croyant trop fragile pour le voyage. On avait adroitement évité de la montrer en train de boitiller dans Hong Kong en compagnie de veuves un peu sottes aux cheveux à reflets violets ou roses. Elle incarnait ce dont rêvent beaucoup de vieilles femmes : seule de son âge sur l'écran, elle attirait l'attention des plus jeunes et paraissait plus touchante, plus drôle et plus agréable que les jeunes femmes qui l'entouraient.

A celle qui prendra le parti des vieilles femmes et s'opposera en leur nom à la raillerie dont elles sont habituellement l'objet, on n'osera jamais dire qu'elle est vieille. On prend garde, avant de dénigrer et d'abaisser la vieille femme en général, d'exclure son entourage.

Une vieille tradition associe ménopause et troubles mentaux. Selon le docteur Ashwell, on trouve souvent, à l'époque de la ménopause, « des troubles fonctionnels du cerveau et du système nerveux ». Le dérèglement mental se traduisait par « la timidité, la crainte d'une maladie grave, l'irascibilité, la tendance à s'isoler, les troubles de l'appétit ou du sommeil, un état de faiblesse et d'anxiété ». Il continuait : « L'hystérie, très marquée, n'est pas un phénomène rare, et deux malades dont j'avais récemment la charge présentaient un dérèglement mental si important qu'un étranger n'ayant pas fait d'examen approfondi les aurait considérées comme malades mentales. » Le docteur Ashwell n'est heureusement pas tombé dans cette erreur, épargnant ainsi à ces deux personnes d'aller rejoindre les innombrables femmes enfermées dans des asiles pour un dérèglement passager que la psychose institutionnelle aggravera pour toujours. Si, de nos jours, on ne rend plus la ménopause responsable des troubles psychiques temporaires, on pense néanmoins qu'elle en favorise l'apparition lorsqu'ils étaient déjà latents chez la malade.

Les premiers psychiatres incluaient parmi les psychoses ce qu'ils appelaient la dépression mélancolique d'involution, maladie qui frappe les femmes à l'âge de la ménopause et les hommes de dix ans leurs aînés.

« Une mélancolie d'involution est un épisode dépressif grave apparaissant pour la première fois dans les stades involutifs de la vie sans qu'il y ait eu d'épisodes maniaco-dépressifs antérieurs. La maladie se déclare de façon progressive, avec l'apparition graduelle d'hypocondrie, d'un état pessimiste et d'une humeur irascible qui finissent par créer un syndrome dépressif complet. Les caractéristiques majeures en sont l'agitation motrice et un esprit inquiet, un état permanent d'anxiété et de crainte, une hypocondrie grave (avec parfois des idées délirantes) et un délire systématisé, rarement dominant. On peut penser que ces symptômes caractéristiques ne font que s'ajouter à un fonds dépressif caractérisé par l'insomnie, l'anorexie, la perte de poids, ainsi qu'à un sentiment de culpabilité et d'autodévalorisation. Certains considèrent ces manifestations dépressives comme bénignes comparées à celles dont souffrent d'autres malades atteints de dépression. La déficience mentale est parfois considérée comme absente ou masquée par l'agitation. » (Rosenthal, 1968, 23.)

On trouve ce syndrome identifié pour la première fois dans la cinquième édition de la *Psychiatrie* de Kraepelin. Il recommandait le lit, un régime et la prévention du suicide.

« Dans les années vingt, des chercheurs enthousiastes ont fait état de bons résultats obtenus avec un traitement aux extraits d'ovaire entier et de *corpus luteum*. Ce traitement s'est révélé inopérant au cours des années. » (Rosenthal, 1968.)

Dans les années trente, on a cru observer que les œstrogènes faisaient des miracles dans les cas de dépression mélancolique d'involution, mais comme on n'obtenait que difficilement les mêmes résultats une seconde fois, beaucoup de médecins n'ont pas pris ce traitement au sérieux. En 1944, on a utilisé avec succès l'électrochoc sur des femmes dont la mélancolie résistait aux œstrogènes. Mais les groupes de femmes étudiés étaient réduits, il n'y a pas eu de contre-étude et les sujets observés avaient pour la plupart vécu en institution pendant plusieurs années!

En 1951, John Donovan, de l'université de Rochester, qui cherchait à identifier un syndrome de la ménopause, a interviewé régulièrement cent dix malades. Ses observations lui ont montré que les symptômes présentés par plus de la moitié d'entre elles ne pouvaient être attribués à la ménopause : il s'agissait de symptômes variant d'une visite à l'autre, déjà apparus antérieurement, ou, en ce qui concerne les femmes influençables, imaginaires. En poursuivant son étude sur les autres malades, il s'est aperçu qu'elles se rangeaient dans les mêmes catégories que les autres femmes. Lorsqu'elles demandaient un traitement, il prescrivait des piqûres d'insuline qu'il annonçait comme des piqûres d'hormone, et toutes les malades déclaraient aller beaucoup mieux. Ce qui a évidemment amené le docteur Donovan à penser :

« Si pendant toute sa vie, une femme a su résister aux tensions de l'existence sans produire de symptômes prononcés et si la ménopause n'éveille en elle aucune émotion désastreuse, elle vivra cette phase sans difficultés indues. » (Donovan, 1951, 1287.)

En 1979, ayant observé que les femmes pouvaient souffrir de dépression à tout âge sans que ce risque s'aggrave à la ménopause, on a retiré la dépression mélancolique d'involution du *Diagnostic and Statistical Manual of Mental Disorders* (Manuel de diagnostic et études de statistiques sur les désordres mentaux). (Weissman, 1979.)

Quelle piètre consolation de savoir que la dépression de la ménopause ressemble comme deux gouttes d'eau à toutes les dépressions ! L'illusion qu'on peut attribuer un phénomène mental à un processus physique dédramatise la situation, surtout si ce processus physique a un début, un milieu et une fin. La femme qui pense qu'elle a la larme facile et un comportement agressif ou irrationnel parce que sa ménopause se passe mal se sentira moins coupable de sa conduite. Elle « n'était plus tout à fait elle-même », dit-on, elle peut donc redevenir telle qu'elle était auparavant sans être flétrie par son égarement temporaire. Par ailleurs, comprendre que si une femme de 50 ans souffre d'insomnie, d'épuisement, se montre susceptible, c'est parce qu'elle ne sait pas se débrouiller dans la vie, c'est lui pardonner de ne pas envisager avec enthousiasme un avenir où elle ne saura pas davantage se débrouiller alors que ses difficultés vont aller s'aggravant.

On sait maintenant que l'idée de dépression mélancolique d'involution ne s'appuie sur aucune théorie valable. L'idée que la ménopause provoque un bouleversement psychologique n'en a pourtant pas moins eu la vie longue. Elle continue même de résister. En 1924, quand Hélène Deutsch, alors âgée de 40 ans, a fait une communication lors d'un congrès de psychanalystes, l'idée d'un « âge dangereux » était encore en vigueur. Le texte qu'elle a lu alors constitue la base du dernier chapitre de *Psychoanalysis of the Sexual Functions of Women* (Étude psychanalytique des fonctions sexuelles de la femme), publié en allemand à Vienne par l'éditeur de Freud en 1925.

« La ménopause, le dernier traumatisme vécu par la femme en tant qu'être sexué, se passe sous l'égide d'une blessure narcissique incurable. Le processus physique en cours s'accompagne d'une phase régressive dans l'histoire de la libido, une régression vers la position abandonnée de la libido infantile.

« Les frustrations réelles vécues pendant cette période de la vie alors que les besoins libidinaux n'ont pas disparu créent une situation psychique telle qu'il faut pour l'affronter de grandes ressources psychologiques.

« La ménopause retire à la femme tout ce que la puberté lui a accordé. La régression des organes génitaux s'accompagne de l'arrêt de la belle activité de sécrétion des glandes internes et les caractéristiques sexuelles secondaires tombent sous l'égide de la perte de féminité.

« La libido, désormais privée de possibilité d'investissement, son pouvoir de sublimation diminué, doit faire marche arrière et retourner à des positions antérieures, c'est-à-dire s'engager sur un chemin qui nous est familier pour la formation des symptômes névrotiques. » (Deutsch, 1984, 36.)

Aucune de ces affirmations n'a été prouvée, aucune n'est logiquement nécessaire. Elles émanent d'une vision masculine, ne sont guère plus qu'une application systématique de la théorie freudienne à un événement que Freud n'a pas étudié spécialement. Comment prouver que « la complète disparition de la libido sexuelle » résulte de l'involution de l'utérus ou de la cessation de la fonction ovarienne ? Une telle affirmation voudrait dire que toutes les femmes adultes n'ayant jamais été pénétrées par le pénis sont folles. Deutsch situe le début de la ménopause dès l'âge de 30 ans quand, « bien qu'étant encore capable de concevoir, la femme se sent déjà menacée de la dévaluation de ses parties sexuelles en tant qu'organes de reproduction, phénomène auquel s'ajoutent les frustrations extérieures auxquelles cette fonction est exposée (difficultés sociales, etc.). Les parties sexuelles essaient de regagner leur position. On a souvent émis l'idée que l'accroissement de la libido pendant la période précédant la ménopause est dû à un processus purement hormonal ».

La femme en revient à la masturbation du clitoris et régresse vers son état prégénital, elle devient avide de rapports sexuels.

« La pulsion est provoquée par la dévaluation progressive du vagin en tant qu'organe de reproduction en même temps que par les échecs rencontrés dans le monde extérieur où il devient plus difficile de trouver un objet à la libido ; il en résulte un désir libidinal accru qui prolonge le désir d'être désirée et aimée avec cette conséquence tragi-comique que plus la femme vieillit et perd de son charme, plus elle éprouve le désir d'être aimée. La répétition des échecs fait que le vagin abandonne la lutte.

« L'analogie entre le début de la régression et la puberté éclaire la psychologie de la femme en début de ménopause, à ce stade de la vie qu'on appelle l'" âge critique " » (57-8).

Étant donné la présence dans cet article d'éléments autobiographiques déguisés, ne faut-il pas se demander si la notion d'âge critique n'explique pas en partie les aberrations sexuelles de Deutsch entre 30 et 40 ans ? Il me semblerait plus logique de lier l'augmentation du désir sexuel chez les femmes approchant de la quarantaine, si toutefois cette augmentation a bien été observée par d'autres que Deutsch elle-même, au fait que la famille a atteint sa taille définitive et à la disparition ou à la diminution de la peur de tomber enceinte. Selon Deutsch, les femmes qui acceptaient jusqu'alors leur frigidité tombent en dépression; les masculines font le complexe de féminité de la ménopause; les femmes clitoridiennes souffrent d'angoisse de castration. La prohibition de l'inceste disparaît et la femme se met à rêver d'une relation œdipienne avec son fils. Deutsch illustre ses propos par trois exemples car, nul ne l'ignore, ce qui attire les adultes vers les jeunes et les jeunes vers les adultes, c'est le complexe d'Œdipe :

« Le désir se retourne vers des objets d'amour interdits par la prohibition de l'inceste en même temps que s'inverse la vie psychique sous l'impulsion de désirs inconscients, que s'instaure un changement de personnalité caractéristique et qu'apparaissent de nombreux symptômes organiques qui résultent souvent d'un processus de conversion » (59).

On aimerait savoir si Deutsch a reconnu ce « changement de personnalité caractéristique » quand elle-même est passée par cette phase de sa vie. On a déjà vu en effet que les femmes ayant passé la ménopause ne parlent pas de changement dramatique et permanent. Et je ne veux absolument pas écarter comme arbitraire ou ridicule l'idée voulant qu'un processus physique – décrit par Deutsch comme la disparition des parties sexuelles – entraîne des manifestations psychiques qui à leur tour provoquent des manifestations physiques, auxquelles on nie soudainement tout lien avec ce qui se passe dans le corps. Pour Deutsch, la détresse éprouvée par les femmes en cours de ménopause naît de frustrations inévitables : le « trop tôt » de l'adolescence est devenu le « trop tard » de l'âge mûr.

« L'irritabilité caractéristique de la femme frustrée, sa tendance à la dépression, ses nombreux symptômes d'anxiété (étourdissements, palpitations, pouls rapide, etc.) ressemblent beaucoup aux malaises dont se plaignent les adolescents en période de puberté... Bon nombre de ces symptômes organiques (maux de tête, névralgies, troubles vasomoteurs, sensations cardiaques, troubles digestifs, etc.) doivent être considérés comme des symptômes de conversion.

« Toutes ces manifestations névrotiques ou psychiques intervenant en début de ménopause sont de type hystérique. Leur développement pathologique ultérieur relève par contre du développement génital, ou plutôt de l'évolution post-génitale, et se manifeste par des symptômes de dépression, d'obsession et de paranoïa ». (59-60).

Cet *a priori* d'aborder la ménopause comme l'équivalent symétrique de l'approche de la puberté s'appuie sur quelques remarques du professeur Wiesel, spécialiste viennois de médecine interne :

« J'ai été frappé, par exemple, par le fait que les troubles gastro-intestinaux qu'on observe pendant la puberté s'observent aussi fréquemment pendant la ménopause, avec des symptômes comparables dans les deux cas. On a également remarqué que les personnes ayant souffert d'hyperthyroïdie pendant l'adolescence et qui n'en ont plus souffert ensuite voient ce trouble réapparaître pendant la ménopause. » (Deutsch, 60.)

On ne considère plus aujourd'hui les troubles gastro-intestinaux comme liés à la ménopause. Ou si on le fait, c'est en raison de vieilles idées relatives à l'hypocondrie, qu'on pensait provoquée par l'aérophagie dans la région épigastrique. Les personnes sujettes à une fragilité intestinale présenteront des troubles intestinaux. La tension sera peut-être liée à la ménopause, mais le symptôme est chronique ou idiopathique. La relation entre les deux phénomènes est si faible que les chercheurs sceptiques, comme par exemple Donovan en 1951, ont délibérément administré des placebos aux femmes en cours de ménopause. Ayant remarqué qu'ils semblaient faire effet, ils en ont déduit qu'on ne pouvait pas vraiment parler de symptômes de ménopause. Le professeur Wiesel semble considérer « l'orage thyroïdique » comme un symptôme de ménopause, ce que plus personne ne fait aujourd'hui.

Retournons à la description de la ménopause par le docteur Borner dans la *Cyclopædia of Obstetrics, and Gynæcology* (Encyclopédie d'obstétrique et de gynécologie) (1887). Elle est pleine de bon sens.

« La ménopause, ou ce qu'on appelle le retour d'âge des femmes, est un sujet des plus intéressants pour le médecin, et surtout pour le gynécologue exerçant sa profession. Les manifestations se produisant à cette période de la vie sont si nombreuses et si variables qu'il faut au médecin une grande expérience pour savoir les observer et les évaluer. Les frontières entre le physiologique et le pathologique sont si ténues dans ce domaine qu'il est dans le plus grand intérêt de nos malades de faire la lumière sur cette question. »

Deutsch ne s'intéresse pas à la signification de la ménopause pour les femmes en général, mais aux mécanismes responsables de la formation des symptômes en cours de ménopause. Selon elle, pourtant, les femmes n'affronteront bien leur retour d'âge que si elles continuent d'avoir au monde une relation de type masculin ou si elles s'investissent dans une maternité psychique vis-à-vis du monde extérieur : c'est-à-dire si elles exercent un métier ou continuent d'être mères nourricières. Sans défendre la notion de dépression mélancolique d'involution, Deutsch recommande de « commencer une analyse juste avant la ménopause » pour se garder d'une éventuelle formation de symptômes. Ce qui n'a suscité aucun enthousiasme ni chez les médecins ni chez les malades éventuelles.

Simone de Beauvoir connaissait certainement le travail de Deutsch, et le déterminisme freudien n'est sans doute pas étranger à la façon très noire dont elle envisageait son propre vieillissement. Elle a écrit *La Force des choses* entre juin 1960 – elle avait alors 52 ans – et mars 1963. A 39 ans, elle avait eu une affaire sentimentale qui ne l'avait pas comblée. A 44 ans, alors qu'elle était déjà obsédée par l'approche du spectre du vieillissement, Claude Lanzmann lui demanda de sortir avec elle. Elle en fut si bouleversée de reconnaissance qu'elle fondit en larmes. Leur liaison commença.

« La présence de Lanzmann auprès de moi me délivra de mon âge. D'abord elle supprima mes angoisses; deux ou trois fois il m'en vit secouée et cela l'effraya tant qu'une consigne s'installa jusque dans mes os et mes nerfs de ne plus y céder : je trouvais révoltant de l'entraîner déjà dans les affres du déclin » (307).

Ces terribles moments d'anxiété étaient provoqués par une phobie, une peur irrationnelle du vieillissement. Dans *Le Deuxième Sexe*, elle imagine quelle sera sa condition :

« Bien avant la mutilation ultime, la femme est hantée par l'horreur de son vieillissement... Elle a beaucoup plus investi que l'homme dans les valeurs sexuelles qu'elle possède; pour retenir son mari et s'assurer sa protection, elle doit le séduire, lui plaire... Que deviendra-t-elle quand elle n'aura plus aucun pouvoir sur lui? C'est ce qu'elle se demande en regardant dans le miroir la dégénérescence de cet objet de chair auquel elle s'identifie. »

Simone de Beauvoir a écrit *Le Deuxième Sexe* à 40 ans. Je ne crois pas que la fin de sa liaison s'explique par le vieillissement de son corps. Il me semble plus probable qu'elle soit due à une incompatibilité grandissante entre elle et son partenaire, à l'ennui ou à l'aversion de l'un envers l'autre : elle aurait alors interprété le fait que les hommes s'intéressaient moins à elle comme une preuve de son vieillissement et projeté son propre jugement de valeur sur son ou ses amants. Il se peut aussi que ses partenaires aient été impuissants à la rassurer tant son anxiété était grande et tant son état faisait qu'elle exigeait d'eux des prouesses sexuelles dont ils étaient incapables. Pour Hélène Deutsch, la phobie de Simone de Beauvoir se serait expliquée par sa personnalité heureusement masculinisée détruite par le complexe de féminité de la pré-ménopause. La psychanalyste aurait aussi prédit une liaison œdipienne avec un homme beaucoup plus jeune.

Beauvoir semble ne pas se rendre compte combien sa vision du vieillissement est fausse. Ni combien le fait de partager la vie d'un homme beaucoup plus jeune est peu propice à faciliter l'adaptation au vieillissement. Dix ans plus tard, la liaison était terminée et elle plongea dans une dépression légère mais interminable :

« Je n'ai plus guère envie de voyager sur cette terre vidée de ses merveilles : on n'attend rien si on n'attend pas tout... Vieillir, c'est se définir et se réduire. Je me suis débattue contre les étiquettes; mais je n'ai pu empêcher les années de m'emprisonner. J'ai écrit certains livres, pas d'autres. Quelque chose à ce propos me déconcerte. J'ai vécu tendue vers l'avenir, et maintenant, je me récapitule, au passé. On dirait que le présent a été escamoté... Mais aussitôt quittée ma table de travail, le temps écoulé se rassemble derrière moi » (683-4).

A quoi bon permettre aux gens de vivre de longues années s'ils doivent passer le temps gagné dans des plaintes futiles? Simone de Beauvoir, qui n'a cessé de se prétendre une intellectuelle, se retrouve aussi démunie devant son avenir que n'importe quelle reine de beauté à la tête vide.

« La vieillesse : de loin on la prend pour une institution; mais ce sont des gens jeunes qui soudain se trouvent être vieux. Un jour je me suis dit : " j'ai quarante ans! " Quand je me suis réveillée de cet étonnement, j'en avais cinquante. La stupeur qui me saisit alors ne s'est pas dissipée.

« Souvent, quand je dors, je rêve que j'ai en rêve cinquante-quatre ans, que j'ouvre grands les yeux et que j'en ai trente : " Quel affreux cauchemar j'ai fait! " se dit la jeune femme faussement réveillée » (684).

Simone de Beauvoir, qui avoue pourtant que le cauchemar revient souvent, ne trouve pas cette obsession déraisonnable. Elle est profondément révoltée devant l'image que lui renvoie son miroir :

« Souvent, je m'arrête, éberluée, devant cette chose incroyable qui me sert de visage. Je comprends la Castiglione qui avait brisé tous les miroirs... Tant que j'ai pu regarder ma figure sans déplaisir, je l'oubliais, elle allait de soi. Je déteste mon image : au-dessus des yeux, la casquette, les poches en dessous, la face trop pleine, et cet air de tristesse autour de la bouche que donnent les rides... je vois mon ancienne tête où une vérole s'est mise dont je ne me guérirai pas » (685).

Cette tristesse semble bien liée à la ménopause. L'idée de la mort qui approche, dont son sommeil est hanté, est tout à fait irrationnelle. Elle aurait pu mourir à un tout autre moment et a vécu encore vingt ans. Même si on s'imagine la mort furtivement à l'œuvre en nous, on ne sait jamais si elle est proche ou encore distante de quarante ans. Définir le vieillissement comme la mort est une erreur de catégorisation dont une femme aussi cultivée qu'elle devrait avoir honte. Et curieusement, alors qu'elle n'a pas honte de se présenter comme hantée par les cauchemars et tourmentée par sa phobie narcissique, elle se refuse à expliquer son malaise par le syndrome de la ménopause. Elle avait tout ce que peut demander une femme de 50 ans : la santé, une carrière, l'indépendance, la renommée, des amis. Mais elle n'avait jamais été belle. Et la philosophie existentialiste est si pauvre qu'elle ne pouvait guère lui apporter de soutien. Quelle joie trouver dans cette idée qu'elle se détache de la terre dont la misère et l'injustice la révoltent. Elle semble dénuée de monde intérieur :

« L'un après l'autre ils sont grignotés, ils craquent, ils vont craquer les liens qui me retenaient à la terre.

« Oui, le moment est arrivé de dire : jamais plus ! Ce n'est pas moi qui me détache de mes anciens bonheurs, ce sont eux qui se détachent de moi : les chemins de montagne se refusent à mes pieds. Jamais plus je ne m'écroulerai, grisée de fatigue, dans l'odeur du foin » (685).

Pourquoi « jamais plus » ? Ce ne sera ni la fatigue ni le foin qui manqueront. L'idée de répression mélancolique d'involution est à coup sûr une ineptie, mais quelque chose ne va pas chez la Simone de Beauvoir âgée de 54 ans en proie depuis plus de dix ans à des crises d'angoisse qu'elle classe gratuitement parmi « les affres du déclin ». S'il fallait trouver un mot décrivant son état, ce serait celui d'« anaphobie », c'est-à-dire de peur irrationnelle de la vieille femme, émotion qui semble avoir des racines profondes dans la peur de la mère et le rejet du rôle maternel. Les femmes souffrant de ce genre d'insécurité ont sans arrêt besoin d'être recherchées par les hommes pour se sentir valorisées.

L'état d'esprit défaitiste de Simone de Beauvoir, la conscience aiguë qu'elle a de la mort, ses cauchemars et ses obsessions sont les souffrances de la ménopause. Comme la transpiration et les fourmis dans les membres, ces sentiments vont disparaître. Mais en nous rappelant notre faiblesse et nos manques, cette période d'intense souffrance devrait nous avoir rendues plus posées, plus sages et meilleures. Comment oser dire :

« Mon espèce est constituée aux deux tiers par des larves, trop faibles pour la révolte, qui traînent de la naissance à la mort un désespoir crépusculaire » ? (682).

La femme en bonne santé, riche et cultivée que l'arrivée de la ménopause a brisée et qui a du mal à vivre au jour le jour, sait que la vie est trop dure pour tout le monde, et encore plus pour les pauvres et les affamés, ceux-là même qui créent plus de beauté et de joie que nous ne le ferons jamais.

Ses désillusions sur la vie sont endogènes et ont leur origine en elle-même.

Ce qui nous amène à supposer, ne serait-ce que parce qu'elle n'en parle pas, que l'attitude de Simone de Beauvoir devant la cessation de ses règles était pour le moins négative. Grâce aux recherches faites à ce sujet, on s'aperçoit trente ans après que l'attitude des femmes envers la ménopause évolue avec les années pour devenir de plus en plus positive. Phénomène qu'on considère comme un bon point car il permet d'inculquer aux femmes des idées positives sur leur retour d'âge et d'atténuer leur angoisse à ce sujet; il ne faudrait pourtant pas qu'il ait aussi pour effet de diminuer encore davantage le peu de sympathie qu'on leur témoigne généralement à ce moment de leur vie. Les études faites sur l'attitude envers la ménopause donnent des résultats contradictoires. En 1963, Neugarten et Kraines ont établi un test qu'ils ont fait passer à quatre groupes de femmes, les femmes entre 20 et 30 ans, celles entre 30 et 44 ans, celles entre 45 et 55 ans, et enfin celles entre 55 et 65 ans. Ils avaient divisé les attitudes observées entre sept catégories : effets négatifs, rétablissement post-ménopause, continuité, persistance des effets de la ménopause, maîtrise des symptômes, changement psychologique, sexualité... Plus de la moitié des femmes entre 20 et 30 ans, ainsi qu'une petite moitié de tous les autres groupes, ressentaient la ménopause comme un passage désagréable. Pour les deux tiers des femmes de plus de 45 ans, sur ce point en désaccord avec les plus jeunes, dont seulement 19 % pour le groupe entre 20 et 30 ans, et 27 % des autres étaient d'accord sur ce point, la ménopause était suivie d'un mieux. De même, sous le titre : « continuité », les trois quarts ou plus des femmes les plus âgées tendaient à penser que la ménopause ne changeait rien à la vie d'une femme; elles étaient en contradiction sur ce point avec 50 % des plus jeunes. Si une femme n'est que l'addition des moments qu'elle a vécus, on se demande comment les sujets interrogés interpréteront la question « continuité ». Les personnes âgées sont différentes des jeunes, et la vie serait ennuyeuse s'il en était autrement. La question semblait tester la force de caractère plutôt que la continuité. Sous le titre « maîtrise des symptômes », on avait inscrit la catégorie des femmes qui, s'attendant à des difficultés à la ménopause, en avaient effectivement eu. Chose surprenante, sur ce point, les trois quarts des femmes ont été d'accord. Sous le titre « changement psychologique », on donnait comme exemple l'évolution égocentrique de la femme en cours de ménopause. On se demande comment cette idée est arrivée sur le papier. D'ailleurs, à peine la moitié des femmes en dessous de 55 ans ont répondu positivement sur ce point, et seulement un tiers des femmes plus âgées.

La ménopause a cette particularité de provoquer l'animosité des jeunes. Pratiquement toutes les études faites montrent les jeunes femmes plus négatives à ce sujet que leurs aînées (Eisner et Kelly, 1980; Dege et Gretzinger, 1982). On aurait pu substituer à ces termes de l'étude de Neugarten et Kraines ceux de : moins oublieuse d'elle-même, plus préoccupée, moins accessible, moins disponible. D'après mon expérience, les mères et les femmes sont moins centrées sur elles-mêmes que leurs maris et leurs enfants. Il me semble que ce terme s'explique par le ressentiment de la famille lorsque la fonction maternante cesse d'être le centre de la vie d'une femme.

Pourtant, comment avoir une attitude positive envers la ménopause? Cela semble une contradiction dans les termes. Comment accepter avec joie les troubles vasomoteurs, les rapports sexuels douloureux et le vieillissement? Si une attitude positive consiste simplement à affirmer qu'on maîtrisera la situation, la notion de positif ainsi sous-entendue perd beaucoup de sa force. En fait la question suscite la réponse. Et les femmes qui paraissent le mieux affronter la situation l'éludent peut-être, évitant à leur partenaire et aux membres de leur famille de l'affronter aussi. On peut considérer cette attitude positive, alors qu'en fait elle ne l'est pas.

Des chercheurs étudiant la réaction d'une femme devant la perte de sa fonction de reproduction s'entendront peut-être répondre que cela ne change rien à sa vie. Si la famille a déjà atteint sa taille définitive depuis plusieurs années, peut-être même depuis quinze ou vingt ans, et qu'elle a toujours dû veiller à la contraception, il serait en effet étrange que la femme regrette la disparition de sa fonction ovarienne. Mais si on demande à cette même femme quelle confiance elle garde dans son pouvoir de séduction soit au lit avec son partenaire, soit dans une station d'essence, la réponse sera sans doute tout autre. Elle voit des hommes de son âge séduire les femmes, les retenir et flirter avec elles comme ils l'ont toujours fait, alors qu'elle-même est devenue invisible et sait qu'on s'attend à ce qu'elle reste invisible et silencieuse. Il lui reste le choix entre deux attitudes, soit devenir une femme tyrannique à la voix de stentor qu'on entend apostropher violemment le vendeur de l'autre bout de la station-service, soit accepter de ne plus se faire remarquer ni entendre. C'est ce mélange d'exaltation du sexe et le mépris de la vieillesse qui rend la ménopause si difficile à vivre. Demander à cette même femme si elle partage cette vision des choses, c'est la défier dans l'image qu'elle a d'elle-même et provoquer la réponse classique à la stigmatisation.

Aucun encouragement sur ce point à attendre des résultats de l'étude de la Fondation internationale pour la santé (AKZO) concluant que l'adaptation subjective (aisance dans le quotidien, santé, apparence physique, tâches quotidiennes), l'identification au rôle (dépendance vis-à-vis des autres, identification à l'image traditionnelle de la femme, rôles maternel et sexuel), les relations familiales et les relations sociales plus larges, se détériorent avec l'âge, parfois avec une chute au moment de la ménopause.

Malgré les résultats qu'ils ont obtenus, les auteurs de l'étude suisse utilisent souvent le terme de « crise de la ménopause » dans la partie critique de leur rapport. Mais il est difficile d'être d'accord avec leur toute dernière conclusion voulant que la ménopause s'accompagne d'une période de désarroi, de problèmes physiques et de déséquilibre psychologique (49). Alors que selon cette étude, l'impact du retour d'âge sur les attitudes psychologiques et sociales de la femme mûre semble faible, surtout en comparaison des simples méfaits de l'âge (Greene, 1984, 79).

Ce qui veut dire, évidemment, que la raison de la souffrance provoquée par la ménopause ne va pas s'estomper, mais au contraire se développer, tranquillement, régulièrement, inexorablement. De même, le désintérêt de la femme pour le sexe en cours de ménopause est plus lié à son vieillissement qu'à son âge critique.

En 1975, C. Ballinger a entrepris une étude sur toutes les femmes de 40 à 55 ans consultantes dans six cabinets de médecine générale de Dundee. Il voulait établir quel pourcentage d'entre elles souffraient de troubles psychiatriques latents ou déclarés. Il a distribué à tous les sujets interrogés un questionnaire sur leur cycle menstruel et sur leur situation familiale, ainsi que le questionnaire général donné à l'entrée à l'hôpital et sa liste de soixante symptômes. Les sujets devaient marquer d'une croix ceux dont elles souffraient. Onze symptômes suffisaient pour une indication de traitement. Pas moins de 30 % des 539 femmes interrogées ont été considérées comme un cas psychiatrique probable. Pour les femmes de 45 à 55 ans, le chiffre s'élevait à 40 %. Ce qui semblait prouver quelque chose. Mais étaient cités dans les symptômes les bouffées de chaleur, ainsi que plusieurs symptômes liés aux troubles du sommeil souvent dus aux troubles vasomoteurs de la ménopause : or ces troubles n'auraient pas dû figurer dans la liste des symptômes psychologiques. Les publications de Ballinger (1975, 1976, 1977) sont malheureusement toutes fondées sur cette étude, qui, malgré la sévère analyse critique qu'en a fait J. Greene (1984, 55-6, 80-1, etc.), continue de faire autorité pour des douzaines d'articles sur les effets psychotropes de l'hormonothérapie de substitution.

Il ne faut pas s'étonner que la médecine allopathique considère le seul aspect biochimique de la ménopause. Pourtant, s'il est vrai, comme l'a montré Aylward (1973), que les femmes en retour d'âge ont un faible taux d'indolamines, et en particulier de tryptophane, ne faut-il pas se demander si ce n'est pas leur dépression qui en est responsable ? Un faible taux de tryptophane ne serait-il pas un symptôme et non pas une cause, et l'organisme ne réagirait-il pas à une situation triste et douloureuse en refusant de sécréter la chimie de la joie et de la sérénité ? L'administration d'œstrogènes libère peut-être la sécrétion de tryptophane, mais les résultats obtenus avec un placebo dans tous les essais en double aveugle de traitement aux œstrogènes interdisent de conclure que l'administration de ces hormones peut remédier à la souffrance de la femme de 50 ans. Ne lui suffirait-il pas d'une petite marque d'intérêt réel pour elle et pour son état d'esprit et de santé pour qu'elle retrouve sa bonne humeur, et augmente ainsi son taux de tryptophane? En effet, les résultats très positifs obtenus avec un placebo observés dans plusieurs études semblent indiquer que l'état de la femme en cours de retour d'âge s'améliore considérablement au moindre signe d'intérêt ou de sympathie.

Selon le docteur Barbara Evans :

« La ménopause ne semble pas engendrer un ensemble spécifique de symptômes psychologiques. Comparés à l'augmentation des maladies psychiatriques dues au vieillissement, les effets de la ménopause sont relativement faibles, malgré les rapports contradictoires publiés à ce sujet. Les séjours en hôpital psychiatrique augmentent avec l'âge chez l'homme comme chez la femme, peut-être de façon un peu plus marquée chez les femmes, surtout les femmes en cours de ménopause. Cependant, on ne peut attribuer à la ménopause les maladies psychiatriques ou les changements psychologiques; tout au plus ajoute-t-elle aux tensions déjà existantes chez une femme déjà prédisposée à l'angoisse et à la dépression. » (Evans, 1988, 55.)

Ainsi donc si l'angoisse et la dépression des femmes de 50 ans s'expliquent par la vie qu'elles mènent, c'est que leur aggravation est due autant au vieillissement qu'à la ménopause.

En 1895, la comtesse Tolstoï, qui venait de célébrer son cinquantième anniversaire, était dans un piteux état. Son dernier-né, son fils Ivan, la joie de sa vie mais de constitution fragile, était souvent malade. Tolstoï ne l'a jamais remplacée à son chevet. La tension du retour d'âge s'ajoutait à son inquiétude et à son épuisement :

« Quelque chose s'est brisé en moi. J'ai mal intérieurement et je ne suis pas tout à fait maîtresse de mes nerfs » (12 janvier).

« Je n'ai rien appris à fond... Un temps clair, six degrés de froid, nuits de lune. C'est si beau, et pourtant je suis triste et mon âme sommeille » (19 janvier).

« J'ai vécu et continue à vivre une nouvelle période pénible. Je n'ai pas envie de dire ici combien il me paraît terrible, effrayant et évident, que désormais ma vie aille vers son déclin. Je ne la regretterai nullement et la pensée du suicide me poursuit de plus en plus. Dieu me vienne en aide et me préserve de tomber dans ce lourd péché. Aujourd'hui encore, j'ai failli partir de la maison. Il faut croire que je suis malade : je ne me contrôle plus » (21 février).

Rendue folle par « le vieux chagrin de l'avoir tant aimé » alors que lui ne l'avait jamais aimée, elle s'était enfuie dans la neige en chemise de nuit et en chaussons.

Le 23 février, le petit Ivan est mort. Sofia Alexandreïevna écrit dans son journal : « Mon Dieu, et je suis encore vivante ! » Puis elle n'écrit plus un seul mot pendant deux ans. Lorsqu'elle reprend la plume, son état a changé. Elle n'a plus ses règles et a accepté le fait qu'elle passe par l'âge critique de la vie d'une femme.

« Quels que soient les reproches que m'adressent mes enfants, je ne serai jamais plus celle que j'ai été. Tout finit par s'user, et ainsi s'est usé mon attachement maternel passionné à ma famille... Je suis plus à l'aise avec des tierces personnes, j'ai besoin de relations humaines nouvelles, plus consistantes, plus sereines » (23 juillet 1897).

Le docteur Evans a surtout cherché à établir une distinction entre les causes endocrinologiques et les causes psychologiques de la dépression de la ménopause. Devant la diminution des symptômes obtenue par hormonothérapie substitutive, elle penche pour une origine endocrinologique même en utilisant des doses dix fois supérieures à celles utilisées pour l'atrophie vaginale ou les troubles vasomoteurs. Mais Klaiber, qui a mené une expérience américaine, a observé que les femmes dont la dépression était aiguë ne réagissaient plus aux œstrogènes. On peut aussi renverser l'ordre des choses dans le cas des hormones régulant l'humeur et se demander si les femmes irritables ne réussissent plus à tolérer leur propre tryptophane, plutôt que de supposer qu'elles sont irritables parce qu'elles n'en ont plus assez.

Dans un monde où le seul ami et conseiller d'une femme est son médecin, à quoi bon essayer de dire que les causes de sa souffrance ne sont peut-être pas endogènes? Le médecin doit traiter la malade dans un système fermé, parce qu'on ne peut supprimer par des médicaments les raisons socioculturelles qui la minent. Ne pouvant agir sur la politique du corps, le médecin ne peut qu'aider la patiente à s'y adapter.

Une bonne partie de la souffrance de la femme à la ménopause est donc due à ce changement dans sa vie, et diminue une fois passée la tension de cette période.

Il existe néanmoins une dimension sociale dans cette tristesse qui s'abat sur les femmes ayant passé la ménopause. Margaret Powell, dans *The Treasure Upstairs* (Le Trésor d'en haut), raconte que du temps où elle faisait du démarchage de porte à porte, elle a souvent rencontré des femmes éperdument reconnaissantes d'avoir quelqu'un à qui parler...

« Une veuve d'âge mûr et très aisée m'a raconté qu'elle remplissait tous les questionnaires que lui envoyaient le département ou le gouvernement parce que, disait-elle, " j'ai pour un bref instant l'impression que je vis et que quelqu'un quelque part prend note de mon existence. Autrement, les jours se ressemblent tous tellement que je pourrais aussi bien croire que je vis dans un rêve plutôt que dans le monde réel ". » (Powell, 1972, 104.)

Quand la seule personne à qui une femme puisse parler est le médecin, et qu'elle n'a que ce seul médecin pour interlocuteur, comment s'étonner du nombre de femmes allant le consulter? Et cela au risque de sa vie, car un médecin doit prescrire un médicament, et aucun médicament ne pourra remplir le vide de son existence. Un abus de tranquillisants est mauvais pour la santé de tout le monde, y compris pour les femmes en cours de ménopause. La consommation abusive de médicaments est la conséquence dramatique de l'idée que la souffrance est une maladie et non pas une réponse appropriée à une situation oppressante.

11

LA DOULEUR

« Vieille femme, pourquoi pleures-tu ? C'est interdit ici. Personne ne doit faire de bruit... » (Aido, 1985, 30.)

La cinquième période climatérique est marquée par un changement des plus subtils, l'apparition à la conscience de l'idée de la mort, et, chose plus inacceptable encore pour la plupart des femmes, de sa propre mort. De façon très soudaine, sans rien de préalable ou de délibéré, après s'être sentie immortelle pendant cinquante ans, la femme entrevoit la fin de son voyage sur terre. Rachel Brooks Gleason, une femme médecin qui dirigeait avec son mari un établissement d'hydrothérapie, disait à ses malades :

« La ménopause nous annonce que le coucher de soleil est à l'horizon. Mais l'aurore n'est-elle pas plus lumineuse dans ce pays où la nuit n'existe pas, où personne n'est malade et tout le monde heureux ? »

On ignore si cette remarque réconfortait les malades ou au contraire les faisait fuir. Le docteur Gleason n'avait aucune indulgence pour les femmes angoissées. Elle reconnaissait qu'elle souhaitait que ses malades les plus anxieuses souffrent réellement de leurs maladies imaginaires de façon à pouvoir les renvoyer mourir chez elles. Aujourd'hui, on condamnerait pour manquement à son devoir de médecin un thérapeute encourageant des femmes, en cours de ménopause, à réfléchir sur la mort. La culpabilité secrète de la femme de 50 ans ne vient-elle pas en partie de ce qu'elle commence à prendre conscience de la finitude de la vie individuelle, c'est-à-dire des limites de ce qui peut être accompli en une seule existence ? Notre société de consommation accepte de parler de tout, des choses les plus intimes, les plus anatomiques, les plus personnelles ; de la mort, non.

En 1969, Iris Murdoch a écrit un roman étrange et intéressant, *Le Rêve de Bruno*. Au cœur de l'œuvre, Bruno, un vieillard alité qui attend la mort. C'est un personnage étrange, dont la grosse tête et les membres desséchés évoquent une de ces araignées qui l'ont fasciné toute sa vie. Non seulement l'araignée est capable de vivre des mois sans manger, à peine animée d'une infime étincelle de vie qui suffira cependant à lui permettre de tuer dès qu'elle verra une proie à portée d'elle. L'araignée symbolise aussi, dans le monde des rêves, les entrailles; or le ventre de Bruno est un rêve. En traitant cet étrange vieillard, dont la tête est une masse de « chair froissée », comme un symbole de ventre en involution, Iris Murdoch courait le risque d'être pompeusement ridicule, et elle aurait été la première à gentiment se moquer d'une telle lecture de son livre. Son roman prend tout son sens quand on poursuit l'analogie. Bruno continue d'y mourir jusqu'à la fin. Toute sa fortune est constituée par une collection de timbres qui sera finalement perdue. Est-il abusif d'insinuer que les timbres symbolisent des ovules non développés, l'ébauche de quelque chose de très précieux qui ne sera jamais réalisé? Les timbres disparaissent – évidemment – dans une inondation.

La belle et paisible Diana, le chef d'orchestre de l'existence, est en cours de ménopause et, comme elle le dit, elle approche de la cinquantaine.

« Elle avait passé tant d'années à attendre d'avoir des enfants, et dernièrement seulement elle s'était dit que l'attente était passée. Elle s'était occupée pendant tant d'années – comment avait-elle occupé ces années-là?... Elle continuait de croire qu'elle avait de la chance. Quoique dans les derniers temps, prophétiquement peut-être, à la nuit venue, calmement, elle s'était aperçue qu'elle commençait à regarder avec des yeux nouveaux, avait éprouvé un vague besoin de changement, avait même senti une possibilité d'ennui » (102-3).

Est ici décrite de l'intérieur la mauvaise conduite de la femme en retour d'âge. Il ne s'agit pas vraiment de mauvaise conduite. Diana commence un flirt avec Danby; sans désirer de relation physique, elle a besoin de l'émoi et de l'assurance que lui donne cette relation. Elle cherche à en symboliser le côté sentimental et galant par une musique de danse du passé.

« Je suis à la moitié de mon âge, pensait Diana, regardant autour de la salle de danse des couples qui étaient loin d'être jeunes. Je fais partie d'eux... Diana avait-elle atteint l'âge où enfin il faut connaître du nouveau puis du nouveau encore? » (105).

Deux coups durs vont l'exclure à jamais du jeu. A peine son nouvel amoureux lui a-t-il déclaré son amour qu'il s'éprend follement de Lisa, sa sœur plus jeune, tandis que de son côté son mari découvre lui aussi qu'il aime Lisa. Diana voit s'effondrer d'un seul coup tout ce pour quoi elle avait vécu. Comme si elle venait de découvrir que ses amants sont amoureux de la jeunesse qu'elle n'a plus, et qu'elle est en train de s'éloigner d'eux et de gagner un pays où ils ne peuvent la suivre.

Avril étant « le mois le plus cruel de l'année », on retrouve sans cesse dans le roman la stérilité au cœur de la première végétation du printemps, au milieu des narcisses et des anémones. Danby fait la cour à Lisa – qui aux yeux de tous sauf les siens est une maîtresse d'école maigre et habillée sans grâce – dans le cimetière de Brompton. Lisa symbolise l'ange de la mort et le cimetière est un amas de tombes minuscules évoquant les follicules de l'ovaire en train de mourir.

« Derrière elle, c'étaient des tombes d'enfants, de petites pierres plates et pathétiques, à demi perdues dans la végétation d'une prairie. Les endormis silencieux formaient une voûte de quiétude » (159).

Bruno est un dôme, est couché sous un dôme, la cage posée sur son lit forme un sarcophage pour son corps presque déjà mort. On ne peut jamais affirmer qu'un écrivain ne maîtrise pas son matériau, mais la récurrence de ces éléments dans *Le Rêve de Bruno* suggère quelque chose de non abouti, qui n'a pas été exploré jusqu'au bout. Les femmes du roman symbolisent trois âges de la même femme, avant, pendant et après la ménopause, l'une pleurant ses enfants jamais nés, l'autre son amant, la dernière, sa jeunesse...

Adélaïde, la bonne, est à la fois la femme de ménage de Danby et sa maîtresse.

« Adélaïde, bien qu'elle prît du poids et ne fût plus si jeune, était vraiment assez belle, ainsi que Danby put s'en rendre compte au bout d'un certain temps qu'ils partageaient la même couche » (28).

La réaction d'Adélaïde lorsqu'elle voit Danby s'intéresser à Diana semble une attitude typique de pré-ménopause, même si elle est trop jeune pour qu'on puisse déjà parler de retour d'âge.

« Elle était saisie par le sentiment de disgrâce épaisse qu'elle identifiait au sentiment de l'âge venu, celui d'un point de non-retour. Elle avait commis quelque erreur dans la vie, qui voulait dire que tout irait de mal en pis, et n'irait jamais mieux. Y avait-il un acte qu'elle pourrait accomplir et qui, comme dans le rituel magique d'un conte de fées, renverserait le cours des choses et soudain révélerait son identité inconnue? Mais elle n'avait pas d'identité inconnue » (144-5).

Le personnage d'Adélaïde prouve la justesse des recherches montrant les femmes de milieu ouvrier plus vulnérables au retour d'âge que celles qui ont fait des choix indépendants des fonctions sexuelles et des fonctions de reproduction. La perte de Danby laisse Adélaïde complètement désemparée : elle se livre délibérément à des actes répréhensibles, casse de la porcelaine fragile, vole un timbre de prix, détruit un appareil-photo et ensuite regrette ses gestes. Elle est sauvée par la fidélité patiente de Will. Tous deux se marient envers et contre tout, même si la mariée, les joues brûlantes et rouges, est au bord des larmes. Adélaïde est la seule à poser des actes constructifs. Son mari se fait anoblir en tant qu'acteur et ses deux grands jumeaux, Benedict et Mercutio, deviennent l'un expert sur la Russie, l'autre mathématicien. En imaginant cette fin heureuse à l'histoire, Murdoch se montre sous son aspect le plus pervers : cette anecdote est décalée par rapport au reste du livre dont la fin véritable est la mort de Bruno. Pour Adélaïde, Éros gagne et Thanatos est tenu en respect, mais c'est pourtant bien de lui dont il s'agit. La situation d'Adélaïde n'est que transitoire...

Diana découvre dès son début l'amour de son mari pour Lisa. Elle dit à son époux : « Plus rien ne sera jamais pareil, plus jamais, jamais, jamais » (248). Tout le livre clame que ce qu'il y a de plus précieux dans la vie ne sera plus jamais. Ce n'est que lorsqu'on le perd qu'on apprécie à sa juste valeur ce qui disparaît. Les regrets amers dont le livre est parcouru sont typiques du deuil de la ménopause, mais Iris Murdoch ne s'attarde sur l'état psychologique d'aucun de ses personnages. On pénètre puis délaisse l'intimité de chacun en ayant l'impression de tout savoir. Pourtant on a beau voir les larmes couler sur les joues de Diana allongée auprès de son mari, on ne les sent pas. L'expérience n'est pas évoquée. Le livre parle en devinettes. Lisa abandonne Miles, le condamnant à la « mort réelle » et annonce son intention de partir en Inde.

« Si seulement ils avaient pu partir ensemble, pensait Diana, j'aurais pu survivre. Bien entendu, cela aurait été terrible. Elle essayait d'imaginer la maison soudain vide, privée de cette chère présence animale habituelle. Ils avaient vécu si longtemps ensemble, des lapins dans leur clapier. Mais tout ce qu'elle était capable de ressentir, c'était la souffrance creuse de son mariage irrévocablement altéré. » (248)

A ce moment, Diana ne sait pas que Danby aussi aime sa sœur. C'est Nigel qui le lui apprend. A sa question : « Et moi? », ce *deus ex machina* répond :

« C'est le cri de tout le monde. Détendez-vous. Laissez-les vous piétiner. Révoquez colère et haine. Aimez-les et laissez-les vous piétiner. Aimez Miles, aimez Danby, aimez Lisa, aimez Bruno, aimez Nigel » (254).

C'est une voie difficile, mais c'est la seule façon pour une femme d'alléger sa souffrance devant la perte de ses entrailles. Diana doit aimer en oubliant son ego. Elle doit s'élever au-dessus du narcissisme qui la mène insidieusement à cet acte narcissique par essence, le meurtre d'elle-même. Nigel retire de son sac les somnifères qu'elle avait pris et les remet à leur place. Le noir courant du fleuve monte, Adélaïde et Bruno tombent dans l'eau qui engloutit les timbres. Tout le monde survit à l'accident et, le printemps suivant, on se retrouve au cimetière de Bompton où Diana et Miles se promènent « comme un vieux couple ». Puis brusquement Lisa réapparaît et s'offre à Danby parce qu'elle désire tout ce qu'elle s'est toujours refusé dans la vie, « la chaleur, l'amour, l'affection, le rire, le bonheur ». L'ange de la mort s'humanise et prend ce qui s'offre, même si ce n'est que de seconde qualité. Pendant ce temps, Diana contemple la lente mort de Bruno et se met à l'aimer.

« Et maintenant, pensa-t-elle, j'ai fait la pire bêtise en m'attachant à ce point à quelqu'un qui agonise. N'est-ce pas de tous les amours celui qui ne rime à rien ? Comme d'aimer la mort elle-même... Il ne pouvait rien lui donner en retour, que de la souffrance. Et il semblait à Diana, avec le passage des jours, au fur et à mesure que Bruno s'affaiblissait et cessait d'avoir toute sa tête, qu'elle était venue prendre part à sa mort, qu'elle en faisait aussi l'expérience. »

Le deuil n'est pas facile, et ne passe pas si facilement.

« La douleur s'accrut jusqu'à ce que Diana ne sût plus s'il s'agissait de douleur, et elle se demanda si elle en serait métamorphosée ou si elle se retrouverait dans son être ordinaire et oublierait comment il en avait été de ces derniers jours avec Bruno. Elle avait l'impression que si seulement elle parvenait à les garder en mémoire, elle ne serait plus la même. Mais de quelle façon ? Et qu'y avait-il à garder en mémoire ? Qu'y avait-il qui semblât si capital, qu'elle pût comprendre maintenant et qu'elle redoutât tant de perdre ? Elle ne pouvait souhaiter de souffrir pareillement dans la suite de ses jours » (326-7).

Mais finalement son chagrin fait son œuvre et suit son cours.

« Fais que l'amour comme une voûte immense s'ouvre et gagne les airs. Le délaissement de la substance humaine saisie par la mort était ressenti par Diana dans son propre corps. Elle vivait la réalité de la mort et se sentait par elle retournée au néant, dénuée de désir. Pourtant l'amour existait encore et c'était la seule chose qui existât.

« La vieille main tachetée qui s'agrippait à la sienne enfin lâcha prise, paisiblement » (328).

Un roman n'est peut-être pas la meilleure façon de traiter l'angoisse de la femme de 50 ans, il permet néanmoins de dédramatiser les éléments de la situation sans paraître mendier un diagnostic, un traitement et la guérison.

Beaucoup de poétesses se sont toute leur vie inspirées de la souffrance, mais même pour elles, celle du retour d'âge est différente, plus amère, plus douloureuse, car c'est un chagrin qu'on sait ne jamais pouvoir apaiser. Elizabeth Barrett avait choisi l'invalidité et la réclusion jusqu'à ce que Robert Browning vienne rompre sa chaste solitude. On a souvent imaginé à leur propos une histoire d'amour sans nuages, pourtant un sentiment d'ennui et d'irritation semble s'être infiltré dans leur union avant la disparition d'Elizabeth, morte à 55 ans. L'un des poèmes du recueil, publié un an après sa mort, est écrit dans la tonalité de la douleur du retour d'âge. C'est tout à l'honneur de Robert Browning de ne pas l'avoir extirpé de l'œuvre publié de sa femme car il détruit le mythe d'un amour à jamais heureux entre les deux époux...

« Vous voyez, nous sommes fatigués, mon cœur et moi.
Nous avons lu des livres, fait confiance aux hommes,
Plongé notre plume dans notre sang même,
Incapables de trouver ailleurs de telles couleurs.
Nous avons marché trop droit pour rencontrer la fortune,
Trop aimé en vérité pour garder un seul ami.
Si bien que nous sommes fatigués, mon cœur et moi.

Si fatigués, mon cœur et moi!
Inutiles au monde.
Nos séductions, devenues grises et raides,
Laissent les yeux des hommes indifférents.
Notre voix qu'autrefois vous aimiez tant
A présent vous endort. Et nos larmes sont mouillées.
Que faisons-nous ici, mon cœur et moi? » (Browning, 1911.)

Ce n'est évidemment pas à partir de tels poèmes qu'un auteur construit sa réputation. La tristesse d'une femme à la moitié de son âge n'inspire pas un chant aussi séduisant qu'un amour brisé ou qu'un désenchantement juvénile. Mais pour la femme qui connaît cet état, c'est un réconfort, si léger soit-il, de savoir que d'autres femmes dans cette pénible situation se sont demandé si elles survivraient au passage. Elizabeth Browning semble, quant à elle, avoir abandonné la lutte, car à partir de ce moment sa santé s'est détériorée rapidement et quelques mois après avoir écrit ces lignes, elle était morte.

Refusant le mariage petit-bourgeois qui lui était proposé, Christina Rossetti avait délibérément opté pour une vie de semi-ermite célibataire. Toute sa vie d'amoureuse secrète a été une interminable et longue frustration. Elle exprime le deuil du retour d'âge sous une forme typiquement codée :

« Jamais plus de ce côté de la tombe,
De ce côté de la rivière,
De ce côté du grenier à grains.
Jamais plus.

Tandis que toujours coule et s'écoule le temps,
Rivière étroite et silencieuse,
Tandis que toujours l'épi courbe le blé blême,
Toujours.

Ne jamais désespérer, faiblir et pleurer peut-être,
Mais regarder en arrière, non jamais!

Faiblir mais persévérer, faiblir et persévérer encore
Toujours. »

Son frère William n'appréciait pas ce genre de littérature qu'il trouvait trop crue et dénuée de féminité. S'y serait-il arrêté, les images du poème l'auraient mis encore plus mal à l'aise : images des épis de blé non ramassés et de la rivière silencieuse. Rossetti s'est souvent comparée à une athlète spirituelle; cette métaphore de sa vie vue comme une ascension atteint son apogée dans un autre poème de la même période :

« De l'abîme jusqu'aux hauteurs aux grandes altitudes,
L'alpiniste règle son pas, concentre son visage,
Suit les derniers rayons du soleil à l'heure du couchant,
Compte les ultimes vibrations de la lumière,
Peinant le jour, prêt à la nuit.
Sa course avec le Temps, il la gagne.
Ayant tout quitté, abandonné, tout sauf la grâce, la volonté
Et l'amour, ces trois attributs de la puissance.
Au lieu de la lumière qu'il attendait, l'obscurité.
Il trébuche sur la cime plongée dans la nuit,
Haletant dans l'air trop raréfié.
Le voici libre, chez les vivants comme chez les morts.
Il ne sait pas qu'il a atteint le plus haut sommet
Où le trouvera la lumière au matin du lendemain. »

Maintenant que les femmes sont de plus en plus nombreuses à publier de la poésie et que cette poésie traite de la réalité féminine au lieu de parodier les préoccupations des hommes, nous trouverons peut-être davantage de descriptions intérieures de la vie émotionnelle de la femme en retour d'âge... En 1978, la remarquable poétesse américaine Linda Pastan a publié un recueil de poèmes ayant pour titre celui du dernier poème du livre, *Les Cinq Stades de la douleur*. On lit sur la couverture cette phrase de May Sarton :

« Rien ici n'est écrit pour l'effet. L'auteur ne s'apitoie pas sur elle-même; elle atteint dans ce livre un niveau très profond sans peur de l'obscurité. »

La douleur de la vieille femme se caractérise justement par cette absence d'apitoiement sur elle-même. Ce n'est pas sur elle-même qu'elle se lamente et elle ne se plaint pas. Sa douleur est si entière qu'elle va au-delà de la plainte et de la lamentation, c'est une douleur austère, sans doute beaucoup trop austère pour les jeunes qui souvent ne comprennent pas « sa musique triste et tranquille ». L'épigraphe citée en tête du livre, tirée du *Richard II* de Shakespeare, pourrait être inscrite sur le T-shirt de toute femme qui regarde son destin droit dans les yeux :

« Vous pouvez me déposer de mes dignités et de ma puissance,
Mais non de ma douleur. J'en suis toujours le roi. »

Les cinq stades de la douleur sont le déni, la colère, la négociation, la dépression et l'acceptation. Si la ménopause est si douloureuse pour tant de femmes, n'est-ce pas qu'elles ont très longtemps refusé de se voir vieillir? Beaucoup de médecins s'entendent souvent dire qu'elle vient trop tôt.

« Un coup d'œil à l'horloge de l'été
Où déjà s'est effacée une moitié du cadran.
Je reste abasourdie, hébétée de surprise.
Je ne regarderai pas une autre fois.
Le second acte de la joie
Est plus bref que le premier.
La vérité, je n'ose la savoir,
Et l'étouffe d'une plaisanterie. » (Dickinson, 1970.)

La phase du déni est terminée dès que la femme reconnaît la vérité qu'elle refusait jusqu'alors. Linda Pastan s'est peut-être rendu compte, après l'avoir passée elle-même, que son premier groupe de poèmes décrivait cette phase.

« Dans cette saison de sel,
Les feuilles tombent,
dénudant la structure
des arbres.

Bonne ossature,
aurait dit mon père
repoussant mes cheveux en arrière.
Ennuyée, je me serais dégagée.

Aujourd'hui, nous sommes sur la tombe de mon père.
Ma mère s'y affaire,
remuant le gravier avec sa truelle.
Déjà chez elle.

A quarante ans, toujours impatiente,
je la renvoie chez elle.
Nous portons nos enfances
Dans nos bras. »

Ce petit poème est plein d'humour. La maison vers laquelle la fille se hâte d'envoyer sa mère est aussi la tombe. Même à 40 ans, la fille s'impatiente encore (ou déjà?), refusant l'endroit où vit sa mère, refusant de voir dans quelle direction elle se dirige.

A cette image du deuil, s'ajoutent les thèmes de l'adultère, du départ d'un amant ou d'un mari, et la peur de la poétesse qui redoute de perdre sa créativité. La douleur causée par la mort des entrailles, thème sous-jacent à ce poème, est presque trop aiguë pour pouvoir être exprimée; pourtant, comment comprendre autrement un poème comme *Œuf*.

« Dans ce royaume,
le soleil jamais ne s'éteint.
Sous la voûte pâle du ciel,
il semble n'y avoir
ni aller ni retour
et ici la mer
n'a pas de marée.

Car l'œuf même
est une lune
luisant faiblement
dans l'espace de la grange,
menacé seulement par le terrible grondement
de la cuiller,
par le premier petit craquement
de l'éclair. »

Au premier stade de sa douleur, dans sa colère, la poétesse s'en prend à ceux qui la rejettent, par leur mort, par leur supériorité inconsciente, par leur adultère (« Tous les hommes sont des enfants, disait ma mère ») et l'abandonnent. Dans le dernier poème de cette partie, *Exeunt Omnes*, (ayant renoncé au suicide), elle prend la seule voie possible et se détache de la vie qui ne la satisfait pas, où elle a échoué, où elle n'a été qu'une mère et une épouse ordinaires, afin de satisfaire ceux qu'elle a aimés.

« Que tout se passe
en dehors de la scène.
Laissez-moi que je reste
avec le décor. »

Le détachement n'est pas chose facile. Même au stade suivant, lorsqu'elle reconnaît sa douleur, la poétesse continue de lutter et de s'accrocher à la vie qui la rejette, pourtant les jeunes lui apparaissent de plus en plus comme une race étrangère. La douleur du deuil éclate au point le plus sensible : son compagnon veut partir, pourquoi partagerait-il des sentiments dont il a peur?

« Ne me quitte pas maintenant.
Nous avons presque
survécu à nos vies. »

L'échec de la négociation mène à la dépression : composition avec le réel :

« Tu dis que la nature est un miroir.
Mais sur la surface brisée du lac
je ne vois
que mon visage en morceaux.
Demande à la nature ce qu'est l'amour.
Son silence est éloquent. »

Tous les poèmes de cette partie sont tristes. La vie est une épreuve que l'auteur n'a pas réussie.

« J'ai tant étudié
dans ma vie
que ce matin,
quand je me suis réveillée
comme pour la première fois
j'ai entendu marcher dans le couloir.
On venait ramasser
les copies. »

C'est là que réside le vrai regret, avec ce sentiment particulier qu'aurait-on pu jouir d'un sursis, on aurait fait mieux. La phase la plus pénible de ce changement de navigation est dominée par l'idée qu'on ne domine plus sa vie, que les décisions qui affectent notre existence ont toutes été déjà prises et mises en œuvre. Une fois l'erreur identifiée, on est déjà sur la voie d'y remédier.

« J'ai tant étudié
dans ma vie
et pendant tout ce temps,
j'ai laissé le matin dehors,
derrière ma vitre,
une roue du soleil
posée contre le trottoir.

Tant de lumière
n'est-elle faite
que pour lire?
J'ouvre les rideaux
pour voir,
c'est la fin
de l'examen. »

L'examen est terminé, peu importent les résultats. Finie l'étude, la vie va commencer. Finie l'époque où on organisait son temps pour répondre aux attentes et aux demandes des autres. Mais pour l'instant, la femme est encore aveuglée par la crudité de la lumière et n'entend que le croassement des corbeaux. Elle ne trouve encore aucun plaisir à observer la « Vingt-cinquième réunion du lycée ».

« Nous venons entendre comment se sont terminées
les histoires
de l'anthologie
de tous nos faux départs.
Comment la fille
qui semblait dure comme fer
a fini par être martelée.

Comment les athlètes
ont été éliminées de la course;
Sous la peau
se devine le crâne
telle la roche qui affleure
dans le lit de la rivière asséchée.
Regardez!
Nous sommes tous devenus
nous-mêmes! »

On arrive ici au stade de l'acceptation mais cette fois-ci la poétesse ne se retrouve pas en train d'abandonner l'obscurité pour marcher vers le soleil, comme la Kate de *L'Été avant la nuit* le fait en rêve. Sa douleur est toujours présente, son chagrin, tel un escalier en colimaçon, la ramène au point de départ, prête encore une fois à nier, rager et négocier.

Le deuil du retour d'âge n'est pas facile. Notre culture demande des visages souriants. Se savoir une vieille peau est déjà désagréable, inutile d'ajouter l'épithète de « malheureuse » à notre état. La société ne tolère pas les visages de femmes solennels, austères ou songeurs. La femme de 50 ans doit donc rassembler son courage. Elle a peut-être envie de s'asseoir, de réfléchir et de pleurer un peu, ou même beaucoup, mais on lui fera comprendre que cette attitude est répréhensible, et on ne la tolérera pas car elle met les gens mal à l'aise. Pourtant ces sentiments sont non seulement convenables, mais nécessaires. Freud serait surpris qu'on puisse appliquer sa théorie du deuil à la mort de l'utérus, car il n'avait pas compris les différentes formes d'investissement de l'utérus.

Dans *Psychopathologie de la vie quotidienne*, Freud explique en effet que le deuil apparaît dans le contact avec le réel. C'est là que la personne endeuillée se sépare de l'objet qui n'existe plus. La fonction du deuil est de mener à terme cette séparation dans toutes les situations où il recevait un haut degré d'investissement. Que cette séparation soit douloureuse vient de l'intensité du désir porté par la personne sur cet objet d'amour dont elle doit se séparer à chaque fois qu'est reproduite une situation où elle était encore liée à lui...

Ces deux notions de Freud, la douleur physique et le deuil, entrent en jeu dans la mort de l'utérus; cette mort, comme toute mort, est chargée de tout le poids narcissique de la douleur physique, et de cette même tendance à « vider l'ego ». Il est dangereux pour une femme de ne pas regarder la situation en face; elle doit absolument exorciser sa perte d'une façon ou d'une autre. La façon dont elle le fera dépendra non seulement de sa personnalité mais aussi des circonstances. Beaucoup de textes anciens sur la ménopause parlent d'un besoin de solitude, besoin auquel les femmes raisonnables se sentaient obligées de ne pas répondre.

Même à l'époque où le deuil était accepté comme une bonne chose et qu'il était vécu en public, on n'acceptait pas les larmes qu'une femme versait secrètement, car on considérait que ses émotions n'avaient pour but que de solliciter une réponse.

Avec cette exception, l'auteur de *What Every Woman of Forty-five Ought to Know* (Ce que chaque femme de quarante-cinq ans devrait savoir), ouvrage publié aux États-Unis en 1902. Emma Drake était une femme médecin qui comparait la ménopause au nettoyage de la maison au début de l'automne. Cette opération, si elle n'est interrompue par des hôtes exigeants, se passe toujours très bien. Comme d'autres médecins, Emma Drake a décrit de façon ridicule les désordres mentaux et physiques du retour d'âge, qu'elle conseillait à ses malades « d'accepter avec calme et patience car tout allait passer », mais elle était prête à proposer des stratégies radicales qui permettraient à la femme d'accomplir son deuil. A celles qui s'affolaient devant leur jeunesse envolée, elle recommandait de prendre le temps de voir depuis combien de temps elle n'était plus.

« Pendant quelque temps, sortez de vous-mêmes et de votre environnement et oubliez les soucis quotidiens. Trouvez une vieille amie, plus elle est associée aux jours anciens, mieux c'est, allez vers elle et trouvez un endroit où vous pourrez parler tout à loisir de votre enfance. »

Assumant sans doute avec raison que tout leur temps a, jusqu'à ce moment, été pris par les autres, elle encourage les femmes qui jusqu'ici ne l'ont pas fait à examiner leur vie. Bien avant qu'on ait parlé de la « génération du moi », elle conseillait déjà aux femmes de prendre du temps pour elles. De faire un voyage en mer, avec une amie qui ne se fatiguerait pas de leur présence, et qui leur rappellerait sans cesse toutes les choses qui sont désormais derrière elles.

« Si vous êtes en ville et ne pouvez partir de chez vous, achetez une tente et montez-la dans le jardin et dormez avec rien d'autre entre vous et le ciel que la toile de la tente... Partez de chez vous aussi souvent que possible. Vous manquerez à votre famille mais cela lui fera du bien... quelles que soient les fonctions sociales qui vous requièrent, partez... »

Il faut partir pour avoir le temps de réfléchir, de pleurer et de s'abandonner. Outre la nécessité de prendre des forces, le docteur Drake apprend à ses malades des techniques de relaxation, d'abandon.

« Apprenez à redevenir un enfant, retournez au temps de votre enfance, rappelez-vous les cachettes et l'insouciance. Balancez-vous sur votre hamac sous les arbres. »

Une fois confrontée au drame intérieur de son retour d'âge, la femme doit se réfugier dans son monde spirituel et s'accepter. Il ne faut pas railler l'état où elle se trouve à ce moment de sa vie, l'ennuyer à ce sujet, la ridiculiser. A propos de la femme seule au moment de sa ménopause, le docteur Drake cite les Écritures où Rachel pleure ses enfants et refuse de se laisser consoler parce qu'ils ne sont plus. Toutes les mères pleurent l'enfance de leurs enfants, la disparition de ces petits personnages magiques qui savaient si bien donner de l'amour et le recevoir. Il est au moins aussi triste pour une femme de savoir que son histoire d'amour avec ses enfants est à jamais révolue que de ne l'avoir jamais connue, surtout de nos jours où le désir physique d'une grand-mère pour ses petits-enfants n'est plus reconnu.

Notre civilisation tolère très mal la douleur. Même le départ de ceux qui nous sont les plus proches et les plus chers, elle nous interdit de le pleurer. Elle ne permet pas à une femme qui vient de perdre son enfant que d'autres femmes se joignent à elle pour le pleurer avec elle et chanter des mélopées funèbres. On lui interdit encore plus de ne faire que pleurer pendant un certain temps. Une femme qui perd ses parents n'a pas le droit de se voiler la tête et de se retirer un peu du monde pour comprendre ce qui vient de lui arriver. Ce qui devrait être un temps de réflexion sur le passé, d'évaluation générale de ce qu'avait été une relation longue et changeante, doit être vécu au même rythme endiablé que le reste de notre vie, considérée comme un continuum. Tout ce qu'on trouve à dire sur ce sujet, c'est que cela ne doit rien changer, comme si la vie humaine n'était pas une série de changements. C'est en refusant de reconnaître le changement qu'on ne peut s'y adapter. La douleur n'est pas un signe de mauvaise adaptation mais du processus de changement lui-même.

En 1984, la maison d'édition Inner City Books, créée pour faire comprendre et divulguer le travail de C. G. Jung, a publié un livre inhabituel et très important écrit par la psychanalyste jungienne Ann Mankowitz : *Change of Life : A Psychological Study of Dreams and the Menopause*. Cet ouvrage étudie le cas de Rachel qui, âgée de 51 ans, vient d'avoir ses dernières règles. Son mariage avait survécu aux années. Ses enfants étaient adultes, les parents de son mari et son père étaient morts depuis quelques années, sa mère l'année précédente. Rachel ne se plaignait de rien de particulier. Elle voulait simplement comprendre comment approcher la seconde moitié de sa vie. Et avec l'aude d'Ann Mankowitz, elle a compris qu'avant de renaître et de devenir elle-même, il lui fallait achever quelque chose. Ses rêves trahissaient un sentiment de grande tristesse et de perte.

Dans le premier rêve de Rachel, la maison de campagne où elle avait vécu avec ses jeunes enfants n'était plus qu'un tas de ruines calcinées. Cette image avait provoqué chez la rêveuse ce genre de douleur physique qui dure longtemps après le réveil. Dans le second rêve, une femme indemne était couchée à l'intérieur de la maison, sur un lit lui aussi intact. Mais elle était morte. Dans le troisième rêve, étaient pendus au bout de quatre cordes dans la grange de la maison brûlée, pleine de poussière et de cendres, quatre petits bouts d'homme. La rêveuse les interpréta comme les cadavres des bébés brûlés pendant l'incendie et se détourna d'eux, incapable de se forcer à les regarder de près. Elle refusa ce rêve, impuissante à affronter la réalité de la mort de son ventre. La baisse de sa vue et la détérioration de l'image que lui renvoyait le miroir commença à la préoccuper énormément.

Il fallut à Rachel plusieurs semaines avant de pouvoir revenir à ce rêve des bébés morts.

Elle les décrivit d'abord comme momifiés et les larmes lui montèrent aux yeux. Elle fit alors le lien avec « maman » comme ses enfants l'appelaient et le « maman » par lequel elle appelait sa mère. Le nombre de quatre l'intrigua d'abord, puis elle se rappela sa fausse couche. Elle comprit alors que ces petits bouts de chou ne représentaient pas seulement ses enfants, mais aussi tous les fruits de ses entrailles.

Confrontée au sens des symboles de son rêve, Rachel passa par plusieurs stades émotionnels, de choc, de répulsion et même d'angoisse de séparation de la mère. Elle se mit en colère contre l'analyste, la considérant comme la cause de sa douleur et de son désespoir, ne comprenant pas que cette douleur rentrée et ce désespoir étaient la raison de son recours à une thérapie.

Pendant plusieurs séances, elle fit le deuil de ses « enfants morts », de ses espoirs morts. Elle parla des petits êtres de la grange et pleura sur eux. Elle se rappela en détail leur naissance, ses grossesses et sa fausse couche. Elle évoqua les souvenirs de ses enfants nourrissons, de leurs premiers pas et la nuit elle rêvait de bébés. Elle goûta la nostalgie profonde dont est entouré, du début à la fin, le processus de la conception et de la mise au monde. Puis elle dit adieu à tout cela. A ce passé à jamais révolu. Ce deuil terminé, elle déclara se sentir purgée de ce qui désormais lui semblait une douleur irrationnelle, et prête à accueillir ce qui venait ensuite.

Margaret Brown, qui participait au symposium international de 1975, concluait :

« Je voudrais souligner que la ménopause est un temps de perte, et que les femmes ne doivent pas tomber dans le piège de se sentir coupables de leur tristesse ou de demander au médecin de leur donner une panacée qui supprimera toute cette tristesse... Le deuil a pour but d'amener la personne à un lâcher prise... »

Margaret Brown ne dit pas de quelles choses les femmes font le deuil. Certaines diront que c'est la perte de leur beauté, d'autres le fait de ne jamais avoir eu d'enfants, d'autres au contraire pleureront leurs enfants morts, d'autres encore regretteront que leurs enfants soient devenus adultes. Dans un de ses derniers poèmes, intitulé « Little Mattie », Elizabeth Browning reproche gentiment à la mère privée de son enfant son chagrin inconsolable, et se moque d'elle parce que son enfant maintenant au paradis n'est plus son bébé :

« Voilà où est la douleur. C'est, je crois,
Ce qui blesse le plus des milliers de fois.
De voir soudain, brusquement,
Un enfant chéri que nous grondions,
Félicitions, aimions, embrassions, taquinions,
Que nous éduquions et faisions sauter dans nos bras,
qui frottait ses boucles contre nos genoux,
Se dresser soudain de toute sa taille d'adulte.
Qui s'étonnerait que pareil spectacle
Ne frappe immédiatement la mère de folie ! » (Browning, 1911.)

D'un autre côté, ne pourrait-on considérer cette douleur comme une sorte de pénitence que nous nous infligeons pour avoir survécu au rôle de mère-amante, pour ne vous être pas complètement perdues dans l'altruisme. La ménopause fait réapparaître, tel un fantôme, un vieux moi renié qui nous reproche d'avoir gaspillé les meilleures années de notre vie à nous consacrer à d'autres qui maintenant semblent ingrats ou inconscients de ce que nous avons fait pour eux. Ce reproche émane surtout de nous-mêmes. Ceux que nous avons élevés nous diront qu'ils ne nous ont ni demandé ni réclamé ce sacrifice ; c'est nous-mêmes qui, à la ménopause, nous accusons d'avoir gaspillé les meilleures années de notre vie. Des images de gaspillage, de gâchis et même de pitrerie font irruption dans nos rêves éveillés et endormis. Ayant fait de notre mieux pour répondre aux besoins contradictoires de notre condition féminine, après trente-cinq ans de bons services, nous voici congédiées sans remerciements !

La personne a survécu au rôle impersonnel de mère-amante, rien n'est donc irrémédiablement perdu, mais la douleur du retour d'âge nous aveugle temporairement. La fin de notre vieille vie est une mort, dont nous allons renaître, mais seulement après avoir fait le deuil de notre premier moi. Ses obsèques devraient être accompagnées d'une célébration de ses œuvres, chose qui sera sans doute très mal appréciée dans notre société anti-matriarcale.

Cette prise de conscience de la mort peut selon les cas ramener la femme en retour d'âge à l'église de son enfance ou la conduire chez son notaire y déposer un testament. Dans ces deux cas, elle ne parlera de son affaire qu'avec son notaire ou son prêtre. Il nous faut accepter la mort comme un élément de notre vie, événement dont il dépend de nous de le vivre bien ou mal. La façon dont nous le vivrons sera autant une expression de nous-mêmes que tout le reste de notre existence. A moins évidemment que nous ne puissions intervenir et que nous mourions sans savoir que le grand moment est arrivé.

La femme du xxe siècle pour qui la ménopause est l'entrée dans l'antichambre de la mort risque fort d'être considérée comme une malade mentale. Elle fera mieux de garder ces idées pour elle. Si elle les avoue, on la croira malade. Qu'elle se garde aussi d'être triste, chagrine ou mélancolique. Ces états seront interprétés comme présages de maladie ou d'ennuis, comme signe de dépression ou d'abattement. Penser à la mort est considéré comme un symptôme morbide, contre lequel on luttera par un traitement de choc. Et si cette pensée de la mort s'accompagne d'insomnie, on suspectera de graves troubles psychologiques nécessitant une intervention encore plus lourde. Personne ne tolère la douleur des femmes : comment s'étonner qu'elles la transforment en symptômes ? Si vous êtes triste, ce n'est pas bien, tandis que si vous êtes malade, ce n'est pas de votre faute !

Tôt ou tard, il faudra penser à la mort. Il faut s'habituer à cette idée à un moment ou à un autre. La ménopause est un temps de deuil, qu'il soit ou non accompagné d'un décès dans la famille proche ou parmi les amis. La femme en retour d'âge devrait avoir droit à son temps de tranquillité et de tristesse. Elle a du travail à faire, mettre sa maison psychique en ordre, organiser les bases de sa nouvelle vie, trouver de nouveaux centres et de nouveaux intérêts. Il lui incombe souvent à cet âge, alors qu'elle-même ne se sent pas en forme, de s'occuper d'un parent difficile ou de l'assister pendant une longue fin de vie. Combien de fois ne voit-on pas une femme de 50 ans accompagner une femme de 75 ans à l'hôpital, au supermarché, dans le foyer du théâtre ? Il est par contre très rare de voir son petit-fils ou sa petite-fille le faire, seule leur mère est disponible et toute la responsabilité lui en incombe.

Ainsi l'ironie du sort veut que ce soit surtout à leurs filles en période de ménopause qu'incombe la tâche de s'occuper de parents âgés, au moment où sans doute elles se trouvent le moins en état d'affronter l'angoisse, la dépression et l'épuisement provoqués par ces soins. Dans ce tourbillon d'émotions fortes, la fin des menstruations apparaîtra peut-être comme une simple bagatelle. Mais peut-être aussi que l'affrontement avec la mort la rendra encore plus pénible, et soulignera le thème de la perte, d'une perte interminable et irremplaçable. La dépression se doublera d'épuisement et de chagrin et le monde entier semblera un processus de disparition et de mort. La loi irréversible de l'entropie devient si évidente qu'elle finira par apparaître futile à la fille de 50 ans qui jour après jour veille sa mère et l'assiste en proie au chaos et à la douleur.

Il y eut une époque où le deuil était non seulement accepté mais obligatoire, comme cela l'est encore dans beaucoup de pays primitifs ou « arriérés ». Quand Angiolina, mon amie de Toscane, a perdu sa mère, la douleur de la ménopause était si aiguë pour elle qu'elle a eu des accès de ce qu'on pourrait appeler des troubles mentaux et que, pour la première fois dans notre association longue de vingt-cinq ans, elle s'est mise à me voler. Elle semblait parfois perdue et déboussolée. La fin de sa mère fut lente et difficile, et Angiolina s'inquiétait à la pensée qu'elle était loin d'elle dans la maison d'une belle-fille qui ne savait pas comment elle aimait qu'on lui natte les cheveux ni combien elle désirait voir les jacinthes bleues des montagnes où elle était née. Quand la mère d'Angiolina est morte, on a ramené son corps dans notre petit cimetière. Chaque jour de la période de floraison des jacinthes bleues, Angiolina est allée en cueillir pour les y déposer sur la tombe de sa mère où elle restait ensuite des heures à lui parler. Personne n'a essayé de l'en empêcher, ni de la consoler. Au contraire, ses voisines se sont chargées du travail de la maison pendant qu'elle s'abandonnait à son chagrin. Elle avait rangé ses fichus de couleurs pour en revêtir un noir. Elle paya avec tout l'argent qu'elle avait économisé des messes pour le repos de l'âme de sa mère.

Pendant ces semaines, quand Angiolina venait travailler chez moi, nous faisions de la couture ensemble et elle me parlait. Son esprit la ramenait aux jours de son enfance, aux efforts de sa mère pour protéger ses enfants de la sévérité de leur père, à la façon dont sa mère gardait l'argent des œufs pour pouvoir gâter un peu ses enfants, à la souffrance de sa mère lorsque les nazis avaient tué son fils sous ses yeux. Angiolina, d'habitude peu réfléchie, ne savait ni lire ni écrire, et ne savait comment consigner un souvenir. Mais sous le choc de la douleur causée par la mort de sa mère, elle fit des prodiges de mémoire. Elle se rappelait tous les détails de ces temps lointains : la façon dont le vent soufflait, si les arbres étaient en bourgeons ou avaient déjà leurs feuilles, si la moisson avait été bonne ou non, par quel chemin elle avait mené les chèvres. Elle me raconta comment son père l'avait mise à la porte quand elle avait refusé d'abandonner le pauvre garçon qui l'aimait depuis seize ans. Le soir de leur mariage, comme ils n'avaient rien d'autre que leur lit, la mère d'Angiolina prit le risque d'être battue par son mari pour monter sur la montagne leur apporter une couverture toute neuve qui fut leur unique cadeau de mariage, un luxe en ces temps de misère.

L'amour d'Angiolina pour sa mère était une passion à laquelle elle ne s'était jamais entièrement adonnée. Après la mort de cette dernière, elle éprouva le besoin de lui parler. Je l'entendais dans le potager qui s'entretenait sérieusement avec elle, exactement comme si elle était à côté d'elle, expliquant, protestant, enjôlant. Quelquefois, elle s'asseyait et se berçait pendant quelques instants en se mettant le tablier devant les yeux. Puis, son deuil fini, Angiolina rangea son fichu noir. Elle continue d'aller sur la tombe de sa mère tous les dimanches avant la messe. Et à la saison où les jacinthes bleues commencent à s'ouvrir sur leurs tiges pourpres, elle ne manque jamais de dire : « *Alla povera mamma piacevano tanto* * », et nous ne les en aimons que plus. En accomplissant si pleinement son deuil, Angiolina a réussi à contrôler sa vie par son imagination. Le deuil achevé, la détresse de la ménopause était passée elle aussi.

Il y a longtemps que les Anglo-Saxons ont perdu l'habitude d'exprimer leur douleur. Longtemps qu'à la mort d'un proche, nos amis ne viennent plus chez nous veiller le corps et le pleurer avec nous. La douleur a commencé par devenir privée, silencieuse et cachée, pour se transformer en quelque chose de secret, puis de honteux. Et la tristesse, qui est pourtant un sentiment des plus compréhensibles, est perçue comme étrange et malséante. Si on se permettait de porter le deuil, on découvrirait vite, comme je l'ai fait en Sicile, que les gens sont prompts à offrir leur sympathie et, pris de compassion, se rappellent leurs propres morts. Les Siciliens me demandaient de qui je portais le deuil, quand il était mort, à quoi il ressemblait. Chaque fois que je leur parlais de lui, je me sentais le cœur allégé d'une part de son poids de regret pour tout ce qui n'avait pas été dit et fait, et aussi pour les chemins que je n'avais pas pris.

Il faut exprimer son chagrin, il s'en trouvera allégé. Certains des plus beaux poèmes de notre langue ont été écrits dans les affres du deuil. Le cœur de la femme qui pleure trouvera certainement plus de réconfort dans leur lecture et les quelques larmes qu'elle versera qu'en s'abrutissant de tranquillisants pour essayer d'ignorer une douleur qui a ses raisons. Ne pas prendre le deuil, c'est ne pas prendre sa perte au sérieux et sous-estimer celui qu'on a perdu. Ne pas pleurer une mort lui enlève son sens. Les événements dénués de signification engendrent le désespoir et le désespoir tue l'âme. La femme vieillissante ne peut s'offrir le luxe de compromettre la vie de son âme. Qu'elle continue d'éprouver des sentiments témoigne de sa vitalité. Comme disait Karen Blixen en citant Faulkner : « Entre le chagrin et rien, je choisis le chagrin. »

* Ma pauvre mère les aimait tant.

12

LA VIEILLE FEMME SEULE ET LE SEXE

La plupart des écrits sur la sexualité de la femme de 50 ans ne parlent que de la femme mariée, vivant encore avec son mari. Tout le monde semble de l'avis de Frances Brooke qui, à l'âge de 40 ans et alors qu'elle était mariée, a publié sous le pseudonyme de Marie Singleton *The Old Maid* (La Vieille Fille). Voici comment elle parle d'elle-même :

« J'ai bien peur d'arriver à la cinquantaine... pour moi, les vieux garçons mis à part, une vieille fille est la chose la plus inutile et la plus inintéressante de toutes les créatures du Bon Dieu. » (Brooke, 1755, 2.)

Miss Singleton prend bien soin de nous faire savoir qu'elle avait eu des propositions et tous les ans, le jour de son anniversaire, « chaussant ses lunettes », elle relit ses anciennes lettres d'amour. Tout l'intérêt qu'elle suscite est concentré sur sa tentative avortée d'union hétérosexuelle, comme si rien d'autre dans sa vie ne lui était arrivé.

Notre réflexion sur la sexualité de la femme de 50 ans va inverser la position décrite par France Brooke, dont nous ne parlerons qu'en dernier. Il y a en Angleterre près de 750 000 femmes qui ne se sont jamais mariées, un nombre à peu près aussi important de femmes divorcées et un nombre quatre fois supérieur de veuves. Un peu plus de la moitié de la population féminine âgée de plus de 50 ans vit sans homme. Toutes ces célibataires, ces veuves et ces femmes divorcées aimeraient bien savoir à quels changements s'attendre dans leur sentiment sur la sexualité pendant la ménopause. Or les attitudes sont multiples.

« Jusqu'à ces tout derniers temps, on disposait de très peu de données sur les effets de la ménopause sur la sexualité de la femme », écrit à raison Tore Hallström du département de psychiatrie de l'université de Göteborg en Suède (Parkes et *al.*, 1979, 160). On dispose en effet de peu de données et encore moins d'observations précises sur la sexualité de la femme en général.

Le docteur Hallström définit ainsi le champ de sa recherche : « La question essentielle ici est de savoir si on observe des changements dans le comportement sexuel, l'intérêt pour le sexe ou la réponse au partenaire pendant les années de la ménopause. Et s'il y en a, quels changements et quelle est leur cause ? »

Avant de chercher à savoir si l'intérêt pour le sexe et la réponse au partenaire diminuaient chez la femme en ménopause, on aurait aimé voir défini quel plaisir sexuel elle attendait d'éprouver. En effet, comment une femme qui n'a jamais connu le plaisir pourrait-elle observer un déclin de sa sexualité pendant la ménopause ? Curieusement, le docteur Hallström, qui avoue ne pas savoir ce que les femmes entendent par orgasme, inclut dans ses tableaux des chiffres sur « l'augmentation de la capacité d'avoir un orgasme ».

L'idée que le désir sexuel de la femme augmente pendant la ménopause remonte loin dans l'histoire des préjugés. Déjà, dans le numéro 59 du *Spectator*, Joseph Addison donne aux femmes des conseils contre la folie du retour d'âge et les met ainsi en garde :

« Je voudrais d'abord les inciter à songer à la brièveté du temps qui leur reste.

« Ensuite à considérer que si le temps de la vie est court, celui de la beauté l'est encore plus. La plus belle peau se ride en quelques années et perd l'éclat de sa couleur si vite qu'on a à peine le temps de l'admirer.

« Et enfin, avertir une femme ayant passé le retour d'âge d'un troisième point : elle risque fort de tomber amoureuse à l'âge de soixante ans si elle n'a su avant cet âge avoir raison de ses doutes et scrupules. C'est une sorte de printemps tardif qui coule alors dans le sang d'une vieille femme et la transforme en une sorte d'animal étrange. Je voudrais amener la femme à observer sur elle-même quel air bizarre elle aura, si par chance elle arrive à vaincre toutes les difficultés et en vient à satisfaire son désir. »

Byron, lui, exprime sa sympathie envers la Grande Catherine de Russie que sa ménopause avait autant perturbée que son adolescence mais qui jamais n'avait « laissé sa dignité en souffrir ». Il laisse entendre que la ménopause est une période d'adaptation semblable à l'adolescence, idée partagée par les gens « éclairés » de l'époque.

Cette idée que la ménopause peut transformer les femmes en obsédées sexuelles est encore vivace. En avril 1990, le professeur d'Alba, répondant aux lettres des lecteurs de la revue italienne *Cronaca Vera*, écrivait à un lecteur dont la femme avait été séduite par son locataire africain, que la faute lui en revenait, qu'il n'aurait jamais dû laisser son épouse seule à la maison avec ce jeune homme. Selon lui, les femmes qui arrivaient au « tunnel de la ménopause » sont souvent la proie d'un désir sexuel incontrôlable, et donc particulièrement vulnérables.

Quant à Ann Mankowitz, qui pourtant ne donne aucun exemple à l'appui de ce qu'elle avance, elle pense pouvoir écrire impunément :

« La souffrance et la colère ressenties par une femme consciente du déclin de son pouvoir féminin au moment du retour d'âge peuvent stimuler son désir sexuel au point qu'elle en devienne provocante. » (Mankowitz, 1984, 5.)

Pourtant les chiffres disponibles, notamment ceux du professeur Hallström, démontrent le caractère farfelu de cette hypothèse. 16 % des sujets interrogés éprouvent un intérêt croissant pour le sexe à 38 ans, 12 % à 46 ans, 13 % à 50 ans et 6 % à 54 ans. Ces chiffres, malgré la petite taille de l'échantillon, sont significatifs ; ils montrent aussi que la femme sexuellement agressive en cours de ménopause existe en nombre suffisant pour que la plupart des hommes en aient rencontré au moins une. Il faudrait évidemment bien définir à quoi est comparée l'augmentation de l'intérêt pour le sexe, et savoir si les sujets de 50 ans avaient déjà éprouvé ce phénomène à 38 ans ou 46 ans et si on leur demandait de noter une augmentation suivant une précédente augmentation. Le docteur Hallstroöm n'en conclut pas moins :

« Cette idée d'un accroissement de la pulsion sexuelle à cette époque de la vie n'est fondée sur aucune preuve sérieuse et doit donc être considérée comme un mythe » (166).

La conclusion de Hallström est trop catégorique. Que les femmes en général ne voient pas leur désir sexuel s'accroître pendant la ménopause ne veut pas dire que cela n'arrive à aucune. En fait, beaucoup de femmes, surtout celles qui ont un taux de testostérone élevé, auront un clitoris plus sensible pendant leur retour d'âge ; elles ressentiront une tension dans les parties génitales, en présence ou non d'un partenaire, et cette tension sera gênante en présence d'un partenaire non habitué à ce genre de comportement. Les femmes qui prennent de la testostérone pour remédier aux malaises de la ménopause peuvent trouver la tension des parties génitales et la sensation d'excitation diffuse si peu contrôlables et déconcertantes qu'elles devront interrompre le traitement. Par ailleurs, les femmes de 50 ans, que la vie a débarrassées du narcissisme des plus jeunes, se montreront sans doute plus directes dans leur comportement sexuel et feront clairement comprendre ce qu'elles désirent, surtout si, pour la première fois de leur vie, ce n'est pas l'amour qu'elles cherchent, mais simplement un rapport sexuel. S'il en est ainsi, ce sera aussi la première fois dans leur vie qu'elles auront compris le mode d'excitation de leur partenaire masculin et son besoin de trouver un soulagement à son besoin.

L'étude de l'université de Göteborg, commencée en 1968 et étalée sur dix ans, s'était donné comme objectif de déterminer « si la ménopause avait des effets sur la santé mentale et le comportement sexuel ». Peut-être le lien entre les deux phénomènes était-il évident pour le docteur Hallström, en tout cas, il n'a pas essayé de le définir. Des 899 femmes de l'étude, seulement 800 ont été interrogées. L'étude ne prenait en compte que « les femmes mariées ou cohabitant avec un homme ». En dehors des rapports hétérosexuels, aucune question n'avait trait à la sexualité féminine. Ainsi, il n'était jamais question de masturbation : pourtant la meilleure façon d'évaluer la « capacité à avoir un orgasme » est d'interroger la femme à ce sujet plutôt que sur sa réponse à un partenaire mâle qui peut être rigide.

Le taux de divorce en Suède est de 46 %. Les femmes divorcées vivant seules avec leurs enfants doivent donc composer une part importante de la population de Göteborg. Pas plus que les veuves, elles n'étaient représentées dans l'étude. Quant aux femmes jamais mariées, leur sexualité n'a pas été jugée digne d'intérêt. En ne retenant pour leur échantillon que les femmes vivant avec des hommes, les auteurs de cette étude ont ignoré une catégorie presque aussi importante que celle qu'ils ont soi-disant choisie au hasard.

Le dégoût pour le devoir conjugal envers un époux âgé a inspiré en Europe de nombreuses comédies. L'épouse du vieillard est souvent une jeune femme à qui répugne le contact d'un mari âgé avide de sa chair jeune et chaude. Mais ce dégoût n'est pas l'apanage des seules jeunes femmes, des femmes plus âgées peuvent le ressentir également. Il est impossible d'intérioriser objectivement son âge et encore plus difficile d'adapter sa réponse aux partenaires du groupe d'âge qui conviendrait. Selon Simone de Beauvoir, les femmes sont moins sensibles que les hommes à l'aspect physique de leurs partenaires : c'est ignorer que cette attitude n'existe que chez les femmes non libérées. Celles dont la survie et celle de leurs enfants dépendent des hommes seront plus sensibles aux marques de succès et de richesse qu'à la beauté. Mais les femmes financièrement indépendantes choisiront sans doute quelqu'un correspondant davantage à leur désir. Les femmes riches peuvent prétendre aux hommes beaux et beaucoup plus jeunes qu'elles-mêmes : ce sera sans doute des hommes trop heureux de vivre à leurs crochets.

Les hommes qui ont une attitude supérieure envers les femmes et les traitent comme des enfants n'éprouvent pas le besoin de leur offrir, en plus de ce qu'ils leur donnent déjà, un physique attrayant. Ils négligent souvent leur apparence et leur forme physique, et pour la plupart se rasent en se levant plutôt qu'avant d'aller au lit avec leur femme. Les femmes ayant gagné leur indépendance rechercheront un plaisir sensuel avant qu'il ne soit trop tard. Leur nature les attire vers ce qui attire les hommes, la jeunesse et la beauté. Elles ne peuvent néanmoins choisir un beau jeune homme avec la même impudence qu'un homme choisit une jeune femme, et leur relation reste très précaire, pour elle comme pour leur partenaire. La tragédie du mariage entre Mai et Décembre a inspiré de nombreuses œuvres littéraires, mais toujours avec l'homme dans le rôle de Décembre. Le mariage d'une femme âgée avec un jeune homme a toujours semblé grotesque.

On trouve généralement les jeunes plus attirants sexuellement que les personnes âgées. Comment nier ce fait? Les jeunes produisent des phéromones qui provoquent l'excitation sexuelle, les personnes âgées n'en sécrètent pas. Il est généralement admis que les hommes âgés sont séduits par le charme d'un corps jeune et que les femmes y sont insensibles. Les femmes, il est vrai, préféreront très souvent un homme à un garçon. Mais pas toujours : Éros est représenté sous les traits d'un jeune homme et les jeunes garçons ont toujours suscité l'amour chez les deux sexes. Voici Vénus, femme mûre, courtisant Adonis, dans un poème de Shakespeare :

« Trois fois plus beau que moi-même, commença-t-elle,
Fleur souveraine des champs, douceur incomparable,
Toi qui effaces toutes les nymphes, plus charmant qu'un homme
Plus blanc et plus vermeil que colombes ou roses. »

Au contraire des héroïnes romantiques, Vénus éprouve un désir sexuel et se montre entreprenante. Shakespeare ici se moque d'elle, mais il raille aussi le jeune homme qui rejette froidement l'amour de la reine. Dans le monde libertin, les jeunes garçons sont initiés à l'art de l'amour par des femmes plus âgées. Un des chemins de la réussite pour un jeune aristocrate était de séduire une femme puissante. Il utilisait ses charmes juvéniles comme le font, sans que cela nous surprenne, les jeunes femmes d'aujourd'hui. Voici comment Aphra Behn décrit l'objet d'amour masculin, sous les traits d'un jeune frère dans *The Fair Jilt*.

« Il ne lui manquait aucune des grâces qui le forgeaient pour l'amour, le beau sexe lui trouvait tous les charmes et son grossier vêtement ne masquait rien (à elle) du beau corps qu'il était censé cacher aux regards, ni ces mains délicates qu'il avait... » (Summers, 1967, V, 78.)

Le charme de ces jeunes gens résidait précisément dans leur côté efféminé, leur grâce, leurs boucles soyeuses, le teint frais et rose de leurs joues imberbes. Ce genre de beauté était recherché à la fois par les hommes et les femmes. Ces attributs, qui appartenaient aux deux sexes, n'en étaient pas pour autant dénués d'attrait sexuel. La grande virilité – qu'on exagérait – de ces jeunes gens entrait pour une bonne part dans la séduction qu'ils exerçaient et faisait un solide contrepoids à la sexualité redoutée des femmes. Comme le dit « une des femmes dignes d'être louée » dans *The Perfumed Garden of Sheik Nefzvi* (Le Jardin parfumé de Sheik Nefzvi) :

« Pour l'amour, je préfère un jeune homme, aucun autre.
Il est plein de vitalité, je ne désire que lui
Son membre est de proportions parfaites dans toutes ses dimensions
Sa tête brûle comme un brasier,
Énorme, il est unique dans toute la création,
Fort et dur, la tête arrondie et gonflée.
Toujours prêt à l'action, il ne s'affaisse jamais.
L'amour dans sa violence ne le laisse pas un instant en repos. »

Nombreuses ont été les époques où il était admis qu'une femme de goût et pleine de vitalité préfère pour partenaire un délicieux jeune homme capable d'éjaculer plusieurs fois plutôt qu'un homme âgé. Ce qui voulait dire, dans l'Europe d'avant la Révolution, que les jeunes femmes mariées prenaient pour chevaliers servants des adolescents. Dans l'Angleterre du règne d'Elizabeth ou des Stuarts, la beauté masculine jouait un grand rôle dans les affaires hétérosexuelles. A d'autres époques, les hommes qui se servaient de leur beauté étaient surtout des homosexuels à la recherche d'un protecteur masculin.

Voici ce qu'écrit de Vienne, en 1716, Lady Mary Wortley Montagu, dans une lettre enthousiaste. Elle a alors 27 ans :
« Je peux vous assurer que les rides, des épaules un peu voûtées ou même des cheveux gris, n'empêchent en rien de faire de nouvelles conquêtes. Je sais que vous aurez du mal à vous imaginer un jeune homme de vingt-cinq ans couvant passionnément des yeux Lady Suffolk ou avide d'accompagner la comtesse d'Oxford à sa sortie de l'Opéra. Mais ce sont des scènes que je vois tous les jours et il n'y a que moi pour m'en étonner. Une femme en dessous de trente-cinq ans est ici considérée comme encore inexpérimentée et ne peut espérer se faire remarquer avant d'avoir atteint la quarantaine... C'est très réconfortant pour moi de savoir qu'il existe sur terre un tel paradis pour les vieilles femmes. » (Montagu, 196, I, 269-270.)

En 1755, alors âgée de 66 ans, elle décrète qu'elle n'a jamais vu « depuis le déluge, aucun homme amoureux d'une femme de quarante ans. Cela peut arriver à un jeune garçon, mais c'est un feu de paille qui dure le temps seulement pour lui d'apprendre à faire la distinction entre la jeunesse et la vieillesse, ce qu'il fait généralement vers dix-sept ans. Jusqu'à cet âge, tout le sexe féminin apparaît angélique à une constitution chaleureuse » (II, 98). En avril 1736, elle avait rencontré Francesco Algarotti, un bel Italien de 24 ans, cultivé et intelligent pour qui elle avait perdu son cœur de 47 ans. Lord Hervey, l'ami homosexuel de Lady Mary, était lui aussi épris d'Algarotti et il les opposait l'un à l'autre. En septembre, après le départ d'Angleterre d'Algarotti, elle lui avait envoyé en France maintes lettres où elle s'humiliait à lui dire et redire son amour pour lui. En octobre, Algarotti lui répondit à temps, dit-elle, pour sauver ce qu'il lui restait de santé mentale. Elle continua cependant de lui écrire à Venise en lui faisant une proposition des plus inconvenantes :

« Si vos affaires ne vous permettent pas de revenir en Angleterre, j'arrangerai les miennes de sorte à pouvoir aller vous retrouver en Italie. Cela semble une proposition extraordinaire, mais qui va de soi si l'on considère l'impression que vous avez faite sur un cœur qui ne peut aimer aucun autre que vous. Je vous tiens en si haute estime que mes louanges de vous surpasseraient de loin toutes celles que désirerait entendre l'homme le plus vain... » (II, 110-1).

Habitué à l'effet que produisaient sa grande beauté et son charme passif sur les gens de bien et les grands de ce monde, Algarotti sut faire mieux que de s'engager envers l'un de ses deux amoureux anglais qui continuaient de lui écrire malgré sa lenteur à leur répondre. En mars 1739, il écrivit à Lady Mary qu'il ne reviendrait en Angleterre que si elle lui envoyait de l'argent. Ce qu'elle fit, et il s'installa dans la luxueuse maison de Lord Burlington où elle vint souvent le voir. En juillet 1739, elle alla le retrouver en Italie, d'où il partit avec Lord Baltimore pour un voyage en Russie. Sur le chemin du retour, il rencontra le jeune prince Frédéric de Prusse qui, lors de son ascension sur le trône l'année suivante, l'appela à sa cour et fit de lui un noble de Prusse. Après leur rencontre à Turin au printemps 1741, Lady Mary se rendit compte à quel point elle s'était trompée à son sujet :

« A l'époque (de ces souvenirs fous) quand j'avais un penchant irrésistible pour vous, le désir de vous plaire (tout en sachant à quel point c'était impossible) et la peur de vous agacer étouffaient ma voix quand je vous parlais... Je vous ai observé, et tellement bien que le Chevalier Newton n'a pas disséqué les rayons du soleil avec plus d'exactitude que je n'ai étudié les sentiments de votre âme... On trouve toujours en vous goût, délicatesse et vivacité. Comment se fait-il que je ne rencontre que vulgarité et indifférence? C'est que je suis si ennuyeuse que je ne suscite rien de mieux, et je vois si clairement quelle est la nature de votre âme que je désespère autant de l'émouvoir que Monsieur Newton désespère d'ajouter à sa découverte des télescopes dont les propriétés dissiperaient et changeraient les rayons de la lumière » (II, 237).

Qu'Algarotti fût homosexuel n'avait pas d'importance. Lady Mary recherchait un compagnon idéal avec lequel partager sa vie. Elle croyait qu'Algarotti aimait son goût, sa délicatesse et sa vivacité comme elle aimait les siens et qu'il ignorait les marques de vieillesse sur son visage et son corps. Nombreuses sont les femmes d'âge mûr qui recherchent comme compagnon idéal un jeune homme efféminé, un « walker * » comme on dit aujour-

* « Walker » : compagnon, accompagnateur.

d'hui, pour l'accompagner dans sa vie sociale, la conseiller et la consoler, l'amuser et la stimuler. Ce genre de relation comporte de nombreux degrés et formes d'affection. Les lettres de Lady Mary la montrent passionnément amoureuse d'Algarotti. L'ami homosexuel de ce dernier, Lord Hervey, lui rappelait qu'elle manquait d'attrait physique :

« Pour séduire son amant, le rendre bien disposé à son égard, elle ne devait cesser de parler et lui de demeurer aveugle. » (Halsband, 1960, 157.)

D'autre part il rassurait Lady Mary en lui disant qu'à 52 ans elle n'était pas trop vieille pour l'amour et qu'elle devait simplement se trouver un autre amant. Lady Mary ne l'écouta pas. Après cinq ans d'amour malheureux, elle revint définitivement à la raison. Il lui restait ce qu'elle appelait elle-même « la passion de sa vie », c'est-à-dire son amour pour sa fille Mary, Lady Blute, à qui elle a régulièrement écrit tous les quinze jours pendant vingt ans.

Byron, qui était beau et non contraint par sa situation sociale ou financière de céder au désir des femmes âgées qui le courtisaient, a créé une version style Régence de ce type de relation dans *Childe Harold* (Le Pèlerinage de Childe Harold) et *Don Juan*. Si les jeunes gens tournaient alors autour des femmes plus âgées, c'était souvent que les femmes encore non mariées se gardaient, ne pouvant se risquer à entrer sur le marché du mariage déjà « utilisées ». On excluait la fornication mais l'adultère avait libre cours. Nos mœurs actuelles de fornication et de monogamie en série, dont le coût sur le plan matériel et sur le plan de la souffrance humaine, physique et mentale, est terriblement lourd, semblent solidement établies. Elles sont très défavorables aux femmes âgées dont la situation est meilleure même sous le régime de la polygamie. Quel que soit notre désir de revenir à des mœurs où les jeunes gens seraient initiés à l'amour par des femmes plus âgées, ce qui améliorerait la qualité des relations sexuelles, cette évolution est improbable dans une société où le sexe est non seulement facilement accessible aux jeunes, mais obligatoire.

Le *Chéri* de Colette est le dernier chef-d'œuvre à avoir dépeint les vestiges d'une alliance entre une femme expérimentée et un très jeune homme. Au début du roman, l'héroïne, Léa, a 50 ans; sa liaison avec un jeune homme de vingt-quatre ans plus jeune qu'elle dure depuis six ans. On a dit que ce roman avait été inspiré par le livre de Karin Michaëlis, *L'Âge dangereux*, alors qu'il l'a été par l'amour d'une de ses amies, Suzanne Derval.

« A quarante-neuf ans, Léonie Vallon, dite Léa de Lonval, finissait une carrière heureuse de courtisane bien rentée, et de bonne fille à qui la vie a épargné les catastrophes flatteuses et les nobles chagrins. Elle cachait la date de sa naissance; mais elle avouait volontiers, en laissant tomber sur Chéri un regard de condescendance voluptueuse, qu'elle atteignait l'âge de s'accorder quelques petites douceurs. Elle aimait l'ordre, le beau linge, les vins mûris, la cuisine réfléchie. » (*Chéri,* 11.)

Chéri, à peine âgé de 20 ans au début de la liaison, fait partie des douceurs qu'elle s'autorise. C'est lui qui a pris les devants. Léa n'est pas une femme mince. Elle n'essaie pas, au contraire de l'éventuelle belle-mère de Chéri, Marie-Laure, de paraître plus jeune qu'elle n'est. Son « méchant nourrisson » l'aime en partie parce qu'elle est maternelle, justement. Il dort toujours avec sa tête appuyée sur son sein gauche sans se rendre compte qu'elle reste souvent éveillée. Léa insiste délibérément sur son âge : Chéri ne doit pas l'appeler « ma chère » comme si elle était sa femme de chambre ou une amie de son âge. Elle est « madame ». Sa maison est remarquablement bien tenue. Le champagne qu'elle choisit pour lui est aussi vieux qu'elle. Son amour pour lui est l'amour d'une connaisseuse.

Colette ne cesse de rappeler que Léa est une femme très mûre, ses cils sont encore noirs, ses yeux ont encore des « prunelles bleues cerclées de bleu plus sombre, mais... dans deux ans, cette bonne Léa aura le menton de Louis XVI ». Même si « un corps de bonne qualité dure longtemps... ce grand corps blanc teinté de rose, doté des longues jambes, du dos plat qu'on voit aux nymphes des fontaines d'Italie; la fesse à fossette, ce sein haut suspendu, pouvait tenir jusque bien après le mariage de Chéri... »

Le développement du roman montre que Léa se trompe sur elle-même. Sa relation à Chéri n'est pas seulement une liaison qu'elle a menée à son gré, Chéri est l'amour de sa vie. Quand il la quitte pour se marier, pour la première fois de sa vie, Léa souffre. Sa peine est de plus en plus vive et amère au cours des jours. Elle part sans laisser d'adresse, fait le tour de la France, prenant ostensiblement du bon temps alors qu'elle s'ennuie dans son désespoir. Mais jamais elle n'envisage de reprendre contact avec Chéri. Puis elle disparaît du roman où Colette s'intéresse à son héros, le jeune homme. Si la situation de Léa est difficile, celle de Chéri est tragique.

Il est incapable de jouer son rôle de mari, désire retrouver le sein de Léa et aller la rejoindre. Léa reconnaît qu'en le gardant près d'elle, elle a empêché Chéri de devenir un homme. En fait, tous deux ont pâti des vingt-quatre ans qui les séparaient. Pendant un temps, Léa se permet de croire qu'il leur reste encore un peu de temps ensemble, mais Chéri n'est pas dupe. La Léa vers laquelle il revient n'est plus la même. Le matin qui suit leur réunion dans l'énorme lit d'acier et de cuivre poli, il ne se lève pas d'un bond pour demander son café et ses brioches, mais fait semblant de dormir encore. Il regarde son visage « pas encore poudré, une maigre torsade de cheveux sur la nuque, le menton double et le cou dévasté » (229). Elle remarque vite le changement en lui : « Tu arrives ici et tu trouves une vieille femme » (245). Elle lui demande pardon de l'avoir aimé « comme nous allions l'un et l'autre mourir l'heure d'après » sans songer à son avenir. Dans un instant de dur réalisme, après avoir regardé Chéri s'arrêter au milieu de la cour, et s'être laissée aller à espérer qu'il allait revenir sur ses pas, elle se surprend dans le miroir, « vieille femme haletante ». Léa se demande ce qu'elle pouvait avoir de commun avec cette folle (251).

Mais Colette voit bien que le plus blessé n'est pas Léa; elle survivra, mais pas Chéri. Dans *La Fin de Chéri*, Chéri, toujours incapable de s'adapter à son rôle de mari, commet la folle erreur d'aller rendre visite à Léa dans son nouvel appartement, qui est plus petit et très différent de leur nid d'amour. Il y découvre une énorme femme aux cheveux blancs, aussi joviale et dénuée de manières qu'un vieillard. Elle s'inquiète de son visage tiré et attribue son malaise à des troubles rénaux, lui conseille un bon restaurant où manger une nourriture qui lui fera du bien au corps et à l'âme. Seul son rire appartient à l'ancienne Léa. Il attend, pris par le fol espoir que la vraie Léa va réapparaître à la place de cette étrangère trop en chair qui se frappe la cuisse comme la croupe de son cheval. Chéri ne peut supporter les injures du temps, il se tue d'une balle de revolver.

Colette ne nous donne pas la réponse aux questions et aux angoisses de Chéri. Quand Léa a-t-elle cessé de se teindre les cheveux? Quand a-t-elle abandonné son corset? A la publication de *Chéri*, Colette avait 49 ans. Elle travaillait sur ce thème depuis 1911. Ce n'est qu'en 1921 qu'elle est tombée amoureuse du fils de la première épouse de son mari, Bertrand de Jouvenel, qui est devenu le modèle de Phil dans *Le Blé en herbe*. La relation a duré jusqu'en 1924.

Grâce à Chéri, les femmes de la génération de Colette se sont permis de prendre de jeunes amants. *La Fin de Chéri* démontrait que c'était un sport mortellement dangereux, mais cela n'a pas empêché des jeunes gens impétueux de s'engager librement dans une relation avec les semblables de Colette et de Marguerite Moreno, son amie. En 1924, alors qu'elle achevait *La Fin de Chéri*, Colette a rencontré Maurice Goudeket; elle avait 52 ans, lui 36. Il avait une maîtresse fort jalouse et la situation fut difficile au début. Mais Colette sut s'imposer. Elle écrivit à Marguerite Moreno qu'elle éprouvait cette sorte de faux sentiment de sécurité que ressentent les gens tombant d'une tour quand ils planent un instant dans l'air dans un « confortable féerique », sans sentir la moindre douleur.

Colette pensait évidemment, comme beaucoup de femmes dans sa situation l'auraient fait, que son histoire d'amour avec Goudeket allait avoir une fin rapide et douloureuse. C'était l'époque où *Chéri*, sa pièce, était en tournée et où elle retrouvait

Maurice dans la propriété qu'il avait louée dans le sud de la France. La similitude entre la fiction et la réalité l'amusait. Similitude limitée : Maurice et Colette allaient en effet vivre ensemble pendant trente ans. En avril 1935, ils se marièrent afin de pouvoir voyager ensemble sur le *Normandie* dont c'était la première traversée, et partager la même chambre d'hôtel dans la prude Amérique. Et ils sont toujours restés ensemble jusqu'à la mort de Colette en 1954, sauf pendant une période terrible de la guerre où Maurice, qui était juif, a été deux fois arrêté, une fois déporté et où il devait toujours se cacher. Pendant les dernières années de sa vie, Colette ne se montrait jamais à lui sans sa poudre et son khôl, et ne lui a jamais laissé entrevoir son corps dévasté. A partir de 1942, l'arthrite l'a clouée au lit et sa bonne, Pauline, devait l'aider à se baigner et à se changer de vêtements. Son arthrite était sans doute doublée d'ostéoporose et aggravée par son excès de poids. Goudeket a écrit quelques pages sur sa vie avec Colette, où il explique un peu pourquoi à ses yeux elle avait gardé tout son charme. Pauline, à qui Colette devait montrer la réalité derrière le maquillage, n'a évidemment laissé aucun témoignage.

Simone de Beauvoir consacre une partie importante de *La Force de l'âge* à une discussion sur la sexualité des personnes âgées. Tout le monde sait, écrit-elle, que la fréquence des rapports sexuels diminue avec l'âge. Le facteur essentiel est le statut marital. Les gens mariés continuent d'avoir des relations parce les difficultés éprouvées à maintenir l'érection et à satisfaire la partenaire sont moins catastrophiques dans une relation établie que dans une rencontre de passage. Comme souvent dans *La Force de l'âge*, Simone de Beauvoir épouse le point de vue masculin de façon révoltante. Comment ne pas se demander si la maladresse d'un époux âgé est agréable à sa femme, comment ne pas s'en soucier? Elle ne suggère pas non plus que la fréquence des rapports dépend aussi du désir de la femme. Encore pire, bien qu'elle considère la masturbation comme un signe d'activité sexuelle, elle n'y fait aucune allusion. Jamais non plus elle ne mentionne que le changement intervenant dans l'appareil génital de la femme ménopausée puisse ôter pour elle tout plaisir aux rapports qui parfois deviennent douloureux. Pas plus qu'elle ne fait allusion au besoin des hommes prenant de l'âge : considérant toujours leur pénis comme leur *alter ego*, ils ont besoin d'être rassurés à ce sujet et leur angoisse est parfois oppressante pour les femmes.

La Léa de Colette envisage d'abord de faire l'amour avec les hommes de son âge qui la courtisent encore, puis refuse avec dégoût l'idée d'accepter un ventre flasque, un visage ridé et un dentier. Une femme de goût préférera évidemment tenir dans ses bras le garçon dont parlait lady Mary et dont la semence coule à flots, ce genre de garçon représenté sur un vase grec au Fitzwilliam avec cette légende écrite en grec : « Le garçon, oui, le garçon est beau. » Un feu de paille vaut mieux que pas de feu du tout. Et faire l'amour ce n'est pas seulement être pénétrée : il y a aussi l'intimité, le fait de dormir et de se réveiller ensemble, la vue, l'odeur, le toucher. Le sexe dont parle Simone de Beauvoir est dépourvu de sensualité.

Simone de Beauvoir continue son argumentation masculine, en s'éloignant toujours plus du point de vue féminin. Parlant de la masturbation, elle introduit ses propres remarques. Selon elle, l'homme en vieillissant se lasse de sa femme qu'il connaît trop bien, qui vieillit et qu'il ne désire plus. A son corps déformé, il préférera ses caprices.

Simone de Beauvoir ne voit pas pourquoi une femme refuserait des rapports ennuyeux avec son mari. En effet, selon elle, si une femme refuse de faire l'amour, c'est soit à cause d'anciens complexes, soit parce que la conscience qu'elle a de son âge lui fait apparaître l'amour dégoûtant. Un homme, donc, a le droit d'être dégoûté par le corps vieilli de sa femme, alors qu'une femme ne le devrait pas ! Il existe évidemment des gérontophiles des deux sexes attirés par les vieillards, et désirant des rapports avec eux, mais aucun homme, dit Simone de Beauvoir, ne se sentira attiré sexuellement par une femme qui pourrait être sa grand-mère. Selon elle, une femme peut rester sexuellement active jusqu'à la fin de ses jours, car elle n'a pas à redouter l'impuissance et elle est moins sensible que les hommes à l'aspect physique de son partenaire. Comment ne s'étonne-t-elle pas d'une attitude si peu exigeante et n'y voit-elle pas les conséquences d'une longue oppression ? Refuser de reconnaître aux femmes le droit de repousser un homme âgé est une négation de leur autonomie sexuelle. Dans *La Force des choses*, elle expliquait que la plus grande réussite de sa vie était sa relation à Jean-Paul Sartre. Dans les années qui ont suivi ce livre, elle a dû se rendre à l'évidence que Sartre avait de moins en moins besoin d'elle mais que, par contre, il se complaisait en la nombreuse présence de jeunes disciples belles et intelligentes. Si elle a souffert de la jalousie qu'elle décrit dans *La Force de l'âge*, ses dernières années ont dû être très douloureuses. Simone de Beauvoir ne désirait personne d'autre que Sartre qu'elle n'intéressait plus sur le plan sexuel et qu'elle a fini par perdre – si elle l'a jamais eu : jamais en effet on n'a entendu Sartre dire que la plus grande réussite de sa vie était sa relation à Simone de Beauvoir. Espérons qu'elle ne s'est jamais rendu compte que Sartre n'était pas un grand penseur et que ses romans étaient presque aussi mauvais que les siens sur lesquels elle ne se leurrait pas.

Simone de Beauvoir écrivait à la veille de la révolution sexuelle. Sa façon de mettre l'accent sur le coït fait partie d'une stratégie de libération, libération qui a été trop prônée et qui a fini par devenir obligatoire. De nos jours, même si aucune pression sociale ne pousse les jeunes gens dans les bras de femmes plus âgées, celles-ci sont maintenant libres de rechercher et de jouir de toutes les opportunités de rencontre. Encore faut-il pour cela qu'elles aient assez d'argent pour séjourner en des endroits courus (qu'elles aient une voiture, par exemple) et se présentent de façon séduisante. Même dans les cas où la situation est égale, et elle l'est rarement, une femme âgée ne peut se conduire dans ce domaine de la même façon qu'un homme du même âge. En effet, on ne la perçoit pas comme une entité sexuelle, à moins évidemment qu'elle ne s'exhibe ostensiblement, ce qui équivaut à se déclarer disponible et éloignera tous les partenaires, sauf les moins désirables. Elle s'expose alors sur le marché avec des conséquences qui peuvent être graves pour sa santé physique et mentale, et même pour sa vie.

Presque tous les jours, je vois une femme de ce genre. Toujours vêtue d'une jupe très courte avec une ceinture très serrée à la taille, des bas brillants et des chaussures à très hauts talons. Elle noue sur le haut du crâne ses cheveux teints en étranges boucles et ondulations dont quelques petites mèches lui retombent sur les yeux. Sa couche de fond de teint est si épaisse qu'on dirait une couche de tartre. Elle se dessine les lèvres d'un gros trait rouge graisseux et se souligne les yeux d'un trait épais et maladroit (la presbytie venant, il devient de plus en plus difficile de se maquiller). Elle se pavane à petits pas en se dandinant du derrière dans presque tout le bâtiment où elle travaille. Pour ma part, je la trouve belle, elle a certainement mon âge ou un peu plus, mais ce qui attire l'attention de tout le monde, c'est son cri : Remarquez-moi ! Désirez-moi ! Aimez-moi ! Elle est aussi pitoyable qu'un mendiant.

La femme de 50 ans qui désire rester dans la course doit se faire remarquer par d'autres moyens. Les hommes n'ont pas ce problème. Même s'ils sont plus attirants jeunes que vieux, les hommes ne vieillissent pas de la même façon que les femmes. Des cheveux gris peuvent même ajouter à leur pouvoir de séduction, et cela s'explique parfois par des raisons sociobiologiques. La production de sperme et de testostérone ne cesse jamais chez eux, même si le taux en diminue. Alors qu'une fois qu'elles n'ovulent plus, les femmes se sentent différentes, et leur aspect change aussi. Les hommes, eux, gardent leurs fonctions reproductives et continuent de susciter un intérêt sexuel, ils peuvent même continuer d'avoir des enfants, ce qui est impossible aux femmes du même âge. Comme si ces différences objectives ne suffisaient pas, elles se doublent de différences dans la façon de percevoir. Moins sensibles à l'attrait sensuel de la jeunesse et plus sensibles aux signes extérieurs d'autorité, de pouvoir et d'argent, les femmes sont souvent attirées par des hommes plus âgés qu'elles. Elles vont jusqu'à trouver plus d'attrait sexuel à un homme puissant, quelle que soit son allure. Les femmes américaines ont désigné comme l'homme le plus sexy des États-Unis Spiro T. Agnew, qui avait plus de 60 ans et dont le sex-appeal a beaucoup pâti de sa disgrâce et de la perte de son influence. On n'a plus jamais entendu parler de lui.

Les hommes peuvent donc voir leur sex-appeal augmenter avec l'âge, ce qui sera très rarement le cas pour les femmes après avoir passé la période désagréable de la puberté. La femme d'âge mûr est souvent représentée comme replète, pleine de protubérances et mal fagotée, et cela malgré Tina Turner et Lena Horne. Les exceptions ne font que confirmer la règle. Quelle femme à la jolie silhouette ne s'est pas fait siffler par des hommes marchant derrière elle dans la rue, qui en voyant son visage se sont mis à lui faire des remarques désagréables ? Cela ne suffit pas qu'une femme prenne soin de sa ligne ou soit jolie. Dans sa compétition avec les femmes plus jeunes, elle aussi doit être jeune.

Certaines femmes veuves ou divorcées se remarieront après 50 ans, quelques femmes célibataires aussi. Les hommes célibataires de cet âge, homosexuels ou non, sont très recherchés comme hôtes et souvent invités à dîner. Ce qui n'est pas le cas pour les femmes dans la même situation. Si elles ont passé leur vie à élever des enfants et se retrouvent dans un lit vide et une maison vide, il leur sera difficile de renouer des contacts. Elles ont rarement assez d'argent pour bien s'habiller et pour s'offrir des soins de beauté. Et même si elles peuvent prendre soin d'elles-mêmes, elles restent ce qu'elles sont. Des vieilles.

La femme de 50 ans qui ne peut envisager de vivre le reste de sa vie sans un homme est mal partie. Certaines femmes, et à mon avis elles ont de la chance, perdent tout intérêt pour le sexe après la ménopause. D'autres, selon les termes de Byron, sont tracassées comme au moment de leur adolescence. Mon amie Flora me dit qu'après trois semaines sans avoir rencontré un homme, elle descend dans la rue et dévisage ceux qu'elle voit, prête à « leur lécher les bras nus ». Elle donne d'elle-même une image criante de disponibilité : elle s'est teint les cheveux d'un blond criard, porte des jupes étroites et courtes fendues à l'arrière, ou bien des pantalons, toujours avec des chaussures à hauts talons, souvent à fines lanières, et une chaîne à la cheville. Elle se débrouille pour toujours laisser entrevoir son soutien-gorge... Lorsque je me trouve avec elle dans un bar, je vois partout les hommes la regarder : ils comprennent tout de suite son message. Ceux qui sont accompagnés d'une femme lui jettent des coups d'œil furtifs et se tournent vers elle en faisant semblant de se pencher pour ramasser quelque chose, ou bien ils la regardent derrière leur journal ; ou debout derrière les femmes qui les accompagnent, ils la dévisagent d'une façon qui me fait peur. Chaque fois que nous sortons, elle ramasse quelqu'un, et c'est chaque fois un homme de plus en plus terne, ivre et inintéressant. Quand je lui ai fait remarquer une fois qu'elle risquait de se faire agresser et tuer dans un parking, elle m'a regardée avec un regard désespéré : « Tu n'as pas compris? Je m'en fous. »

Flora s'est mariée à 20 ans et, pendant plus de la moitié de sa vie d'épouse, a eu des liaisons avec d'autres hommes, quelquefois plusieurs à la fois. « L'amour » est ce qui donne du prix à la vie, dit-elle, en me répétant que si elle n'est pas passionnément amoureuse d'un homme, elle ne se sent qu'à moitié vivante. Par ailleurs, ce qui n'arrange pas les choses, son frère aîné est sur le point de se remarier avec une femme riche d'à peine 30 ans avec qui il envisage de fonder une famille. « Ce n'est pas juste, répète Flora. Ce n'est vraiment pas juste. Les hommes peuvent toujours recommencer. Lui commence, je finis. » Son ancien mari, qui a mis du temps à accepter le divorce, commence lui aussi à jouir de la vie. Ses amies sont des femmes qui exercent une profession, qui sont indépendantes, intéressantes, peu exigeantes, et de dix ans plus jeunes que sa femme. « Ce n'est pas juste », répète encore Flora. Sa peur de vivre sans homme veut dire qu'elle ne peut se préparer à vivre seule dans sa vieillesse. Il faudra qu'un homme se présente.

Le dernier qui s'est présenté était d'un genre très inférieur à son mari et à ses premiers amants. Flora se trouvait habituellement des hommes jeunes, beaux, plutôt intéressants, même s'ils ne l'étaient pas autant qu'elle le pensait. C'étaient souvent de jeunes artistes sans le sou, qui appréciaient Flora non seulement pour sa beauté mais aussi pour son intelligence, sa culture, ses relations. Son dernier ami était différent. Non seulement il avait du ventre, les yeux injectés de sang et des petites veines éclatées sur les joues, mais il ne se rasait pas et était presque chauve. Il sentait mauvais, dégageant une odeur de vêtements pas lavés imprégnés de sueur acide. Comme beaucoup de ses précédents amants, il était cinéaste, mais n'avait produit qu'un seul film. Et comme il approchait de la quarantaine, on ne pouvait beaucoup espérer de lui. Mais Flora a fait siens ses espoirs, a étudié son film unique jusqu'à en savoir par cœur toutes les répliques et a complètement adopté son idéologie politique.

Flora disait qu'elle n'avait jamais eu un aussi bon amant que cet homme dépourvu d'allure. N'était-ce pas une impression due à la passion qu'elle mettait dans cette liaison tout à fait banale plutôt qu'à ses qualités d'amant? lui ai-je demandé. Ils s'étaient rencontrés au cours d'un déjeuner. Comme elle devait ensuite se rendre à une soirée, il avait proposé de l'accompagner. Ils s'étaient arrêtés dans son appartement pour qu'elle puisse se changer, ils avaient fait l'amour et n'étaient pas allés à la soirée. Ils ne se sont jamais montrés en public. Il la voyait de façon irrégulière, souvent tard le soir dans son appartement.

Elle était possédée. Elle ne pensait qu'à lui, le désir de le revoir la tourmentait sans cesse. Tous les soirs, elle restait dans son appartement à attendre qu'il appelle et laissait tomber ses amies pour rester disponible pour lui. Elle ne voulait rien faire d'autre que de l'attendre. Elle le croyait en voyage, en train d'essayer de montrer son film. Elle tenta de l'aider en présentant son film à quelques-unes de ses relations. Le seul fait de parler de lui et de son film soulageait son besoin incessant de lui, un besoin qu'elle pensait réciproque. Il lui était insupportable de penser qu'il avait d'autres femmes, et elle se croyait l'unique, même si le contraire paraissait évident. Cette liaison, de sang-froid pour lui, passionnée pour elle, entama l'estime qu'elle avait d'elle-même. Elle se rendit compte de son abjection. Désespérée, elle l'interrogea : oui, il y avait une autre femme, et oui, il serait mieux qu'ils ne se voient plus.

La perte du peu qu'il lui donnait l'affecta si profondément qu'elle se retrouvait en larmes dans les bus et les trains, ou à errer sans but dans les rues. Elle négligea son joli appartement. Ses filles, qui l'aimaient beaucoup, vinrent à sa rescousse et veillèrent à ne pas la laisser trop seule, mais elles étaient impuissantes devant son désespoir et un besoin physique si criant. Elle finit aussi par apprendre que son amant n'avait pas eu seulement une autre femme, mais qu'il y en avait toujours eu plusieurs autres. S'il avait mis un terme à leur relation, c'est qu'il était las d'elle et pas encore des autres. Cette découverte l'humilia très profondément et elle ne trouva d'autre solution que d'attendre un autre homme qui la traiterait sans doute encore plus mal. Son mari, qui est resté un bon ami pour elle, espérait qu'elle souffrirait moins après la ménopause. Mais pour elle, une vie sans sexe paraissait complètement dépourvue de joie et d'intérêt et elle commença à envisager le suicide.

Certaines femmes ne peuvent comprendre cet esclavage chez quelqu'un d'aussi cultivé et intelligent que Flora. Même Simone de Beauvoir trouvait ennuyeuse et inintéressante une vie sans intrigues amoureuses. L'activité intellectuelle où pourtant elle excellait ne lui paraissait pas suffisante pour remplir sa vie. Sa réaction devant les premiers signes de la vieillesse se serait comprise chez une femme n'ayant jamais vécu que de son apparence et de sa présence physiques. La vanité intellectuelle et la pauvreté spirituelle exprimées dans *La Force des choses* par Simone de Beauvoir avec, il faut le reconnaître, une honnêteté dévastatrice, entame l'importance de sa pensée qui n'a pu lui apporter la sérénité ou la maîtrise d'elle-même. Au contraire, elle semble mépriser le détachement des personnes âgées, qu'elle interprète comme de l'insensibilité. Comme Flora, sans homme, elle ne se sent qu'à moitié vivante.

Certaines femmes âgées trouvent l'amour, parfois chez des

hommes beaucoup plus jeunes. Peut-être que Flora qui est intelligente, cultivée, et vraiment belle malgré son apparence volontairement vulgaire, trouvera un homme jeune assez sensible et viril pour sentir ce qu'elle a de particulier. Les chances sont faibles, mais certaines femmes y sont arrivées. Marian Evans, *alias* George Eliot, *alias* « Mrs. » Lewes, rencontra John Cross à Rome en 1869. Elle avait 49 ans et lui 29 ans. Elle joua pour lui le rôle de tante et quand George Lewes mourut en novembre 1878, il fut pour elle sa plus grande consolation. En août 1879, ils étaient amoureux. Ils lisaient *La Divine Comédie* ensemble. Elle lui écrivit en octobre, sur un papier brodé de noir : « A l'homme le plus aimant et le plus aimé : Comme l'éclat du soleil est froid, froid, quand aucun regard d'amour ne se pose sur moi. »

La lettre est signée : ta tendre Béatrice.

Johnny proposa plusieurs fois à George Eliot de l'épouser. Elle refusa deux fois. En 1877, quand Anne, la fille de Thackeray, épousa Richmond Ritchie de presque vingt ans plus jeune qu'elle, Eliot écrivit à Barbara Bodichon qu'elle avait reçu plusieurs propositions d'hommes brillants et pleins de talent qui choisissaient pour compagne de vie « une femme dont les seuls attraits étaient d'ordre spirituel ». Lady Jebb, qui recevait les nouveaux mariés et le couple Bullock-Halls à Six Mile Bottom, écrivit :

« George Eliot, aussi vieille et laide soit-elle, avait pourtant l'air vraiment jolie et séduisante à tous égards... Elle me fit pitié pendant la soirée. Il n'y avait personne dans tout le salon dont elle n'aurait pu être la mère et je l'ai devinée un peu déprimée à la pensée qu'elle ne pourrait jamais redevenir jeune. Elle adore son mari et je crois qu'elle a été un peu blessée qu'il me parle autant. » (Jobb, 1960, 163.)

A mon avis, c'était sans doute Johnny Cross qui ressentait vivement l'âge de sa femme. Elle-même avait eu 38 ans, elle savait ce qu'on éprouve à cet âge. Elle avait joué envers lui le rôle de tante, c'est-à-dire presque de mère : ils étaient tombés amoureux alors qu'elle venait de perdre son mari et lui sa mère. Elle mourut un an après leur mariage. Johnny Cross ne s'est jamais remarié.

Dans son testament, George Eliot ne laissa rien à son mari. A part quelques petites affaires personnelles, elle légua tout à Charles Lee Lewes, qu'elle désigna comme son seul exécuteur testamentaire. Cross entreprit d'écrire sur son épouse une biographie très flatteuse qui lui valut beaucoup de railleries à sa parution. On se demande si John Cross, ayant épousé Eliot pour des raisons uniquement « d'ordre spirituel », ne s'est pas soudain trouvé mis en demeure d'accomplir son devoir conjugal. C'est peut-être la façon dont il a découvert cette clause non dite du contrat qui l'a amené à se jeter par la fenêtre du Palais Gritti.

Ce genre de situation n'est pas réservé aux gens de la haute société. L'histoire de Margaret Powell, une femme de ménage, est édifiante. Dans *The Treasure Upstairs* (Le Trésor d'en haut), elle raconte comment, un jour où elle l'a emmenée au pub de Hove, sa patronne, Thora Ellis, a rencontré des jeunes Canadiens.

« Miss Ellis, Thora, était en extase devant son Pete. Je ne me suis pas tout de suite rendu compte à quel point elle était séduite. Après notre départ à l'heure de fermeture du pub, elle n'a cessé de parler de lui pendant le trajet du retour : quelle vie intéressante il avait eue, quelles bonnes manières, etc.

« Ce que je ne savais pas, c'est qu'elle avait donné son adresse à ce Pete et l'avait invité à venir à l'appartement. J'ai été très vivement contrariée quand le lendemain, au lieu de faire du café pour deux, j'ai dû en faire pour trois. Ce n'était que la première visite d'une série qui allait devenir régulière... J'ai senti qu'il avait obtenu d'elle ce qu'il voulait... Il l'a séduite si rapidement que tout ce que j'aurais pu lui dire n'aurait servi à rien. Je savais qu'elle lui donnait de l'argent. Un jour il arriva avec une nouvelle montre, un autre jour avec un étui à cigarettes en or. Cela m'agaçait de voir une femme de son âge dupe à ce point. Elle ne pouvait quand même pas ignorer qu'il était impossible qu'un homme de trente-cinq ans tombe amoureux d'une femme de plus de soixante ans, même jolie, et encore moins d'une femme qui ne l'était pas et avait une verrue avec quelques poils. J'ai fini par essayer de lui dire qu'il n'en voulait qu'à son argent, mais elle a refusé de m'écouter. " C'est un fils pour moi ", ne cessait-elle de répéter. " Vous allez voir quel salaud de fils il est ", lui ai-je lancé, exaspérée...

« Et les choses ont empiré. Ce Pete s'est installé dans l'appartement, dormant dans la chambre d'ami qu'il utilisait comme s'il était chez lui. Il s'est ensuite mis ouvertement à demander de l'argent à Miss Ellis, même devant moi, et je sentais qu'avant peu, il demanderait mon renvoi... » (Powell, 1972, 131.)

Voici la suite de l'histoire : Margaret Powell a écrit au frère de Miss Ellis, un juriste qui a éjecté le locataire encombrant et emmené sa sœur chez lui à Manchester...

« C'est à cause de cela que je me suis sentie si horrible de lui avoir écrit. C'est comme si j'avais renvoyé Miss Ellis quarante ans en arrière. Elle s'est retrouvée à nouveau chargée de la marche d'une maison, non plus pour son tyran de père, mais pour son tyran de frère... Quand nous nous sommes dit adieu, elle ne m'a rien reproché. Je pense que, pour elle, le moment de bonheur qu'elle avait connu valait tout ce qui s'ensuivait. Elle avait goûté, croyait-elle, à l'amour romantique... » (13).

Ni Margaret Powell ni le juriste Ellis n'ont un instant envisagé la possibilité que ce Pete ait réellement été séduit par une femme deux fois plus âgée que lui. J'ai connu des homosexuels véritablement gérontophiles et n'appréciant que les hommes sensiblement plus âgés qu'eux-mêmes. Mais je n'ai jamais encore rencontré un homme qui désire une femme deux fois plus âgée que lui et ne soit pas attiré par des femmes plus jeunes. De nos jours encore, la plupart des femmes reconnaîtront la justesse des paroles de Lucy Bentham dans le roman de George Moore, *Lewis Seymour and some Women* (Lewis Seymour et les femmes), à propos de sa liaison avec Seymour de douze ans plus jeune qu'elle.

« Dix-huit mois, presque deux ans, avaient passé depuis sa première rencontre avec Lewis chez Mr. Carver. Elle avait alors trente-quatre ans, elle en avait maintenant trente-six. Une année de la courte période pendant laquelle une femme peut jouir de l'amour s'était écoulée et dans dix ans, elle n'y serait plus apte. Elle pourrait garder Lewis dix ans, mais ensuite elle devrait le passer à une autre femme... Supporterait-elle de renoncer à son bonheur, et se retirerait-elle de bonne grâce? » (Moore, 1917.)

Ce n'est pas une femme qui parle, mais un amoureux des femmes qui parle à sa place. La majorité des femmes seraient néanmoins d'accord avec cette observation sur leur aptitude, ou je ne sais quoi, à l'amour. Un siècle auparavant, Mary Wollstonecraft se rappelait un écrivain enjoué qui demandait « pourquoi diable les femmes de 40 ans se trouvaient sur terre ». Moore alloue un peu plus de temps à Mrs. Bentham :

« Elle pourrait le retenir pendant dix ou douze ans, jusqu'à ce qu'elle arrive à quarante-cinq ans. A cinquante ans, la vie d'une femme est vraiment finie, et elle commençait à se demander comment le cordon sensuel se romprait, si la simple lassitude ou bien un incident quelconque provoquerait cette séparation. Ou l'apparition d'une autre femme, malheur qui pouvait arriver d'un jour à l'autre : elle voyait bien en effet que toutes les femmes l'attiraient car il était très jeune. » (Moore, 128-9.)

En l'occurrence, Lucy Bentham eut la chance que le coup n'arrive pas avant qu'elle ait atteint 45 ans.

« Une femme meurt deux fois, dit-elle, et dans quelques années il nous faudra vivre cette épreuve : nos bouches n'attireront plus les baisers. Sa bouche à lui aussi cessera d'être tentante... » (202-3).

Moore reconnaît au moins que les hommes aussi finissent par ne plus être aptes à l'amour, mais Mrs. Bentham est un personnage féminin inhabituel en ce qu'elle est une sensuelle et qu'elle aime Seymour pour sa beauté. Si on accepte *l'a priori* de Moore que seuls les jeunes sont faits pour l'amour, il nous faut en conclure que les femmes ont souvent dû endurer les baisers de gens non aptes à l'amour. Peut-être que les femmes sont plus conscientes du fait d'être embrassées que de celui d'embrasser, et s'imaginent que tant qu'une des bouches est agréable, cela suffit. La plupart des femmes n'envisagent pas des rapports sexuels où l'homme serait indifférent et se laisserait simplement caresser. Il leur est simplement impossible de désirer presser de vieilles bouches contre une chair ferme et jeune, pour le simple plaisir de la sentir et de la goûter. La sensualité des femmes semble avoir été oblitérée par leur narcissisme. Même dans un bordel masculin, une femme s'attend à ce que son partenaire jouisse d'elle, et s'inquiète plus du plaisir de l'autre que de son propre orgasme. On nous répète que la prostitution masculine est sur le point de s'étendre, et qu'il existe des acheteuses friandes de pornographie douce où sont montrés des corps masculins, et que les nouvelles femmes d'affaires sauront où et comment trouver satisfaction, et qu'elles auront l'argent nécessaire pour assouvir leur désir, mais ce phénomène n'a pas l'air de se produire.

On trouve généralement les vieilles femmes répugnantes sur le plan sexuel. La mythologie de la tentation est toujours représentée sous la forme de belles jeunes filles qui se transforment en vieilles sorcières dont les horribles attributs sont simplement ceux de l'âge. En revanche, dans *La Flûte enchantée*, une vieille sorcière lascive se transforme miraculeusement en Papagena. La femme, qui très tôt devenait une vieille sorcière, peut maintenant repousser ce moment indéfiniment, grâce à l'orthodontie. Si elle ne se retrouve pas les gencives édentées, elle ne redoutera pas que la perte de ses dents ne rapproche la pointe de son nez crochu de celle de son menton pour dessiner le profil traditionnel de la sorcière. Les femmes ne se laissent plus pousser de poils, de verrue ou de kyste. Pourtant la femme de 50 ans sait bien que son corps n'est plus ce qu'il était. Même si elle garde une bonne condition physique et le ventre plat, elle a la peau plus fine et moins élastique, les muscles moins fermes. Le traitement par les œstrogènes peut ralentir cette dégénérescence, sans l'arrêter tout à fait. Et elle trouve de plus en plus difficile de se déshabiller devant un étranger, surtout s'il ignore son âge et si elle ne sait à quoi il s'attend. Elle peut recourir à des subterfuges, à une lumière douce, à des sous-vêtements de luxe, à la drogue ou à l'alcool, et essayer d'atténuer la première impression qu'elle redoute cruciale. Mais l'homme, habitué à une fausse image de la féminité, risque de se tourner vers la fenêtre et de se jeter dans le canal s'il découvre que sa partenaire est une sorcière.

Il est aujourd'hui considéré de bon aloi qu'une femme âgée ait des relations sexuelles. La logique de l'époque veut que tout le monde ait droit au sexe, les femmes âgées comme les autres. Cependant, la réalité est telle que ces femmes doivent trouver ce droit ridicule si personne dans leur vie n'a envie d'avoir de relations avec elles, ou si personne ne les attire dans leur entourage. En pratique, cela veut dire qu'elle doit être mariée, s'être accrochée à son mari, ne l'ait pas laissé mourir ou partir avec une autre, et qu'elle ait encore envie de lui. Ce sont des conditions qu'une femme ne peut maîtriser. Les maris continuent de mourir de façon malcommode et indécente. D'autres hommes, s'ils ont acquis pouvoir et influence, se mettent à désirer des stimuli sexuels plus efficaces que ceux que leur offre leur vieille épouse et une femme d'un nouveau genre dont la vitalité fera plus honneur à son statut qu'une épouse qui a appris à faire la cuisine pendant les années de vache maigre. Nombreuses sont les femmes de 50 ans forcées d'accepter un divorce. D'autres le réclament elles-mêmes.

Une femme vieillissante ne peut exercer son droit à l'expression sexuelle si elle n'a pas auprès d'elle un partenaire qui la désire. Si elle n'a jamais eu de relations sexuelles, il est peu probable qu'elle s'y mette après 40 ans, et encore moins après 50 ans, à moins qu'elle ne fasse partie de ces institutions où on incite les vieilles femmes et les hommes âgés à se rencontrer sexuellement. Elle ne peut remplacer un mari mort ou divorcé. Elle ne doit absolument pas se laisser convaincre que si elle ne peut jouir de relations sexuelles, elle deviendra une femme « frustrée », amère, cruelle, desséchée et envieuse. Il ne faut pas attribuer les symptômes de la ménopause à un déséquilibre mental ou à des troubles émotionnels causés par l'absence de sexe. C'est vrai qu'il est difficile de se passer de relations sexuelles si on y a été habituée, mais c'est faisable. Si vous avez survécu jusque-là sans sexe, la chose deviendra de plus en plus facile. Dans tous les cas, reste cette possibilité jusqu'à la fin de la vie : l'âme peut s'embraser à tout âge. A 50 ans, Emily Dickinson écrivait :

« La joie vint comme une lente bénédiction
Retenue pendant des siècles.
Sa beauté croissant telle la marée
Dans une somptueuse solitude
La désolation a failli me submerger,
Mon émerveillement l'a transformée.
Éblouie par ce changement je fus
Saisie d'un saint ravissement. » (Dickinson, 1970.)

13

L'ÉPOUSE AGÉE

Dans son *Diseases of Women : A Clinical Guide to Diagnosis and Treatment*, George Ernest Herman affirme sans la moindre hésitation :

« Après l'arrêt des règles, les organes génitaux s'atrophient. L'utérus rapetisse, le vagin devient plus lisse et son orifice, s'il n'a été élargi par des accouchements, rétrécit. Ces transformations ne sont pas importantes pour les femmes qui se sont mariées à l'âge qui convient, mais elles peuvent l'être pour celles qui se sont mariées tard, à des hommes plus jeunes. » (1898, 582-3; 1903, 582-3; 1907, 592-3; 1913, 574).

Pour ce bon docteur, qui semble vraiment tout plein de compassion, une femme qui s'est mariée à l'âge convenable à un homme de l'âge qu'il fallait, c'est-à-dire à un homme plus âgé, n'utilise plus son vagin une fois la ménopause arrivée. Par contre, la femme qui a épousé un homme plus jeune qui la désire encore sera ennuyée par son orifice devenu inutilisable.

Aujourd'hui, on ne considère plus le vagin comme un simple meuble à la disposition du mari et on reconnaît la libido de la femme. La théorie de notre époque veut que les femmes aient elles aussi des désirs sexuels, qu'elles aient aussi non pas seulement le droit, mais le devoir de les exprimer pour rester en bonne santé. Ainsi, là même où le docteur Herman n'aurait trouvé que des raisons de s'abstenir de relations sexuelles après la ménopause, on ne voit aujourd'hui que de bonnes raisons pour au contraire ne pas les interrompre.

Theodore Faithfull, psychologue, sexologue et membre du Collège royal de chirurgie vétérinaire, est quant à lui certain que la diminution de l'intérêt de la femme de 50 ans pour les relations sexuelles en traduit avant tout la déformation :

« Si la vie sexuelle d'un couple marié a été la fornication, c'est-à-dire la recherche d'un soulagement glandulaire chez l'homme et une satisfaction instinctive obtenue par quelques grossesses chez la femme, ce couple éprouvera probablement vers la cinquantaine un manque de désir d'intimité physique due à la diminution de la fonction glandulaire. » (Faithfull, 104.)

Dans quelle situation difficile Faithfull met ses malades! Si reconnaître qu'on ne s'intéresse plus au sexe, c'est reconnaître que son mariage s'appuyait sur la fornication, qui va l'admettre? L'attitude de Faithfull est typique en ceci qu'il oublie tout simplement les femmes qui ne sont pas engagées dans une relation hétérosexuelle. Pour lui donc, ces femmes qui n'ont pas accompli un destin d'épouse et de mère sont condamnées, quoi qu'elles fassent, à une mauvaise santé. Quant à celles dont le mari est mort ou les a quittées pour une raison quelconque, il n'en parle pas non plus. Mais si la description qu'il fait de l'orgasme féminin est ridicule, et si son livre, *The Future of Women* (L'Avenir des femmes), est un étrange ouvrage, il n'en représente pas moins l'exemple type de la façon dont les hommes considéraient la sexualité féminine : à savoir simplement la moitié d'un tout parfait, le couple. Aujourd'hui encore, nombreux sont les médecins qui réagiraient de la même façon :

« Il y a quelques années, l'épouse d'un homme exerçant de grosses responsabilités est venue me consulter. Elle considérait sa vie pour ainsi dire finie. Elle achevait sa ménopause, son fils allait quitter la maison et elle sentait que son mari aurait été plus heureux avec une femme plus jeune. Elle racontait des bêtises, lui ai-je répondu. » (104).

Or, même si elle se trompait, cette femme ne racontait pas de bêtises. Mais Faithfull continue :

« Je lui ai dit que si elle se reprenait, elle pourrait aider beaucoup de jeunes femmes autour d'elle tout en jouissant pendant encore de nombreuses années d'une intimité conjugale heureuse avec son mari. Quelques mois plus tard, remarquant un sourire sur son visage, je lui en ai demandé la raison. Oh, a-t-elle dit, je crois que je dois vous avouer... Quand mon mari a eu terminé hier soir, il m'a dit : " Ma chérie, tu me donnes maintenant plus de bonheur que tu ne m'en as jamais donné pendant nos vingt-cinq ans de mariage " » (104-5).

Quand son mari a eu terminé quoi? aimerions-nous demander. Faithfull a certainement cru bien faire pour cette femme mythique, il n'est cependant pas arrivé à ce qu'elle s'arrête de vivre pour les autres. Et comment « s'est-elle reprise »? Il ne nous le dit pas non plus. Aurait-il été aussi fier de lui si elle lui avait expliqué qu'elle menaçait son mari d'un fouet, qu'elle le frappait avec les talons aiguilles de ses escarpins rouges ou qu'elle le laissait l'attacher, la battre ou déféquer sur elle? Dans ce genre de discours, les désirs du mari, quels qu'ils soient, sont reconnus comme légitimes tandis que le rôle de la femme est d'y satisfaire.

Cette conception de la sexualité du couple marié résulte d'une déformation plus générale de la façon d'envisager les relations hétérosexuelles. Les homosexuels, on le sait, qu'ils soient hommes ou femmes, arrivent à l'orgasme grâce à toutes sortes de jeux amoureux qui n'incluent pas la pénétration du vagin par le pénis. Reste qu'on continue de considérer comme anormaux les hétérosexuels qui préfèrent des relations sexuelles excluant cette pénétration. Voilà pourquoi le dessèchement de la muqueuse du vagin est si crucial pour la femme dans sa relation à son mari. Bien qu'on ait prouvé maintes et maintes fois que ce n'est pas par le vagin qu'elle arrive à l'orgasme, que d'autres jeux sexuels lui procurent plus de plaisir et que la constante exposition du *cervix uteri* au *glans penis* peut être dangereuse pour la santé, on continue de considérer la pénétration comme l'acte essentiel. Même la crainte du sida n'a pas affaibli cette idée. On envisage les relations sexuelles entre époux vieillissants en s'imaginant qu'ils se conduiront, selon l'expression de García Márquez, « comme des grands ». Mais on ne tolère pas qu'une femme interdise l'entrée de son vagin et essaie de trouver son plaisir par des moyens plus sûrs. Alors que si elle fait partie de ces femmes qui n'ont eu qu'une relation sexuelle alors qu'elles avaient surtout envie d'être serrées dans des bras, à qui on a donné du sexe alors qu'elles ne recherchaient qu'un peu d'affection et de tendresse, on imagine aisément que la perspective de continuer sur le même mode jusqu'à sa mort ne la réjouisse pas beaucoup.

Cette façon de voir dans la continuation des relations sexuelles le signe de la vitalité du couple a un aspect encore plus pervers. En effet, les distributeurs de pornographie justifient souvent leur activité en prétendant stimuler les couples qui s'ennuient par les jeux et postures sexuels qu'ils montrent. On comprend vite, sans avoir regardé beaucoup de ces images pornographiques, qu'elles sont plus dirigées vers le pénis mou que vers le vagin desséché et dénué de réactions. De toute façon, il est fort improbable que des stimuli visuels stimulent le vagin car les femmes ne sont pas autant axées sur les parties génitales que les hommes. On ne répétera jamais assez que la pornographie commerciale est sadomasochiste et dégradante pour les personnes qu'elle met en scène et dont la grande majorité sont des femmes. Elle inspire des relations sexuelles malsaines et foncièrement destructrices.

En 1957, Maxine Davis, responsable de la page médicale de la revue *Good Housekeeping*, résume ainsi la pensée contemporaine sur le rôle de la femme dans le couple marié : « Les jeunes couples, tout à leur ardeur, s'imaginent que le livre de la vie sexuelle s'interrompt aussi brutalement que la première pelle de terre sur un cercueil. » (Davis, 1957.) Comme ils ont tort, continue-t-elle. Un vieux couple « peut tout à fait espérer jouir d'un bon moment de sexe après avoir passé la soirée à garder son troisième arrière-petit-fils ».

« Leur activité sexuelle ne sera évidemment pas aussi fréquente ni aussi intense qu'auparavant, mais elle sera toujours, sur un mode plus doux, assez complète pour leur procurer du plaisir et donner un sens à leur vie » (190-1).

Le couple dont elle parle a réussi à rassembler autour de lui quatre générations d'enfants, mais pour connaître le bonheur et donner un sens à leur vie, il a encore besoin d'un pénis pénétrant un vagin ! Il serait pour moi plus vital que chacun des deux membres du couple sache encore faire rire son partenaire. Mais qui sait ? Ils rient peut-être en s'escrimant avec le pénis. Dans une telle situation, il ne faut pas trop avoir le sens de l'absurde.

Maxine Davis donne de la vie une idée fausse. Il est extrêmement difficile de savoir harmoniser les désirs et les sensibilités de l'un et de l'autre. Et l'union parfaite entre deux amants, qu'elle soit sanctifiée ou non, est une chose si rare qu'il ne faut pas se sentir coupable de ne pas y être parvenu. Nous avons tous été émus par le film *Chant d'amour* de Genet, où des prisonniers essaient d'exprimer leur tendresse en se servant des canalisations des toilettes ou des fentes des murs. Un couple âgé qui ne célèbre pas sa tendresse par d'harmonieux grincements de matelas hebdomadaires n'a pas d'excuses à donner. On lit dans la littérature sur la ménopause que perdre tout intérêt pour le sexe après vingt-cinq ans de mariage est un symptôme plutôt rare et grave :

« Des problèmes psychologiques plus graves peuvent justifier une psychothérapie. Mari et femme trouveraient sans doute profitable de s'adresser à un sexologue et de suivre une rééducation. L'impossibilité de stimuler son partenaire, une éjaculation précoce chez l'homme ou l'impossibilité de se détendre chez la femme, sont des facteurs d'échec dans la relation sexuelle. » (Evans, 1988, 98.)

On croit donc que des difficultés psychologiques peuvent entraîner des troubles de la ménopause. Les jeunes médecins d'aujourd'hui incitent tout aussi chaleureusement que Theodore Faithfull la femme à « se ressaisir » et pour cela utilisent leur bonne parole. Ceux qui considèrent l'absence de plaisir de la femme dans ses relations sexuelles avec son mari comme un signe de grave problème psychologique, essaieront à tout prix de soumettre la femme à un lavage de cerveau. Comme personne ne veut être étiqueté « malade mental », quelle superbe idée que de laisser entendre à la femme en cours de ménopause, qui déjà redoute de perdre la tête, que son refus du sexe est un symptôme psychosexuel !

L'impuissance à stimuler son partenaire est considérée comme un crime odieux. Et les sexologues de clamer que chacun des deux partenaires doit être stimulé par l'autre. Mais en fait, qui a besoin d'être stimulé ? L'homme évidemment, qui une fois stimulé, surtout s'il s'ennuie, devra se hâter avant que son enthousiasme ne s'évanouisse. N'oublions pas non plus que la stimulation devient de moins en moins efficace. Ne voit-on pas chaque année arriver à l'hôpital des hommes avec un pénis écorché par l'ouverture du tuyau de l'aspirateur. Combien de temps, d'énergie et d'argent faut-il dépenser pour stimuler l'autre, ce n'est nulle part précisé. Vient de paraître le énième best-seller sur « Comment séduire votre mari », très riche en multiples conseils tous plus cocasses les uns que les autres, tous très onéreux en fleurs, vêtements, alcools, télégrammes, etc., et exigeant beaucoup de temps. L'auteur rêve de transformer la chambre des petits-bourgeois en théâtre où auraient lieu des scènes qui auraient fait rougir les courtisanes de l'ancienne Alexandrie. L'épouse qui refuse de s'habiller comme une domestique française un jour, le lendemain comme une nonne, et le troisième jour comme une écolière, ou de se comporter comme une putain au prix exorbitant, sera accusée de ne pas stimuler son partenaire; le couple n'aura donc pas d'heureuses relations sexuelles, ce qui veut dire que la femme souffre de graves problèmes psychologiques et sexuels et doit suivre une psychothérapie.

Pour celle qui n'a jamais beaucoup joui des rapports sexuels, et qui, malgré toute l'énergie qu'elle y a mise, n'a pas connu un ravissement bi-hebdomadaire à deux, l'arrivée de la cinquantaine n'est-elle pas l'occasion d'abandonner la lutte? Si renoncer au sexe entraînait le divorce, le taux de divorces serait beaucoup plus élevé. Même agréable, la reprise des relations sexuelles par les deux époux n'est pas indispensable. Croire que ces relations témoignent de la bonne vitalité du couple, c'est tomber dans l'erreur commune. Il est absurde de donner aux femmes des stéroïdes dans le seul but de les rendre réceptives aux désirs de leur mari.

Il existe certainement beaucoup de femmes parvenues à la cinquantaine, dont le mari est encore vivant et vit encore avec elles, qui désirent cet homme et sont désirées par lui. Si ces femmes sont gênées dans la réalisation de leur désir par l'état de leur vagin, elles peuvent prendre des œstrogènes de substitution, soit en crème à appliquer directement sur le vagin, soit par voie orale. Mais si la femme ne désire des rapports avec son mari qu'à la seule fin d'avoir la paix, quelle absurdité de lui donner des stéroïdes pour lui permettre de s'adonner à une activité dont elle n'a jamais joui! Un mari qui n'a jamais été un amant sensible ou imaginatif le deviendra peut-être quand sa puissance diminuera. Mais si ce n'est pas le cas, si l'expression de son désir devient encore plus mécanique, plus masturbatoire, s'il en a fini plus vite et s'endort encore plus tôt que pendant les premières années de mariage, on comprendra que la femme de 50 ans ait envie de s'arrêter là. Tout comme si son mari prend trop son temps, la réveille au milieu de la nuit, où s'il n'a envie d'elle qu'après avoir bu un verre ou lu deux ou trois revues prises sur l'étagère la plus haute du marchand de journaux.

La littérature courante sur la ménopause prétend qu'un mari a un droit conjugal sur le corps de sa femme. C'est faux, évidemment. On écrit aussi que le désir d'un mari reste plus ou moins constant pendant trente-cinq ans. Pourtant, les sexologues écrivent :

« A partir de l'adolescence, le désir, l'excitation et l'activité sexuels sont en diminution constante sans qu'on observe d'arrêt soudain dans aucun groupe de la population... L'éveil est plus lent et dépend de stimuli plus nombreux, l'éjaculation est moins puissante, le gonflement des testicules pendant l'excitation diminue, le plaisir psychologique et sexuel ressenti est moindre. » (Vermeulen, 1979, 5.)

Ce qui équivaut à dire qu'en vieillissant, l'homme doit, pour obtenir des résultats moindres, faire plus d'efforts, et que sa partenaire de longue date doit procurer des stimuli de plus en plus intenses pour que tout se passe au mieux.

Nombreux sont les facteurs qui déterminent la fréquence des relations sexuelles. Les plus importants sont l'impuissance, l'ennui devant le partenaire, la tension, la peur de l'échec ou une période d'abstinence forcée. Mais il existe aussi un déclin physiologique dû à l'âge. Déclin qu'on observe également chez les animaux, chez les taureaux par exemple, dont beaucoup sont éliminés tôt dans leur vie à cause de leur apathie sexuelle croissante.

Dans une réunion à ce sujet au 8ᵉ Séminaire biomédical de l'IPPF, un monsieur cultivé lança l'idée de stimuler l'apathie masculine par des doses de testostérone. Elle fut rejetée à cause du risque de perturbation de la sécrétion endogène de testostérone et d'augmentation des risques d'infarctus du myocarde ou d'hyperplasie de la prostate. Le contraste était frappant entre cette prudence des hommes en ce qui concerne leur propre corps et leur légèreté quant à la façon de résoudre la perte d'intérêt pour les choses du sexe chez la femme.

Notre culture encourage les hommes à rechercher toujours plus de stimuli sexuels au moment où décline leur production de sperme. La classe dirigeante, qui est, a été et doit être masculine, s'est toujours trouvé de la jeune chair des deux sexes. Et les gens ordinaires ? Après vingt-cinq ans de mariage, l'épouse de Bob Slocum, le anti-héros du roman *Something Happened* (Quelque chose est arrivé), de Joseph Heller, est un modèle de femme coopérative. Mais à quel prix ?

« En ce moment, ma femme est beaucoup mieux. Elle a maintenant complètement changé en ce qui concerne le sexe ; mais moi aussi. On dirait qu'elle a presque toujours envie de faire l'amour, et elle est prête à prendre des risques qui même pour moi sont horrifiants. Dès que j'entre dans la pièce, à son sourire satisfait, un peu en biais, je peux dire qu'elle a pensé à ça. Je sais que je ne me suis pas trompé si elle a enlevé sa gaine... »

Sa femme fait tout ce qu'elle peut pour continuer à lui plaire. Elle s'habille bien, a l'air en forme, est une hôtesse remarquable et flirte ostensiblement avec des hommes plus âgés. Elle boit avant que son mari ne rentre afin d'être détendue pour son retour. Elle ne lui demande plus s'il l'aime. En fait, elle est horriblement malheureuse. L'exaspération de sa libido témoigne de tout sauf d'un bien-être spirituel.

« Mon épouse est malheureuse. Elle fait partie de ces femmes mariées qui s'ennuient, s'ennuient terriblement et sont très isolées. Je ne sais quoi faire à ce sujet (sauf de divorcer, ce qui la rendra encore plus malheureuse. Je me trouvais il y a peu avec une femme mariée qui m'a dit qu'elle se sentait si seule parfois qu'elle avait l'impression de se transformer en glace et avait réellement peur de mourir de ce froid intérieur, et je crois comprendre ce qu'elle voulait dire). »

Cette Mrs. Slocum qui n'a pas de prénom, bien qu'encore trop jeune de quelques années, présente certains aspects négatifs de la ménopause.

« Elle trouve qu'elle a vieilli, grossi, qu'elle est moins jolie qu'elle ne l'était et évidemment, elle a raison. Elle croit que cela m'ennuie, ce en quoi elle se trompe. Je ne crois pas que cela m'ennuie (si elle le savait, cela la rendrait encore plus malheureuse). Ma femme n'est pas mal, elle est grande, s'habille bien, elle a une jolie silhouette et je suis souvent fier d'être avec elle. (Elle croit que je ne la veux jamais avec moi.) Elle croit que je ne l'aime plus, et elle a raison » (71).

Malgré ses nombreuses aventures, et bien qu'il soit très épris d'au moins une autre femme, Slocum ne peut supporter l'idée que sa femme ait une liaison avec un de ses collègues de l'entreprise.

« Je crois que j'en arriverais presque à tuer ma femme, si elle faisait ça avec quelqu'un que je connais dans la compagnie. Elle a des lignes rouges autour de la poitrine et de la taille quand elle se déshabille et des poches sur les hanches et sous les fesses, et je ne voudrais pas que quiconque de la compagnie le sache » (509).

L'auteur n'a pas voulu faire de son personnage un héros, et Slocum n'incarne pas non plus un archétype, mais le thème de *Quelque chose est arrivé* n'en est pas moins l'horreur de la vie ordinaire. Une famille comme la famille Slocum est au moins aussi plausible dans l'Amérique moyenne que cette histoire d'« amour monogame » mythique que les docteurs s'imaginent pouvoir soutenir avec des hormones de substitution. Doué d'une modestie rare pour un romancier, Heller ne se prétend pas capable de lire dans la tête de Mrs. Slocum, mais on peut présumer que si elle boit jusqu'à la demi-ivresse et se précipite sur la braguette de son mari, c'est qu'elle redoute le divorce. Faithfull dirait qu'elle n'a jamais aimé le sexe parce qu'elle repoussait son mari quand elle était jeune et maintenant qu'il est trop tard, elle ne sait plus faire qu'une seule chose, se servir du sexe pour manipuler son mari.

Vient-il parfois à l'esprit des hommes qui se lavent et se rasent en quittant le lit de leur femme plutôt qu'avant d'y entrer (c'est-à-dire la majorité), que leur épouse puisse trouver les rapports avec eux désagréables, ennuyeux ou même dégoûtants? D'ailleurs certaines femmes elles-mêmes ne se posent pas la question. Des 539 femmes interrogées par le docteur Barbara Ballinger, seulement 114 ont accepté de parler de sexe. Parmi ces dernières, 34 % ont dit que leur réponse à leur mari s'était détériorée et 5 qu'elle s'était améliorée. Vingt-quatre ont dit qu'elles n'avaient jamais pris plaisir au sexe, 37 y trouvaient satisfaction, 5 % avaient refusé les rapports sexuels pendant des périodes allant de 5 à 17 ans. Seulement 90 de ces femmes avaient un mari. Parmi celles-ci, 21 dirent que leur relation n'était pas bonne, 25 qu'elle était correcte, 44 bonne. Parmi les femmes avec une faible libido, seulement 40 % avaient une bonne relation à leur mari contre 66 % avec une libido affirmée (Ballinger, 1975). Ces chiffres sont censés servir de base à l'administration d'hormones de substitution. Fortifiez votre libido, et vos chances d'entente avec votre mari passeront de 40 % à 66 %. En fait, les chances ne sont pas aussi élevées, car seulement 32 % des femmes avaient une libido affirmée, dont seulement une vingtaine avaient une bonne relation à leur mari. Le nombre des femmes à faible libido s'entendant bien avec leur mari était deux fois plus faible. Jamais dans ces tests, on ne demande si le mari est séduisant ou bon amant. Qu'on perde intérêt au sexe n'est jamais une réponse à un fait, mais toujours un symptôme. Le docteur Robert Wilson mettait trois étoiles sur le dossier de ses malades qui lui semblaient amoureuses de leur mari. Elles ne constituaient que 20 % de sa clientèle.

« Pourtant, quand on demande : Aimez-vous votre mari? on obtient rarement une réponse directe.

« Je le respecte beaucoup.

« C'est un homme bien.

« Il est très gentil envers moi.

« Voici un premier ensemble de réponses. Sans mériter trois étoiles, elles présagent bien de l'avenir du couple. On obtient des réponses moins enthousiastes :

« Il est très pris; je ne le vois pas beaucoup.

« Il est très fatigué, il s'endort devant la télévision.

« Il n'est pas en forme. Je voudrais qu'il perde du poids et prenne soin de lui-même.

« Ces remarques sont souvent prononcées d'un ton dénué d'émotion. Je sais alors qu'il faut plus que des œstrogènes pour que la femme reprenne son rôle de femme. » (Wilson, 1966, 118.)

Ces dernières réponses ne laissent rien présager de bon quant au mariage. Les maris décrits en ces termes sont indifférents et peu intéressants, fatigués, obèses, distraits ou je ne sais quoi, et en outre ne trouvent aucune séduction à leur femme. Gynécologue, le docteur Wilson ne pouvait traiter les maris, mais il reconnaît qu'ils en auraient peut-être eu besoin :

« Quelque chose ne va pas, c'est évident. Mais je ne crois pas que, chez l'homme, on puisse en attribuer la cause à un manque d'hormones. Il s'agit plutôt de manque d'intérêt. L'homme s'ennuie, tout simplement, que ce soit parce qu'il est d'un tempérament ennuyeux, parce que son travail ou sa femme sont ennuyeux. Quoi qu'il en soit, c'est une situation insupportable, mortelle » (128).

On a déjà dit à la femme comment s'habiller, comment renouveler les relations sexuelles, on lui a promis que les œstrogènes lui raffermiront les seins, etc. Pourquoi ne suppose-t-on jamais qu'il s'agit de son manque d'intérêt à elle ? Quelle qu'en soit la raison : un tempérament triste, un métier ou un mari ennuyeux. Les gens dont l'esprit n'est pas stimulé deviennent ennuyeux. Le travail ménager est quelque chose d'ennuyeux, le métier des femmes à l'extérieur est rarement passionnant, et le mari est peut-être ennuyeux lui aussi, surtout s'il donne le meilleur de lui-même aux gens qu'il considère importants, dans son lieu de travail ou de loisirs. La situation est aussi insupportable pour une femme que pour un homme ; il ne faut donc pas l'encourager à prendre des stéroïdes.

L'homme de 50 ans reste en général plus séduisant et agréable aux yeux de son épouse que l'épouse du même âge aux yeux du mari. Les femmes préfèrent généralement les hommes plus âgés et recherchent souvent un père dans leur mari chez qui elles acceptent très bien un certain degré de vieillissement tandis que ce dernier est conditionné à désirer et rechercher des partenaires plus jeunes. En septembre 1990, la magnifique Sophia Loren, âgée de 56 ans, a lancé le paquebot *Crown Princess* dans le port de Brooklyn. Elle est arrivée pour le dîner dans une robe en lamé or brillant qui rehaussait son célèbre sillon entre les seins, et s'est fait photographier tenant la main de Carlo Ponti, son mari, un petit homme de 81 ans, gentil et fragile. Bien que Sophia ait toujours été beaucoup plus grande que lui et que sa beauté ait toujours semblé venir d'un autre monde que le sien, elle n'a jamais lié son nom qu'à ce petit homme. Et elle attend de ceux qui la regardent qu'ils le trouvent séduisant : les gens ne semblent-ils pas la suivre de bon gré ? En outre, Sophia n'a pas lieu d'en arriver aux mêmes tristes constatations que Joanne Woodward (née en 1930), mariée au superbe Paul Newman et qui disait au *Stern* en novembre 1990 :

« Alors que Paul devient, dit-on, de plus en plus séduisant, moi, je deviens une vieille chose. Anna Magnani a dit un jour qu'elle avait mérité chaque ride de son visage et, quand j'étais jeune, j'étais d'accord avec elle. Quel beau vieux visage! Mais quand à mon tour, j'ai eu ce visage, je ne l'ai pas trouvé beau. Heureusement, j'ai hérité d'une belle peau. Mais je vieillis, j'ai de plus en plus de rides et à un certain âge, on ne peut plus être une pin-up. Je ne connais pas de Robert Redford ou de Paul Newman au féminin. »

C'est vrai que je ne connais pas d'équivalent féminin de Paul Newman ou de Robert Redford. Les hommes se préoccupent rarement de se rendre présentables; et s'ils prennent soin de leur apparence, ils ne doivent pas le laisser paraître. Les fabricants de produits cosmétiques nous disent chaque année que très bientôt les hommes se maquilleront aussi, on continue de trouver suspect un homme qui essaie de s'embellir. On ne cesse d'inciter les femmes à rester séduisantes à chaque étape de leur vie, jamais on ne conseille à un homme de rester séduisant et de se conduire d'une manière agréable. Mais il n'en a pas toujours été ainsi : autrefois, même les Anglais pratiquaient l'art de se montrer magnifiques et de parader sexuellement. A la fin du XVIIe siècle et au XVIIIe, les hommes se maquillaient le visage et portaient un corset pour masquer les attaques du temps; à cette époque-là, le vieillard n'était pas considéré plus séduisant qu'une vieille femme.

Le personnage du *senex amans*, du vieillard amoureux, joue souvent un rôle important dans la comédie de l'époque classique en Europe. Quand, au début du XVIe siècle, les explorateurs ramenèrent la syphilis d'Amérique, les poètes cherchèrent à expliquer le phénomène dans des allégories en vers où l'Amour et la Mort se querellaient, laissaient tomber leur carquois, et mélangeaient leurs flèches. Quelques-unes des flèches mortelles à pointe de plomb restaient dans le carquois de Cupidon et la Mort envoyait parfois une des flèches à pointe d'or de Cupidon pour rendre amoureuse une vieille personne qui aurait dû mourir. Dans la commedia dell'arte, le vieillard amoureux devient Pantalon : il n'existe que pour être la risée des jeunes amoureux, qui jouiront l'un de l'autre malgré lui.

En 1790, les répliques de Despina, la bonne de *Cosi fan tutte*, à Don Alfonso faisaient rire : il lui dit qu'il a besoin d'elle, elle rétorque qu'elle, par contre, n'a pas besoin de lui. Il insiste : Mais je veux faire quelque chose pour toi et elle répond : Que peut un vieillard comme vous pour une fille jeune comme moi? Pourtant Don Alfonso n'est pas encore décrépit, le livret nous le dépeint comme « un homme du monde » spirituel et charmant, suivant la mode; mais, il le dit lui-même, il a les cheveux gris. Cela suffit pour que Despina en déduise qu'il ne peut lui procurer de plaisir. Le livret de Lorenzo da Ponte suggère, et le public le comprenait, deux choses : d'abord que l'énergie sexuelle de Lorenzo est insuffisante pour une jeune fille, ensuite qu'il n'a pas le pouvoir de lui plaire.

Les spectateurs de la cinquantaine qui, au XVIIe et au XVIIIe siècle, regardaient le comportement de ces personnages de leur âge étaient ainsi avertis : ils devaient se tenir à l'écart. Ils comprenaient quels repoussoirs ils paraissaient aux yeux des jeunes. Évidemment, ces vieillards ridicules, quand ils étaient riches et puissants, ne se privaient pas de s'imposer aux jeunes femmes, dont ils accroissaient le malheur. Les auteurs de comédies s'érigent en défenseurs des jeunes contre le pouvoir paternaliste et égoïste aux mains froides cherchant à jouir de tous les plaisirs, le plaisir sexuel y compris. Il n'y avait évidemment qu'au théâtre que les fils de Chronos pouvaient castrer leur père. Depuis Chaucer, les poètes ont parlé du malheur engendré par le mariage de Mai et de Décembre. Les choses se terminaient souvent par la trahison du vieillard par sa jeune femme qui succombait à son attrait pour un homme plus jeune. Situation drôle ou tragique, selon que le vieillard trahi décidait ou non de se venger sur la jeune femme et son amant. Le vieillard était-il capable de passion amoureuse? se demandait le public. S'il ne l'était pas, l'histoire était simplement comique, s'il l'était, elle devenait tragique. Parfois, comme dans *I Pagliacci,* elle était tragi-comique.

Après la parution de *I Pagliacci,* les spectateurs ont cessé de rire des choses du sexe. Une fois définie la sexualité comme un lieu de maladie et non plus comme un lieu de péché, le sexe est devenu chose très sérieuse. On a investi de pouvoirs mystiques le bon sexe, le mauvais sexe, et plus aucun dramaturge se prétendant intellectuel n'a osé se moquer de Lady Constance adorant le phallus de Mellors, le dieu du jardin, avec des myosotis dans les cheveux. Sauf évidemment les gens ordinaires qui n'ont pas cessé de trouver drôles les histoires de sexe ni de continuer à raconter des histoires paillardes. La littérature, cependant, a banni ce bon sens de son domaine et l'a relégué dans le théâtre « illégitime ».

Pour les femmes, les choses étaient un peu différentes. Une jeune femme contrainte d'accepter les avances d'un homme plus âgé dont elle n'est pas amoureuse est peut-être plus malheureuse qu'une jeune femme mariée à un homme impuissant. Aphra Behn s'élève contre cette négation de la sexualité féminine que représente le mariage forcé de jeunes femmes à des vieillards, plus que contre l'oppression que représente la soumission à une vieille main paralysée. Ce texte est traité de façon très subtile dans le personnage de Dorothea de *Middlemarch* : la jeune femme ne trahit pas son vieux mari, mais par son idéalisme déplacé, elle se trahit elle-même. George Eliot la sauve en tuant son mari rapidement, ce qui permet à sa jeune épouse de s'unir à un homme probablement plus à même de répondre à ses besoins sexuels et sentimentaux.

Ces lieux communs sont maintenant dépassés. Par contre, l'idée de vieillesse est de nos jours devenue obscène. Interdit de nous trouver vieux, interdit aux autres de nous traiter de vieux. On s'attend à ce que nous restions jeunes, séduisants et actifs sur le plan sexuel jusqu'à la mort jamais nommée. On ne parle plus aujourd'hui de vieillards dégoûtants comme on le faisait il y a 30 ou 40 ans. Ces vieillards, sans doute incapables de passer à l'acte, étaient ceux qui manifestaient l'intérêt le plus lascif et répugnant pour la sexualité des jeunes femmes. C'étaient eux qui offraient aux enfants des bonbons en leur parlant de façon suggestive, eux qui caressaient les cuisses des petites filles qu'ils prenaient sur leurs genoux. Ils étaient plus dégoûtants que dangereux.

Mais notre époque interdit de qualifier quelqu'un de vieux, interdit aussi de parler de l'impuissance. On ne regarde plus la vieillesse comme quelque chose de normal, mais comme une maladie qu'on peut traiter avec tout ce que nous offre la technologie moderne. Il existe même des préservatifs qui exercent une pression stimulant le gonflement du pénis le plus inerte. Cette vision des choses engendre beaucoup d'anxiété devant l'absence de désir sexuel et la paresse du pénis. Denis Thatcher, à qui on demandait ce qu'il faisait pendant la campagne électorale de 1987, répondit : « J'aidais, il me semble. » Pressé de s'expliquer davantage, il répondit d'un ton acerbe : « Ce que je faisais? A mon âge, il n'y a pas grand-chose que je puisse faire. » C'était bien répliqué, face à des journalistes lascifs et sots. Beaucoup d'entre eux, néanmoins, ont dû secouer la tête en désapprouvant son « attitude négative ». Il y eut une époque où la disparition de l'excitation sexuelle était ressentie comme une libération; façon de voir qui n'est plus tolérée dans notre société de consommation où tout le monde cherche un plaisir individuel : ne pas rechercher le plaisir sexuel, c'est refuser les règles du jeu.

Aphra Behn avait bien constaté que les jeunes femmes recherchent une chair aussi ferme et chaude que la leur, comme d'ailleurs toutes les femmes, car une femme qui désire un homme ne se sent jamais aussi vieille qu'elle l'est. Simone de Beauvoir prétend que les femmes sont moins sensibles que les hommes à l'apparence physique de leur partenaire, sans se rendre compte que cette attitude s'explique par la dialectique du sexe non libéré. Les femmes qui dépendent d'un homme pour leur survie et celle de leurs enfants seront plus sensibles au pouvoir et à l'argent qu'à la beauté. Mais la femme pour qui l'homme n'est pas un père nourricier investi d'autorité recherchera sans doute davantage la beauté et le charme, et des stimuli sexuels plus nombreux.

Mon but dans ce chapitre est tout simplement de prouver que la persistance du désir sexuel et d'une harmonie entre deux partenaires ayant vécu ensemble pendant plus de 30 ans est chose si rare et si difficile que personne ne devrait se reprocher de ne pas y être parvenu. Ceux qui y sont parvenus ont accompli une chose si rare et si merveilleuse que rares sont les textes à ce sujet. Ceux qui existent en sont d'autant plus intéressants.

En 1854, Jane Digby, âgée de 47 ans, après que son troisième mari lui eut préféré une femme plus jeune, avait renoncé à l'amour et décidé de vieillir avec son amie Eugenia en la compagnie de leurs chats et chiens. Comment aurait-elle pu prévoir que l'amour de sa vie allait surgir et l'emmener avec lui dans le désert? Le cheik Abdul Medjuel el Mezrab, qui régnait sur le désert de la région de Palmyre, la vit et l'aima d'un amour qui dura trente ans. En 1855, au moment de leur mariage, elle dit : « Si je n'avais un miroir et une mémoire, je croirais avoir quinze ans. » (Blanch, 176.)

Comment Jane Digby El Mezrab sut garder l'amour de son roi noir du désert pendant trente ans, trente ans pendant lesquels elle ne vécut pas comme une femme arabe opprimée et invisible, mais monta en amazone derrière son mari, personne ne le sait. Le cheik, quant à lui, refusa l'argent de Jane qui demeura sa seule épouse. Isabelle Burton la rencontra en 1868 :

« C'était une femme très belle bien que déjà âgée de soixante et un ans au moment où j'écris : grande, impressionnante, l'air d'une reine... elle portait un vêtement bleu et ses beaux cheveux étaient coiffés en deux nattes tombant jusqu'au sol. » (Blanch, 1954, 183.)

Jane Digby El Mezrab adopta la manière arabe de s'habiller, mais garda son argenterie, ses nappes damassées et ses draps de lin fin. Au bout de quinze ans, elle avait réussi à persuader son mari d'utiliser une fourchette et un couteau. Elle choisit d'être enterrée chrétiennement; son mari, accablé de chagrin et monté sur la jument noire préférée de sa femme, arriva à la cérémonie sans être annoncé, et l'ayant regardée une dernière fois, disparut dans le désert.

L'amour du cheik El Mezrab pour cette dame anglaise de 50 ans devrait nous inciter à nous croire capables de tomber à nouveau amoureuses au lieu de nous résigner à notre sort. Ici et là, dans la population qui vieillit, apparaissent des signes d'amour naissant entre personnes âgées. De plus en plus en effet, les personnes âgées, qui disposent de beaucoup de temps libre, se rencontrent à des thés dansants ou à des piques-niques comme on le faisait du temps où les hommes faisaient la cour aux femmes, ou se retrouvent dans la pratique de sports doux : de là naissent des idylles sentimentales. Évidemment, ce n'est pas à ce genre de lecteur que songeait Gabriel García Márquez quand il a écrit sa contribution au mythe de l'amour entre personnes âgées dans *L'Amour aux temps du choléra.* L'intrigue suit la tradition des romances anciennes : Aucassin, ici Florentino Ariza, doit attendre toute une vie et affronter maints dangers, surtout des amours avec d'autres femmes, avant de trouver son véritable amour, Fermina Daza. Comme nous vivons au XXe siècle, la rencontre de deux vieux amants doit être décrite en termes concrets. Márquez, qui avait déjà 60 ans quand il a écrit cette histoire, éprouve quelques difficultés. Le premier contact physique est difficile :

« L'un et l'autre furent assez lucides pour se rendre compte, l'espace d'une même seconde, qu'aucun des deux n'avait la main qu'ils avaient imaginée avant de se toucher, mais de pauvres vieux os...

« Non, dit-elle. Je sens la vieille. »

Ces amants sont apparemment très vieux. Gabriel García Márquez pousse l'absurdité de l'histoire aussi loin que l'entraîne son imagination. Il évoque délibérément des images de charnier et insiste sur l'odeur des personnes très vieilles qui ne pourrissent pas, ou comme il dit, ne fermentent pas. Les personnes âgées sentent moins, et non pas plus, que les jeunes, parce que leurs sécrétions sont moindres. Une personne âgée propre sent probablement la même odeur de poudre qu'un bébé. Mais Márquez insiste, l'odeur de ces amants vénérables n'est pas seulement mauvaise, elle est horrible.

« Florentino Ariza frissonna : ainsi qu'elle-même l'avait dit, elle avait en effet l'odeur aigre de la vieillesse. Toutefois, tandis qu'il se dirigeait vers sa cabine en se frayant un passage dans le labyrinthe des hamacs endormis, il se consola à l'idée qu'il exhalait sans doute une odeur identique, de surcroît plus vieille de quatre ans, et qu'elle aussi avait dû la sentir avec la même émotion. C'était l'odeur des ferments humains tant de fois perçue chez ses amantes les plus anciennes et qu'elles aient respirée sur lui. La veuve Nazaret, qui ne gardait rien pour elle, le lui avait dit dans un langage plus cru : " On sent la charogne. " Chacun supportait celle de l'autre parce qu'ils étaient à égalité : mon odeur contre la tienne. »

Les amants sont si déprimés par leur peu d'odeur de fermentation biologique qu'ils ne peuvent continuer leurs ébats. Alors Fermina a une idée : elle se met à boire de l'anis. Après ce coup de publicité pour le lobby des producteurs de liqueurs, ils se lancent :

« Il se risqua à explorer du bout des doigts le cou fané, le buste cuirassé de baleines métalliques, les hanches aux os rongés, les muscles de biche fatiguée. Elle laisse faire, reconnaissante, les yeux clos mais sans frémir, fumant et buvant à petits traits. Lorsqu'à la fin les caresses glissèrent vers son ventre, elle avait assez d'anis dans le cœur.

« – Si l'on doit faire des bêtises, faisons-les, dit-elle, mais comme des grands.

« Elle le conduisit dans la chambre et commença à se dévêtir sans fausse pudeur, en pleine lumière. Florentino Ariza s'allongea tout habillé sur le lit, essayant de reprendre ses esprits, ignorant une fois encore ce qu'il fallait faire de la peau de l'ours qu'il avait tué. Elle dit : " Ne regarde pas. " Il demanda pourquoi sans détourner les yeux du plafond.

« – Parce que cela ne va pas te plaire, dit-elle.

« Alors il la regarda et la vit nue jusqu'à la taille, telle qu'il l'avait imaginée. Elle avait les épaules ridées, les seins flasques et les côtes enveloppées d'une peau aussi pâle et froide que celle d'une grenouille. »

On remarque une certaine perversité à l'œuvre dans cette scène. Fermina ne veut pas que Florentino voie qu'elle ne devrait pas se déshabiller, encore moins avec la lumière allumée. C'est pourtant ce qu'elle veut dire : comme des grands. Aucune loi morale, aucune règle du goût ne demande qu'on fasse l'amour avec la pleine lumière de l'ampoule du plafond au-dessus de corps nus. Fermina semble faire tout ce qu'elle peut pour dégoûter Florentino, pour que Gabriel García Márquez puisse lui aussi nous dégoûter. Comment Florentino sait-il sans l'avoir touchée qu'une chair flasque est froide ? Par contre, Márquez sait bien ce qu'il fait quand il évoque les grenouilles. Les corps vieux ne sont pas aussi dégoûtants que les jeunes le pensent. Cette description par l'écrivain de deux amants faisant héroïquement l'amour malgré d'énormes difficultés, comme entre deux cadavres galvanisés, est très « agéiste ». Elle sous-entend deux attitudes désagréables et fausses : que les personnes âgées transcenderont leur vieillesse en imitant les jeunes, et que les personnes âgées sont dégoûtantes.

« Elle tendit la main dans l'obscurité, caressa son ventre, sa taille, le pubis presque imberbe. Elle dit : " Tu as une peau de bébé. " Puis elle franchit l'ultime barrière : elle le chercha là où il n'était pas, le chercha encore, sans trop d'illusions, et le trouva, inerte.

« – Il est mort, dit-il.

« Il prit sa main et la posa sur sa poitrine : Fermina Daza sentit, presque à fleur de peau, le vieux cœur infatigable qui battait avec la fougue, la hâte et le désordre d'un cœur adolescent. »

Même s'il est bien vrai qu'on se comporte en fin de carrière sexuelle avec autant d'incompétence qu'au début, décrire ces amants âgés s'approchant avec autant de maladresse et d'absence de passion que deux rencontres de hasard après un bal à la mairie relève d'une cruauté gratuite. Fermina pense moins à entourer son nouvel amant dans ses bras qu'à « le chercher », c'est-à-dire sans doute à essayer de trouver son pénis qui est « non armé », c'est-à-dire mou. Mais finalement, lors de la deuxième rencontre, il y a pénétration et Márquez appelle cela faire l'amour.

« C'était la première fois depuis vingt ans qu'elle faisait l'amour, poussée par la curiosité de sentir comment cela pouvait être à son âge après un intermède aussi prolongé. Mais il ne lui avait pas donné le temps de savoir si son corps lui aussi le désirait. Cela avait été rapide et triste et elle pensa : " On a tout gâché. " Elle se trompait. »

Dans le monde du réalisme magique, les vagins ne s'atrophient pas. Fermina Daza a peut-être trouvé cette pénétration très douloureuse, peut-être que la faible érection de son amant l'a déchirée et fait saigner, car le pénis d'hommes de 80 ans ne gonflant pas beaucoup, la pénétration a sans doute été difficile sinon impossible. Pourquoi ces deux amants veulent-ils imiter l'acte de la conception, pourquoi ne pensent-ils pas à s'aimer d'une des multiples façons dont les humains savent le faire dans les relations sexuelles normales ou adultes? Ils semblent manquer d'imagination, à moins que ce ne soit leur créateur qui en manque. Márquez invente pour eux une vie d'époux normaux où Fermina prend aussi dévotement soin de Florentino que Pauline de Colette.

« Elle lui donnait ses lavements, se levait avant lui pour brosser son dentier qu'il déposait dans un verre avant de dormir, et elle résolut le problème de la perte de ses lunettes en lisant et reprisant avec les siennes. »

Enfermés dans le bateau condamné à naviguer pour toujours sur le fleuve pestilentiel où flottent des cadavres, Florentino et Fermina vivent un vrai bonheur. La fin du roman semble aussi creuse qu'un sentiment pieux. Éric Segal n'aurait pas écrit pire :

« Ils firent l'amour, sages et tranquilles, tels deux petits vieux flétris, et ce souvenir devait rester dans leur mémoire comme le meilleur de ce fantastique voyage. Ils ne se prenaient pas pour de jeunes fiancés, à l'inverse de ce que croyaient le capitaine et Zenaida, et moins encore pour des amants tardifs. C'était comme s'ils avaient contourné le difficile calvaire de la vie conjugale pour aller tout droit au cœur même de l'amour. Ils vivaient en silence comme deux vieux époux échaudés par la vie, au-delà des pièges de la passion, au-delà des mensonges barbares du rêve et des mirages de la déception : au-delà de l'amour. Car ils avaient vécu ensemble assez de temps pour comprendre que l'amour est l'amour, en tout temps et en tout lieu, et qu'il est d'autant plus intense qu'il approche de la mort. »

Après un texte aussi mièvre, n'importe quelle chanson d'amour de *Love Story* semblera plus consistante.

C'est le désir de domestiquer la passion qui fait qu'on recommande aux époux de faire l'amour depuis l'échange de leurs alliances jusqu'à leur mort. On affirme aujourd'hui qu'il est bon de faire l'amour. Prétendre que les rapports sexuels sont au moins aussi bons pour la santé que les céréales du matin, c'est oublier que femmes et enfants sont sans arrêt victimes d'abus sexuels et que le sexe est très souvent incriminé comme motif dans les meurtres de femmes et d'enfants. Les responsables de la révolution sexuelle clament que le sexe n'est destructeur que lorsqu'il est réprimé, affirmation dénoncée par le nombre régulièrement croissant de crimes liés au sexe depuis vingt ans. En même temps, la croyance en la salubrité de rapports sexuels domestiqués, pratiqués de façon régulière, gentille, saine et affectueuse, a complètement éclipsé l'idée que l'amour est essentiellement lié à la mort. On a vidé le sexe de tout son aspect obsessionnel, hostile, jaloux, coupable. On l'a voulu familier et apprivoisé. Exclusif sans être possessif. Infini. Se demander si ces idées ne sont pas erronées, et, pire, le croire sincèrement, c'est être hérétique dans notre monde d'aujourd'hui et se faire passer pour une vieille réactionnaire.

Voir dans le sexe le ciment de la famille est une idée probablement aussi fausse que nouvelle car le taux de divorce a augmenté au même rythme que s'est répandue cette opinion : il atteint le pourcentage de un sur deux aux États-Unis, et un taux presque aussi élevé en Europe. Les vieilles sociétés ont toujours fondé leurs coutumes sur l'idée que le sexe est imprévisible, dangereux et incontrôlable. La tradition a toujours enfermé les relations sexuelles à l'intérieur de la famille, qui était elle-même surveillée par d'autres membres de la famille, car elle savait toutes les possibilités d'abus et de violence physique que recèle le sexe.

Un rapport récent sur la fréquence des viols de femmes par leur mari en Grande-Bretagne montre qu'on ne peut continuer de prétendre que le sexe a été domestiqué. La plupart des sociétés avaient compris que les jeunes gens sont dangereux, qu'ils devaient donc être tenus à l'écart des enfants et des épouses d'autres hommes, et passer par un temps d'apprentissage, par le service militaire, ou subir l'autorité d'un patriarche : ainsi seulement femmes et enfants pouvaient-ils se sentir à l'abri de leur violence dans la maison familiale. Notre échec dramatique à assurer la sécurité de ces derniers se mesure au nombre des abus sexuels dont sont victimes les enfants, des coups reçus par les femmes, des viols, nombre incroyablement élevé qu'il faut regarder en face. Construire la famille autour de la copulation du couple est dangereux pour les femmes et les enfants. La raison n'en est-elle pas la primauté donnée aux relations sexuelles entre les époux, primauté qui justifie toutes sortes de comportements déviés et ne tient pas compte des besoins des petits enfants.

La pression exercée sur la femme âgée pour qu'elle continue de jouer le jeu sexuel avec son mari – qui s'y intéresse peut-être encore et demande d'être stimulé de façon plus efficace qu'elle ne peut le faire, ou qui ne s'y intéresse plus – fait partie de cette même façon de penser, on a vu qu'elle était gravement nuisible à la vie de famille. Si cela est vraiment le cas, ce que je soupçonne mais que je n'ai pas démontré, la femme de 50 ans devrait avoir la sagesse d'abandonner ces relations sexuelles, et rechercher un autre type de relation avec son mari en s'appuyant sur d'autres valeurs. En tout cas, il devrait être clairement établi qu'elle a le droit de s'abstenir de relations sexuelles sans qu'on l'accuse de déserter.

Les populations paysannes ont souvent des notions très claires sur le moment de la vie où doit cesser l'activité sexuelle. Pour les femmes, ce moment vient lorsque leur fille atteint l'âge de se marier, et cela peut se produire bien avant l'âge de la ménopause. On pense qu'il n'est pas bon que deux générations se trouvent en même temps dans la phase de procréation. Si bien que ces populations paysannes exigent de longues périodes de ce qu'on appelle « abstinence terminale », coutume qui limite le nombre des naissances et réduit le temps de la procréation de trente à seize ans à peu près. (Caldwell et Caldwell, 1987.)

La plupart des sociétés développées considéreront comme intolérable cette limite de l'expression sexuelle pourtant bien acceptée dans les sociétés qui la pratiquent. Les personnes plus âgées ne ressentent plus de « furia »; elles ont d'autres plaisirs, la nourriture, l'alcool, le tabac, le pouvoir, l'argent, les affaires, la politique. En outre, ces sociétés ne trouvent aucune séduction à un vieux corps. Les hommes âgés qui le peuvent achètent de jeunes corps. Dans certaines sociétés, les vieillards puissants disposent de toutes les jeunes femmes de leur entourage, tandis que jeunes gens et vieilles femmes se passent pareillement de sexe; le prix d'une fiancée est si élevé que les jeunes gens voient les femmes de leur génération s'accoupler sous leur nez avec des hommes plus âgés. Coutume qui peut sembler tyrannique, mais dépend en grande partie de l'indulgence de la société en matière d'adultère.

Les manières de régir le comportement et les rapports sexuels sont nombreuses. Les êtres humains ne sont pas monogames. Ils ne sont pas de cette espèce où une fois les partenaires accouplés, ils ne se séparent plus jamais. Dans aucune espèce, les relations sexuelles ne maintiennent unis deux partenaires qui ne s'accouplent que lorsqu'ils procréent. L'amour humain ne s'appuie pas sur le besoin de s'accoupler ni sur le besoin d'orgasme. L'amour le plus grand survit à la mort et à l'éloignement. Quand en 1750 Susannah Highmore, alors âgée de 60 ans, a compris qu'elle allait mourir, elle a caché des lettres pour son mari dans toute la maison. Elle savait qu'il les trouverait après sa mort et dans toutes, elle lui redisait son amour. (*Gentleman's Magazine*, janvier, 1816.)

14

LES ÉTERNELLES

La vie, évidemment, ne commence pas à 40 ans comme on le dit parfois, et encore moins à 50 ans. Néanmoins, beaucoup de femmes vivront après la ménopause encore vingt ou trente ans. Quelle triste perspective pour certaines, particulièrement celles qui se sont senti vivre surtout quand elles aimaient et étaient aimées ! Simone de Beauvoir fulmine avec amertume contre le déclin non seulement de ses charmes sexuels, mais aussi de son intérêt pour le sexe. En 1963, à 55 ans, elle écrit :

« Jamais plus un homme. Maintenant, autant que mon corps, mon imagination en a pris son parti. Malgré tout, c'est étrange de n'être plus un corps. Il y a des moments où cette bizarrerie, par son caractère définitif, me glace le sang. Ce qui me navre, bien plus que ces privations, c'est de ne plus rencontrer en moi de désirs neufs ; ils se flétrissent avant de naître dans ce temps raréfié qui désormais est le mien. » (*Le Deuxième Sexe*, 1965, 685.)

Et pourtant ! Certaines femmes ont vu leur influence sur un homme ou, encore plus difficile, sur plusieurs hommes, continuer de croître même longtemps après la ménopause. Les qualités requises pour cela sont avant tout une bonne santé, et ce qui va de pair, la bonne humeur, puis l'intelligence, et enfin le style ou quelque chose d'équivalent. Les grandes maîtresses des arts de la civilisation ont longtemps continué d'enchanter sans qu'on ait jamais su si elles continuaient d'ouvrir leur intimité physique à un ou même plusieurs de leurs admirateurs. Même les courtisanes, du moins celles qui avaient du goût, de l'esprit et de l'énergie, ont su continuer à vivre en grand style tout en ne s'intéressant plus au sexe, comme d'ailleurs les habitués de leurs salons. Ainsi la grande courtisane française Ninon de Lenclos.

Au printemps 1671, Ninon de Lenclos, alors âgée de 51 ans, tomba amoureuse pour la énième fois. L'objet de son amour était Charles de Sévigné, un jeune homme de 23 ans au visage lisse et angélique. Sa mère, la marquise de Sévigné, écrivit à sa fille :

« Votre frère entre sous les lois de Ninon. Je doute qu'elles lui soient bonnes ; il y a des esprits à qui elles ne valent rien. Elle avait gâté votre père. » (Lettre du 15 mars 1671.) De nombreuses années auparavant, quand le beau libertin qu'était le marquis de Sévigné s'était laissé courtiser par sa cousine en abandonnant sa vertueuse épouse à la maison, celle-ci avait surpris l'œil de la courtisane à l'affût. Ninon, qui se fatiguait vite de toutes ses conquêtes, se lassa de lui en quelques semaines, et s'amusa ensuite à conquérir un des admirateurs de sa femme, le sieur de Rambouillet, puis un autre, le marquis de Vassé. Mme de Sévigné ne put se venger de cette série d'humiliations que dans ses lettres. Et voilà qu'une Ninon âgée de 50 ans séduisait maintenant son fils, dont le dernier exploit amoureux avait été de conquérir la maîtresse de Racine, l'actrice Champmeslé.

Au cours d'une promenade à la cour avec Charles de Sévigné, Mlle de Lenclos se fit voir en train de le gifler violemment pour avoir regardé une autre femme, puis en train de l'embrasser pour se faire pardonner. Furieusement jalouse de la jeune Champmeslé, elle lui demanda qu'il lui cède toutes ses lettres et il s'exécuta. Pourtant, malgré tous ses efforts, Ninon ne réussit pas à réveiller le galant homme en lui. Il la laissa l'exhiber à des soupers délicieux à Saint-Germain mais sans jamais cacher son indifférence pour les manières à la mode et la conversation élégante où, de l'avis de tout le monde, Ninon excellait. Pendant ce temps, sa mère et son amie Mme de La Fayette essayaient de faire prendre conscience à Charles de l'indélicatesse de sa situation et de le persuader de reprendre les lettres de la Champmeslé ; mais avant même qu'elles n'aient réussi à ce qu'il renonce à sa relation avec Ninon, celle-ci le rejeta. Elle lui trouvait un esprit de poule mouillée et un cœur de potiron glacé. Leur liaison avait duré un mois.

Ninon disait que jamais une de ses liaisons n'avait duré plus de trois mois. Elle avait eu des centaines d'amants et la légende voudrait qu'elle en ait eu encore davantage. On raconte qu'elle avait eu pitié de Charles d'Orléans, le fils du duc de La Rochefoucauld et de Mme de Longueville qui la supplièrent de l'arracher à sa maîtresse, cette grosse marquise de Castelnau. On dit aussi qu'à 60 ans, elle eut une liaison avec un Suédois du nom de Jean Banier et qu'à 90 ans, elle accorda ses faveurs à deux abbés licencieux, Gedoyn et Châteauneuf, qu'à ce même âge encore elle essaya de séduire Bourdaloue. Ces histoires, fondées sur des affirmations contraires de Voltaire, dont le père était son avocat, ne tiennent plus beaucoup quand on sait que Ninon est morte en 1705, à l'âge de 80 ans.

Des biographes plus sérieux ont écrit qu'elle avait abandonné cette passion physique après sa liaison avec Charles de Sévigné. Elle répondit à une lettre flatteuse de son cher ami Saint-Évremond :

« J'apprends avec plaisir que mon âme vous est plus chère que mon corps, et que votre bon sens vous conduit toujours au meilleur. Le corps, à la vérité, n'est plus digne d'attention, et l'âme a encore quelque lueur qui la soutient, et qui la rend sensible au souvenir d'un ami dont l'absence n'a pourtant pas effacé les traits. »

Madame, la sœur du roi, la duchesse d'Orléans, écrivait à un ami que depuis que Mme de Lenclos était vieille, elle menait une vie très austère. Que, de ses propres aveux, n'aurait-elle compris le ridicule auquel elle s'exposait, elle ne se serait jamais réformée.

Mme de Lenclos avait abandonné la passion physique, mais pas la passion tout court. Elle se consacra au maintien de ses amitiés. Pour elle, la constance dans ce domaine était devenue aussi importante que l'amour. Après l'époque où elle ne s'était souciée que d'amour, était venu pour elle le temps de l'amitié.

Elle se lia d'amitié avec Mme de La Sablière, la malheureuse épouse de son ancien amant, le sieur de Rambouillet, et lui rendit souvent visite chez elle à Saint-Roch, où elle partageait son hospitalité avec les semblables de Molière, La Fontaine, Mignard et Boileau. Ces mêmes personnages lui rendaient visite dans sa maison rue de Tournelles, où les nouveaux venus étaient aussi étonnés par la vivacité d'esprit de leur hôtesse que par la fraîcheur de son teint. Elle expliquait son charme en disant que si elle avait passé sa vie à offrir à ses invités le meilleur vin, elle-même n'avait jamais bu que de l'eau. Qu'elle avait toujours évité de se coucher tard, de trop manger et de trop boire, c'étaient là des choses, disait-elle souvent, qui faisaient vieillir précocement.

Saint-Simon raconte dans ses Mémoires que les réceptions données par Mme de Lenclos surpassaient en dignité et en style toutes les autres, même celles des princesses préférées de la cour. Que les personnages les plus séduisants et les plus nobles de la cour étaient ses amis et qu'il devint à la mode d'être reçu chez elle à cause des gens qu'on y rencontrait. On n'y jouait pas, s'y tenait dignement, n'y parlait ni politique ni religion. N'avaient cours chez elle que l'humour et l'esprit le plus fin. On discourait de choses anciennes et modernes, des dernières liaisons amoureuses des uns et des autres. Mais on traitait de tout avec délicatesse et tolérance, sans la moindre méchanceté. Ninon de Lenclos entretenait la conversation par son intelligence et sa grande culture.

Le Roi-Soleil lui-même redoutait l'humour décapant de Ninon. Pendant les trente ans qui ont suivi sa ménopause, elle a été l'arbitre du goût du Tout-Paris. Les princes, les philosophes et les artistes savaient que son verdict sur leurs faits et œuvres comptait plus que les tartines de louanges de commande qui paraissaient dans la presse. Certains d'entre eux continuaient à lui écrire des poèmes d'amour. Quant à Charles de Sévigné, il se fit moine.

Ninon était si exceptionnelle, il est vrai, que les nobles de passage à Paris cherchaient tous à lui être présentés; mais il a existé d'autres femmes aussi extraordinaires. Ainsi les maîtresses des rois de France qui créèrent un grand précédent dans leur façon de durer. L'abbé Brantôme prétend avoir vu la légendaire Diane de Poitiers aussi belle de visage, aussi fraîche et vive à 70 ans qu'à 30 ans. On ne peut malheureusement le croire tout à fait, car Diane de Poitiers est morte à 66 ans. Toujours selon l'abbé Brantôme, elle était six mois avant sa mort encore assez jolie pour émouvoir un cœur de pierre. Ne l'avait-il pas vue alors que son cheval était tombé dans les rues d'Orléans, et qu'elle s'était cassé la jambe? Elle n'avait pas trahi le moindre signe de douleur, au contraire, sa beauté, sa grâce, sa majesté, sa belle apparence étaient restées ce qu'elles avaient toujours été. Surtout, sa peau était resplendissante même sans qu'elle utilisât de rouge ou de poudre. Dreux du Radier attribuait ce teint merveilleux au fait qu'elle se lavait le visage tous les matins avec de l'eau du puits. Elle se levait à six heures, montait à cheval, puis rentrait se coucher et lisait jusqu'à midi. Certains expliquaient le secret de sa vitalité restée si longtemps indemne à ce mélange d'effort physique et de repos.

Quand Henri II, l'amant de Diane de Poitiers, devint roi de France, il avait 31 ans et Diane 47 ans. Veuve depuis quinze ans, elle n'avait jamais abandonné son « petit deuil » et jusqu'à la fin de sa vie n'a porté que du noir et du blanc. La cour fut bientôt peuplée de ses associés. Le roi la fit duchesse de Valentinois et lui donna non seulement une énorme somme d'argent pour reconstruire son château d'Anet, mais aussi l'énorme domaine de Chenonceau. Diane commandait en tout. Ce fut elle qui lui dit le moment de coucher avec la reine, Catherine de Médicis; et à la naissance des enfants du roi, ce fut elle aussi qui fut chargée de leur éducation. En 1552, Contarini, l'ambassadeur de Venise, écrivait :

« Il l'aime, il l'aime énormément, et aussi vieille soit-elle, elle est sa maîtresse. Il est vrai qu'elle n'utilise jamais de rouge et peut-être que par la vertu du soin minutieux qu'elle prend d'elle-même, elle est loin de paraître son âge... Sa Majesté fait en ceci et en toutes choses ce qu'elle veut. Elle est informée de tout, et chaque jour après le dîner le roi se rend chez elle et reste une heure et demie avec elle pour la consulter et lui dire tout ce qui se passe. » (Henderson, 1928, 182-3.)

En 1554, à l'apogée de son pouvoir, Diane fut obligée de supplier le roi de la quitter pour un temps. Elle était malade et, évidemment, elle ne voulait pas qu'il la voie autrement que sous sa plus belle apparence. Ses biographes ne nous disent pas, probablement parce qu'ils ne le savent pas, si sa maladie était liée à sa ménopause. Le roi alla à Saint-Germain-en-Laye. Quand il revint à sa femme qu'il avait négligée, celle-ci organisa un bal pour y exhiber les charmes d'une gouvernante des princes écossais qui, pensait-elle, réussirait à arracher le roi à sa vieille maîtresse. Le roi tomba dans le stratagème de sa femme et donna un fils à la petite Écossaise, mais ne tomba pas plus loin dans la ruse. Diane rétablie, il la rejoignit et abandonna le lit de sa femme pour toujours.

L'amour de Henri II pour une femme de presque vingt ans son aînée dura jusqu'à sa mort, des suites d'une blessure reçue lors d'un tournoi en 1559. Comme il agonisait, la reine, avec qui il n'avait pas eu de relations depuis six ans, fut appelée à son chevet et nommée régente. Par contre, on ferma la porte au nez de Diane qui arrivait pour dire adieu à l'homme qu'elle avait aimé pendant trente ans. On la chassa de ses appartements et on lui prit Chenonceau. Elle dit qu'elle allait mourir avec son amant mais vécut jusqu'en 1566. Il ne nous reste d'elle qu'un seul portrait réaliste contre lequel comparer les douzaines d'images idéalisées d'elle, qu'elle soit décrite par les poètes Marot et du Bellay comme la déesse Diane, grande, gracieuse, aux longues jambes, sculptée dans la pierre par Jean Goujon ou Benvenuto Cellini, ou peinte sur la toile par François Clouet ou Léonard Limosin.

L'exemple de Mme de Maintenon illustre encore mieux cet extraordinaire pouvoir d'une femme à fasciner les hommes longtemps encore après que tout le monde a reconnu qu'elle avait perdu sa beauté. Françoise d'Aubigné était née en 1635 et avait épousé à 18 ans le dramaturge infirme Paul Scarron, qui mourut en 1660, la laissant sans rien. En 1669, Mme de Montespan la nomma gouvernante des enfants qu'elle avait donnés au roi Louis XIV, qui vivaient alors près de Vaugirard. En 1674, le roi décida que ses enfants devaient vivre avec lui à la cour, où ils arrivèrent accompagnés de Mme Scarron. En septembre 1675, elle avait déjà si bien sapé la position de Mme de Montespan que celle-ci fut renvoyée de la cour tandis que l'architecte du roi s'était vu confier la supervision de la restauration et de l'embellissement de la maison de Maintenon achetée par Mme Scarron avec l'argent qu'elle avait gagné chez Mme de Montespan. Ses défenseurs nient qu'elle ait fait tout cela par calcul :

« Sa douceur et sa discrétion lui ont rapidement gagné l'estime de Louis; il lui demanda d'abord de lui faire la lecture et peu à peu en fit sa confidente. En 1678, il fit de son petit état de Maintenon... un marquisat. Elle a dès le début utilisé l'influence qu'elle avait sur le roi pour son bien à lui et celui de la France. Une fois qu'elle a eu réussi à faire perdre à Madame de Montespan la faveur du roi, elle a débarrassé la cour de tout le laxisme qui y régnait, s'est fait une amie de la reine que le roi négligeait, qui lui a fait confiance et lui a donné son affection; après la mort de la grande dame, elle a secrètement épousé le roi. »

Quelle belle histoire romantique que ce mariage d'une jolie femme avec un roi puissant! Notre Cendrillon était une veuve de 50 ans dont on disait qu'avant son mariage au dramaturge Paul Scarron, elle avait été plutôt légère. Cette vieille amie de Ninon de Lenclos avait eu une longue liaison avec un ancien amant de Ninon. Évidemment Mme de Montespan ne s'attendait pas à ce qu'elle réussisse à l'éclipser en se présentant sous l'aspect de la vertu. Beaucoup à la cour la considéraient comme une hypocrite et une intrigante; parmi ceux-là, la belle-sœur du roi, Élisabeth-Charlotte de Bavière, princesse palatine, duchesse d'Orléans, Mme de France, qui n'a jamais pu parler de Mme de Maintenon sans lui adjoindre l'adjectif « vieille ».

« La vieille, la Maintenon, se fait un plaisir de rendre odieux au roi tous les membres de la famille royale et de les régenter... La dauphine est... journellement très maltraitée à l'instigation de la vieille... La vieille a déjà tenté plus de dix fois de me brouiller avec le dauphin... » (*Lettres de la princesse palatine*, 72.)

Malgré la furie aristocratique des familles royales d'Europe devant le pouvoir inconcevable détenu par cette femme de petite naissance, le roi épousa secrètement Mme de Maintenon en 1685. En 1688, sa belle-sœur écrivait à sa tante, la duchesse de Hanovre, pour répondre à ses questions sur ce mariage :

« En tout cas, ce qu'il y a de certain, c'est que le roi n'a jamais eu pour aucune maîtresse la passion qu'il a eue pour celle-ci. C'est quelque chose de curieux à voir quand ils vont ensemble. Si elle est quelque part, il ne peut y tenir une demi-heure sans aller lui parler à l'oreille et l'entretenir en secret, bien qu'il ait été toute la journée auprès d'elle » (80).

Quatre ans plus tard, elle écrit encore :

« Le *grand homme* loge bien en route dans la même maison que cette *ordure*, mais ils ne couchent pas dans la même chambre et tout se passe avec grand mystère. Vous voyez par là qu'il ne l'a pas encore déclarée sa femme, mais cela n'empêche pas qu'il s'enferme tous les jours avec elle quand ils sont ensemble et que toute la cour, hommes et femmes, doit attendre à la porte » (104).

Et en 1696, elle raconte la sévérité du roi envers deux de ses filles illégitimes qui avaient composé des chansons méchantes vis-à-vis de leur belle-mère :

« Cette fois, il leur a dit rudement leur fait et il semble être plus blessé des chansons qu'on a composées sur la Maintenon que de celles qu'on a faites sur lui-même. C'est quelque chose d'inouï que la passion qu'il a pour cette femme » (138).

Le pouvoir de Mme de Maintenon à la cour du plus puissant monarque d'Europe était tel que Madame la désignait, quand elle ne l'appelait pas « la vieille prostituée », comme la *Pantecrate*.

En septembre 1698, Madame eut le plaisir de raconter :

« La *pantecrate* a un grand pouvoir, toutefois, il paraît qu'elle n'est pas la femme la plus heureuse du monde, car elle pleure souvent à chaudes larmes et parle à chaque instant de la mort. Je crois pourtant que ce qu'elle en fait n'est que pour voir ce qu'on en dira. » (163).

En juillet 1699, Madame découvrit avec beaucoup de déplaisir que lorsqu'elle rendait visite à la « Dame toute-puissante », on ne lui offrait qu'un tabouret : en effet le roi se rendait souvent chez elle et personne n'avait le droit d'être assis en sa présence, sauf Mme de Maintenon à qui « on le permet à cause de sa mauvaise santé » qui se dégrada avant 1710, alors qu'elle était encore la toute-puissante Maintenon.

« Quand le roi ne va ni à la chasse, ni à tir, ni à Marly, il passe tout l'après-midi chez Madame de Maintenon, il y travaille tous les soirs avec les ministres » (320).

En 1710, elle raconte à sa tante :

« Bien que la vieille soit notre plus cruelle ennemie, je lui souhaite cependant longue vie à cause du roi, car tout irait encore dix fois plus mal si le roi venait à mourir maintenant, il a tant aimé cette femme qu'il ne lui survivrait certainement pas; aussi souhaité-je qu'elle vive encore de longues années » (324).

Alors qu'elle avait 70 ans, Mme de Maintenon « se plaignit à son confesseur qu'elle devait encore souvent coucher avec le vieux roi » (Simone de Beauvoir, 1965, 187.) Après la mort du roi, elle se retira dans l'école pour jeunes filles qu'elle avait créée à Saint-Cyr, où elle est morte quatre ans après, âgée de 86 ans.

Pour comprendre le rôle des femmes d'âge mûr à la cour de France, il faut savoir l'énorme importance que la France prérévolutionnaire cultivée accordait au raffinement du goût et des manières. Pareil vernis ne s'acquérait qu'au bout de nombreuses années. On commençait par se plier à une discipline qui, après quelques années d'exercice, devenait une seconde nature. Personne n'était aveugle au teint éblouissant des jeunes femmes, encore moins se refusait-on de les caresser, mais on ne venait pas chez les grandes « salonnières » pour admirer des beautés qu'on trouvait aussi bien chez les laitières. Cette situation prévalut encore dans les années 1780 où, si l'on en croit Mme de La Tour du Pin, les vieilles femmes étaient toutes-puissantes. Mais après la Révolution, c'en fut fini du temps où toutes les générations se retrouvaient ensemble. Au grand regret de M. de Talleyrand, les vieilles dames n'apparurent plus en société.

Hommes et femmes se soumettaient avec plaisir à la règle des doyennes dont ils voulaient apprendre les principes compliqués et subtils du jeu social. Il y eut aussi des salons en Angleterre, tenus eux aussi par des femmes d'âge mûr : mais la ségrégation entre hommes et femmes opérait tant dans ce pays qu'ils ne jouèrent jamais un rôle important. Les femmes dont Molière se moque dans *Les Femmes savantes* offensaient par leur pédanterie les règles du comportement institué et observé par les dames de goût. Mais les satiristes anglais raillaient les femmes seulement parce qu'elles prétendaient discuter d'esthétique ou de philosophie, par pure intolérance : comment diable pouvait-on écouter parler une femme ?

La version anglaise de la « salonnière » respectable est Mary Delany qui, à 88 ans, rougissait encore comme une jeune fille. Elle avait épousé à 18 ans un vieillard de 60 ans qui mourut cinq ans plus tard sans laisser de testament, donc sans lui léguer la fortune que sa famille espérait pour elle. Plusieurs gentlemen, dont lord Baltimore, la demandèrent en mariage, mais elle attendit l'âge de 43 ans pour se remarier avec l'ami de Swift, Patrick Delany, qui lui demanda d'être sa seconde femme. Il lui était très inférieur en rang et en relations, et il n'était pas riche, mais ils vécurent heureux jusqu'à sa mort en 1768. Après son second veuvage, elle devint une favorite de la famille royale, qui lui rendait visite tous les jours. On l'admirait pour son goût, sa bonne éducation, son charme et sa vivacité, qu'elle a gardés jusqu'à sa mort en 1788. George III commanda son portrait à Opic ; il est toujours accroché aux murs de Hampton Court.

Louisa Maximiliana, la fille de Gustave Adolphe, prince de Stohlberg-Gedern, vécut huit ans d'un mariage malheureux avec le « jeune prétendant », débauché et ivrogne, alors en exil sous le nom de comte d'Albanie. Jusqu'à ce qu'elle s'enfuie un jour avec le grand dramaturge italien Vittorio Alfieri, dont elle fut la maîtresse jusqu'à sa mort en 1803. Elle avait alors 50 ans. Malgré l'intensité de son chagrin, elle se retrouva bientôt partageant la vie d'un de leurs amis, le jeune peintre français Fabré. Ils vécurent ensemble jusqu'à ce qu'elle meure en 1824. Elle en fit son seul héritier.

On se doute que toutes ces femmes avaient des attraits qui n'étaient pas seulement de nature physique. Pour Ninon et Mme de Maintenon, on peut supposer que leurs charmes tenaient à leur personnalité. D'autres femmes d'âge mûr heureuses en amour l'ont été à cause de leur rang ou de leur fortune. L'exemple le plus flagrant de femme s'étant servie de son rang et de sa fortune pour attirer dans son lit des hommes beaucoup plus jeunes qu'elle est la Grande Catherine de Russie. Cette impératrice s'est comportée de façon très comparable aux monarques masculins, choisissant les hommes les plus vigoureux et les plus séduisants de sa cour qu'elle y voyait. Les grandes stars d'âge mûr de notre époque sont celles de l'écran et pas une semaine ne passe sans qu'on en voie une apparaître au bras d'un nouvel amant. Elizabeth Taylor (née en 1932) épousa récemment Larry Fortensky, ancien ouvrier du bâtiment, âgé de 38 ans. Ce que pensent de cette union ses ex-maris riches et distingués, on ne le sait pas.

Le 22 septembre 1990, un hebdomadaire britannique très vendu présentait en première page un portrait d'une vieille dame de 60 ans, ou plutôt le portrait de ses dents de porcelaine, de son rouge à lèvres, de son maquillage pour les yeux, de ses boucles d'oreilles en cuivre et de sa perruque. On devinait des retouches autour de la mâchoire et la peau devenue à peine un peu grumeleuse sur la poitrine, mais cela mis à part, il faut le reconnaître, elle était magnifique. (Surtout que de nos jours, dans le monde de la beauté, chacun se fait retoucher le portrait parce que personne n'est assez beau pour ces magazines au papier glacé.) « Exclusif », annonçait une bande en lettres capitales à sa gauche : « Joan Collins nous présente son amour secret et parle franchement sur le mariage et l'accomplissement de soi. » On lisait à droite : « Je pense que je suis plus heureuse maintenant que je ne l'ai jamais été de toute ma vie. » La même photo était reproduite en format un peu plus grand à l'intérieur du magazine, cette fois montrant aussi des bras à peine un peu desséchés, des mains sans bagues et un genou nu. Pas une seule tache brune. En face de la photo, on lisait cette fois : « Joan Collins. Une femme accomplie qui a trouvé l'amour et réalisé le rêve de sa vie. » On retrouvait la même robe blanche dans une autre photo. C'était une robe longue et fendue jusqu'à mi-cuisse, découvrant juste ce qu'il fallait de la jambe et exposant une chaussure blanche à très haut talon.

Joan a l'habitude de s'entendre complimenter sur son allure : « Je suis très fière d'avoir l'âge que j'ai, avec les connaissances, l'expérience et l'efficacité que j'ai acquises, et d'avoir l'allure que j'ai », disait la légende. Elle ajoutait : « Si j'ai quelques rides, que peut-on y faire ? » Il fallait regarder la photo de près pour découvrir ces rides, ainsi que le nom de l'homme qui l'avait photographiée dans huit tenues différentes avec des perruques et postiches différents à chaque fois, en douze endroits différents. Si on regardait les gros plans de près, on voyait la lumière se refléter dans le milieu des pupilles; elle avait parmi ses talents celui de ne pas cligner de l'œil quand elle était éblouie par l'énorme puissance des ampoules qui effacent toutes les rides et font briller les yeux. Il n'était nulle part fait mention du nom de la personne qui l'avait maquillée ni de celle qui avait achevé de retoucher la photo. La mythologie voulait créer l'impression que si Joan était aussi belle, c'était grâce à sa lumière intérieure. Sur tous les clichés pris à l'extérieur, elle portait des lunettes noires. Il n'y avait qu'une seule photo où l'on pouvait voir que ses yeux étaient chargés de maquillage et qu'elle devait maintenir un demi-sourire constant pour que ses machoires ne retombent pas. Cette histoire en photo est parfaitement réussie car, tout autre talent mis à part, Joan Collins est une vraie professionnelle.

Elle ne se laisse pas facilement interroger au sujet de son ami intime, le marchand de tableaux Robin Hurlstone. Mais après trois années et demie où elle est restée très secrète, Joan Collins, maintenant âgée de 57 ans, vient d'avouer leur relation particulière et a révélé les grandes qualités de Robin. C'est à Robin qu'elle dédicace son second livre, « pour sa patience et son soutien. Avec tout mon amour ».

La patience et le soutien ne sont pas des qualités que les jeunes femmes attendent de leur amant. Le lecteur cynique peut se demander à raison si Robin, jeune etonien ayant à peine passé la trentaine et encore jamais marié, et Joan ne sont pas simplement de bons amis ; ou même si Robin n'est pas ce qu'on appelle dans les affaires un « walker » apportant l'harmonie, la bonne entente et l'amitié dont la star dit que ce sont les aspects les plus importants d'une relation amoureuse.

Sous tout le maquillage et les faux cheveux, on devinait chez Joan Collins non pas la comédienne spirituelle qu'elle est, mais simplement une bonne vieille grand-mère qui veut nous dire que ses soixante ans de vie lui ont appris qu'il y a deux choses importantes dans la vie, la santé et le bonheur. Le magazine cherchait à faire passer sa relation à Robin comme une histoire d'amour passionnée, mais devait se contenter de choses très plates : par exemple que c'était Robin qui avait trouvé le lieu pour sa nouvelle maison en Provence. Malheureusement quelques jours plus tard, dans la colonne des petites nouvelles, on lisait que Miss Collins avait essayé d'acheter un portrait de Mr. Hurlstone à son ami proche le marquis de Bristol pour qui il avait été peint. Selon Niegel Dempster, à l'annonce du prix qu'elle proposait, le marquis lui avait rétorqué que cette somme d'argent suffirait à peine à acheter des tableaux d'un genre différent, où Mr. Hurlstone et le marquis apparaîtraient l'un comme l'autre dans des attitudes qu'elle ne trouverait pas particulièrement séduisantes.

L'interviewer du *Hello* lui souffla respectueusement :

« Vous avez dit vous-même qu'à votre modeste façon, vous avez été une pionnière de la cause de l'égalité sexuelle des femmes, et que vous vous êtes élevée contre la barrière des âges si cruellement terrible pour tant de femmes. »

Miss Collins releva le défi :

« C'est vrai et c'est quelque chose qu'on m'a seriné depuis mon très jeune âge, et que j'ai toujours trouvé très choquant, qu'en tant qu'actrice, on n'était utilisable que jusqu'à 22 ou 23 ans. J'étais bien décidée à ce que cela ne m'arrive pas à moi, même si d'autres filles semblaient s'y être résignées... Je viens d'une famille qui a l'air très jeune. »

La structure bizarre de ces phrases trahit la contradiction qui existe entre la femme quatre fois mariée, mère de trois enfants adultes et l'image soigneusement fabriquée qu'elle donne d'elle-même en jeune et nubile Miss Collins. La journaliste était sans doute trop jeune pour se demander si la notion de « santé » incluait le traitement aux hormones de remplacement et trop respectueuse pour demander si l'actrice avait subi une chirurgie plastique; peut-être aussi avait-elle lu ailleurs les vigoureuses dénégations de Miss Collins à ce sujet. Le même magazine reproduisait une autre photo de Miss Collins, Jackie, cette fois, les yeux grands ouverts au-dessus d'un rouge à lèvres brillant et auréolés d'une masse de cheveux abondamment aspergés de laque : elle célébrait la publication d'un nouveau livre. Était aussi photographiée dans ce magazine l'ancienne épouse de Teddy Kennedy, une épaule dénudée dans sa robe mauve : à côté d'elle, sa fille, dont c'était le mariage, avait l'air vieille et boulotte. Il était difficile de concilier ces photos et les autres images du même magazine. Celle par exemple où la femme de 60 ans qui entraîne les chevaux de la reine avait l'air d'une créature d'une autre planète; celle de Jane Goodall photographiée assise avec ses chimpanzés, qui évoquait la mère des nations sculptée dans la pierre; celles encore d'Elettra Marconi, elle aussi âgée de 60 ans, au visage plus intelligent et aimant qu'attirant, et de C. Guest qui présente les restes pittoresques d'une femme de la haute société. Préférer ces photos aux dix-sept portraits éblouissants de « Miss Collins », c'est s'avouer gérontophile confirmé. Tous ces visages avaient pourtant quelque chose de spirituel, ils évoquaient pour moi les masques asymétriques des grands portraits romains du Iᵉʳ siècle. Le produit n'était pas emballé. Les femmes mûres qui se fabriquent une image finissent par se ressembler toutes, même avec des couleurs et des formes différentes, tandis que les femmes qui restent elles-mêmes laissent paraître la flamme à l'œuvre dans l'argile.

On a dit que dans la lutte contre le vieillissement, il faut choisir entre le visage et le corps. En termes plus crus : « Choisis entre tes fesses et ton visage. » Jane Fonda, née en 1937, s'est concentrée sur ses fesses en obtenant sur son visage des résultats désastreux. Tandis que j'écris ce livre, « Miss Fonda » est sur le point d'épouser le président-directeur de CNN. Elle a avoué au public qu'avant de passer au doigt sa bague d'opale et de diamants, elle s'est fait faire une mammoplastie. Il semble que malgré tous les exercices, il n'y ait pas de solution autre pour les seins que de les regonfler. On ignore si elle prend des hormones de synthèse, par contre on espère que la douceur de son rêve d'amour ne l'a pas aveuglée sur les risques d'une prothèse synthétique appliquée à l'intérieur de tissus stimulés aux œstrogènes.

A 58 ans, l'actrice Anne Heywood, d'origine anglaise, a épousé George Danzig Druke, l'ancien assistant du procureur général de l'État de New York. Ses cheveux, plus très épais, sont encore d'un roux flamboyant, elle a encore les seins fermes et hauts, le ventre aussi plat que le souhaiterait Robert Wilson. Dans le magazine

Hello du 26 janvier 1991, elle encourage toutes les femmes approchant de la soixantaine :

« Les gens doivent comprendre que les femmes d'âge avancé sont aussi vendables que les hommes. Et nous les femmes, nous devons nous savoir aussi sexuellement attirantes que les hommes pensent le rester jusqu'à un âge très avancé. Ce n'est pas seulement les hommes que nous devons éduquer à ce sujet, mais aussi les femmes qui doivent être complètement sûres de leur attrait. »

Le texte sous-jacent ici est curieux. « Les hommes âgés se croient séduisants » : Joanne Woodward elle aussi faisait allusion à ce fait qu'*on dit* que les hommes deviennent plus séduisants en vieillissant. Ces deux femmes sont mariées à des hommes âgés, mais le mari d'Anne Heywood n'est pas un Paul Newman. Sur les photos du mariage, avec son sourire vague et son regard vide, malgré les petites boucles de cheveux qu'il a ramenées sur son crâne chauve, il paraît deux fois plus âgé que sa femme. Quant au terme de « vendable » qu'utilise Anne Heywood, cela se passe de commentaire. Peut-être serait-elle surprise d'apprendre que beaucoup de femmes de son âge se réjouissent d'enfin ne plus se considérer comme un produit. La plus grande ambition de Miss Heywood est d'avoir un rôle important dans un film sur l'avortement où elle s'opposerait à Glenda Jackson. Ce qui n'a guère plus de chance de se produire que de voir Barbara Bush montrer ce qu'est « le résultat d'une ménopause non traitée » dans un film où elle s'opposerait à Nancy Reagan.

Zsa Zsa Gabor est différente. Pour rien au monde, elle n'utiliserait à son propre égard le terme de « vendable », car elle est hors de prix. Alors qu'elle désespérait presque de son huitième mari, le prince Frederik von Anhalt qui, malgré sa beauté et sa richesse, manquait décidément d'humour, la chute du mur de Berlin permit que se réalise un conte de fées. Zsa Zsa ne porte-t-elle pas maintenant le titre de princesse en bonne et due forme ? Peut-être aussi portera-t-elle un jour sur sa belle poitrine, en même temps que la tiare de diamant et d'émeraude toute neuve, la ceinture de l'Ordre royal. Par ailleurs, le prince a récupéré trois châteaux appartenant à sa famille, ceux de Ballenstedt, Rochrkopf et de Moosykau, en même temps que des œuvres de deux cents maîtres et d'innombrables œuvres d'art. Ce n'est pas souvent qu'un mannequin devient princesse à l'âge de (on ne le sait pas), après avoir renvoyé sept maris.

Après plus de trente ans de mariage avec le même homme, Helen Gurley Brown est le prototype de l'éternelle mariée. Comme l'a dit une de ses amies à James Kaplan pour un article dans *Vanity Fair* (juin 1990) : « Cela doit être épuisant d'être encore fille à soixante-huit ans. » L'éternelle mariée n'a pas d'enfants si c'est possible, et se débarrasse le plus élégamment possible de ceux qu'elle a pour pouvoir, selon l'expression de

Kaplan, river des yeux en chaleur sur son mari et donner au moindre de ses gestes une attention éblouie. Dès qu'elle sait qu'on l'observe avec son mari, elle le regarde la bouche légèrement entrouverte comme si tous deux se trouvaient sur le point de je ne sais quel exploit sexuel. Comme elle doit garder un air de jeune fille, l'éternelle mariée ne se fait pas regonfler les seins. Souvent d'ailleurs, elle n'a pas de corps dont on puisse vraiment parler. Par contre, elle a un grand visage tout tiré et brillant d'avoir subi la chirurgie esthétique et fendu par un gros trait de rouge à lèvres et des dents en porcelaine. L'autre prototype de l'éternelle mariée est Nancy Reagan, mais on ignore si, comme Gurley Brown, elle passe elle aussi une heure et demie par jour pour se maintenir en forme.

En janvier 1991, la chanteuse de jazz Bertice Reading, âgée de 58 ans, a célébré le premier anniversaire de son mariage au psychothérapeute et astrologue Philip George-Tutton, âgé de 22 ans. Elle a dit à cette occasion pour *Hello* :

« C'est le meilleur mariage que j'aie fait. Philip est très bon et gentil et s'occupe de moi. »

Il existe aussi des femmes âgées très séduisantes n'éprouvant pas le besoin de se vanter de leurs conquêtes masculines. Ni Tina Turner ni Gina Lollobrigida, ni Shirley MacLaine ni Raquel Welsh ne se sentent obligées de faire savoir qu'elles sont toujours « vendables » en exhibant de nouvelles conquêtes, même si elles en font. Tippi Hedren, à 55 ans toujours aussi mince, fragile et merveilleusement blonde que jamais, vit dans un ranch avec soixante-dix animaux, y compris des tigres et des léopards, sans éprouver le besoin de se montrer avec un compagnon.

Les grandes éternelles comme Diane de Poitiers, Ninon de Lenclos ou Mme de Maintenon n'ont pu avoir recours à la chirurgie esthétique. Elles n'ont pu se faire mettre des prothèses dentaires, se faire aplatir le ventre par liposuccion, tirer les yeux par un lifting, regonfler les seins. Elles n'ont pas expérimenté non plus l'hormonothérapie substitutive. Il ne leur fallait pas trois ou quatre heures pour se préparer à se montrer à leur public, car ce n'est pas pour l'effet qu'elles produisaient sur des étrangers éloignés ou sur des caméras qui faisait qu'on les appréciait. Ces vieux objets sexuels qu'on voit de nos jours composent un ensemble de mauvais goût, qu'il vaut mieux voir de loin que de près. Ils avouent rarement leur âge que tout le monde connaît pourtant. Ils se donnent pour but de vaincre la ménopause. Ils n'admettent pas non plus prendre un traitement aux hormones de substitution. Remarquons tout de même que malgré les effets spectaculaires du traitement aux hormones de remplacement, les Maîtres de la Ménopause ne nous disent pas si, à voir une femme, on sait si elle suit ce traitement ou non.

Le président du Trust Amarante est Teresa Gorman, députée et membre du parti conservateur. Son visage très lourdement chargé est apparu en photo un peu retouchée sur la couverture de la première *Lettre* du trust qui incite les femmes à faire reconnaître l'hormonothérapie substitutive comme un droit. Mrs. Gorman parle abondamment de ce qu'elle prend, très sûre évidemment que son apparence en prouvera les bienfaits. Le magazine *Elle* a participé à une campagne de promotion très risquée montrant en couverture et pleine page une photographie de Mrs. Gorman pourvue de tout ce que le maquillage, la laque, une veste rose pâle, un éclairage indirect et les retouches peuvent donner. Le résultat est moins encourageant qu'elle ne le pense. Même si elle-même se trouve splendide, ce n'est peut-être pas l'avis de tout le monde, surtout si on la voit aux sessions télévisées de la Chambre des Communes, non maquillée, non coiffée et non ménagée par les cameramen. D'un côté, son intervention aux Communes n'a pas été assez judicieuse ni assez hardie pour créer l'émulation, d'un autre côté, si elle devait développer une tumeur, une thrombose ou des calculs, et faire autant de bruit à ce sujet que pour le traitement aux hormones, les conséquences pour Ciba-Geigy, Organon ou Schering en seraient désastreuses.

De façon générale, les femmes haut placées répugnent à admettre qu'elles prennent un traitement aux hormones et sont beaucoup moins désireuses à servir de publicité que Mrs. Gorman. Mrs. Thatcher préférerait qu'on parle du médecin qui lui conseille une baignoire jacusi plutôt que de son patch... – si elle en met un. Mrs. Gorman a poursuivi pour diffamation ceux qui l'ont accusée d'avoir dit que Mrs. Thatcher prenait des hormones de substitution. Jusqu'à maintenant, Mrs. Thatcher n'a poursuivi en justice aucun de ceux qui ont dit qu'elle en prenait, mais elle refuse de dire elle-même si elle en prend ou non. Quel pont d'or pour les multinationales pharmaceutiques si quelqu'un avait pu la persuader de dire publiquement qu'elle suivait ce traitement! Maintenant qu'elle s'est retirée de la politique, rien ne peut l'empêcher de signer un contrat, mais elle risquerait de peser sur le passif plutôt que sur l'actif. Détail amusant, la *Lettre* du Trust Amarante publie un éditorial de Teresa Gorman qui demande :

« Vieillirons-nous avec grâce et dignité comme la reine mère ou connaîtrons-nous l'horreur d'une mauvaise santé et la perspective de finir notre vie comme pensionnaires dans une maison de retraite, incapables de vivre de façon indépendante? »

Qu'est-ce que cela veut dire? Que la reine mère prend des hormones ou simplement que les hormones confèrent tous les bienfaits qui proviennent du revenu de la souveraine? Il aurait été de mauvais goût de la part de Mrs. Gorman d'associer, même indirectement, les hormones de substitution avec l'image de la reine, qui a cessé de sourire à la ménopause, tandis que le sourire de la reine mère, comme celui du chat du Cheshire, risque de durer jusqu'au siècle suivant. L'idée que les hormones de substitution peuvent garantir une bonne santé est absurde. Cet éditorial un peu confus n'est pas une preuve de l'effet tonique de ce produit sur le mental annoncé par le Maître de la Ménopause. A quoi attribuer le fait que seulement 2 % des Anglaises suivent un traitement aux hormones, au moment où j'écris ce livre ? A leur caractère craintif? A la réticence des médecins à prendre leur problème sérieusement ? N'est-ce pas plutôt à leur scepticisme et à leur bon sens ?

15

LA VIEILLE SORCIÈRE

Ne pas croire aux sorcières est la plus grande des hérésies.

Malleus MALEFICARUM.

Depuis le début du monde et de l'histoire, toutes les sociétés ont eu leurs sorcières. L'archétype de la sorcière est une vieille femme, même si parfois ont été accusés de sorcellerie des jeunes gens et des jeunes femmes qui en ont pâti comme tels. Survivre à un mari, et pire à ses enfants, est une anomalie dans les sociétés où le taux de mortalité au moment de l'accouchement est élevé. Le seul fait de survivre a quelque chose d'anormal. Comment s'étonner alors que des villageois incultes s'imaginent que si une veuve sans enfants vit longtemps, c'est qu'elle le fait aux dépens des autres et que si des jeunes meurent de maladies mystérieuses, c'est qu'elle les a dévorés? D'ailleurs, les vieilles femmes finissaient peut-être par le croire elles-mêmes. Pour les peuples qui ne savent expliquer ni la stérilité ni la maladie ou la mort, la croyance aux sorcières est nécessaire. La sorcière idéale doit fonctionner comme un bouc émissaire, ne pas avoir d'alliés et être facilement sacrifiable. « De toutes les femmes, ce sont les maigres aux yeux creux et aux sourcils broussailleux qui sont les plus maléfiques », dit Reginald Scot Bodin qui dit aussi : « On trouve cinquante sorcières pour un sorcier. » (1958, 245-5).

En 1563, Johann Wier, dans *De praestigiis Dæmonum*, décrivait les sorcières comme « de pauvres femmes séniles dépourvues d'esprit, de vieilles taupes puériles, de vieilles femmes de nature mélancolique et sans cervelle » qu'il fallait plus plaindre que redouter. Au début du XVIIIe siècle, pour les hommes à l'esprit éclairé comme Joseph Addison, les sorcières n'avaient jamais existé, elles avaient simplement jailli d'esprits superstitieux, craintifs et pleins de préjugés. Et de méchantes vieilles femmes avaient donné corps à ces croyances par leurs manières irrationnelles et leur façon de se mêler à tout. Cependant, à l'époque même où Addison déplorait dans ses écrits la cruauté et la superstition qui incitaient à les persécuter, les sorcières étaient condamnées à mort et brûlées vives.

Il n'est pas plus honteux d'être une sorcière que d'être une vieille femme, car les sorcières ont une longue et vénérable histoire, plus ancienne encore que l'invention de l'écriture. C'étaient elles qui, aux tout débuts de l'humanité, protégeaient le lieu et le moment de la naissance et la difficile transition entre la vie et la mort. Leur histoire est surtout le récit de la façon dont leur pouvoir a été criminalisé et leurs connaissances discréditées, afin d'affaiblir et de détruire les droits des mères et les privilèges dont elles jouissaient. Les sociétés où existe encore une certaine forme de matriarcat continuent de respecter la vieille femme qui sait. Ainsi ce conte populaire remarquable de Mwipenza le Tueur, de la peuplade des Hehe en Tanzanie du Sud. Mwipenza est vaincu par une très vieille femme, qui était déjà vieille vingt ans auparavant, quand Makao, la protagoniste féminine du conte, était allée avec sa mère chercher des médicaments pour sa sœur qui mourait. La poudre noire de la vieille femme avait sauvé la vie de la fille. Maintenant, Makao a besoin d'un médicament pour sa mère qui est attaquée par Mwipenza, qui l'attend couché à l'extérieur de la hutte de la vieille femme. Son mari la trouve agonisante, mais avant même qu'il ait pu retirer le bâton qui la clouait au sol, la vieille femme sort de sa hutte et l'appelle à l'aide.

« Dès que le mari de Makao se dirigea vers elle, la vieille femme s'arrêta de pleurer et d'une voix très excitée l'appela : “ Je mettais seulement à l'épreuve votre cœur tendre... vous êtes d'abord venue m'aider et maintenant je vais aider ta femme. ” » (Mvungi, 1985, 69.)

Ce n'est qu'à ce moment qu'il voit Mwipenza mort sur le sol, transpercé par un bâton, tué évidemment par la magie de la vieille femme. Celle-ci passe un liquide vert sur les blessures de Makao qui retrouve miraculeusement la santé. Le jeune couple se tourne vers l'ancienne pour lui demander comment elle a vaincu le tueur :

« La vieille sorcière se mit à rire et dit : “ Allez tous les deux avec votre enfant ” » (69).

Il ne faut évidemment pas prendre cette histoire au pied de la lettre. La vieille sorcière-guérisseuse est une figure du matriarcat ou du principe sororal qui fait passer le groupe avant l'individu ou même le couple. Cette vieille femme évoque les ermites légendaires de l'Église chrétienne des débuts, qui ne sortaient de leur grotte et de leur hutte que pour accomplir des prodiges :

« La nature des liens humains entre le paysan malade ou souffrant et la sorcière à qui il faisait confiance avait investi la bonne sorcière d'un grand pouvoir de guérison; elle était à la fois la mère, l'hypnotiseuse, la psychiatre (privée). En outre, elle avait acquis, par ses activités de magicienne et de médecin empiriste, et grâce à son expérience des drogues extraites des plantes, une vraie connaissance de certains agents pharmacologiques puissants. Ses connaissances étaient si poussées qu'en 1527, Paracelse, considéré comme l'un des plus grands médecins de son temps, brûla sa pharmacopée officielle en déclarant que tout ce qu'il savait, il l'avait appris des sorcières. » (Sasz, 1986, 209.)

Sorcière, guérisseuse, chaman, la vieille femme exerce encore une autre fonction importante dans les sociétés où l'écriture n'existait pas :

« Dans ces tribus où quelqu'un assiste la parturiente, l'aide vient le plus souvent de la propre mère de la femme. Mère et fille effectuaient parfois de longues distances pour se retrouver pour ce moment. En l'absence de la mère, l'aide venait le plus souvent de femmes appartenant à la famille de la mère, sa grand-mère, ses sœurs, et/ou un autre membre de la famille de son clan. Dans les tribus où s'est opérée la transition du clan matriarcal à la famille patriarcale, la belle-mère pouvait tenir ce rôle. » (Goldschmidt, 1984, 23-4.)

Les jeunes femmes qui accouchent aujourd'hui ont toujours besoin de leur mère, mais la leur n'a plus le droit d'être à leurs côtés. Tout homme qui se dit le père de l'enfant, et certains ne le sont même pas, peut assister une femme au moment de l'accouchement. Qu'une femme, de nos jours, demande d'entrer dans la salle de travail de sa fille, on la considérera aussitôt comme surprotectrice, manquant de discrétion, faiseuse d'ennuis. La relation mère-fille dans nos sociétés s'est tant dégradée qu'on pense sincèrement que la présence d'une mère auprès de sa fille en train d'accoucher lui ferait plus de mal que de bien. En effet, qu'est-ce qu'une mère d'aujourd'hui pourrait bien savoir d'utile à sa fille en cours de travail, surtout si elle-même a accouché sous anesthésie ? On ne lui permettrait certainement pas d'accomplir les gestes traditionnels, de soutenir le dos de la parturiente, de masser son ventre, ou de veiller à ce qu'elle reste propre et fraîche. Il faudrait un grand changement dans les mœurs pour qu'une mère puisse tenir sa fille entre ses cuisses, l'aider pendant les contractions, et ainsi donner naissance comme par procuration à son petit-fils ou à sa petite-fille, et il n'est pas pour demain. La mère de la jeune accouchée ne sera peut-être même pas la première à qui sera annoncée la naissance de son petit-fils ou de sa petite-fille. Inutile de préciser que la mère du père serait aussi bien accueillie à la naissance que la méchante fée au baptême de Blanche-Neige. Comment s'étonner que la majorité des femmes poursuivies comme sorcières aux XVIe et XVIIe siècles aient été des sages-femmes ?

Le pouvoir de la femme a diminué au fur et à mesure que s'est développée la société patriarcale. Sa nouvelle situation l'a contrainte à savoir ruser de plus en plus avec le pouvoir arbitraire, soit en manipulant ceux qui avaient le pouvoir au-dessus d'elle, soit en inventant des antidotes à l'oppression réelle par des charmes et des potions. Ces potions magiques fonctionnaient dans le royaume de l'imaginaire. Celui qui voulait acquérir le pouvoir l'acquérait grâce à une amulette ou à un philtre. Il attendait ensuite qu'un malheur accable son oppresseur : il se sentait alors vengé et remerciait (ou maudissait) la sorcière. La vieille femme qui murmurait les mots magiques ou cueillait des herbes au clair de lune n'était pas un personnage cynique abusant de la crédulité des autres. Très souvent, elle croyait elle-même à ses pouvoirs occultes, et comme beaucoup de femmes, portait sur ses épaules le poids de la culpabilité commune. Les femmes qui se sont volontairement accusées pendant des procès de sorcières ne représentent cependant qu'une petite partie des femmes qui ont abusé de l'imaginaire pour obtenir un certain pouvoir. Beaucoup d'entre elles étaient des conteuses aimées et révérées.

Ces vieilles femmes qui nourrissaient l'imagination des très jeunes enfants donnaient poésie et spiritualité à une vie monotone et pénible. Elles peuplaient les bois traversés par les vents et des pistes sommaires d'âmes aux soupirs pleins de désirs; elles plaçaient devant le seuil des coupelles de lait pour les esprits des enfants morts qui hantaient les maisons où ils s'étaient éteints à peine nés (ils étaient si nombreux) et le lendemain matin, le bon lait avait disparu : le foyer était dès lors balayé et astiqué par leurs mains reconnaissantes. Les contes que racontaient les grand-mères rendaient le monde aussi palpitant que l'univers de Spielberg et ces histoires stimulaient l'imagination créative des enfants au lieu de la tuer par une stimulation excessive et répétitive. Ceux qui partagent le point de vue de Joseph Addison sur les activités et les contes des vieilles femmes, et comme lui craignent qu'ils rendent les enfants nerveux et timides, ignorent sans doute comme il est important pour un enfant d'apprendre à se méfier et le plaisir qu'il prend à être épouvanté.

« On a souvent dit que les mythes, les chansons, les contes de fées et les jeux d'enfants portent en eux des éléments de religions anciennes. La mère l'Oie et les chansons pour enfants qu'elle a inspirées viennent des mythes et rites nordiques. Une couverture de livre du début du siècle montre quel oiseau original a donné naissance à la mère l'Oie : en effet, il représente les pattes de l'animal pendues au M du Mère du titre : *La Mère l'Oie*. Celle-ci se déplace avec son oiseau. Quant au balai qu'elle monte, c'est une version appauvrie de l'arbre sacré, le lien vénéré entre le ciel et la terre. Peut-être n'est-elle pas aussi gracieuse qu'Aphrodite, mais pourquoi le serait-elle ? Elle est tombée dans un monde qui s'est détourné de la nature, un monde qui au XVIe et au XVIIe siècle s'est servi du feu et de l'eau pour vider les mémoires du rôle qu'elle jouait, de son existence même. » (Johnson, 1988, 85.)

C'est l'apprentissage de la lecture qui a tué la sorcière. Dès lors qu'ils savent lire, les enfants n'ont plus besoin d'aller s'asseoir sur les genoux d'une grand-mère qui leur raconte comment les bons enfants étaient récompensés et les méchants punis de façon délicieusement horrible : l'éducation étant devenue obligatoire, leur imagination est sous le contrôle de la page imprimée. Les vieux de toutes les sociétés illettrées perdent leur autorité dès que leurs enfants apprennent à lire. Et depuis la Seconde Guerre mondiale, les changements sociaux se sont effectués à un rythme si rapide que le simple fait d'être né un peu avant l'autre nuit à tout ce qu'on pourrait savoir. On méprise toutes les têtes grises qu'on juge pleines de notions désuètes. Certains universitaires d'aujourd'hui sillonnent désormais le monde à la recherche de vestiges de l'histoire orale; ce qui veut dire que la tradition orale, devenue un sujet d'études, ne joue plus son rôle dans les groupes censés l'écouter et s'en instruire. L'art des vieilles femmes est à jamais perdu : la disparition des berceuses nous a privés de tout héritage authentique. L'intérêt pour le folksong ne s'est développé qu'après qu'il eut déjà perdu de sa vitalité. A imprimer les contes de fées, on les a déformés, puis discrédités.

Selon la définition récente qu'en donne Tanya Luhrmann :

« La sorcellerie a pour but de faire revivre et resurgir une antique religion de la nature, la plus ancienne des religions, celle qui vénérait la nature comme une femme aux noms et aux aspects divers. Elle était Astarté, Inanna, Isis, Cerridwen, noms familiers des textes archéologiques. Elle était la Grande Déesse dont Frazer et Neumann – et Apulée – ont soigneusement rapporté les rites. Les sorcières sont des personnes qui lisent leurs livres et essaient de recréer, pour elles-mêmes, l'atmosphère et l'état d'esprit de la toute première humanité qui vénérait une nature ressentie comme essentielle, puissante et mystérieuse. Elles vont sur les emplacements des dolmens et des menhirs et sur les sites préchrétiens : elles deviennent des érudits amateurs des traditions païennes qui sont à l'origine de l'œuf de Pâques et de la bûche de Noël.

« Surtout, les sorcières essaient de se relier au monde qui les entoure. La sorcellerie, disent-elles, c'est apprendre à appréhender sensitivement, intuitivement le changement des saisons, le chant des oiseaux, c'est avoir conscience que toutes les choses sont sacrées... » (Luhrmann, 1989, 45-6.)

La sorcellerie décrite ici est une sorcellerie organisée, très différente de celle des femmes qui pendaient dehors un os gras pour les pinsons, qui voulaient à tout prix saluer la pleine lune face à face pour lui marquer leur respect, qui ramassaient du petit bois quand la lune décroissait et semaient quand elle croissait, qui disaient bonjour aux pies bavardes et avertissaient les abeilles d'une mort dans la famille. Ceux d'entre nous qui jardinent n'ont pas besoin qu'on leur fasse prendre conscience du rythme des saisons, car les saisons nous prennent à la gorge. Certaines sorcières se rassemblent dans des pubs pour parler d'Isis et d'Osiris, et d'autres, aux joues rouges et aux cheveux en broussaille, marchent le long des haies dans la pluie et le vent, suivies parfois de leur vieux chien, parfois même de leur vieux chat.

Les vraies sorcières n'ont jamais dû apprendre leur savoir de Neumann ou d'Apulée; les vraies sorcières ne cherchaient pas dans les livres ce qu'elles devaient faire et à quel moment. La sorcellerie n'est pas un art de la généralisation, ne serait-ce que parce qu'elle est intimement liée à l'esprit du lieu. Celle qui soigne par les plantes risque de commettre des erreurs graves si elle ignore qu'une herbe poussant en un lieu précis n'a pas les mêmes propriétés que la même herbe poussant dans des conditions différentes, ne serait-ce qu'à quelques kilomètres de distance. Il faut connaître les proportions et les méthodes de préparation, différentes selon les lieux. Certains mélanges et certaines décoctions peuvent être bénéfiques dans un environnement et nocifs dans un autre. La signification des vents, de la rosée, du clair de lune est différente sur chaque côté d'une montagne. Les livres du savoir sorcier qui ont tenté de systématiser ce vaste ensemble de connaissances et essayé d'extraire des principes généraux n'ont abouti qu'à un ensemble de conseils inutilisables. L'exemple suivant illustre le genre d'erreurs qu'ils commettent : des chercheurs à la recherche du principe abortif utilisé avec beaucoup d'efficacité dans une région particulière du Bangladesh ne trouvaient aucune qualité abortive dans des extraits qu'ils obtenaient eux-mêmes. Jusqu'à ce qu'un vieux praticien leur explique que les femmes de sa région brassaient la potion abortive avec du riz fermenté dans un récipient en cuivre. Elles obtenaient ainsi un composé trop dangereux pour la pharmacopée moderne, mais très efficace.

Notre époque interdit aux sorcières de mettre à leur porte une plaque de guérisseuse, et de pratiquer ce métier, sauf peut-être sur elles-mêmes et leurs animaux. Pourtant dans ce pays sophistiqué qu'est la Toscane, les gens qui souffrent de maux incurables vont encore chez la femme sage qu'on appelle aujourd'hui *strega*, version moderne de son nom ancien, *strix*. Elle fait tomber les verrues, ramène l'amoureux infidèle, prescrit des lotions douces pour les maux de la peau, ou un mélange d'herbes à donner aux vaches au printemps pour leur nettoyer le sang; parfois elle prédit un peu l'avenir. Elle dira aussi à une jeune femme souffrant d'une cystite de se lever du lit dès l'aube, de sortir sans uriner et à jeun et de se rendre à un endroit où pousse la *verbascum thapsiformis* : elle devra alors s'accroupir très bas et uriner sur cette plante qui la guérira de sa cystite. Je crois que le seul fait de marcher avec une vessie pleine constituait la partie la plus importante du traitement. La malade était sûre qu'une exhalaison s'élevait de la plante et pénétrait sa vessie. Pour la cystite des vieilles femmes, la sorcière blanche prescrivait une faible décoction de fleurs de tilleul et de camomille à boire en grandes quantités. La malade devait ensuite éliminer le volume ainsi obtenu en un lieu où limaces et escargots en souffriraient à sa place. C'était une manière de faire perdre à la vieille femme de très vieilles habitudes et de lui faire boire assez d'eau pour diluer l'urine acide qui irritait sa vessie...

Le plus souvent, néanmoins, la sorcière blanche limite ses activités à celle de la grand-mère de Rosemary Dobson, qui, comme la *strix* classique, est un oiseau :

« Ma grand-mère, qui approchait de quatre-vingt-dix ans, acceptait avec bon cœur ce que la fortune lui apportait. Elle tenait sa tête penchée de côté comme un moineau et ses yeux étaient brillants comme ceux d'un oiseau. Au dîner, elle gardait une place vide pour l'étranger. Cela se faisait, disait-elle, à Bendigo et Eaglhawk, c'était une coutume qu'elle observait. Dans sa maison aux murs si légers qu'ils craquaient au moindre souffle, elle disposait de la nourriture pour les lézards, jetait à côté du faux-poivrier des miettes pour les roitelets, et gardait de l'eau de la maison pour les géraniums. » (Dobson, 1965.)

Les sorcières anglaises qui travaillent en extérieur excèdent de loin en nombre les trente mille sorcières qui se réunissent dans des caves obscures pour brûler de l'encens et jeter des sorts, et même les milliers d'entre elles qui trafiquent dans les sciences occultes. Quand, en 1976, Maureen et Bridget Boland ont publié leur *Old Wives'Lore for Gardeners* (Le Savoir des vieilles femmes enseigné aux jardiniers), les vieilles femmes se sont précipitées pour l'acheter, ou bien leurs enfants le leur ont offert. Les deux auteurs de cet ouvrage ont ensuite avoué qu'elles n'avaient jamais été mariées, qu'elles n'étaient que des vieilles filles. Leur livre n'en contenait pas moins « la sorte de savoir que leurs grand-mères leur avait légué » et qu'elles souhaitaient léguer à leur tour à « tous ceux qui n'ont pas peur de trouver un peu de superstition mêlée à un solide bon sens ».

En 1934, la grande psychologue Hélène Deutsch, alors âgée de 50 ans, quitta Vienne pour aller vivre en Amérique. Quand elle comprit que ni elle ni sa famille ne retourneraient jamais plus en Autriche, elle chercha une ferme où s'installer. Après un faux départ, elle trouva une propriété en très mauvais état dans le New Hampshire. Elle la rebaptisa : Babayaga.

« Quelle est la relation entre Babayaga et moi, qui voulais devenir fermière et qui suis plongée dans un travail scientifique et professionnel? Babayaga est moi, et la légende de cette sorcière polonaise me ramène directement à mon enfance. Dans le folklore polonais, Babayaga est une bonne sorcière, spécialement gentille envers les enfants. C'est une sorcière de la campagne, qu'on voit portant sur son dos un tas de bois, parfois aussi des enfants. Mon amour pour mes petits-enfants et mon rêve de devenir une femme de la campagne allaient donc parfaitement bien avec ce personnage. Elle est le symbole de la bonne grand-mère même si elle se déplace avec un balai et passe par la cheminée. J'ai raconté aux enfants maintes histoires de mon rôle de sorcière et je crois que Babayaga est pour eux, même aujourd'hui, associée avec leur vraie grand-mère bien-aimée, Gruhu. » (Deutsch, 1973, 193.)

Dans les pages qui suivent, Deutsch, qui ne parle jamais de sa propre ménopause, décrit une période de conflit entre « ses préoccupations émotionnelles » et « son moi intellectuel ».

« Je me sentais devenue le personnage d'une chanson pour enfants que mes petits-fils adoraient. Une créature bizarre entre dans une basse-cour. Elle s'y sent déplacée et mal accueillie ; elle s'en va donc chez les oies, mais là aussi elle est reçue avec des caquètements hostiles. Désespérée, elle se demande : " Qui suis-je ? Je ne suis pas une poule, je ne suis pas une oie. Je suis une pouloie. " Mes petits-fils aimaient cette chanson sans se rendre compte à quel point leur grand-mère s'identifiait avec cet étrange animal » (194).

La juxtaposition des thèmes d'écriture, qui semble due au hasard, est en fait déterminée par des motifs inconscients : c'est ainsi que le paragraphe qui suit parle de Jenny, la poule préférée de Deutsch. La psychanalyste aurait sans doute continué sur le thème de l'identification de la femme avec d'autres animaux, si elle n'avait craint d'offusquer l'homme qui s'occupait de sa ferme. Elle avait trouvé une solution à son malaise en s'identifiant avec la terre et ses animaux, identification incarnée par le génie du lieu, la sorcière blanche, Babayaga.

En décembre 1949, G. Carstairs partit pour une année vivre dans un village du Rajasthan, près de Udaipur. Ses voisins immédiats étaient Dhapu, une veuve, son fils, sa femme et leur bébé. Il fallut des mois avant que Carstairs ne découvre que les gens croyaient que Dhapu, femme violente et fourbe qui ne cessait de proférer des insultes obscènes, était une *dakan* qui depuis plus de vingt ans rendait les gens du village aveugles, causait leur mort et leur envoyait des maladies. Les gens du village croyaient qu'elle entendait quiconque prononçait son nom et qu'ensuite elle le punissait. Carstairs essaya de sympathiser avec la pauvre vieille femme qu'il croyait victime d'une communauté soupçonneuse. Mais son hostilité virulente à l'égard des gens du village et sa mendicité avide le dégoûtèrent ; et il découvrit qu'elle « semblait incapable d'accepter ce que je lui disais, c'est-à-dire que je ne la croyais pas une sorcière et que je trouvais injuste qu'on la considère ainsi. » (Carstairs, 1983, 21.) Il était impensable pour Carstairs qu'une femme accepte un rôle qu'on lui avait imposé, ou qu'elle se glorifie de son pouvoir sur les fantasmes de tout un village.

Au Moyen Age, beaucoup des interrogatoires de confessionnal comprenaient des questions que le prêtre devait poser sur la pratique de la sorcellerie. Elles concernaient aussi bien des pratiques inoffensives, comme celle de faire mariner un poisson entre les lèvres de la vulve avant de le faire cuire et de le servir à un homme dont on voulait obtenir l'affection, aux sabbats nocturnes de sorcières. Le pénitentiel de Burchard, écrit au début du XIe siècle, demandait :

« Avez-vous cru ce que de nombreuses femmes, qui se sont tournées vers Satan, croient et affirment être vrai ? Que dans le silence de la nuit, bien que toujours dans son propre corps, on peut passer par des portes fermées et voyager dans l'espace ? Avez-vous cru cela avec d'autres qui ont été elles aussi trompées ? Croyez-vous que sans armes, on peut tuer des gens, et ensuite faire cuire leur chair et la dévorer ?... Si vous avez cru cela, vous ferez pénitence en restant au pain et à l'eau pendant cinquante jours, et pendant sept ans, vous ne mangerez que du pain et de l'eau pendant cinquante jours. »

Burchard ne croyait évidemment pas au mensonge des sorcières, le péché dont il demandait la confession n'était pas d'avoir fait un pacte avec Satan, mais un acte de superstition païenne. Si la pénitence qu'il inflige est lourde, elle est peu de chose comparée à la vengeance sommaire dont a pâti Dhapu. Six mois après son départ, Carstairs apprit que, à la suite du délire d'une femme prise de fièvre dont on pensait qu'elle avait été possédée par Dhapu, celle-ci avait été plusieurs fois battue, et violemment frappée au visage avec une hache. Elle s'était protégée de son bras gauche qui avait été broyé. A peine s'était-elle affaissée au sol à demi inconsciente que le délire de la femme avait cessé. Dhapu, la *dakan*, était morte trois jours après. Carstairs craignait que ses meurtriers se voient infliger une peine trop lourde. En fait, deux des tueurs reçurent une peine de six mois, dont ils ne purgèrent qu'un mois, et le troisième reçut dix-huit mois, dont il ne purgea qu'un an. La femme qui délirait fut acquittée tandis que « la tension et la méfiance semblaient avoir disparu » du village. Personne, pas même son fils, n'y regretta la mort de Dhapu ni ne la vengea. Sa mort n'avait été tragique que pour Carstairs.

Le clergé du Moyen Age, qui cherchait à imposer sa loi sur celle du peuple plutôt que sur les sorcières elles-mêmes, punissait les gens qui les tuaient en les lapidant, les noyant, les écorchant ou en les brûlant vives. Sans doute avait-il compris que la sorcière fonctionne grâce au consentement et à la complicité de sa communauté. Tant que les gens respectaient son pouvoir occulte, ils ne respectaient pas le pouvoir de l'Église et de l'État. Les sociétés qui utilisent des sorcières pour essayer de contrôler l'incontrôlable sont les mêmes que celles qui ont besoin d'en arriver à des actes d'une brutalité extrême pour les éliminer.

Pourquoi arracherait-on les boyaux d'une sorcière, les promènerait-on et les exhiberait-on dans le village s'ils n'appartenaient à un personnage puissant? La sorcellerie apporte un pouvoir réel. La vieille femme dont l'ombre flétrit tout ce qu'elle regarde n'a pas besoin de jouer l'épouse mère soumise et effacée. Son visage est à découvert; ses yeux dispensateurs de mort observent et pénètrent ce qui l'entoure, ce n'est pas elle qui est pénétrée et maîtrisée par l'environnement. Les représentants de la classe dirigeante, depuis toujours sceptiques sur un tel pouvoir, ont refusé de capituler devant la superstition populaire qui réclamait d'assister à la défaite miraculeuse de la sorcière démembrée ou brûlée. Cette idée méprisante voulant que le pouvoir de la vieille femme sur les autres ne soit, pour sa part, que le fruit d'une illusion sénile et, pour ses clients, de la crédulité crasse, a vécu jusqu'en 1921, date de la publication par Margaret Murray de *The Witch Cult in Western Europe* (Le Culte de la sorcière en Europe occidentale) : cet ouvrage démontrait l'appartenance des sorcières à un ancien culte païen de la fertilité. Idée qui prévalut jusqu'en 1969, quand l'anthropologue Lucy Mair a démontré que ce qui définit essentiellement la sorcière, ce n'est pas son adhésion à une religion, mais son rejet de l'ordre moral et social qui l'entoure. En 1975, Norman Cohn a, à son tour, contesté les sources de Murray et prouvé que le culte ancien de la fertilité n'existait pas.

Reste un élément qui n'a pas été vraiment analysé dans les études récentes sur la sorcellerie : dans quelle mesure assumer un rôle de sorcière est-il une protestation contre la marginalisation où est tenue la vieille femme et une alternative stratégique pour y remédier? Des études sur la possession ont poussé l'analyse de façon plus perspicace : Dans *Case Studies in Spirit Possession* (Études de cas de possession par les mauvais esprits), de Crapanzano et Garrison, on lit :

« Douze des quinze cas présentés concernaient des femmes, chacune des histoires étudiées montre comment la possession augmente le pouvoir et l'influence de ces femmes de façon à la fois permanente et provisoire. » (Crapanzano et Garrison, 1977, XI-XII.)

Le phénomène de la possession existe surtout, dit Crapanzano, chez les personnes de statut inférieur, marginal, ambigu ou problématique (29). Pour les anthropologues, il est clair que la possession fait partie d'une stratégie mise en œuvre par des personnes marginalisées et dénuées de pouvoir, pour obtenir un rôle important dans la vie de leur communauté. Pour tout le monde, il s'agit d'une stratégie adoptée de façon inconsciente, mais le conscient et l'inconscient ne sont-ils pas autant mêlés qu'opposés? Les gens, surtout les gens peu éduqués, le savent tout en l'ignorant. Pourquoi une femme de forte personnalité, de plus en plus méprisée par les hommes et les femmes plus jeunes de son entourage, ne réagirait-elle pas en prenant consciemment la décision d'entrer en sorcellerie? Mais interviennent ensuite certaines conséquences qui l'entraînent dans un mouvement qu'elle n'a pas créé elle-même. Chaque fois qu'une femme en colère pensant à ceux qui la persécutent se dit : « Attendez un peu, vous allez voir », elle agit selon la vieille tradition de la sorcière. Et si elle se réjouit dans son cœur de voir ses ennemis abattus quand le malheur finit inévitablement par les accabler, elle s'affilie à jamais à la magie noire.

Comment s'étonner que des femmes qui se sont entendu dire toute leur vie qu'elles sont des créatures instables, non fiables et irrationnelles, se vengent une fois qu'elles sont délivrées de leurs liens à leur père, à leur mari et à leur fils? Faisant désormais loi de leur instabilité et de leur côté irrationnel, elles se servent de la superstition et de la crédulité de gens plus faibles qu'elles-mêmes pour acquérir un vrai pouvoir qui subvertit sans mal l'autorité dûment constituée, tant religieuse que séculaire. Comment s'étonner encore qu'elles prennent pour alliées des créatures malfamées? Comme par exemple la chouette et le bourdon auxquels les compare Daniel Defoe dans ce texte célèbre du *Appleby's Journal*, cité par Nina Auerbach dans *Women and the Demon* (Les Femmes et le Diable) :

« Horrible, épouvantable, intolérable! Une VIEILLE FILLE! Je préférerais être métamorphosé en un bourdon ou en une effraie; le premier, tous les gamins le poursuivent avec leur chapeau pour le dépecer en morceaux et tirer de sa queue une pauvre petite goutte de miel; la seconde, terreur et aversion de toute l'humanité, annonciatrice de tous les malheurs, des maladies et de la mort. » (Auerbach, 1982.)

Ces êtres familiers de la sorcière sont aussi inoffensifs et prêts à rendre service qu'elle-même; mais comme ils sont peu attirants et qu'on ne reconnaît pas leur véritable utilité, on abuse souvent gravement d'eux. L'alliance de la vieille femme avec les chouettes et les crapauds est une façon pour elle de rejeter le jugement négatif du monde à son égard, et de se venger de ses ennemis en les effrayant. Cependant, la compagnie de ces créatures aussi repoussantes et déroutantes qu'elle est un acte de provocation et de subversion envers l'autorité mâle qui risque de se venger avec une terrible sauvagerie.

Le triomphe de l'empirisme avait suscité un engouement pour le naturel, qui fit considérer le supernaturel ou le surnaturel, au mieux, comme un subterfuge, au pire, comme quelque chose de diabolique. Pour l'empiriste convaincu qu'était Addison, tout recours à un pouvoir magique était un acte de subversion. Par ailleurs, l'idée que sont mauvaises les femmes très proches des animaux ne s'est installée qu'au fur et à mesure que s'est développée la méfiance vis-à-vis de la nature animale. Et cette méfiance est le produit d'une culture où l'homme domine sans vouloir partager son pouvoir avec la femme. De tout temps, les femmes se sont occupées des bêtes, surtout des petits animaux et des oiseaux. Elles les ont nourris, préparés et cuisinés pour la table de leur maître tandis que celui-ci acquérait la culture rationaliste et une pensée « éclairée » qui ferait de lui le maître du monde.

En 1609, Maria de Zozaya fut livrée comme sorcière à l'Inquisition espagnole.

« Quand le jeune prêtre de la ville revenait le soir chez lui sans un seul lièvre après avoir chassé toute la journée, il en faisait reproche à Maria de Zozaya. En l'occurrence, elle n'eut que ce qu'elle méritait car, lorsque le prêtre passait devant sa maison, elle lui disait : " Faites en sorte d'attraper beaucoup de lièvres, Père, pour que les voisins puissent en faire des civets. " Maria de Zozaya avoua aux inquisiteurs qu'à peine le prêtre était passé, elle se transformait en lièvre, bondissait pour le dépasser, lui et ses chiens, et les épuisait dans leur course à sa poursuite. Cela s'était produit, ajouta-t-elle, huit fois depuis 1609. » (Henningsen, 1980, 159.)

Maria devait mourir en prison neuf mois plus tard. Quelle différence y a-t-il entre la vieille femme qui s'imagine être un lièvre si rapide qu'il épuise à mort les chiens de chasse et le chasseur persuadé qu'un certain lièvre n'est pas un lièvre mais une sorcière métamorphosée? Voici ce que raconte Wodrow cité par Black dans son *Calendar of Witchcraft in Scotland* (Calendrier de la sorcellerie en Écosse) (Black, 1938, 81). Quatorze ans après, Addison déplorait le fait que « si un lièvre arrive de façon inattendue à échapper à une meute de chiens, le chasseur maudit Moll White... J'ai une fois vu, en pareille circonstance, le maître d'une meute de chiens envoyer un de ses serviteurs voir si Moll White était sortie dans la matinée... ».

Même si on ne saura jamais si c'était à tort ou à raison qu'on soupçonnait Molly White de troubler la chasse, on trouve dans l'œuvre de femmes cultivées de la haute société semblable tentative de subversion. L'extraordinaire duchesse de Newcastle a écrit un poème, *The Hunting of the Hare* (La Chasse au lièvre) qu'elle a publié elle-même en 1653. Après sa description émouvante de la tentative désespérée du lièvre cherchant à semer ses poursuivants, voici son portrait du chasseur :

« Et l'homme se croit si doux et si bon
Quand de toutes les créatures il est le plus cruel
Et fier au point de croire que lui seul vivra,
Parce que Dieu d'une nature divine lui a fait don.

Et lui encore de croire que toutes les créatures à sa seule intention
Furent créées, pour qu'il puisse les tyranniser. » (Greer et *al.*, 1989, 70.)

Quant à Lady Ann Finch, comtesse de Winchilsea, elle aimait à se promener les nuits d'été en la seule compagnie des chouettes et des vers luisants :

« Quand les moutons qu'on aperçoit au loin sont occupés à paisser, que les vaches ruminent en paix, que les courlis crient sous les murs du village, et que la perdrix rappelle ses petits éparpillés, les animaux vivent une liesse de courte durée qui dure le temps que durera le sommeil de l'homme tyran. »

Lui aurait-on fait remarquer la similarité entre son carnaval nocturne des animaux et le sabbat des sorcières, la comtesse aurait peut-être été étonnée, et même fâchée. Ses idées n'ont rien que de très noble, néanmoins en annonçant son intention d'errer dans les champs toute la nuit, elle parle d'un désir semblable à celui de la sorcière qui cherche à fuir la compagnie des humains pour s'associer aux créatures d'un ordre inférieur dans la création.

« L'âme libre charmée et doucement pacifiée
Renonçant à sa colère
Dans ce calme solennel qui plane sur toute la création
Trouve sa joie dans le monde inférieur et le considère sien. »

Dans cette *Rêverie nocturne* où elle se voyait, elle et les animaux, habitants d'un monde crépusculaire ignoré de l'homme dominateur, Ann Finch esquissait sommairement un changement important dans les attitudes, changement qui fait partie intégrante de la démystification progressive du pouvoir féminin. Pourtant, les affinités imaginaires ou spirituelles avec les ordres inférieurs de la création n'ont pas toujours été considérées comme mauvaises. Ainsi cette histoire de la princesse celte Melangell, révérée comme une sainte, qui vivait en ascète dans le désert. Un jour, un lièvre poursuivi par le prince de Powys et ses chasseurs déboucha en trombe dans la clairière où elle priait et se réfugia sous sa jupe. La troupe royale arriva à son tour et le lièvre jeta un coup d'œil de dessous la jupe : les chiens reculèrent en gémissant. Le maître de la chasse voulut alors sonner du cor mais n'obtint aucun son. Cet incident impressionna tant le prince que, moins éclairé que l'Inquisition espagnole ou que Joseph Addison, il l'interpréta comme une grande marque de sainteté et donna toute la forêt à Melangell. Depuis lors les lièvres se sont regroupés en cet endroit : les gens les appellent les « agneaux de Melangell ».

Ce n'est qu'une histoire entre mille illustrant le pouvoir des premiers saints sur les animaux et leur comportement. On raconte que saint Pharamildis et sainte Werburge auraient rendu à la vie et à ses plumes une oie rôtie et plumée. Que sainte Milburge commandait aux oiseaux dans les airs. Que sainte Bee était nourrie par des oiseaux de mer. Que sainte Thelede se vit lécher les pieds par les lions qui auraient dû la tuer dans la fosse. Que sainte Ulphie a réduit les grenouilles au silence jusqu'à nos jours. Que sainte Viridiana laissait deux serpents se nourrir dans son assiette, tandis que toutes sortes d'animaux venaient manger dans la main de sainte Colette. Que sainte Catherine de Vadstena fut sauvée du désir d'un violeur par un cerf.

« Radegonde envoya une colombe pour calmer la tempête qui faisait rage et menaçait ses serviteurs. Glodesinde apporta la chance à un pêcheur qui naviguait vers son couvent en ordonnant à un poisson de sauter volontairement dans son filet. Aldegonde avait un poisson qui avait été offert à sa communauté. Un jour, menacé par des corbeaux, il bondit de la mare et s'échoua. Il fut heureusement sauvé, de façon inattendue, par un petit agneau qui le défendit avec ses pieds et ses dents jusqu'à ce que les nonnes arrivent à son secours. » (McNamara, 1985, 46.)

Certaines de ces légendes associant les saints et les animaux recèlent peut-être des restes d'une religion plus ancienne et du culte d'une déesse. Ne dit-on pas que sainte Gertrude, toujours représentée avec des souris montant sur son bâton de pèlerine ou jouant sur sa quenouille, est une survivante de Freya? Et la fête de la grande guérisseuse sainte Walburge n'a-t-elle pas lieu le jour du grand festival des sorcières, le 1er mai ou *Walpurgisnacht?* Mais au fur et à mesure que le monde animal perdait son caractère sacré et que le sentiment du merveilleux était éclipsé au profit du rationalisme, a disparu le prestige des femmes qui avaient un pouvoir sur les bêtes. Et l'homme, affirmant son autorité sur les animaux et son droit d'user et d'abuser d'eux à son gré, s'est mis à persécuter leurs protectrices. Addison aurait considéré une femme en train de prier dans une clairière comme égarée par son ardeur. Des penseurs plus primitifs l'auraient quant à eux soupçonnée de prier l'arbre ou d'avoir des rapports sexuels avec l'homme vert, dépossédé de son prestige de dieu de la nature et considéré comme Satan lui-même.

Ces histoires de saintes, rapportées dans des recueils comme celui de la *Légende dorée* de Jacques de Voragine, montrent des similarités frappantes entre les pouvoirs supranaturels des unes et les activités proscrites des sorcières. Quelle est la sainte qui ne soit douée du don de prophétie et ne sache lire dans les cœurs? Les saintes apparaissent en vision dans les rêves des gens, elles apparaissent aussi aux foules en moins de temps qu'il n'en faut à un nécromancier pour faire surgir un petit diable. Des vierges magiques n'ont aucun scrupule à prédire à leurs ennemis d'horribles châtiments et les hagiographes se délectent en racontant tous les malheurs qui ont frappé ceux qui les ont contredites : ils sont devenus aveugles, sont tombés d'une grande hauteur, ont basculé dans des flammes ou ont souffert les affres de la peste. Pour la victime, où est la différence entre la prédiction de la vengeance divine par une sainte et la malédiction d'une sorcière? Les vierges martyres pouvaient être jetées dans du métal bouillant ou transpercées par un poignard jusqu'au manche et sortir aussi indemnes qu'une sorcière avec un couteau dans son talisman. Certaines saintes, comme sainte Christine l'Étonnante, volaient; d'autres, comme sainte Marie d'Égypte, marchaient sur l'eau. D'autres encore traversaient les mers sur une feuille d'arbre. Sainte Marthe maîtrisa un dragon qu'elle menait en laisse avec sa ceinture comme un chien. La plupart de ces superwomen étaient jeunes et vierges. Elles ne sont pas un modèle pour la vieille femme car elles passaient beaucoup de temps à se protéger des fourbes assauts et de la vengeance de tyrans terrestres qui infligeaient les mutilations et les tourments les plus élaborés et les plus horribles. Le martyre de la vierge est le précurseur de l'immolation de la sorcière. Dans le cas de Jeanne d'Arc, les deux sont réunies en un seul personnage.

La sainte comme la sorcière descendent de la sibylle. Le seul exemple d'image positive de la vieille femme est bien le personnage de la sibylle, que ce soit celle, musclée, de Michel-Ange à la Chapelle Sixtine, ou celle, musicienne, de Roland de Lassus. Le nom de « sibylle » est si ancien que personne ne connaît ses origines. On se demande s'il ne descend pas des « prophétesses » de l'Orient qui ont pénétré la religion grecque à travers l'influence judaïque. Jusqu'à maintenant, rares sont les fragments identifiés des vers des sibylles grecques révérés par les Romains comme des oracles.

« Les Romains accordaient assez d'importance à ces obscurs hexamètres grecs pour parcourir la Méditerranée à la recherche de manuscrits détruits par le feu en 83 avant Jésus-Christ... Sous l'Empire, on ne consultait les vers sibyllins conservés dans le temple d'Apollon sur le mont Palatin que de façon sporadique. Tibère en interdit la consultation mais Néron les consulta après le grand feu de 64 après Jésus-Christ. Le dernier à les consulter fut Julien l'Apostat en 363 après Jésus-Christ. Les documents furent détruits en 408 environ par Stilicon. » (McGinn, 1985, 9-10.)

Les huit recueils d'hexamètres grecs considérés par les Pères de l'Église et par les écrivains du Moyen Age et de la Renaissance comme les *oracula Sibyllina* ont en fait été écrits à la moitié du IIe siècle avant Jésus-Christ et au IIIe siècle après Jésus-Christ. Ils ont ensuite été rassemblés et publiés à la fin du Ve siècle et au début du VIe siècle. Les dix sibylles de Varron, c'est-à-dire les sibylles de Perse, de Libye, de Delphes, de Cimmérie, d'Érythrée, de Samos, de Cumes, de l'Hellespont, de Phrygie et de Tibur... sont devenues douze pour faire pendant aux douze apôtres. On dit qu'elles auraient annoncé la naissance du Christ et la victoire d'Agamemnon pendant la guerre de Troie; elles auraient aussi mené Énée dans le monde des Enfers. Augustin les considérait comme des préchrétiennes qui iraient au paradis. Ainsi métamorphosées en précurseurs du christianisme, les anciennes sibylles étaient souvent citées et peintes.

« ... L'histoire en très grande partie oubliée d'une des figures féminines les plus importantes de la tradition religieuse occidentale. Ces prophétesses surent remarquablement passer du paganisme au christianisme non seulement parce qu'on ne les considérait pas seulement comme les annonciatrices des malheurs et du destin des rois mais aussi comme les égales des prophètes juifs dans leur annonce de la bonne nouvelle de la naissance du Christ. Après avoir su s'adapter et passer de la prophétie païenne à la prophétie chrétienne, la sibylle n'a pas effectué une transition comparable pour entrer dans le monde moderne où l'acide de la critique historique a débusqué les contrefaçons du passé. Sur le plan mythique au moins, la figure de la Sibylle, vieille femme belle et pleine de sagesse inspirée par Dieu, mérite respect et considération. » (McGinn, 1985, 35.)

Si nous voulons nous sentir bien, il nous faut prendre soin de nous-mêmes. Non pas jeter la vieille femme, mais au contraire, devenir vraiment une vieille femme. Ainsi celle que séduit l'idée de la sorcière transformera ses comportements mauvais en une attitude positive et agissante et exploitera à son avantage les nombreuses images hostiles suscitées par la vieille femme. Quelle honte y a-t-il, après tout, à savoir les voyous qui boivent de la bière gênés par notre présence ? Et si nous gâchons un peu la vie des garçons qui envahissent le bar du pub local, parsèment nos autoroutes et nos chemins de canettes de bière, ou qui se battent et se frappent au couteau dans des matches de football, tant mieux ! Pourquoi ne pas porter un T-shirt invisible où serait inscrit : « Un coup d'œil de moi, et votre bière aura tourné » ? L'observation de femmes âgées au comportement comparable à celui de personnes atteintes de démence sénile montre que les injures et les obscénités qu'elles crient et leur parti pris de se souiller s'expliquent par un état de violente rébellion. Le personnel qui les soigne se demande désormais si leur étrange conduite ne traduit pas, plutôt qu'une dégénérescence du cerveau, une révolte qui s'atténuerait probablement si elle était extériorisée et verbalisée. En exprimant leur malveillance par des maléfices imaginaires, les vieilles femmes, dont la liberté est bafouée et à qui on refuse le droit d'éprouver des sentiments hostiles – droit cependant considéré par la génération plus jeune comme acquis –, pourraient peut-être évacuer leur amère rancune. L'image de la grand-mère aux cheveux blanc argenté regardant avec un grand sourire heureux sa tarte aux pommes a son côté sombre, cette femme « aux cheveux en broussaille, aux ongles longs, aux seins affaissés, à la langue bavarde entre de terribles crocs ». Voilà le portrait, dit P. McKean, de la sorcière indonésienne *Rangda*, mère, veuve, symbole du commencement et de la fin de la fertilité, ou de la vie. (McKean, 1982, 280.)

Rangda ne rampe pas, elle danse. Selon Mary Ellman dans *Thinking about Women* (Réflexions sur les femmes) : « La femme surnaturelle est morte et ses anciennes représentations n'ont plus aucune portée. » Parmi les femmes surnaturelles qui ont disparu de la terre, elle cite la « sorcière domestique ».

« Traditionnellement, l'exercice de la magie était partagé entre hommes et femmes, exactement comme hommes et femmes se partageaient la pratique du commerce et l'exercice des professions libérales. La magie masculine était intellectuelle, la magie féminine manuelle. Les hommes se penchaient sur des cartes et des symboles imposants et les diables qui les visitaient étaient de haut rang. Les femmes caquetaient et mélangeaient dans des pots d'horribles potions. L'arrangement était heureux. Le double standard fournit rarement des rôles aussi vivants aux deux partenaires... Mais évidemment, aucune de ces deux approches n'a survécu, et les rôles se sont à nouveau séparés, ceux qui s'adonnaient aux sciences et ceux qui se livraient à la pratique. »

Ce sont là des remarques superficielles... La distinction très discutable entre magie masculine et magie féminine se base néanmoins sur une distinction historique réelle : il y avait d'un côté les arts noirs de la nécromancie, de la conjuration et leur élaboration en satanisme qui se fondaient tous sur les textes cabalistiques; et de l'autre côté les activités traditionnelles de sorcière des vieilles femmes illettrées, qui s'occupaient de divination, de charmes et de guérison. Mais Ellman, qui s'inspirait de la caricature littéraire, se fait une fausse idée de la sorcellerie.

Tant qu'il y aura des analphabètes, il y aura des sorcières. Tant que les guérisseuses traditionnelles et les accoucheuses n'auront pas toutes été incriminées et punies pour avoir fait concurrence à la médecine, la sorcière domestique survivra. Le monde occidental a dû brûler ses sorcières avant que les Addison du XVIIIe siècle puissent tranquillement déclarer qu'elles n'avaient jamais existé. Le reste du monde continue de craindre et de respecter le pouvoir occulte de la femme pleine de sagesse. Comme le savent bien les travailleurs sociaux, les femmes immigrées ne croient pas aux explications données par les médecins sur leurs maladies : elles refusent de suivre le traitement prescrit par eux, et se battent pour pouvoir ramener leurs enfants malades dans leur pays où la magie nécessaire traitera leur mal.

Ellman aurait sans doute été fort surprise de connaître le

nombre de sorcières encore en activité en Europe. La *strega* italienne jette toujours ses haricots ou la *cordella*, et ramasse encore des piquants de porc-épic pour faire des philtres d'amour. Quant aux diseuses de bonne aventure anglaises lisant dans les feuilles de thé, aux femmes croisant leurs doigts, à celles qui soufflent dans des nœuds de ficelle pour rendre un amoureux infidèle impuissant, ce sont des êtres désemparés s'efforçant d'exercer par la magie un certain pouvoir sur leur destinée. Les filles dormant avec leur gâteau de mariage sous leur oreiller participent de la vieille même magie que celle voulant qu'on verse une goutte de sang menstruel dans la nourriture du bien-aimé, ou qu'on chantonne des chansons magiques ou qu'on se regarde dans la glace au milieu de l'été pour y voir apparaître la silhouette du futur mari. Les experts en ces vieux rites anciens sont naturellement les vieilles femmes.

Le premier pas vers la sorcellerie est de dire : « Vous avez tort, mon cher ami. Je suis vieille. Je suis aussi vieille que les montagnes. »

« Aussi ancienne que le vent,
La sorcière n'a pas d'ancêtres
Les pleureuses la rencontrent qui s'en va
Au moment de notre mort. » (Dickinson.)

Certaines vieilles femmes ont belle, très belle allure. Ce sont les sorcières au corps blanc qui tentent les ascètes dont parlent les Pères de l'Église ; ce sont elles qui se transforment en vieilles mégères ridées pendant l'amour, comme si l'âge était une marque satanique. Ceux qui refusent de qualifier de vieille la femme de 50 ans sont ceux aussi qui trouvent la vieillesse obscène et honteuse. Ils nous demandent de mentir pour leur propre confort.

En 1937, préparant un discours sur la femme africaine pour l'Association des femmes du Danemark, Karen Blixen écrivait :

« Toutes les vieilles femmes avaient la consolation de devenir sorcières. Leur relation à la sorcellerie était comparable à leur relation à l'art de la séduction. Je me demande comment nous, qui ignorons tout de la sorcellerie, pouvons supporter de vieillir. » (Thurman, 1982, 317.)

Même celles d'entre nous qui ne paraissent pas leur âge savent que les marques secrètes en sont là. S'il est facile de masquer la prolifération des verrues et des petits kystes, les poches et rides aux genoux et aux coudes, les bourrelets sur les articulations, les peaux mortes sur les talons, les cheveux moins épais, les petits poils sous le menton, on sait néanmoins qu'ils sont là. Si nous devions être traînées devant des sorcières pour être dénudées devant elles, on s'en apercevrait. Assumons donc le droit des sorcières et mettons-nous à caqueter avec elles. Exprimons notre malice envers ceux qui refusent la vieillesse avec autant de liberté qu'ils s'expriment. Caricaturons-les avec autant de méchanceté qu'ils nous caricaturent.

Des Américaines qui n'avaient pas peur de vieillir ont déjà créé des unions de vieilles femmes (Walker, 1985.) En 1986, le deuxième numéro de *Women in Politics* était consacré aux « Femmes qui sont nos aînées : Portraits, visions et problèmes. » Gert Beadle, du groupe de vieilles femmes de Kelovna, écrivit un article sur la « Nature de la vieille femme » :

« La nature de la vieille femme l'amène à se pencher pour avoir une vue d'ensemble, car elle a atteint l'âge de la réflexion et recherche l'essentiel. Elle a fait beaucoup d'expériences malheureuses, elle connaît les pièges de la vie et ce qui restreint le désir de liberté... » (xiii).

Pourquoi ne pas marcher dans l'aura de la magie qui donne aux petites choses de la vie leur unicité et leur importance ? Pourquoi ne pas nous lier aujourd'hui d'amitié avec un crapaud ?

« On a pendu toutes les sorcières, dit l'Histoire.
Mais l'Histoire et moi,
Tous les jours, tout autour de nous,
Trouvons toutes les sorcières qu'il nous faut. » (Dickinson.)

16

SÉRÉNITÉ ET POUVOIR

A 46 ans, Karen Blixen quitta définitivement l'Afrique pour rentrer au Danemark. Sa plantation de café au Kenya avait fait faillite et la mise aux enchères de la propriété, qui devrait payer les dettes accumulées, n'évita pas aux actionnaires de perdre plus de cent cinquante mille livres. Son mari infidèle, à qui elle avait pardonné de lui avoir transmis la syphilis, avait insisté pour obtenir d'elle un divorce qu'elle ne lui avait accordé qu'avec réticence. Tous ses espoirs de grossesse étaient perdus et elle s'était disputée avec son amant qui s'était tué quelques jours plus tard dans un accident d'avion. Elle avait fait au moins une tentative de suicide pendant cette période difficile. Elle était à cette époque si maigre et si fragile que ses amis lui suggérèrent de faire un séjour dans une clinique de Montreux; elle y découvrit que la syphilis dont elle se croyait guérie était devenue la syphilis de la colonne vertébrale, *tabes dorsalis*. Elle connaissait le cours de la maladie : *locomotor ataxia* voulait dire qu'elle ne marcherait plus jamais normalement, *anorexia* voulait dire que la nourriture lui donnerait la nausée et qu'elle développerait des ulcères d'estomac perforants, et que son visage deviendrait d'une pâleur mortelle et se couvrirait d'un réseau de fines ridules. Mais ce dont elle souffrait encore plus, c'était d'avoir perdu l'Afrique : elle avait gardé de la lumière, du ciel et de la brousse de ce pays une nostalgie physique qui ne devait jamais s'atténuer. Il lui fallut treize ans avant de pouvoir ouvrir les caisses d'objets qu'elle affectionnait et qui, de là-bas, l'avaient suivie au Danemark.

A l'intense douleur physique et morale de cette période de crise, qui dans tous les sens du terme était un climatère, la baronne de Blixen a réagi en renaissant sous le nom d'Isak Dinesen. Isaac était l'enfant d'Abraham et de Sarah. A la naissance de son fils, Sarah, qui avait passé la ménopause, s'écria : « Dieu m'a donné sujet de rire! Quiconque l'apprendra rira à mon sujet. » Dinesen était le nom de jeune fille de Karen. Elle-même appela cette période son quatrième âge, et avoua qu'elle était la proie de nombreux doutes quand elle s'était mise à écrire, à un moment de sa vie où elle se sentait dans un état d'esprit à la fois fort et heureux. (Thurman, 1982, 476.)

En 1933, ce nouvel écrivain de 48 ans produisit ses *Sept Contes gothiques*. Dans le premier conte, *Le Raz de marée de Norderney*, un groupe de voyageurs menacé par une inondation se refugie dans une grange où Malin Nat-og-Dag, telle une *précieuse* d'autrefois, transforme leur réunion en soirée de salon. Malin, qui a presque toujours été une vieille fille, s'invente ce soir-là un passé de femme dissolue et fait des aveux sur un passé qui aurait été riche de toutes sortes de perversions et de débauches. Cette nuit, qui se termine avec ce geste d'une femme de l'aristocratie demandant à un jeune homme de l'embrasser avant de lui mettre dans la main l'ourlet de sa jupe mouillée – car l'eau monte rapidement –, symbolise la vie de la femme. Ce courageux exercice d'imagination fait par Malin Nat-og-Dag, sur le point d'être submergée par le raz de marée, exprime plus clairement que tout le reste de son œuvre ce qui motive la lutte de l'auteur elle-même. Dans le passage qui suit, c'est Malin Nat-og-Dag que décrit Karen Blixen, en se décrivant elle-même :

« Ce qui provoqua ce changement, ce fut ce qui arrive à toutes les femmes à la cinquantaine : le passage – parfois avec une pension ou les honneurs de la guerre – du service actif dans la vie à la réserve, où elles ne sont plus que des spectatrices passives. Un fardeau lui tomba des épaules, et elle s'envola sur une plus haute branche en caquetant un peu. » (Karen Blixen, *Sept Contes gothiques*, 37.)

Cette image de l'oiseau en cage est importante dans ce recueil de contes où elle revient souvent aux moments cruciaux de chaque histoire. Les femmes y sont vues comme prisonnières de leur environnement, de la convention, de la religion. Lorsqu'elles vieillissent, leur rage et leur chagrin d'avoir été ainsi emprisonnées se transforment, devant le spectacle d'autres créatures enfermées, en une indignation passionnée. Dans *La Soirée d'Elseneur* une des sœurs De Coninck – « courtisanes spirituelles » arrivées à la cinquantaine et qui tiennent un salon à leur manière – apprend qu'elle va bientôt rencontrer le fantôme de son frère mort :

« Son désespoir la lançait d'un bout à l'autre de l'allée, comme une feuille morte chassée par le vent. Distinguée, chaussée de bottes de fourrure, elle n'était au fond d'elle-même qu'un grand oiseau fou, aux ailes rognées, qui voletait dans le coucher d'un soleil hivernal. » (*Sept Contes gothiques*, 288.)

Dans l'histoire intitulée *Le Singe*, la vieille prieure échange son corps contre celui de son petit singe. Elle veut absolument arranger un mariage entre deux membres de sa famille. Le marié concerné prend soudain conscience du genre d'énergie que peuvent déployer les vieilles femmes :

« Boris baisa la main de sa tante, mais il en ressentit une si terrible impression de force et de ruse qu'il lui sembla être entré en contact avec une torpille électrique. " Ces femmes, pensa-t-il, quand elles sont assez vieilles pour en avoir fini avec leur féminité, et qu'elles peuvent exercer librement leur énergie, sont sans doute les plus fortes créatures du monde. " » (145).

La prieure, naturellement, est emprisonnée dans sa vocation. Et comme au moment de sa fuite, elle n'est plus qu'un singe, son pouvoir doit rester latent. Karen Blixen confiait dans une lettre à Lady Daphné Finch Hatton qu'elle avait toutes les raisons de se croire proche de la mort. Cependant, une fois le premier livre de son quatrième âge traduit de l'anglais – langue dans laquelle elle l'avait écrit – en danois, elle écrivit son chef-d'œuvre. *Out of Africa* parle de l'Afrique qu'elle a perdue, où elle a aussi perdu son amour, son espoir, sa santé et la lumière qu'elle ne devait jamais plus revoir. C'est une œuvre imprégnée de ce sentiment élégiaque qui récompense ceux qui ont su laisser aller. Hannah Arendt explique l'importance qu'avait l'écriture dans le défi de Karen contre son horrible maladie :

« Il est impossible d'être totalement en vie si on ne reproduit pas la vie en imagination. Le manque d'imagination empêche les gens d'exister. " Soyez loyaux envers votre histoire ", conseille un des conteurs de Karen Blixen à des jeunes : ce qui veut dire, soyez loyaux envers la vie, ne créez pas de fiction, mais acceptez ce que la vie vous donne, montrez-vous dignes de tout ce qu'elle vous apporte, quoi que ce soit, en vous en souvenant, en réfléchissant dessus, la reproduisant ainsi en imagination, c'est comme cela qu'on reste vivant. Et vivre en étant totalement éveillée à cette vie avait toujours été pour Karen Blixen, et l'est resté jusqu'à la fin de sa vie, sa seule ambition et son seul désir. " Ma vie, je ne te laisserai pas partir avant que tu m'aies bénie, mais alors je te laisserai partir. " La récompense de celui qui écrit des histoires est de savoir laisser partir. Quand l'écrivain est loyal... à l'histoire, le silence finit par prendre la parole. »

Karen Blixen a de nombreuses fois usé de son pouvoir de vieille femme, incitant par son charme des hommes forts et plus jeunes qu'elle à accomplir ses rêves... Dans ces relations, où elle n'a jamais toléré d'intimité physique, elle avait des exigences d'amante. Son aspect amaigri, son visage d'une pâleur extrême et ridé comme celui d'un farfadet, ses grands yeux brillants et soulignés de khôl, fascinaient ses proies et les soumettaient à son caprice tandis qu'elle les ligotait solidement dans la toile qu'elle tissait pour eux. Torturée par sa cruelle maladie, Karen Blixen n'en a pas moins été une virtuose de l'art de vieillir.

Peu de femmes ont poussé cet art à un degré de raffinement

aussi extrême. Sauf peut-être Mme de Maintenon, devenue à 48 ans l'épouse du roi. Karen Blixen aurait parfaitement compris la façon dont elle explique la joie étrange de la vieillesse, qui ignore le mélange d'émotions violentes et conflictuelles qui assaillent les femmes au cours de leur vie sexuelle et reproductrice. La romancière danoise a d'ailleurs consciencieusement imité ce qu'elle imaginait être le style des grandes salonnières. A la fin de sa vie, Mme de Maintenon disait ne rien regretter de sa jeunesse. Pour elle, rien ne valait le détachement mais comme, pour y atteindre, il fallait avoir joué son rôle dans le monde, l'homme passe sa vie à accumuler joies et douleurs. Elle était heureuse de se découvrir l'âme assez riche pour se passer de ces sentiments outrés et de ces vaines agitations. Heureuse de constater que le drame était joué et qu'elle pouvait enfin jouir de l'indifférence.

Les gens encore pris dans le tourbillon des sentiments outrés et des agitations inutiles s'entêtent à croire que leur vie vaut par leur tourment. En 1836, Anna Jameson écrivait à sa chère amie Ottilie von Goethe, détruite par une liaison qu'elle avait eue à 40 ans et dont était né clandestinement, seize ans après son deuxième enfant, son troisième enfant (conçu illégitimement) :

« Votre vie a été une vie de passion et de souffrance, où les périodes de tranquillité vous ont paru des entractes ennuyeux. Une fois l'orage des sensations et des émotions passé, vous vous sentez le cœur mort, mais il n'en est pas ainsi, et je vous le prouverai un jour. » (Erskine, 1915, 149.)

La vieille femme qui n'a rien d'autre à offrir à son amie que sa solide affection et sa fidélité, devra supporter de nombreuses rebuffades. Et du seul fait qu'elle est celle sur qui on peut compter, elle sera oubliée dans l'orage des relations sexuelles et devra attendre patiemment, sans faire le moindre reproche, qu'on ait besoin de son pouvoir de consoler et réconforter. Anne Jameson a persévéré dans son amitié pour Ottilie, amitié qui a grandi et a duré jusqu'à sa mort en 1860.

Karen Blixen disait : « Dans ce bas monde, on doit aimer beaucoup de choses pour savoir ce qu'en fin de compte on aime le plus... » Il est absolument faux que le cœur qui vieillit oublie comment aimer, qu'il est incapable d'amour. On dirait au contraire, du moins pour les femmes douées d'une grande énergie psychique, que ce n'est qu'après être délivrées des égoïsmes et des animosités de la passion sexuelle que ces personnes découvrent l'amour inépuisable dont leur cœur est capable.

En 1862, alors âgée de 32 ans, Christina Rossetti écrivit un sonnet sur la transformation dont elle était témoin chez une femme qui devait être sa mère et qui approchait alors de la soixantaine. Cet état est vu par une femme plus jeune qui n'en donne pas une description encourageante; mais ce poème est aussi un texte sincère où Christina Rossetti voit une grandeur spirituelle dans la lutte de sa mère contre les émotions négatives.

« Il y a dix ans, il semblait impossible
Qu'elle acquière ce calme qu'elle a maintenant,
Ses baisers les plus aimants sont embués de souvenirs,
Ses yeux éteints, sont secs comme un puits épuisé.
Sa voix est lente quand elle a quelque chose à dire,
Tandis qu'elle garde de longs silences ininterrompus,
Centrée sur elle-même sans pourtant dédaigner de plaire,
Aussi gravement monotone qu'une cloche qui passe.
Attentive aux petites tâches ennuyeuses et quotidiennes,

Patiente comme une réussite, patiente à son travail,
Fatiguée peut-être, en tout cas active.
Je m'imagine qu'un jour apparaîtront
Sur sa tête sept étoiles restées jusque-là cachées,
Des éclairs dans ses yeux et des ailes sur ses épaules. » (Christina Rossetti, 1908.)

Le calme de ce personnage impressionnant n'est pas, pour Rossetti, celui de la Vierge Marie, ni même celui d'une sainte. Le personnage qu'elle décrit est celui d'un archange dénué de sexe.
Simone de Beauvoir refusait de croire que la vieillesse apporte le calme et acceptait encore moins l'idée que les personnes âgées devaient atteindre à un détachement paisible. Pour elle, la vieille femme sereine n'était que la perpétuation d'un stéréotype, celui de la femme soumise, et son attitude n'avait rien d'authentique. Elle-même n'a jamais su renoncer à son rôle d'épouse même si elle n'a pu le jouer qu'en de très rares occasions. N'ayant jamais désiré la solitude, elle n'y a trouvé aucune liberté quand elle l'a connue tant elle désirait vivre à travers Jean-Paul Sartre. Dans les cultures où les femmes passent moins de temps avec leur mari qu'avec leurs enfants et les autres femmes, le rôle d'épouse n'est pas si important. Dans tous les pays du monde, ce sont surtout les femmes de la campagne, dont le travail est dur, que réjouit la perspective d'un dernier tiers de vie paisible et contemplatif. Idée étrangère à notre monde de bandes dessinées où toutes les tantes bavardent comme des pies, où les vieilles filles grincent de leurs dents tremblantes et où les grand-mères sont de vieux scarabées noirs armés de sacs à main et de parapluies meurtriers. Dans les villages africains, la femme forte joue un rôle très important et dans les sociétés matriarcales, la femme la plus âgée est le centre de la vie de la famille : en effet, quand les hommes partent travailler au loin, ce sont leurs mères qui veillent sur leur épouse et sur leurs enfants. Les femmes âgées ont joué aussi un rôle important dans la libération de l'Afrique noire. Les conséquences de l'esclavage sur la famille noire sont telles qu'elle s'est toujours essentiellement appuyée sur l'aînée des femmes. La femme afro-

américaine ressemble fort à sa royale contrepartie africaine, même quand elle est forcée de vivre comme domestique. Dans *An Unfinished Woman* (Une femme inaccomplie), Lilian Hellman décrit ainsi sa vieille nourrice :

« Les autres arrivaient à l'heure pour avoir le temps de l'aimer et de l'admirer, même si la première impression qu'elle avait d'eux n'était pas toujours agréable. Cet énorme personnage au visage austère, aux paroles avares et sèches n'avait pas toujours l'air très accueillant quand elle ouvrait une porte ou offrait un verre, mais la plupart des gens percevaient son bon goût instinctif, ses manières de femme éduquée qui, une fois qu'elle se donnait, révélaient tant de vraie courtoisie. A une époque où personne ne vieillit ni ne grossit, où votre mère a l'air d'être votre fille, peut-être qu'existe en nous le besoin d'une femme forte et grosse, qui nous ramène à ce que la plupart d'entre nous avons désiré et que nous sommes très peu nombreux à avoir eu. » (Hellman, 1972, 179.)

On assiste à cette ironie : alors que les femmes écrivains âgées écrivent peu sur la plus grande aventure qui soit, vieillir, ce sujet semble fasciner et épouvanter celles qui s'y préparent, surtout celles qui abordent la ménopause. Situation qui renforce l'impression que vieillir est un phénomène extérieur, identifiable seulement de l'extérieur, par les jeunes. Propos vrai en ce sens que l'âge qu'on a est toujours le centre à partir duquel on regarde en avant et en arrière, sans prendre objectivement conscience de son propre âge. Peut-être que ce sont les jeunes qui ont besoin de définir l'âge, de l'écarter et l'éloigner. Il m'arrive de me demander si je suis plus jeune ou plus vieille que la mésange que je vois festoyer sur les fleurs du marronnier d'Inde pleines de rosée. Elle mourra sans doute bien avant moi, je suis donc plus jeune qu'elle. Je regarde parfois aussi les femmes à Monoprix, sans savoir si je suis plus vieille ou plus jeune que la plupart d'entre elles. Plus jeune que celles qui fument, plus vieille que celles qui ne boivent pas, plus jeune que celles qui sont obèses et vieilles? Non, plus jeune que les inactives. Un Australien qu'on ennuie lance souvent : « Oh! sois un peu de ton âge! » On ne peut vraiment avoir conscience de son âge!

Vita Sackville-West approchait de la quarantaine quand elle a écrit pour ses fils *All Passion Spent* (Toutes passions consommées). Elle voulait leur donner quelques idées sur le vieillissement et sa description de la dernière année de la vie de la veuve d'un « grand homme » est doucement et subtilement subversive. L'héroïne, Lady Slane, qui jamais de sa vie n'avait vécu de façon indépendante mais avait toujours accédé aux désirs des autres, n'aimait pas beaucoup ses enfants et petits-enfants. Leur avidité et leurs ambitions, leurs manières bruyantes et leur manque de sensibilité, lui étaient insupportables et plutôt que d'accepter le soin qu'ils prenaient d'elle avec si peu d'empressement, elle préféra aller s'installer dans une maison à Hampstead avec sa domestique française qui était sa meilleure amie. Elle s'y fit des amis de son âge qui la comprenaient mieux que ses enfants, et beaucoup mieux que son mari. Parmi ces amis, Mr. Bucktrout, le propriétaire de la maison où elle s'est installée, qui excelle à vanter leur méchant style de vie :

« Le monde, Lady Slane, est pitoyablement horrible, il est horrible parce qu'il s'appuie sur la lutte et la compétition. Quand moi-même j'ai commencé dans les affaires, j'étais féroce... Quand est-ce que j'ai abandonné ces conditions? Un jour, j'y ai mis un terme. J'ai décidé qu'à soixante-cinq ans, je devais littéralement en avoir terminé avec le monde des affaires. Le jour de mon soixante-cinquième anniversaire, je me suis réveillé en homme libre. » (Sackville-West, 1931, 120-3.)

Malgré ses courageux efforts pour affronter la vieillesse, Vita Sackville-West était peut-être encore trop jeune pour bien comprendre de quoi il s'agissait. La relation de Lady Slane avec son corps qui vieillit semble l'inverse de ce qui se passe :

« Son corps lui était devenu un compagnon, une source d'intérêt et de préoccupation constante. Toutes ses petites misères, connues seulement d'elle-même, qui aux jeunes semblent insignifiantes et qu'ils oublient vite, s'installent chez les personnes âgées et deviennent aussi tyranniques qu'elles ont toujours menacé de l'être. Pourtant c'était une tyrannie plutôt agréable et intéressante. »

Les jeunes ne trouvent absolument pas leurs maux et leurs douleurs insignifiants, mais au contraire insupportables, intolérables. Ils ressentent la douleur comme un affront, elle est souvent pour eux source d'angoisse et s'aggrave ainsi d'une dimension psychologique. La lutte contre la douleur consiste en partie à en détourner l'attention plutôt qu'à empêcher l'apparition du signal douloureux. Les jeunes, eux, se révoltent contre la douleur et refusent de l'ignorer, ils l'étudient et s'acharnent sur elle alors que les personnes âgées l'enregistrent et l'oublient. Les jeunes trouvent certains désagréments, comme la flatulence, terriblement embarrassants alors qu'une vieille femme acceptera l'idée de péter ou de roter à l'occasion. Les vieux ne s'inquiètent pas de leurs maux et de leurs douleurs, qui ne sont que les craquements d'une carcasse qui vieillit. Ils les reconnaissent, les saluent comme de vieilles connaissances et apprennent peu à peu à vivre avec eux. Ils ne cherchent pas à s'en débarrasser à tout prix, ni à prendre des médicaments pour les guérir. Ils savent les ignorer. Cela devient une sorte de défi envers soi-même de voir jusqu'à quel point on peut vraiment oublier une hanche douloureuse ou des articulations sensibles. Se plaindre d'une douleur dont on ne peut se débarrasser, c'est s'avouer vaincu, enregistrer une petite défaite, et ennuyer l'entourage si on en a un et s'il souffre de son impuissance à nous soulager. Les vieux s'émerveillent devant le sérieux avec lequel les jeunes prennent des petits maux secondaires, la façon dont ils dramatisent un rhume ou des maux d'estomac et demandent des traitements dont on ne connaît pas l'efficacité. Ils ignorent l'utilité de ce conseil : « N'y attache pas d'importance. »

Non seulement Mr. Bucktrout ne regrette pas sa jeunesse, mais il trouve les jeunes plutôt ennuyeux :

« Je m'aperçois que, plus je vieillis, plus je m'appuie sur la société de gens de mon âge et m'éloigne de la jeunesse. Les jeunes sont si fatigants! Si dérangeants! J'arrive à peine désormais à supporter la compagnie de quelqu'un de moins de soixante-dix ans. Les jeunes nous forcent à regarder vers un avenir qui demande beaucoup d'efforts. Les personnes âgées se permettent de se retourner vers une vie où tous les efforts ont été faits et ne sont plus nécessaires. C'est reposant. Le repos, Lady Slane, est une des choses les plus importantes de la vie. Et pourtant, combien de personnes y consacrent leur temps? Aux vieux, il est imposé. Ils sont soit infirmes, soit fatigués. Mais la moitié d'entre eux regrettent encore l'énergie qui était autrefois la leur. Quelle erreur! » (98).

Pour la femme de 50 ans, le repos peut sembler chose encore lointaine. Le repos n'est pas torpeur ou oubli, mais fin de l'agitation, de l'inquiétude, de la rage d'arracher et de saisir. On disait qu'on reconnaissait un gentleman à ce qu'il ne se dépêchait jamais. C'est le paradoxe de la vieillesse qu'à cet âge, se dépêcher, c'est perdre du temps. Pour saisir le présent, il faut ralentir et se consacrer entièrement au travail en cours. Christina Rossetti écrivait à propos de sa mère :

> « Son cœur demeurait silencieux au milieu du bruit
> De l'agitation de la rue,
> Ses mains restaient calmes,
> Ses pieds aussi le restaient. »

Il est difficile d'apprendre à ne pas se dépêcher, surtout quand, au fur et à mesure qu'on vieillit, le temps semble passer de plus en plus vite. Pour ralentir, il faut se ralentir soi-même.

Mr. Bucktrout rappelait à Lady Slane comme la vie à vingt ans est cahotique :

« C'est terrible d'avoir vingt ans, Lady Slane, c'est aussi terrible que de participer au Steeple-Chase du Grand National. On sait qu'on tombera probablement dans le fleuve de la compétition, qu'on se cassera la jambe sur la haie de la déception, qu'on trébuchera sur les fils de l'intrigue, et qu'on a de fortes chances de pleurer sur l'obstacle de l'amour. Une fois qu'on est vieux, on peut se jeter à terre comme un cavalier après la course et penser : je n'aurai plus jamais à recommencer cette course! »

Lady Slane hésite :

« Mais vous oubliez, Mr. Bucktrout, quand on est jeune, on aime vivre dangereusement, on le désire, on n'a pas peur... »

Vita Sackville-West n'a pas encore compris sa leçon, elle est toujours prise dans une agitation de style *Sturm und Drang* légèrement inutile et s'imagine que la vie contemplative des vieux est une version terne de la vie multicolore de la jeunesse.

« Ils étaient trop vieux, tous les trois, pour lutter, tourner l'ennemi, marquer des points... Ce temps était révolu où les sentiments sortaient de leurs gonds et de leur fournaise, où le cœur semblait déchiré entre des désirs contradictoires et complexes. Il ne restait désormais plus rien qu'un paysage monochrome, toujours le même mais privé de ses couleurs, plus rien qu'un geste au lieu d'un discours. » (117).

Alors qu'en fait, l'époque où le paysage est monochrome est celle de l'obsession, époque où les couleurs d'un sentiment indomptable oblitèrent toutes les perceptions. L'auteur a renversé sa propre image : quand la matière en fusion sort de la fournaise, elle jette sur tout ce qui l'entoure sa lueur aveuglante. Tout devient rougeâtre et ne présente qu'un aspect rougeoyant à qui l'observe. En outre, les lentilles sont déformées, car le moi s'impose entre l'observateur et l'objet regardé. Il crie : Et moi ? où est ma place ? Comment répondre : mais il ne s'agit pas de toi ? Pour les jeunes, il s'agit toujours d'eux. Mais plus on vieillit et plus on vit en marge, plus on s'aperçoit que rien ne nous concerne. Alors commence la liberté. Elizabeth Jennings (née en 1926) écrivait dans un recueil publié en 1972 sous le titre *Relationships* (Relations), un poème intitulé *Lets Things alone* (Laissez les choses tranquilles) :

« Il vous faut tout réapprendre encore une fois
Les mots, la prononciation, presque toute la langue.
Parce que c'est un temps où les mots doivent être exacts et nouveaux,
Et ne plus vous concerner,
Ou seulement indirectement,
Au sujet d'une douleur
Apprise comme la plupart des gens l'apprennent un jour ou l'autre,
Avec un choc, puis dans le noir.

Les fleurs s'en référeront toujours à elles-mêmes,
Mais gardons-nous de les charger
Du sens de jours plus heureux.
Elles doivent rester elles-mêmes,
Douces au toucher.
Les étoiles aussi
Doivent continuer de briller sans ce que je sais maintenant.

Et le coucher du soleil doit se borner à luire simplement. » (Jennings, 1984.)

Tant qu'on est encore l'héroïne de sa propre histoire, on ne comprend pas, et accepte encore moins, un constat aussi dur. En fait, ce n'est qu'en triomphant de son autofascination que la victime féminine devient héroïque :

« Le type de la femme idéale est la belle-fille de civilisations masculines, qui supporte les conséquences de pratiques culturelles de sexualisation et de dévaluation. En s'accommodant à une culture où elle est aliénée, elle s'aliène à elle-même. Sa souffrance exprime sa critique de cette culture et constitue le prix qu'elle doit payer pour gagner une sécurité dépendante qui la " protège " des conditions hostiles qui l'oppriment. » (Weskott, 1986, 199.)

Marcia Weskott résume ici la théorie de Karen Horney sur le rôle de la psychothérapie, qui déconstruit la déformation effectuée sur elle-même par la femme pour répondre aux exigences et aux demandes conflictuelles d'une culture à dominante masculine. Que l'on accepte ou non cette théorie du conditionnement, comment nier que la femme de 50 ans n'a plus la possibilité de répondre aux exigences d'une société patriarcale? Comment pourrait-elle à son âge continuer de jouer le rôle de la fille obéissante, d'objet sexuel pneumatique ou de madone? A moins de se livrer à ces activités onéreuses, qui demandent beaucoup de temps et sont finalement dérisoires, qui consistent seulement à nier qu'elle a passé la date limite de vente, il lui faudra tôt ou tard reconnaître qu'elle a été flouée par la société de consommation. Elle se retrouve face à elle-même. Comme la ménopause généralement guérit le dysfonctionnement utérin, elle guérit également l'angoisse de la femme trop soumise. Horney demande aux jeunes femmes de s'engager héroïquement sur la voie qui est imposée aux femmes qui vieillissent :

« D'abord, je suis moi-même (et personne d'autre) responsable de mon développement d'être humain, de celui des talents que je peux avoir. A quoi bon croire que d'autres m'empêchent de me trouver? S'ils le font, c'est à moi de me battre contre eux.

« Deuxièmement, je suis moi-même (et personne d'autre) responsable de ce que je pense, dis, ressens, fais, décide. Blâmer les autres est de la faiblesse, et m'affaiblit, parce que c'est moi-même (et personne d'autre) qui dois supporter les conséquences de mes faits et actes » (200).

La femme à qui son vieillissement interdit la sujétion féminine ne peut plus vivre à travers les autres, ni justifier sa vie par les services sexuels et domestiques qu'elle rend. Elle se trouve en chute libre et doit longuement contempler le paysage qui l'entoure pour décider comment elle va y vivre, sans tenir compte de la force des rafales de vent qui assaillent sa personne mal équipée. Il se peut qu'au début elle s'accroche à son vieux moi, essayant de regagner âprement un peu de ce qu'elle a donné avec tant de prodigalité. Mais son deuil achevé, sa colère calmée, elle doit finir par abandonner. Ce n'est qu'à ce prix qu'elle retrouvera sa force perdue. Les jeunes femmes sont si éprises de leurs objets d'amour qu'elles ne peuvent les aimer sans force destructrice. Une fois que la vieille femme lâche, ou est forcée de lâcher sa mainmise désespérée et qu'elle se sent abandonner la lutte, le véritable amour la soutiendra.

Elizabeth Jennings explore ce thème du lâcher prise dans un ensemble de poèmes élégants et exigeants qui s'adressent directement à la femme qui fait un retour vers elle-même : ainsi le sonnet *Growing* tiré d'un recueil de 1975 intitulé : *Growing Points* :

« Non pas rester bonnement passive, ça jamais!
Vigilante, oui, mais... » (Jennings, 1986.)

La femme qui renaît après la ménopause peut se dire comme Jennings dans le poème *Accepted*, tiré du même recueil :

« Vous n'êtes plus jeune,
Vous n'êtes pas encore vieille.
Il y a des maisons pour les vieux
Vous savez qu'elles ne sont pas pour vous
A y voir les regards vides
De ceux que vous y voyez assis

Dans des chaises d'infirmes ou dans le parc
(une canne, désormais, à leur côté)
Ou que dans l'obscurité
Vous voyez les amoureux
Tout à leur amour et leur promenade
Ne pas même vous remarquer.

Voici le moment venu de commencer
Votre vie. Ce pourrait être une vie nouvelle.
Sa pureté – étrangère
Aux vieux qui vous envient
Aux jeunes qui veulent gagner
Et confondent le vrai et le faux –

Signifie que vous avez une liberté
Refusée à leurs extrêmes :
Vous pouvez enfin devenir
Celle dont les vieux ne se souviennent pas,
Celle que les jeunes dans leurs rêves aspirent à être.
Vous êtes les uns et les autres à la fois. »

Ces vers magnifiques, dénués d'effets brillants et superficiels, de virtuosité technique, sont l'expression authentique de la survivante féminine, qui, loin de rester passive, regarde autour d'elle et aime ce qu'elle voit avec plus de passion encore du fait de son silence. Cette voix est celle de la gratuité, un mot dont nous avons oublié le sens. La femme héroïque aime la vie qui l'entoure, non pas pour ce qu'elle pourra en tirer, mais pour elle-même. Comme le dit Elizabeth Jennings dans *Growing* :

« Le poème vous quitte, et il se met à chanter. »

Elizabeth Jennings a compris cela beaucoup plus tôt que la plupart d'entre nous qui n'ouvrons les yeux de l'âme que lorsque nous y sommes forcées. Dès le début de sa carrière, elle a été absente de ses poèmes, et jamais elle ne s'y est mise en scène. En 1986, elle écrivait dans la préface à un choix de poèmes extraits de ses recueils précédents :

« A relire mes poèmes, je vois une évolution à l'œuvre. A tel point que certains d'entre eux semblent ne plus rien à voir avec moi. Mais, évidemment, une fois publié, un poème cesse d'être relié à soi. L'art, ce n'est pas s'exprimer soi-même, et pour moi, la poésie de confessions est une contradiction dans les termes. »

On ne retrouve pas la même sérénité et la même force dans tous les poèmes d'Elizabeth Jennings. Un poème est toujours la description d'un combat pour atteindre le but au milieu d'éléments disparates et contradictoires. Certains de ses poèmes laissent deviner un deuil plus cruel que celui dont est inspiré *Relations*, comme si le détachement de l'auteur avait été corrodé par l'assaut délibéré de ceux qui l'ont dépossédée, plus cruellement encore que par leur décès, par le mensonge.

La femme en pleine possession d'elle-même et nimbée de la lumière dorée de son détachement excite une certaine sorte de prédateurs : ceux qui cherchent à la faire retomber dans les ténèbres du besoin et de l'adversité qu'ils font passer pour la vie réelle. Si elle se laisse surprendre par ce dernier assaut contre son intégrité, la vieille femme risque de souffrir avec encore plus d'amertume que la jeune femme prise dans les filets de la passion sexuelle. Il lui faudra peut-être plus de temps pour prendre conscience de la gravité de sa maladie spirituelle que lorsqu'elle était jeune, car le vieillissement de l'âme est comparable à celui du corps, et il est difficile de réparer des ravages. Retrouver sa sérénité et sa force après une telle infection n'est pas chose aisée.

Elizabeth Bishop, alors âgée d'un peu plus de 60 ans, écrivit un poème à l'apparence faussement facile, intitulé : *One Art*, qui fait pendant à celui d'Elizabeth Jennings : *Let Things Alone*.

« L'art de perdre n'est pas difficile à maîtriser :
Tant de choses semblent vouées
A être perdues, leur perte n'est pas une catastrophe.

Perdez quelque chose tous les jours. Accepter l'agitation
Des clefs perdues, de l'heure gâchée.

L'art de perdre n'est pas difficile à maîtriser.

Exercez-vous à perdre plus encore, à perdre encore plus vite,
Les lieux et les noms, et cet endroit où vous vouliez partir.
Aucune de ces pertes n'est une catastrophe. »

Ce que veut dire le poème, évidemment, c'est que l'art de perdre est très difficile. Et tant qu'il n'amène pas de catastrophe, il faut en conclure avec R. Laing que « la catastrophe est déjà arrivée » : toute femme en cours de ménopause s'affole devant la perte de sa mémoire, s'imagine déjà atteinte par la maladie d'Alzheimer, alors qu'en fait elle a toujours perdu ses clefs. Le problème n'est pas de perdre, mais la peur de perdre. La plupart des choses que nous redoutons de perdre, nous les avons déjà perdues, pourtant nous avons survécu. L'illusion de la perfection et de la force omniprésentes n'a jamais été qu'une illusion. Le plus horrible est déjà arrivé, nous pouvons maintenant nous détendre et laisser les choses glisser entre nos doigts.

Une fois perdu le sentiment qu'un tort nous est fait, tout, même la douleur physique, devient plus facile à supporter. Tout comme diminue la réaction inflammatoire de l'organisme, l'inflammation de l'esprit diminue elle aussi. Plus nous comprenons que le bonheur ne nous est pas dû, que même nous n'avons pas été programmées pour cela, plus nous comprenons le peu de vertu trouvée à se sentir malheureuse. Alors pouvons-nous commencer à nous exercer pour atteindre à l'héroïsme de la vraie joie. Comme Dorothy Sayers le rappelait dans un essai intitulé *Strong Meat* (Nourriture substantielle) :

« " A moins que vous ne deveniez de petits enfants ", à moins de vous réveiller à cinquante ans avec le même enthousiasme et le même intérêt pour la vie que lorsque vous aviez cinq ans, " vous n'entrerez pas dans le royaume des Cieux ". Il ne faut pas seulement mourir tous les jours, il faut aussi renaître tous les jours. » (Sayers, 1947, 15.)

Réjouir son cœur est une affaire difficile, à laquelle il faut travailler progressivement. Il ne s'agit pas d'une joie qui ignore ou refuse de regarder la souffrance du monde. Mais d'une joie jaillie du constat de l'âpreté de la lutte, non seulement de la nôtre, mais de celle de tout le monde, et de l'importance de survivre. Une fois enfin vaincus le désir de mourir et la tendance juvénile à l'autodestruction, l'athlète spirituelle peut accumuler les fardeaux : sa victoire sur des douleurs plus nobles que celles de l'apitoiement sur soi-même dont elle avait été familière éclairera son visage d'un vrai sourire. En 1876, George Eliot, alors âgée de 57 ans, écrivait dans une lettre :

« Quiconque a connu d'expérience ce qu'est l'infirmité physique – comme elle gâche la vie même de ceux qui sont dégagés de tout autre souci – s'impatiente d'entendre se plaindre des personnes en bonne santé assez solides pour se charger de travail supplémentaire ou pour ne jamais connaître l'indigestion. J'aurais quant à moi tendance, si je ne me rappelais ma propre insatisfaction, à réprimander les jeunes qui dans un même souffle me disent que tout va bien pour eux et que la vie ne vaut pas la peine d'être vécue. Pour moi, chose extraordinaire, je ne suis jamais plus d'humeur mélancolique. Il m'arrive évidemment de ressentir de la tristesse devant le destin de mes semblables, mais je ne me retrouve jamais dans cet état de tristesse qui m'assaillait souvent autrefois, même au milieu d'un bonheur extrême. Et ceci tout en étant très consciente du déclin de ma vie et de l'approche de la mort. » (Haight, 1954-1956.)

L'insatisfaction de la jeunesse disparaît quand on comprend que la musique qu'on entend ne nous concerne pas, qu'elle ne concerne qu'elle-même. Ce n'est pas d'écouter de la musique qui est important, mais la forme d'auto-réalisation que représente la musique. On comprend alors que la beauté ne se trouve pas dans les objets qu'on désire mais dans ceux qui existent au-delà du désir et ne peuvent être subordonnés à aucun usage de l'homme. Emily Dickinson n'avait peut-être que 34 ans quand elle a écrit ce poème, découvert et publié après sa mort, mais il décrit avec beaucoup de justesse la découverte de la beauté par la femme qui vieillit.

« Aussi imperceptiblement que le chagrin,
L'été s'est écoulé,
Trop imperceptible à la fin
Pour sembler perfide.
Un calme s'est distillé
Dans le crépuscule déjà depuis longtemps commencé,
Ou comme la nature gardait pour elle-même
L'après-midi séquestré.
La nuit tombait plus tôt,
Le matin brillait d'une lumière étrange,
Grâce courtoise mais déchirante,
Comme un invité qui devrait déjà être parti.
Ainsi sans ailes,
Ni même une quille,
Notre été s'est doucement éclipsé
Dans la Beauté. »

Ce n'est que lorsqu'elle cesse de s'agiter et de s'inquiéter de sa propre beauté qu'une femme peut commencer à regarder au-dehors, trouver la beauté et s'en nourrir. Elle peut alors enfin transcender son corps, raison principale pour laquelle les autres l'appréciaient, et se libérer à la fois de ce qu'ils attendaient d'elle et de ce qu'elle en attendait en retour. Jamais une jeune femme ne comprendra comme il est agréable d'être invisible, agréable d'être calme et indifférente. Il arrive qu'au début la femme qui vieillit se rebelle contre cette idée. Parfois même, elle essaie de renverser le cours du temps en portant des vêtements plus aguicheurs ou voyants, mais elle sera tôt ou tard obligée de l'accepter. Les faits semblent montrer que les femmes qui ont trop accepté notre système d'éducation, dont l'esprit est peu développé et l'imagination peu stimulée, n'ont pas été au-delà, n'achèvent jamais cette transition et restent amères. Plus elles dépendent de cette culture de masse qui célèbre la femme « restée jeune », c'est-à-dire celle qui dépense d'énormes sommes d'argent pour se transformer en un horrible simulacre de corps jeune, moins elles ont de chance de surmonter le choc de l'invisibilité. Elles se laissent duper par toutes ces histoires de stars de 50 ans qui se marient, équipées comme Jane Fonda de seins en silicone pour séduire leur mari. La plupart des femmes de 50 ans sont assez intelligentes pour observer que ces mariages se rompent encore plus rapidement que les précédents. En plus, on ne sait pas toujours que les maris ont une contrepartie dans l'histoire : épouser une championne du box-office rapporte pas mal d'argent. Les grands yeux brillants de la fiancée de Hollywood de 50 ans trahissent peut-être un état tout à fait désespéré.

La plupart d'entre nous n'avons pas assez d'argent pour nous payer ces faux-semblants. Il nous faut utiliser d'autres ressources, les ressources spirituelles. Même la femme dont l'esprit et l'âme ont été ignorés de tous, même d'elle-même, a en elle les ressources spirituelles nécessaires pour commencer une nouvelle vie. Cela sera peut-être difficile, il est vrai. Si personne n'a jamais prêté attention à ce qu'une femme pensait, elle peut s'être demandé s'il lui arrivait jamais de penser. Accablée de travail à la maison ou en dehors, peut-être effectivement qu'elle s'est arrêtée de penser. Rien ne tue davantage l'âme qu'une dure routine de tâches ingrates. Il faudra peut-être faire un terrible effort pour se libérer l'âme du poids de vains soucis. Peut-être faudra-t-il aussi partir un temps dans le désert pour pouvoir commencer à réfléchir. Tout ce qu'on raconte sur l'étrange comportement des femmes en ménopause ne fait que décrire cette transformation. Peut-être est-il dangereux de prendre ce temps de solitude pour réfléchir, dangereux aussi de pleurer sur le temps qui ne reviendra jamais plus, ou, chose pire encore, qui a été gâché, mais il est encore plus dangereux de ne pas le faire.

Pour avoir plus facilement accès à sa vie intérieure, la femme en retour d'âge peut s'aider de la religion. Chrétienne, hindouiste, musulmane ou juive, si elle est restée jusque-là indifférente à sa religion, elle devra s'y impliquer davantage. La piété des vieilles femmes est bien connue. On connaît moins la grande joie éprouvée par ceux qui ont la foi à entrer dans les édifices intellectuels des grandes religions. Même les femmes incroyantes s'apercevront que dans le dernier tiers de leur vie, elles participent davantage à « l'expérience océanique » et prennent ainsi conscience de la grandeur et de la misère de la vie humaine. Au fur et à mesure que se rompent les liens lilliputiens qui nous enferment dans l'égoïsme et la courte vue, notre âme s'élève de plus en plus haut jusqu'à être complètement libérée. Le dernier lien est sans doute le lien de la vie lui-même, mais il ne faut pas me demander d'être plus précise. Mes propres chaînes commencent juste à tomber, je ne peux voir si loin. Ces vers ne disent rien d'original.

« Un vieillard n'est qu'un être de misère,
Un bâton dans un manteau de haillons. A moins que
L'âme, battant des mains, chante, chante très fort
Chaque haillon de ce vêtement terrestre. » (W. B. Yeats.)

Yeats, selon les termes de Seamus Heaney, ne gémissait pas devant la mort (comme le faisait Philip Larkin) mais y résistait. Il savait qu'il lui faudrait rassembler toute sa spiritualité pour affronter l'inévitable déclin. Quand il écrivit *Sailing to Byzantian* (Voyage à Byzance), il n'avait pas encore composé ses plus beaux poèmes.

Certains préféreront une formulation plus prosaïque de la même idée, et ne pas invoquer comme source de grâce cette notion religieuse de « l'âme immortelle ». Les oreilles modernes préfèrent entendre parler du « soi » plutôt que de l'« âme », de l'« énergie » plutôt que de la « grâce », comme le fait Stanley Jacobs qui travaille au ILEA dans le quartier londonien de Southwark. Jacobs voit le « soi » comme « source de toutes les énergies » et « de valeur infinie ».

« Et pourtant nous continuons de croire les choses les plus incroyables sur nous-mêmes – que nous sommes indignes, ne méritons pas d'être aimés, sommes incapables d'aimer, que nous sommes incomplets et inadaptés, mauvais ou fous; que nous avons été irréparablement abîmés par certaines expériences de la vie – mais le soi (l'âme) a toujours été et sera toujours... » (Jacobs, 1989, 2.)

Jacobs cite Camus, qui avait fini par comprendre qu'au beau milieu de l'hiver il avait en lui un été invincible.

La première fois que je suis venue dans l'est de l'Angleterre, j'avais 25 ans et je n'ai pas remarqué que les ciels étaient magnifiques. Je n'avais pas le temps de regarder. Quelle aurait été ma surprise d'apprendre qu'en un jour typique de ce pays, le ciel présente deux spectacles différents : d'un côté un énorme amas de nuages noirs et menaçants, traînant derrière eux des voiles de précipitations ou des franges joueuses et écumeuses d'argent éblouissant; de l'autre côté, une voûte d'un bleu profond où flottent des petits bouts crayeux de nuages blancs. Pendant ce temps, au zénith, un courant d'air glacé poursuit des écheveaux froissés de cirrus. Je voyais des choses évidentes, les museaux verts des crocus perçant la neige, la brume rouge des haies à l'approche du printemps, les chatons jetés par les châtaigniers, mais j'étais aveugle à la guerre de titans qui avait lieu au-dessus de moi. Je ne pouvais connaître l'émerveillement, car mon « moi » aveuglait mon regard. Comme tous les jeunes, j'essayais de m'inventer. Il me fallait, pour survivre, me fabriquer un moi et le projeter. Une femme, toutes les femmes, doivent se forger un moi qui séduira ; dans chaque situation, dans chaque rencontre, elle devra être consciente d'elle-même. Elle n'ignorera peut-être pas le mécanisme qui la tient prisonnière, mais ne pourra y échapper. La féministe de 30 ans que j'étais a beau s'être élevée contre lui, je n'en étais pas moins victime et je n'en profitais pas moins.

Je marche toujours par les mêmes chemins que lorsque j'avais 25 ans, mais sans être inquiète désormais de l'allure que j'ai. Je n'espère ni n'attends qu'on me remarque. J'espère seulement pouvoir être consciente de tout ce qui m'entoure par le jour d'hiver le plus triste, la couleur rougeâtre de la terre labourée et retournée, le sifflet avide du rouge-gorge, la légère brillance du chaume contre le ciel noir. Je veux être ouverte à cela, en émoi, sous le charme. Lady Slane m'aurait comprise :

« Certains tableaux italiens montrent des arbres – des peupliers, des saules, des aulnes – où chaque feuille est représentée séparément, vive et veinée, contre un ciel vert transparent. Les petites choses de sa vie actuelle, ces petites feuilles d'une si jolie forme, étaient arrachées à leur insignifiance par leur juxtaposition à une éternité lumineuse.

« Elle se sentait heureuse, délivrée d'une petitesse évidente, d'une vie mesquine, à la pensée que désormais aucune aventure ne pouvait lui arriver, sauf l'aventure suprême pour laquelle toutes les autres aventures ne sont qu'une préparation. » (Sackville-West, 1931, 195-6.)

Peut-être direz-vous que la joie de découvrir ces choses ne vaut que pour Lady Slane et moi parce que nous sommes insensibles. A cela, je répondrai que jamais auparavant, je n'ai connu de joie aussi intense et durable. J'ai été heureuse dans les bras de jeunes hommes qui m'aimaient, mais mon bonheur d'alors n'était pas aussi beau que celui que je ressens maintenant. Mon lot à cette époque était l'espoir, la peur, la jalousie, la passion, le désir, un mélange de douleur réelle, de plaisir réel et feint, de sentiments contraires, tout, sauf la joie profonde et tranquille. J'avais trop besoin de mes amants pour éprouver beaucoup de joie dans nos difficiles relations. Je dépendais trop d'eux pour éprouver beaucoup de tendresse. Il me faut peu de chose maintenant, un papillon encore humide et froissé frais émoulu de sa chrysalide, pour me faire éprouver autant d'émotions. Dans son veuvage, Willa

Muir répondait ainsi à son cri inquiet : « Comment vais-je vivre sans amour? »

« Où est mon amour, ma chérie?
Dans mon cœur, dans ma tête,
Pas ici,
Pas dans mon lit.

Où est mon amour, ma chérie?
Dans ma mémoire, dans mon souvenir,
Pas ici,
Pas chez les humains.

Où est mon amour, ma chérie?
Dans des poèmes, dans l'air,
Ici, ici,

Nulle part et partout. » (Muir, 1969.)

Ce poème est peut-être élégiaque. Sans être obsédée par la mort, je suis plus consciente de ma mortalité maintenant que jamais avant d'avoir eu 50 ans. Je ne gaspille plus de temps, je ne supporterais pas de gâcher une heure au lit par un matin de printemps. Si j'ai une insomnie, je me lève et sors dans la nuit pour me joindre au court jubilé des autres créatures. Comme le disait Mr. Bucktrout :

« La vie est si transitoire, Lady Slane, que personne ne doit essayer de l'attraper par la queue quand elle passe. A quoi bon de penser à hier ou à demain. Hier est passé, demain problématique. » (Sackville-West, 1931, 126.)

« Quelle est la meilleure époque de la vie, à votre avis? » me demandaient les hommes qui me construisaient une nouvelle allée. C'étaient des garçons au teint foncé, avec du sang gitan, aussi ai-je été moins surprise par leur question, et moins méfiante, que dans d'autres circonstances.

Je me suis retrouvée en train de dire : « Le meilleur moment de la vie, c'est toujours maintenant, car c'est le seul moment qui existe. On ne peut passer son temps à regretter ce qui est passé, ni à anticiper l'avenir. Si on passe son temps à l'une de ces activités, on ne vit jamais. » Pareil lieu commun ne peut expliquer ma passion pour le fait d'être en vie et ma soif de jouir de chaque instant. Ce thème se retrouve maintes fois dans les sonnets de Shakespeare :

« En moi, tu vois l'éclat du feu qui agonise sur les cendres de sa jeunesse, comme sur le lit de mort où il doit expirer, consumé par cela même dont il se nourrissait.

« Voilà ce que tu vois et tu n'en aimes que davantage ce que tu vas perdre sitôt. »

Si nous continuons à nous regarder vieillir dans les yeux des jeunes, il nous sera impossible de comprendre les joies propres à la vieillesse. En revanche, si nous maîtrisons notre manque d'intérêt pour nous-mêmes et nos semblables, et lisons les écrits de femmes âgées parlant de femmes âgées, nous y retrouverons toujours le thème de la joie. En 1741, quand Mary Chandler qui, toute sa vie, avait souffert de la colonne vertébrale, reçut sa première proposition de mariage alors qu'elle avait déjà 54 ans, elle répondit :

« A cinquante-quatre ans, quand l'âge a déversé
Sur mes cheveux blancs sa neige d'hiver,
Le langage de l'amour est étranger à mon être.
J'aurais pu l'apprendre autrefois quand j'étais jeune.
Maintenant mon désir se porte vers autre chose.
Je n'ai que faire de monceaux d'or, indifférente aux parures,
Aux calèches. Du lait suffit à mon repas.
Je préfère ma lente cadence au rythme de
Six chevaux attelés, à moins que je n'aie choisi ma destination,
Emprisonnée dans ma voiture, je me morfonds.
La chaise, je la loue, la conduis, l'appelle mienne,
Et à mon bon vouloir, me promène ou me retire
Dans ma chambre, mon lit, mon jardin, près de mon feu
Pour prendre mon livre, griffonner quelques lignes,
Et, une fois lasse, pour tout laisser
Sans qu'on me pose de questions : dans ma tristesse,
Je ne changerais mon état pour celui d'une reine. »

Pour Mary Chandler, qui vivait de son travail de modiste, la solitude était la liberté. Pour les femmes qui ont passé toute leur vie dans une maison pleine de monde et de bruit à répondre automatiquement aux demandes des autres, le silence soudain peut paraître assourdissant et effrayant, surtout s'il survient au moment où la ménopause perturbe le sommeil et les humeurs. Mary Chandler n'a pas eu besoin de s'adapter au célibat, car elle avait toujours vécu seule. Sa recette, paix, liberté et soleil, n'en est pas moins bonne.

Autre source de joie pour les femmes qui ont passé la cinquantaine et écrit à ce sujet, l'amitié. Pour certaines, comme pour le groupe de femmes qui entouraient Joanna Baillie et Hannah More, amitié voulait dire vie sociale. D'autres, au contraire, avaient besoin d'une relation, comme dans ce qu'on a appelé les « Boston marriages » où deux femmes s'engageaient à vie l'une envers l'autre. Elles décidaient de partager leur existence, vivant à deux pour le même prix que seule, et pour se soutenir mutuellement sur le plan émotionnel, aussi bien dans leur travail intellectuel que dans leurs créations. Beaucoup de ces relations, comme celles de Willa Cather et de Edith Lewis, de Sarah Orme Jewett et de Sally Fields, celle des Dames de Llangollen, ou celle de ces femmes qui s'appelaient « Michael Field », étaient des relations de jeunesse. Il s'agissait souvent de relations homosexuelles, traversées par les trahisons et les infidélités dont souffrent toutes les relations amoureuses. Pour certaines femmes de 50 ans, l'amitié s'est transformée en une affection fraternelle, qui paraît sans grand intérêt pour l'esprit moderne mais qui est plus durable et non moins profonde que l'attachement passionné de femmes plus jeunes.

Entre 40 et 50 ans, Charlotte Mary Yonge passa par une période très difficile : de terribles maux de tête la rendirent pratiquement infirme. Elle vivait sans doute une pré-ménopause difficile en même temps qu'elle assistait au lent déclin de sa mère qui mourut en 1868 d'un ramollissement du cerveau. Charlotte Yonge avait 50 ans quand Gertrude Walker vint s'installer chez elle pour s'occuper de sa correspondance. Leur relation fut certainement l'événement le plus heureux de la vie de Charlotte. Gertrude, qui était infirme, s'appelait elle-même « la femme de Char ». Elles ont vécu ensemble jusqu'à la mort de Gertrude en 1897, c'est-à-dire pendant presque vingt-cinq ans. (Coleridge, 1903, 270-80.)

Une fois la ménopause passée, nous devenons des excentriques. Plus besoin donc d'avoir honte de rechercher des relations en dehors de la norme. Peut-être trouverons-nous le compagnonnage qui nous manquait tant, semblait-il, pendant que nous nous occupions de notre famille ? Il s'agira d'une sœur ou d'un frère que nous n'avons pas beaucoup vu depuis le temps où nous vivions dans la même maison, ou d'une nièce, une enfant par alliance, une aide domestique. Stevie Smith a vécu dans une maison de Palmer's Green avec sa tante célibataire, Margaret Annie Spear, de l'âge de 3 ans jusqu'à sa mort, à l'âge de 68 ans, en 1971. Elle demanda à ses biographes de ne pas dire « que ne s'étant jamais mariée, elle ne connaissait rien aux émotions. Après ma mort, il vous faudra dire ce qui était : j'aimais ma tante » (Braybrooke, 1971.)

Elle célèbre son amour, auquel elle n'est pas venue facilement, dans ce poème :

« L'esprit inquiet et confus
Je me suis de longues années tourmentée.
Maintenant, amie de mon amie,
Je sais que jamais je ne serai plus proche de l'amitié,
Amour de mon amour,
Que jamais je n'approcherai autant l'amour. » (Stevie Smith, 1985.)

Dans notre civilisation du couple, où le mot d'amour n'est toléré que s'il est sanctifié par des rapports sexuels, l'amour de Stevie Smith pour sa tante n'est pas considéré comme appartenant à la vraie vie, mais comme un simple substitut de pensionnaire. Stevie Smith n'ignorait pas quelles idées intolérantes les gens « normaux » ou « ordinaires » se feraient d'une vie aussi dénuée d'événements et aussi peu accomplie que la sienne. Quant à elle :

« J'aime ma tante. Je l'aime. J'aime la vie en famille, ma vie de famille, mais j'aime aussi sortir et voir comment les autres vivent, surtout j'aime voir comment vivent les femmes mariées, je reste assise à écouter et observer, et je vois combien elles pensent à leur mari, même si elles le détestent de tout leur cœur, elles ne cessent de penser à lui et de s'en préoccuper. » (Smith, 1979, 27.)

Pour Stevie Smith, le bonheur, c'était « d'avoir une tante bien-aimée qu'on retrouve à la maison, quelqu'un qu'on admire, qui est fort, heureux, simple, rusé, dévoué, aimant, honnête, et autoritaire... avec des yeux de lion pleins de bonté » ou avec « un œil d'aigle dominateur ».

« Sa tante était comme la reine des araignées qui continue de vivre après avoir dévoré ses prétendants, qui fait des déclarations de crocodile tout en se comportant comme un lion qui se fait respecter par son énorme queue. »

Le modèle de vie adulte que nous présente Stevie Smith n'est pas de ceux qu'on nous a appris à respecter. Pas question ici de faire l'amour « comme des grands », comme dans le roman de Gabriel García Márquez. L'« immaturité » du style de Stevie Smith traduit son rejet de ce qu'on considère une vie de femme normale, juste et convenable. Elle n'a pas d'autre choix que d'utiliser l'instrument littéraire forgé par des siècles de civilisation masculine mais de manière délibérément enfantine, c'est-à-dire en y introduisant la subversion par l'emploi qu'elle en fait. Sa prosodie déformée, l'étrange franchise et simplicité de son vocabulaire, traduit et exprime son refus catégorique d'adapter ses émotions et sa sexualité à celles d'un homme.

« Maintenant que je suis vieille, je m'occupe de la sœur de ma mère,
Cette noble tante qui si longtemps a veillé sur nous,
Vérité et fidélité, voilà son nom. Calme,
Sardonique aussi. Et je m'occupe de la maison.
C'est une maison habitée par des femmes,
Une maison forte qui s'attend à la force,
Une maison aristocratique qui a l'air en ruine
Dès que coulent les larmes. Elle nous a pourtant bien gardées. Malgré ses défauts,
Si ce sont des défauts, de sévérité et de réserve.
C'est je crois un être aimant : au fond de son être,
Une maison de miséricorde. » (Smith, 1985.)

Si vous voyez un jour une silhouette bossue se détacher sur l'horizon accompagnée de son chien, pensez que vous ignorez à quel point elle est heureuse. Quant à elle, elle n'éprouve pas le besoin de vous le dire. Les gens vraiment heureux ne se préoccupent pas de convaincre les autres de leur bonheur.

Tandis que les anaphobes nous dressent des portraits caricaturaux de la femme en ménopause non traitée, que celles qui prennent des hormones de substitution déchirent leurs vêtements en se lamentant sur la cessation de l'ovulation, les femmes se taisent. Tandis que les jeunes s'interrogent anxieusement, que les chercheurs s'embrouillent dans diverses définitions qui ne conviennent jamais, la femme de 50 ans vaque à ses propres affaires, qui ne les regardent pas. Laissons les spécialistes de la ménopause se réunir en congrès dans de luxueux hôtels du monde entier, et faire des conférences sur les dernières découvertes extraordinaires au sujet du déclin de la force de l'étreinte pendant la ménopause, et sur le nombre de cellules du tissu nourrissier dans l'ovaire de la femme de 50 ans ; la femme concernée n'a pas le temps d'écouter. Elle escalade sa montagne, recherche son horizon, après s'être donnée pendant des années aux affaires des autres. C'est un chemin difficile, où elle trébuche souvent, mais pour une fois personne ne la poursuit, ne lui demande de faire demi-tour. L'air est de plus en plus léger, elle a souvent le vertige. La fatigue de ses os monte parfois jusqu'à son cœur et à son cerveau, mais elle sait qu'une fois ce dernier obstacle dépassé, elle saura comment mener sa longue vie. Certaines auront vite terminé leur escalade, d'autres se fourvoieront dans les premières montées, mais peu abandonneront. En vérité, peu d'entre elles échouent dans ce dernier obstacle de leur vie mouvementée, pourtant il s'agit du défi le plus redoutable qu'elles aient jamais affronté. Leur conduite surprendra sans doute ceux qui les ont exploitées étourdiment toute leur vie, mais il ne faut surtout pas expliquer, s'excuser. La ménopause terminée, on n'a plus jamais besoin de s'excuser. La chrysalide du conditionnement s'est rompue une fois pour toutes. La femme est enfin prête à émerger.

BIBLIOGRAPHIE

Ouvrages cités

Abbott, D. (1981), *New Life for Old : Therapeutic Immunology*. Londres, Frederick Muller.

Aido, A.A. (1985), « The Message », in *Unwinding Threads : Writing by Women in Africa*, ed. C.H. Bruner. Londres, Heinemann.

Aksel, S., Scomberg, D., Tyrey, L., et Hammond, C. (1976), Vasomotor symptoms, serum estrogens and gonadotrophin levels in surgical menopause, *American Journal of Obstetrics and Gynecology*, 126, pp. 165-9.

Allbutt, T. C., ed. (1896-1899), *A System of Medicine by Many Writers*. Londres, Macmillan & Co.

Anderson, M. (1983), *The Menopause*. Londres, Faber & Faber.

Anon. (1851), Woman in her psychological relation. *Journal of Psychological Medicine and Mental Pathology*, p. 35.

Arendt, H. (1973), *Men in Dark Times*. Harmondsworth, Penguin.

Ashwell, S. (1844), *A Practical Treatise of the Diseases peculiar to Women*. Londres, Samuel Highley.

Asso, D. (1983), *The Real Menstrual Cycle*. Chichester, Wiley.

Astruc, J. (1761), *Traité des maladies des femmes*. Paris, P.G. Cavelier.

Auerbach, N. (1982), *Woman and the Demon : The life of a Victorian Myth*. Cambridge, Mass., Harvard University Press.

Austen, J., *Emma*. Paris, 10/18.

Aylward, M. (1973), Plasma tryptophan levels and mental depression in post-menopausal subjects : Effects of oral piperazine-oestrone sulphate, *International Research Communication System*, Vol. I, p. 30.

Baekeland, F. (1970), Exercise deprivation, sleep and physical reactions, *Archives of General Psychiatry*, 22, pp. 365-9.

Ballinger, C.B. (1975), Psychiatric morbidity and the menopause : Screening of general population sample, *British Medical Journal*, 3, pp. 344-6.

Ballinger, C.B. (1976), Psychiatric morbidity and the menopause : Clinical features, *British Medical Journal*, i, pp. 1183-5.

Ballinger, C.B. (1977), Psychiatric morbidity and the menopause : Survey of a gynaecological outpatient clinic, *British Journal of Psychiatry*, 131, pp. 83-9.

Banner, L.M. (1990), *The Meaning of Menopause : Aging and its Historical Context in the twentieth Century*. Milwaukee, University of Wisconsin, Centre for Twentieth Century Studies.

Bardwick, J.M. (1980), The seasons of a woman's life. *Women's Lives : New Theory, Research and Policy*, ed. D.G. McGuigan. Ann Arbor : University of Michigan Centre for Continuing Education of Women.

Barlow, D.H., Brockie, J.A. et Rees, C.M.P. (1991), Study of general practioners' consultations and menopausal problems, *British Medical Journal*, n° 6771, Vol. 302, 2 février, pp. 274-6.

Barnett, R.C. et Baruch, G.K. (1978), Women in the middle years : A critique of research and theory, Psychology of Women Quarterly, 3 pp. 187-97.

Barnett, R.C. et Baruch, G.K., (1984), Mastery and pleasure : A two factor model of wellbeing of women in the middle years, *Social Power and Influence of Women*, ed. L. Stamm et C.D. Ryff. Epping, Bowker Publishing Co.

Barrett-Connor, E., Wingard, D., et Criqui, M. (1989), Post-menopausal estrogen use and heart disease factors in the 1890's, *Journal of the American Medical Association*, 269, pp. 2095-100.

Bart, P.B. (1971), Depression in the middle-aged women, *Woman in Sexist Society : Studies in Power and Powerlessness*, ed. V. Gornick et C. Nadelson. New York, Plenum Press.

Bart, P.B., et Grossman, M. (1978), Menopause, *The Woman Patient : Medical and Psychological Interfaces*, ed. M. Notman et C. Nadelson. New York, Plenum Press.

Beadle, Gert (1986), The nature of crones', *Women and Politics*, 6, n° 2.

Bean, J.A., Leeper, J.D., Wallace, R.B., Sherman, B.M., et Treloar, A.E. (1979), Accuracy of recalled menstrual and reproductive history, *American Journal of Epidemiology*.

Beard, R.J.D. (1976), *The Menopause : A Guide to Current Research and Practice*. Baltimore, University Park Press.

Beauvoir, Simone de (1960), *La Force de l'Âge*. Paris, Gallimard.

Beauvoir, Simone de (1963), *La Force des choses*. Paris, Gallimard.

Beauvoir, Simone de (1979), *La Vieillesse*. Paris, Gallimard.

Beauvoir, Simone de (1949), *Le Deuxième Sexe*. Paris, Gallimard.

Benedek, T. (1950), Climacterium : a developmental phase, *Psychoanalytic Quarterly*, 19, pp. 1-27.

Beyene, Y. (1986), Cultural significance and physiological manifestations of the menopause : a biocultural analysis, *Culture, Medicine and Psychiatry*, 10, pp. 47-71.

Billington, R. (1979), *A Woman's Age*. Londres, Hamish Hamilton.

Bishop, E. (1984), *The Complete Poems 1927-1979*. Londres, The Hogarth Press.

Black, G.F. (1938), *A Calendar of Witchcraft in Scotland 1510-1727*. New York, New York Public Library.

Blanch, L. (1954), *The Wilder Shores of Love*. Londres, John Murray.

Block, M.R., Davidson, J.L., Grambs, J.D. et Serock, K.E. (1978), *Uncharted Territory : Issues and Concerns of Women over 40*. University of Maryland, Center on Aging. Silverspring MD : Lifespan Research Associates.

Bodin, J. (1587), *De la démonomanie des sorciers*. Paris, Jacques du Puys.

Bodnar, S., et Catterill, T.B. (1972), Amitriptyline in emotional states associated with the climacteric, *Psychosomatics*, 13, pp. 117-9.

Boivin M.A.V., et Duges, A. (1834), *A Practical Treatise on Diseases of the Uterus and its Appendages*, notes de G. Heming. Londres, Sherwood, Gilbert & Piper.

Boland, M. et B. (1976), *Old Wives' Lore for Gardeners*. Londres, The Bodley Head.

Boorde, A. (1547), *The Breuiary of Helthe*. Londres, Wyllyam Myddleton.

Bright, T. (1586), *A Treatise of Melancholie*. Londres, John Windet.

Brodin, G. (1950), *Agnus Castus : A Middle English Herbal*. Essays and Studies in English Language and Literature, vol. 6.

Brody, S., Carlström, K., Lagrelius, A., Lunell, N.O., et Mollerström, G. (1987), Adrenal steroids in post-menopausal women : relation to obesity and to bone mineral content, *Maturitas*, Vol. 9, pp. 25-32.

Brooke, F. (1755), *The Old Maid.*
Brown, P.S. (1977), Female pills and the reputation of iron as an abortifacient, *Medical History*, 21, pp. 292-9.
Browning, E.B. (1911), *The Poetical Works of Elizabeth Barrett Browning.* Londres, Oxford University Press.
Bucknill, J.C., et Tuke, D.H. (1858), *A Manual of Psychological Medicine* (facs. 1968), int. F.J. Braceland. New York, Hafner Publishing Co.
Burn, G. (1990), *Somebody's Husband, Somebody's Son* : The Story of the Yorkshire Ripper. Londres, Pan Books.
Burton, R. (1989), *The Anatomy of Melancholy*, ed T.C. Faulkner, N.K. Kiessling et R.L. Blair. Oxford, Clarendon Press.
Butler's Lives of the Saints (1956), ed. H.J. Thurston & D. Attwater. Londres, Burns & Oates.
Caldwell, J.C., et Caldwell, P. (1977), The role of marital abstinence in determining fertility : a study of the Yoruba in Nigeria, *Population Studies*, 31, pp. 193ff.
Campagnoli, C. Morra, G., Belforte, P. et L. et Tousijn, L.P. (1981), Climacteric symptoms according to body weight in women of different socioeconomic groups, *Maturitas*, Vol. 3, pp. 279-87.
Campbell, S. ed. (1976), *The Management of the Menopause and Postmenopausal Years.* Lancaster, MTP Press.
Campbell, S., McQueen, J., Minardi, J. et Whitehead, M.I. (1978), The modifying effect of progestogen on the response of the post-menopausal endometrium to exogenous oestrogens, *Postgraduate Medical Journal*, vol. 54 (2), pp. 59-64.
Campbell, S., et Whitehead, M.I, (1977), Oestrogen therapy and the menopause syndrome, *Clinics in Obstetrics and Gynaecology*, eds., R.B. Greenblatt et J.W.W. Studd, Vol. 4, n° I. Philadelphie, Saunders.
Caplan, P. (1984), *Class and gender in India : Women and their Organisations in a South Indian City.* Londres, Tavistock Publications.
Carstairs, G.M. (1983), *Death of a Witch : a Village in North India 1950-1981.* Londres, Hutchinson.
Chakravarti, S., Collins, W., Newton, J., Oram, D., et Studd, J. (1977), Endocrine changes and symptomology after oophorectomy in premenopausal women, *British Journal of Obstetrics and Gynaecology*, 84, pp. 769-75.
Chandernagor, F. (1981). *L'Allée du Roi : souvenirs de Françoise d'Aubigny, marquise de Maintenon, épouse du roi de France.* Paris, Julliard.
Chari, S., Hopkinson, C.R.N., Daume, E., et Sturm, G. (1979), Purification of INHIBIN from human ovarian follicular fluid, *Acta Endocrinologica*, 90, p. 197.
Clay, V.S. (1977), *Women, Menopause and Middle Age.* Pittsburgh, Know Inc.
Cohn, N. (1975), *Europe's inner Demons : an Enquiry inspired by the Great Witch-Hunt.* Londres, Chatto, Heinemann pour Sussex University Press.
Coleridge, C. (1903), *Charlotte Mary Yonge : Her Life and Letters.* Londres, Macmillan & Co.
Colette (1920), *Chéri.* Paris, Arthème Fayard.
Colette (1926), *La Fin de Chéri.* Paris, Flammarion.
Colombey, G. (1968), *Correspondance authentique de Ninon de Lenclos.* Genève.
Comfort, A. (1956), *The Biology of Senescence.* Londres, Routledge & Kegan Paul.
Cooper, W. (1987), *No Change : A Biological Revolution for Women*, Londres, Arrow Books.
Coppen, A. Bishop, M., Beard, R.J. et *al.* (1981), Hysterectomy, hormones and behaviour – a prospective study, *Lancet*, i, p. 8212.

Crapanzano, V., et Garrison, V. eds (1977), *Case Studies in Spirit Possession*. New York, Londres, Wiley.
Culpeper, N. (1826), *Culpeper's Complete Herbal and English Physician*. Manchester, Gleave & Son.
Cummings, S.R., Black, D.M. et Rubin, S.M. (1989), Lifetime risks of hip, Colles' or vertebral fracture and coronary heart disease among white postmenopausal women, *Archives of Internal Medicine*, 149, pp. 2445-8.
The Cyclopaedia of Practical Medicine : Comprising Treatises on the Nature and Treatment of Diseases, Materia Medica and Therapeutics, Medical Jurisprudence..., eds. J. Forbes, A. Tweedy et J. Conolly (1833-5). Londres Sherwood, Gilbert & Piper.
David, K. (1980), Hidden powers : cultural and socio-economic accounts of Jaffna women, *The Powers of Tamil Women*, ed. S. S. Wadley. Syracuse NY, Maxwell School of Citizenship and Public Affairs, 93-136.
Davis, D.L. (1986), The meaning of menopause in a Newfoundland fishing village, *Culture, Medicine and Psychiatry*, 10, pp. 73-94.
Davis, M. (1957), *The Sexual Responsibility of Women*. Londres, Heinemann.
Davis, P. (1988), *Aromatherapy : An A-Z*. Saffron Walden, The C. W. Daniel Company.
Dege, K. et Kretzinger, J. (1982), Attitudes of families towards menopause, in *Changing Perspectives on Menopause*, eds. A. Voda, M. Dinnerstein et S. O'Donnel. Austin, University of Texas Press.
Dement, W., Richardson, G., Prinz, P., Carskadon, M., Kripke, D., et Czeiler, C. (1986), Changes of sleep and wakefulness with age, *Handbook of the Biology of Aging*, deuxième édition, eds. C.E. Finch et E.L. Schneider, New York, Van Nostrand Reinhold, pp. 721-43.
Dennerstein, L. (1987), Depression in the menopause, *Obstetric and Gynaecologic Clinics of North America*, 33-48.
Longrois, J. Des (1781), *Conseils aux femmes de quarante ans*. Paris, Méquignon.
Deutsch, H. (1945), *La Psychologie des Femmes*. Paris, PUF.
Deutsch, H. (1973), *Confrontations with myself : an epilogue*. New York, Norton.
Deutsch, H. (1984), The Menopause, *International Journal of Psychoanalysis*, 65 (1984), Pt I, pp. 55-62.
Dewees, W.P. (1833), *A Treatise on the Diseases of Females*, Philadelphie, Lea & Blanchard.
Dickinson, E. (1989), *Poèmes*, Paris, Belin.
Dickson, A., et Henriques, N. (1987), *Menopause : the Woman's view : A Change for the Better*. Londres, Grapevine.
Dinesen, I. (1934), *Seven Gothics Tales*, int. D. Caulfield, New York, Harrison Smith & Robert Haas.
Dinesen, I. (1942), *Winter's Tales*, Londres, Putnam.
Dobson, R. (1965), *Cock Crow*, Sydney, Angus & Robertson.
Dominian, J. (1977), The role of psychiatry in the menopause, *Clinics in Obstetrics and Gynaecology*, 4 (1).
Donegan, J. (1986), *Hydropathic Highway to Health. Woman and Watercure in Ante-Bellum America*. New York, Greenwood Press.
Donovan, J.C. (1951), The menopausal syndrome. A study of case histories, *American Journal of Obstetrics and Gynaecology*, 62, pp. 1281-91.
Doolittle, H. (1956), *Tribute to Freud*, New York, Pantheon.
Drake, E.F. (1902), *What Every Woman of Forty-five Ought to Know*. Philadelphie, Sylvanus Stall.
Dreifus, C. (1977), *Seizing Our Bodies*. New York, Vintage Books.
Du Toit B. (1984), The cultural climacteric in cross-cultural perspective, *The Climacteric in Perspective : Proceedings of the Fourth International*

Congress on the Menopause, held at Lake Buena Vista, Florida, October 28-November 2, 1984, eds. M. Notevolitz et P.A. Van Keep. Lancaster, MTP Press.

Dworkin, A. (1987), *Intercourse*. Londres, Secker & Warburg.

Ehrenreich, B., et English, D. (1973), *Witches, Midwives and Nurses*. Detroit, Black & Red.

Eisner, H. et Kelly, L. (1980), *Attitude of women toward the menopause*. Paper presented at Gerontological Society Meeting, San Diego, Californie.

Eliot, G., (1985), *Adam Bede*. Edimbourg et Londres, Blackwood.

Eliot, G. *The George Eliot Letters*, ed. G.S. Haight. Londres, Oxford University Press.

Ellman, M. (1968), *Thinking about Women*. Londres, Macmillan.

English, O.S. et Pearson, G.H.J. (1958), *Emotional Problems of Living : Avoiding the Neurotic Pattern*. Londres, George Allen & Unwin.

Erikson, E. (1951), *Child and Society*. New York, Imago.

Erskine, B.E.S. (1915), *Anna Jameson : Letters and Friendships*. Londres, T. Fisher Unwin.

Evans, B. (1988), *Life Change : A Guide to Menopause, its Effects and Treatment*, 4e édition, Londres, Pan Books.

Exton-Smith, A.N. (1986), Mineral metabolism, *Handbook of the Biology of Aging*, 2e édition, eds. C.E. Finch et E.L. Schneider. New York, Van Nostrand Reinhold, pp. 721-43.

Fairfax Family, *Arcana Fairfaxiana Manuscripta*, facs, int. G. Weddell. Newcastle-on-Tyne, Mawson, Swan & Morgan.

Fairfield, L. (1923), An address on the health of professionnal women, *Lancet*, 3 juillet.

Fairhurst, E. et Lightup, R. (1980), *Being menopausal : women and medical treatment*. Exposé au Medical Sociology Group of the British Sociological Association à l'université de Warwick, 1980.

Fairlie J., Nelson, J. et Popplestone, R. (1988), *Menopause – A Time for Positive Change*. Londres, Javelin Books.

Faithfull, T. (1968), *The Future of Women and other Essays*. Londres, New Age Publishers.

Finch, C.E. et Schneider, E.L. (1986), *Handbook of the Biology of Aging*, 2e édition, New York, Van Nostrand Reinhold.

Flamigni, C. et Givens, J.R., eds. (1982), *The Gonadotrophins : Basic Science and Clinical Aspects in Females*. Londres, Academic Press.

Fothergill, J. (1849), On the management proper at the cessation of the menses. *Essays on Puerperal Fever and Other Diseases peculiar to Women*, ed. F. Churchill. Londres, Sydenham Society.

Fothergill, J.M. (1874), *The Maintenance of Health : A Medical Work for Lay Readers*. Londres, Smith, Elder & Co.

Fothergill, J.M. (1885), *The Diseases of the Sedentary and Advanced Life : A Work for Medical and Lay Readers*. Londres, Baillière & Co.

Freud, S. (1987), *On Psychopathology, Inhibitions, Symptoms and Anxiety and Other Works*, Pelican Freud Library, Vol. 10, Harmondsworth, Penguin.

Fuchs, E. (1978), *The Second Season : Life, Love and Sex for Women in the Middle Years*. New York, Doubleday.

Furuhjelm, M. (1966), Urinary excretion of hormones during the climacteric, *Acta Obstetrica Gynecologica*, 129, p. 557.

Galbraith, A.M. (1904), *The Four Epochs of a Woman's Life : A Study in Hygiene*. Philadelphie, W.B. Saunders & Co.

Gardanne, C.P.L. (1816), *Avis aux Femmes qui entrent dans l'âge critique*. Paris, Gabon.

Gardanne, C.P.L. (1821), *De la Ménopause, ou de l'Age Critique des Femmes.* Paris, Méquignon-Marvis.
Gaskell, E.C. (1954), *Cranford.* Londres, J.M. Dent.
Gath, D., Cooper, P., et Day, A. (1982), Hysterectomy and psychiatric disorders : Levels of psychiatric morbidity before and after hysterectomy, *British Journal of Psychiatry*, 140 (4), pp. 335-42.
Gayanake, I. (1987), Cessation of childbearing and the absence of contraception in Sri Lanka, *Journal of Bio-Social Science*, 19, pp. 65-71.
Geokas, M.C., et Haverback, B.J. (1969), The aging gastro-intestinal tract, *American Journal of Surgery*, 117, pp. 881-92.
Gerard, J. (1985), *Gerard's herball : The Essence thereof Distill'd.* Par Marcus Woodward, d'après l'édition de Th. Johnson, 1636. Londres, Bracken Books.
Giele, J.Z. (1982), *Women in the Middle Years : Current Knowledge and Directions for Research and Policy.* New York, Wiley.
Gleason, R.B. (1870), *Talks to my Patients.* British Museum.
Goldsmith, J. (1984), *Chilbirth Wisdom from the World's Oldest Societies.* New York, Congdon & Weed.
Goodale, J. C. (1984), *Tiwi Wives. A Study of the Women of Melville Island, North Australia.* Seattle et Londres, University of Washington Press.
Goulin, J., et Jourdain, A.L.B. (1771), *Le Médecin des Dames ou l'Art de les conserver en santé.* Paris, s.t.
Gowan, G., Warren, L.W., Young, J.L. (1985), Medical perceptions of menopausal symptoms, *Psychology of Women Quarterly*, 9, (1), pp. 3-14.
Greenblatt, R. (1974), *The Menopausal Syndrome.* New York, Medcom Press.
Greene, J.G. et Cooke, D.J. (1980), Life stress and symptoms at the climacteric, *British Journal of Psychiatry*, 136, pp. 486-91.
Greer, G., Hastings, S., Medoff, J. et Sansone, M. (1989), *Kissing the Rod : An Anthology of Seventeenth Century Women's Verse.* Londres, Virago Press.
Guinan, M.E. (1987), Osteoporosis and estrogen replacement therapy – the jury is still out, *Journal of the American Medical Women's Association*, 42 (3), 92-3.
Haight, G.S. (1954-1956), *The Eliot Letters.* Londres, Oxford University Press.
Haight, G.S. (1969), *George Eliot : A Biography.* Oxford, Oxford University Press.
Halsband, R. (1960), *The Life of Lady Mary Wortley Montagu.* New York, Oxford University Press.
Hallström, T. (1979), Sexuality of women in middle-age : the Göteborg study. *Fertility in Middle Age : Proceedings of the Eight IPPF Biomedical Workshop*, eds. A.S. Parkes, M.A. Herbertson et J. Cole, *Journal of Biosocial Science*, suppl. 6, Londres, Fondation Galton.
Hancock, E. (1985), Age or experience? In The timing of women's psychosocial changes, *Human Development*, 28, pp. 259-280.
Hanifi, M.J. (1978), The family in Afghanistan. *The family in Asia*, eds. M.S. Das et P.D. Bardis. New Delhi, Vikas.
Hannon, L.F. (1972), *The Second Chance : The Life and Work of Dr Paul Niehans.* Londres, W.H. Allen.
Haspels, A.A. et Musaph, H., eds. (1979), *Psychosomatics in Peri-Menopause.* Lancaster, MTP Press.
Hausman P.B. et Weksler, M.E. (1986), Changes in the immune response with age. *Handbook in the Biology of Aging*, 2e édition, eds. C.E. Finch et E.L. Schneider. New York, Van Nostrand Reinhold, pp. 414-32.
Hayley, W. (1785), *A Philosophical Historical and Moral Essay on Old Maids.*
Helher, J. (1974), *Something Happened.* Londres, Jonathan Cape.
Hellman, L. (1972), *An Unfinished Woman.* Harmondsworth, Penguin.

Henderson, B.E., Ross, R.K., et Lobo, R.A. (1988), Reevaluating the role of progesterone therapy after the menopause, *Fertility-Sterility*, 49 (suppl.) 9s-13s.
Henderson, H.W. (1928), *Dianne de Poytiers*. Londres, Methuen.
Henningsen, G. (1980), *The Witches' Advocate : Basque Witchcraft and the Spanish Inquisition*. Reno, University of Nevada Press.
Herman, G.E. (1898), *Diseases of Women : A Clinical Guide to their Diagnosis and Treatment*. Londres, Cassell.
Herman, G.E. (1903), *Diseases of Women : A Clinical Guide to their Diagnosis and Treatment*, éd. corrigée. Londres, Cassell & Co.
Herman, G.E. (1907) *Diseases of Women : A Clinical Guide to their Diagnosis and Treatment*, éd. nouvelle corrigée. Londres, Cassell & Co.
Herman, G.E et Maxwell, R.D. (1913), *Diseases of Women : A Clinical Guide to their Diagnosis and Treatment*, Londres, Cassell & Co.
Hochman, S. (1972), *Earthworks : Poems 1960-1970*. Londres, Secker & Warburg.
Holte, A. et Mikkelsen, A. (1982), Menstrual coping style, social background and climacteric symptoms, *Psychiatry and Social Science*, 2, pp. 41-5.
Horne, J.A., et Porter, J.M. (1975), Exercise and human sleep, *Nature*, 256, pp. 573-5.
Horney, K. (1967), *Feminine Psychology*, ed. int H. Kelman, Londres, Routledge & Kegan Paul.
Hunter, D., Akande, O., Carr, P. et Stallworthy, J. (1973), The clinical and endocrinological effect of oestradiol implants at the time of hysterectomy and bilateral salpingo-oophorectomy, *British Journal of Obstetrics and Gynaecology*, 80, pp. 827-33.
Hunter, M. (1990), Emotional well-being, sexual behaviour and hormone replacement therapy, *Maturitas*, 12.
Hutton, J. Murray, M., Jacobs, H., et James, V. (1978), Relation between plasma oestrone and oestradiol and climacteric symptoms, *Lancet*, i, pp. 678-81.
International Health Foundation (1969), *A Study of the Attitudes of Women in Belgium, France, Great-Britain, Italy and West-Germany*. Bruxelles, IHF.
International Health Foundation (1975), *The Mature Woman : A First Analysis of a Psychosocial Study of Chronological and Menstrual Aging*. Genève, IHF.
International Health Foundation (1977), *La Ménopause : étude effectuée en Belgique auprès de 922 femmes entre 45 et 55 ans*. Genève, IHF.
Jackson, S.H. (1798), *Cautions to Women respecting the State of Pregnancy*. Londres, G.G. & J. Robson.
Jacobs, Stanley (1989), A Philosophy of Energy, *Holistic Medicine*, 4.
Jaszman, L., Van Lith, N. et Zaat, J. (1969a), The age at menopause in the Netherlands, *International Journal of Fertility*, 14, pp. 106-17.
Jaszman, L., Van Lith, N. et Zaat, J. (1969b), The peri-menopausal symptoms : the statistical analysis of a survey, *Medical Gynaecology and Sociology*, 4, pp. 268-77.
Jebb, C.L. (1960), *With Dearest Love to All : The Life and Letters of Lady Jebb*, ed. M.R. Bobbitt. Londres, Faber & Faber.
Jennings, Elizabeth (1986), *Collected Poems*. Londres, Carcanet.
Johnson, B. (1988), *Lady of the Beasts : Ancient Images of the Goddess and her Sacred Animals*. San Francisco, Harper & Row.
Johnson, M.L., ed. (1980), *Transitions in Middle and Later Life*. Londres, British Society of Gerontology.
Jones, J. (1985), *Labor of Love, Labor of Sorrow : Black Women, Work and the Family, from Slavery to the Present*. New York, Vintage.

Jorden, E. (1603), *A Briefe Discourse of a Disease called the Suffocation of the Mother*. Londres.

Jorden E. (1631), *A Discourse of Naturall Bathes and Minerall Waters*. Londres.

Karacan I, Rosenbloom A.L., London, J.H., Salis P.J., Thornby J.I, et Williams, R.L. (1973), The effects of acute fasting on sleep and sleep growth hormone response, *Psychosomatics*, 14, 33-7.

Kaufert, P.A. (1982), Anthropology and the menopause; the development of a theoretical framework, *Maturitas*, 4, pp. 181-93.

Kaufert, P.A., Tate, R. et Gilbert, P. (1986), Women, menopause and medicalisation, *Culture, Medecine and Psychiatry*, 10, pp. 7-19.

Kaufert, P.A., Gilbert, P., et Tate, R. (1987), Defining menopausal status; the impact of longitudinal data, *Maturitas*, 9, pp. 217-226.

Keep, P.A. Van (1990), The history and rationale of hormone replacement therapy, *Maturitas*, 12, pp. 163-70.

Keep, P.A. Van, et Kellerhals, J. (1974), The impact of socio-cultural factors on symptom formation : some results of a study on ageing women in Switzerland, *Psychotherapy and Psychosomatics*, 23, pp. 251-63.

Keep, P.A. Van, Utian, W.H., et Vermeulen, A, eds. (1982), *The Controversial Climacteric : The Workshop Moderators' Reports, présenté au Third International Congress on the Menopause held à Ostende, Belgique, en juin 1981, sous les auspices de l'International Menopause Society*.

Keep, P.A. Van, Serr, D.M., et Greenblatt R, eds. (1979), *The Male and Female Climacteric*. Lancaster, MTP Press.

King, J. (1844), *Observation on Hydropathy*. Londres.

Kisch, E.H. (1926), *The Sexual Life of Woman in its Pathological and Hygienic Aspects*.

Kligman, A.M., Grove, G.L., et Balin, A.K. (1986), Aging of human skin, *Handbook of the Biology of Aging*, 2e édition, eds C.E. Finch et E.L. Schneider, New York, Van Nostrand Reinhold, pp. 820-41.

Knopp, R.H. (1988), Cardiovascular effects of endogenous and exogenous sex hormones over a woman's lifetime, *American Journal of Obstetrics and Gynaecology*, 158 (suppl.), pp. 1630-43.

Koster, A. (1990), Hormone replacement therapy; use patterns in 51-year-old Danish women, *Maturitas*, 12, pp. 345-56.

Kraepelin, E. (1896), *Psychiatrie; ein Lehrbuch für Studierenden and Aertzen*. Leipzig, Barth.

Kraepelin, E. (1904), *Lectures on Clinical Psychiatry*. Londres, Baillière & Co.

The Ladies Physical Directory or a *Treatise of all the Weaknesses, Indisposition and Diseases Peculiar to the Female sex from Eleven Years of Age to fifty or Upwards*.

Laski, M. (1973), *George Eliot and Her World*, Londres, Thames & Hudson.

La Tour du Pin, Madame de (1969), *Mémoires de la Marquise de La Tour du Pin : Journal d'une Femme de cinquante ans*. Mercure de France (1957).

Laurie, J. (1842), *Homeopathic Domestic Medicine*. Londres.

Lauritzen, C. (1973), The management of the pre-menopausal and the post-menopausal patient, *Frontiers in Hormone Research*, 2, pp. 2-21.

Lauritzen, C. (1990), Clinical use of oestrogens and progestogens, *Maturitas*, 12.

Lessing, Doris (1981), *L'Été avant la nuit*. Albin Michel, Paris, 1981.

Levinson, D.J., Darrow, C.H., Klein, E.B., Levinson, M.H., et McKee B. (1978) : *Seasons of a Man's Life*, New York, Knopf.

Lock, M. (1985), Models and practice in medicine; menopause as syndrome of life transition, *Physicians of Western Medicine*, eds. R.A. Hahn et A.D. Gaines. Boston, D. Reidel.

Lock, M. (1986), Ambiguities of aging; Japanese experience and perceptions of menopause, *Culture, Medicine and Psychiatry*, 10, p. 23-46.

Lonsdale, R., ed. (1989), *Eighteenth-Century Women Poets : An Oxford Anthology*. Oxford, Oxford University Press.

Lozman, H., Barlow, A.L., et Levitt, D.G. (1971), Piperazine oestrone sulphate and conjugated oestrogen equine in the treatment of the menopausal syndrome, *Southern Medical Journal*, 64, pp. 143-149.

Luhrmann, T.M. (1989), *Persuasions of the Witches' Craft; Ritual Magic and Witchcraft in Present Day England*. Oxford, Basil Blackwell.

Luria, G., et Tiger, V. (1976), *Everywoman*. New York, Random House.

McFayden, U.M., Oswald I., et Lewis, S.A. (1973), Starvation and human slow wave sleep, *Journal of Applied Physiology*, 35, pp. 391-4.

McGinn, B. (1985), *Teste David cum Sibylla : The significance of the Sibylline tradition in the Middle Ages. Women of the Medieval World : Essays in Honor of John H. Mundy*, eds. J. Kirschner et S.F. Wemple. Oxford, Basil Blackwell.

McGrady, P. (1969), *The Youth Doctors*. Londres, Barker.

McGuigan, B. (1980), *Women's lives : new theory, research, and policy*, Ann Arbor, Center for Continuing Education for Women, University of Michigan.

McKean, P.F. (1982), Rangda the witch. *Mother Worship : Themes and Variations*, ed. J.J. Preston, Chapel Hill, University of North Carolina Press.

Mackenzie, R. (1985), *Menopause : A Practical Self-help Guide for Women*. Londres, Sheldon Press, SPCK.

McKinley, S.M. (1987), *Perimenopausal and postmenopausal use of exogenous oestrogen since 1981 in a general population*, 5th International Conference on the Menopause. Carnforth, Parthenon, p. 8-246.

McNamara, J.K. (1985), *A New Song : Celibate Women in the First Three Christian Centuries*. New York, Harrington Park Press.

McPherson, M. (1981), Menopause as disease : the social construction of a metaphor, *Advances in Nursing Science*, 3 (2), pp. 95-113.

Mankowitz, A. (1984), *Change of Life : A psychological Study of Dreams and the Menopause*. Toronto, Inner City Books.

Márquez, Gabriel García (1987), *L'Amour aux temps du choléra*, Paris, Grasset.

Mason, S. (1845), *The Philosophy of Female Health*. Londres, Hughes.

Massoro, E.J. (1986), Metabolism in *Handbook of the Biology of Aging*, 2e édition, eds. C.E. Finch et E.L. Schneider. New York, Van Nostrand Reinhold.

Matthews, K.A., Meilahn, E., Kuller, L.H., et *al.* (1989), Menopause and risk factors for coronary heart disease, *New England Journal of Medicine*, 308, pp. 862-868.

Maubery, J. (1724), *The Female Physician*. Londres, J. Holland.

Meigs, C.D. (1848), *Females' and their Diseases*. Philadelphia, Lea & Blanchard.

Menville de Ponsan, C.F. (1840), *De l'âge critique chez les femmes, des maladies qui peuvent survenir à cette époque de la vie et les moyens de les combattre et les prévenir*. Paris, Baillière.

Michaëlis, K. (1912), *The Dangerous Age*, with an introduction by Marcel Prévost. Londres, New York, John Lane.

Miles, L.E., et Dement, W.C. (1980), Sleep and aging, *Sleep*, 3, pp. 119-220.

Mishell, D.R. Jr, ed. (1987), *Menopause, physiology and management*. Chicago, MTP Press.

Montagu, M.W. (1967), *The Complete Letters of Lady Mary Wortley Montagu*, ed. R. Halsband. Oxford, Clarendon Press.
Moore, G. (1917), *Lewis Seymour and some Women*. Londres, William, Heinemann.
Moreau de la Sarthe, J.L. (1803), *Histoire naturelle de la femme*. Paris, Dupart.
Morton, J. (1977), *Major Medicinal Plants : Botany, Culture and uses*. Springfield, Ill., Charles C. Thomas.
Muir, W. (1969), *Laconics, Jingles and other Verses*. Londres, Enitharmon Press.
Murdoch, Iris (1971), *Le Rêve de Bruno*, Paris, Gallimard.
Mulley, G., et Mitchell, J. (1976), Menopausal flushing : Does oestrogen therapy make sense? *Lancet*, I, pp. 1397-9.
Murray, M. (1921), *The Witcht-cult in Western Europe : A study in Anthropology*. Oxford, Clarendon Press.
Mvungi, M.A. (1985), Mwipenza the killer, *Unwinding Threads : Writing by Women in Africa*, ed. C.H. Bruner, Londres, Heinemann.
Nachtigal, L.E., et L.B. (1990), Protecting older women from their growing risk of cardiac disease, *Geriatrics*, 45 (5), 24-34.
Nathanson, C. (1980), Social roles and health status among women : the significance of employment, *Social Science and Medicine*, 14a, pp. 463-71.
Neugarten, B.L. (1968), *Middle Age and Aging*. Chicago, University of Chicago Press.
Neugarten, B.L., et Kraines, R. (1965) : Menopausal symptoms in women of various ages, *Psychomatic Medicine*, 27, pp. 266-273.
Notevolitz, M., et Keep, P.A. Van, eds. (1984) : *The Climacteric in Perspective : Proceedings of the Fourth International Congress on the Menopause, held at Lake Buena Vista, Florida, October 28-November 2, 1984*. Lancaster, MTP Press.
Parker, D.C., Rossman, L.G., et Vanderlaan, E.F. (1972), Persistence of human growth hormone release during sleep in fasted and nonisocalorically fed normal subjects, *Metabolism*, 21, pp. 241-52.
Parkes, A.S., Herbertson, M.A., et Cole, J. (1979), *Fertility in Middle Age :* Proceedings of the Eighth IPPF Biomedical Workshop Journal of Biosocial Science, Suppl. 6. Londres, Galton Foundation.
Parry, B.M. (1980), Women's disorders, *The Psychiatric Clinics of North America*, 12 (1).
Pastan, Linda (1978), *The Five Stages of Grief*. New York, W.W. Norton.
Pechey, J. (1699), *A Plain and Short Treatise of Apoplexy, Convulsions, Colick... and other Violent and Dangerous Diseases*. Londres.
Pettiti, D.B., Wingerd, J., Pellegrin, F., et Ramcharan, S. (1979), Risk of vascular disease in women. Smoking, oral contraceptives, noncontraceptive estrogens and other factors, *Journal of the American Medical Association*, 242, pp. 1150-54.
Pincus, G., Romanoff, L.P., et Carlo, J. (1954), The excretion of urinary steroids by men and women of various ages, *Journal of Gerontology*, p. 9.
Ploss, H.H., et Bartels, M. et P. (1935), *Woman : an Historical, Gynaecological and Anthropological Compendium*, ed. et trans. E. Dingwall. Londres, William Heinemann.
Polit, D., et Larocco, S. (1980), Social and psychological correlates of menopausal symptoms. *Psychosomatic Medicine*, 42, pp. 335-45.
Powell, M. (1972), *The Treasure Upstairs*. Londres, Pan Books.
Princesse Palatine. (1981), *Lettres*, Paris, Mercure de France.
Procope, B. (1968), Studies on the urinary excretion, biological effects

and origin of oestrogens in post-menopausal women, *Acta Endocrinologica*, Supp. 135 : I.

Rees, M.C.P., et Barlow, D.H. (1991), Quantitation of hormone replacement induced withdrawal bleeds, *British Journal of Obstetrics and Gynaecology*, 98, p. 1067.

Reitz, R. (1979), *Menopause, A. Positive Approach*. Hassocks, Harvester Press.

Riphagen, F.E., Fortney, J.A., et Koelb, S. (1988), Contraception in women over forty, *Journal of Biosocial Science*, pp. 127-42.

Rosenthal, S.H. (1968), The involutional depressive syndrome, *American Journal of Psychiatry*, 124, Supp. II, pp. 21-35.

Ross, M.S.F., et Brain, R.R. (1977), *An Introduction to Phytopharmacy*. Tunbridge Wells, Pitman Medical Publishing.

Ross, R.K., Paganini-Hill, A., Mack, T.M., Arthur, M., Henderson, B.E. (1981), Menopause, oestrogen therapy and protection from death from Ischaemic Heart Disease, *Lancet*, 18 avril (2).

Rossetti, C. (1908), *The Poetical Works of Christina Rossetti* with memoir and notes by W. Rossetti. Londres, Macmillan & Co.

Rossi, A.A. (1980), Lifespan theories and women's lives. *Signs : Journal of Women in Society and Culture*, 6, pp. 4-32.

Rossi, A.A. (1986), Sex and gender in the aging society, *Our Aging Society... Paradox and Promise*, ed. A. Rossi. New York, W.W. Norton, pp. 4-32.

Roth, J.A., en collaboration avec Richard R. Hanson (1977), *Health Purifiers and Their Enemies* : a Study of the Natural Health movement in the United States with a Comparison to its Counterpart in Germany. New York. Prodist, Londres Croom Helm.

Rudolph-Touba, J. (1978), Marriage and the family in Iran. *The Family in Asia*, ed. M.S. Das et P.D. Bardis. New Delhi, Vikas.

Ruzicka, L.T., et Bhatia, S. (1982), Coital frequency and sexual abstinence in rural Bangladesh, *Journal of Biosocial Science*, 14, pp. 397-420.

Sackville-West, V. (1931), *All Passion Spent*. Londres, L. & V. Woolf.

S[aucerotte], C. (1828), *Nouveaux conseils aux femmes sur l'âge prétendu critique*. Paris, Mme Auger-Méquignon.

Sayers, J. (1991), *Mothering Psychoanalysis : Helen Deutsch, Karen Horney, Anna Freud, Melanie Klein*. Londres, Hamish-Hamilton.

Schroeder, D. (1887), Oophorectomy in neurotic affections, *British Journal of Gynaecology*, 3, pp. 112-13.

Scot, R. (1585), *A Discoverie of Witchcraft*.

Seaman, B. (1969), *The Doctor's Case against the Pill*. New York. P.H. Wyman.

Seaman, B. et Seaman, G., M.D. (1977), *Women and the Crisis in Sex Hormones*. New York, Rawson Associates.

Selye, H., Strebel, R., et Mikulaj, L. (1963), A Progeria-Like Syndrome produced by Dihydrotachysterol and its prevention by Methyltestosterone and Ferric Dextran, *Journal of the American Geriatrics Society*, Vol. 11 (i).

Severne, L. (1979), Psychosocial aspects of the menopause, *Changing Perspectives on Menopause*, eds. A. Voda, M. Dinnerstein et S. O'Donnell. Austin, University of Texas Press.

Sévigné (Madame de), Correspondance de Marie de Rabutin Chantal, Marquise de Sévigné, Collection La Pléiade, Paris, Gallimard.

Sharma, V., et Saxena, M. (1981), Climacteric symptoms : A study in the Indian context, *Maturitas*, 3. pp. 11-20.

Sheehy, G. (1976), *Passages : Predictable Crises of Adult Life*. New York, E.P. Dutton.

Sherman, B., Wallace, R.B., et Treloar, A.E. (1979), The menopausal transition : endocrinological and epidemiological considerations, *Fertility in Middle Age : Proceedings of the Eighth IPPF Biomedical Workshop*. eds. A.S. Parkes, M.A. Herbertson et J. Cole. *Journal of Biosocial Science*, suppl 6. Londres, Galton Foundation.

Shock, N.W. (1986), Longitudinal studies of aging in humans, *Handbook of the Biology of Aging*, 2e édition, eds. C.E. Finch et E.L. Schneider. New York, Van Nostrand Reinhold, pp. 721-43.

Shreeve, C.M. (1987), *Overcoming the Menopause Naturally : How to Cope-Without Artificial Hormones*. Londres, Arrow Books.

Shuttle, P., et Redgrove, P. (1986), *The Wise Wound : Myths, Realities and Meanings of Menstruation*. Londres, Grove Press.

Simms, H.S., et Stolman, A. (1937), Changes in human tissue electrolytes in senescence, *Science*, n° 86, pp. 269-70; republié dans *Aging*, ed. G.H.

Emerson, *Benchmark Papers in Human Physiology*, 11. Stroudsburg P.A. Douden, Hutchinson & Ross, 1977.

Smith, Stevie (1985), *The Collected Poems of Stevie Smith*. Harmondsworth, Penguin Books.

Smith, Stevie (1985), *The Holiday*. Londres, Virago.

Snaith, M.L., et Ridley, B. (1948), Gynaecological psychiatry, a preliminary report on an experimental clinic, *British Medical Journal*, ii, pp. 428-30.

Stamm, L. (1984), Differential power of women over the life course : a case study of age roles as an indicator of power, *Social Power and Influence of Women*, eds. L. Stamm and C.D. Ryff. Epping, Bowker.

Stone, S., Mickal, A., Rye, P., et Phillip, H. (1975), Postmenopausal symptomatology, maturation index, and plasma estrogen levels, *Obstetrics and Gynaecology*, 45, pp. 625-27.

Stuart, M., ed. (1979), *The Encyclopedia of Herbs and Herbalism*. Londres, Orbis.

Studd, J.W.W., Chakravarti, S., et Oram D. (1927), The climacteric, *Clinics in Obstetrics and Gynaecology*, 4, 1, pp. 3-29.

Studd, J.W.W., Thom, M.H., Paterson, M.E. L., et Wade-Evans T. (1980), The prevention and treatment of endometrial pathology in postmenopausal women receiving exogenous oestrogens, *The Menopause and Post-menopause*, eds. N. et R. Paoletti, et J.L. Ambrus. Lancaster, MTP Press.

Studd, J.W.W., et Thom, M.H. (1981), Oestrogens and endometrial cancer, *Progress in Obstretrics and Gynaecology*, ed. J.W. Studd, Londres, Churchill Livingstone.

Sturdee, D., et Brincat, M. (1988), *Maturitas*, Summers, M., ed. (1967).

Sturdee, D.W., et Brincat, M. (1988), « The hot flush », *The Menopause*, eds. J.W.W. Studd et M.I. Whitehead, Introduction par R.M. Greenblatt, Oxford, Blackwell Scientific Publications.

Summers, M., ed. (1967), *The Works of Aphra Behn*, New York, Phaeton.

Sutherland, E. (1985), New Life at Kyrefaso. *Unwinding Threads : Writing by Women in Africa*, ed. C.H. Bruner. Londres, Heinemann.

Sydenham, T. (1701), *The Whole Works of the Excellent Pratical Physician*, trans. J. Pechey. Londres, R. Wellington.

Tait, L. (1877), *Diseases of Women*. Londres, Williams & Norgate.

Thompson, B., Hart, S., et Durno, D. (1973), Menopausal age and symptomatology in general practise, *Journal of Bisocial Science*, 5, pp. 71-82.

Thompson, S. G., Meade, T.W., et Greenberg, G. (1989), The use of hormone therapy and the risk of stroke and myocardial infarction in women, *Journal of Epidemiology and Community Health*, Vol. 43, n° 2.

Thurman, J. (1987), *Karen Blixen*, Paris Librairie Générale Française.

Tiger, V. (1986), Woman of many summers : *The Summer Before the*

Dark. In critical Essays on Doris Lessing, eds. V. Tiger et C. Sprague, Boston, G.K. Hall.

Tilt, E.J. (1857), *The Change of Life in Health and Disease*. Londres, John Churchill.

Tolstoï, Sophie, *Journal Intime*, Paris, Albin Michel, 1980.

Treolar, A., Boyton, R.D., Benn, B.G., et Brown, B.W. (1967), Variations of the human menstrual cycle through reproductive life, *International Journal of Fertility*, 12, pp. 77-126.

Trimmer, E. (1967), *Rejuvenation : The History of an Idea*. Londres, Robert Hale.

Trye, M. (1975), *Medicatrix, or the Woman-Physician*. Londres, Henry Broome & John Leete.

Utian, W. (1978), *The Menopause Manual : A Woman's Guide to the Menopause*. Lancaster, MTP Press.

Utian, W. (1980), *The Menopause in Modern Perspective*. New York, Appleton, Century, Croffs.

Utian, W. (1987), The fate of the untreated menopause, *Obstetric and Gynaecological Clinics of North America*, 14 (1), pp. 1-11.

Utian, W., et Serr, D. (1976), The climacteric syndrome. *Consensus on Menopause Research*, eds. P.A. Van Keep et *al.* Lancaster, M.T.P. Press.

Van Look., P.F.A., Lothian, H., Hunter W.M., et al. (1977), Hypothalmic-pituitary-ovarian function in perimenopausal women, *Clinics in Endocrynology*.

Vermeulen, A. (1979), Decline in sexual activity in aging men : correlation with sex hormone levels and testicular changes, *Journal of Biosocial Science*, Suppl. 6.

Vermeulen, A., et Verdonck, L. (1979 b), Factors affecting sex hormone levels in post-menopausal women, *Journal of Steroid Biochemistry*, 11, 899-904.

Vermenden, A. (1983), Androgen secretion afeter age 50 in both sexes, *Hormone Research*.

Voda, A., Dinnerstein, M., et O'Donnell, eds. (1982), *Changing Perspectives on Menopause*. Austin, University of Texas Press.

Wahl, P., Walden, C., et Knopp, R. (1983), Effect of estrogen / progesterone potency on lipid lipoprotein cholesterol, *New England Journal of Medecine*, 321, pp. 641-6.

Walker, B.G. (1985), *The Crone, Women of Age, Wisdom, and Power*. San Francisco, Harper & Row.

Wallace, R.B., Sherman, B.M., Bean, J.A., Leeper, J.P., et Treloar, A.E. (1978), Menstrual cycle patterns and breast cancer risk factors, *Cancer Research*, 38, pp. 4021-4.

Weideger, P. (1976), *Female Cycles : Menstruation and Menopause*. Londres, Women's Press.

Weissmann, M.M. (1979), The myth of involutional melancholia, *Journal of the American Medical Association*, Vol. 242, pp. 742 ff.

Westcott, P. (1987), *Alternative Health Care for Women*. Wellingborough. Thorsons.

Westkott, Marcia (1986), *The Feminist Legacy of Karen Horney*. New Haven et Londres, Yale University Press.

Whitehead, M.I., Campbell, S., Dyre, G., Collins, W.P., Pryse-Davies, J., Ryder, T.A., Rodney, M.I., McQueen, J., et King, R. (1978), Progestogen modification of endometrial histology in menopausal women, *British Medical Journal*, 2 (6152), pp. 1643-4.

Whitehead, M.I., Siddle, N.C., Lane G., et *al.* (1987), The pharmacology of progestogens. *Menopause, Physiology and Management*, ed. D.R. Mishell, Jr., Chicago.

Wier, J. (1563), *De Praestigiis Daemonum*.

Wilbush, J. (1988), Climacteric disorders – historical perspectives. *The Menopause*, eds. J. W. W. Studd et M. I. Whitehead. Oxford, Blackwell Scientific Publications.
Williams, R., Karacan, I., et Hursch, C. (1974), *Electroencephalography EEG of Human Sleep : Clinical Applications*. Londres, Wiley.
Wilson, R.A. (1966), *Feminine forever*. Londres, W.H. Allen.
Wiser, C.V. (1978), *Four Families of Karimpur*, Syracuse NY, Maxwell School of Citizenship and Public Affairs.
Yeats, W.B. (1975), *Poèmes*, Paris, Aubier Montaigne.

GLOSSAIRE

Alzheimer (maladie d')	Atrophie cérébrale du sujet évoluant vers la démence sénile.
Aménorrhée, n.f.	Absence de règles, en dehors de la grossesse, à l'âge normal des menstruations.
Amniocentèse, n.f.	Ponction du liquide amniotique à travers l'abdomen, destinée à examiner l'état du fœtus.
Androgènes, n.m.pl.	Groupe d'hormones synthétisées et sécrétées essentiellement par les testicules, assurant le développement des caractères sexuels mâles.
Androstènedione, n.f.	Hormone du groupe des androgènes.
Athérosclérose, n.f.	Affection de la paroi interne des artères.
Blastocyste, n.m.	Stade de l'embryogenèse au cours duquel l'œuf fécondé, segmenté et préalablement appelé *morula*, se creuse d'une cavité centrale ou blastocèle.
Canal carpien (Syndrome du)	Trouble de la sensibilité des doigts, caractérisé par des sensations de fourmillements, de picotements.
Carminatif adj. et n.	Se dit des remèdes qui aident à expulser les gaz de l'intestin.
Capacité vitale	Volume maximal de gaz expiré après une inspiration forcée.
Cataménial, adj.	Qui concerne les règles, qui a rapport avec le cycle menstruel.
Catécholamine, n.f.	Substance, telle que l'adrénaline, la noradrénaline, la dopamine, dont l'action est analogue à celle du sympathique : accélération du cœur, contraction des vaisseaux, dilatation des bronches, etc.
Double aveugle (en) double insu (en)	Pour déterminer l'efficacité thérapeutique d'une substance, les patients sont répartis en deux groupes, l'un recevant un placebo, l'autre la substance. Dans une étude en double aveugle, ni le médecin ni les patients ne savent qui reçoit le placebo, qui la substance.
Endocrines (glandes)	Glandes qui sécrètent des substances déversées directement dans le sang (par exemple : corticosurrénales, ovaires, testicules, placenta, hypophyse, thyroïde).

Endomètre, n.m.	Muqueuse interne de l'utérus, dont la desquamation détermine les règles.
Éthinylœstradiol, n.m.	Œstrogène proche de l'œstradiol *, d'action plus prolongée.
Étiologie, n. f.	Étude des causes des maladies.
Exogène, adj.	Qui provient de l'extérieur.
Filtration gloménulaire	Volume d'urine filtré, par unité de temps, par les reins.
Gonades, n.f.pl.	Glandes génitales (testicules et ovaires) produisant les gamètes (ovules, spermatozoïdes) et sécrétant des hormones.
Gonadotrophines, n.f.pl.	Groupe d'hormones stimulant les sécrétions des glandes génitales réparties en deux grands groupes : les gonadotrophines hypophysaires (hormone folliculostimulante *, hormone lutéinisante *, prolactine) et les gonadotrophines (secrétées au cours de la grossesse).
Hormone folliculo-stimulante ou FSH	Sécrétée surtout pendant la première partie du cycle menstruel, stimule la croissance des cellules et la maturation du follicule.
Hormone lutéinisante ou LH	Sécrétée à la fin de la première phase du cycle menstruel, elle déclenche l'ovulation. Agit en synergie avec la FSH pour favoriser l'apparition du corps jaune.
Hormones stéroïdes, n.f.pl. ou stéroïdes, n.m.pl.	Groupes d'hormones sécrétées essentiellement par les glandes surrénales et les glandes génitales.
Hyperplasie, n.f.	Multiplication excessive des cellules d'un tissu.
Hystérectomie	Ablation de l'utérus.
Hystérotomie	Ouverture de la cavité utérine.
Iatrogène, adj.	Qui est provoqué par le médecin.
Idiopathique, adj.	Se dit d'une maladie d'origine inconnue.
Idiosyncrasie, n.f.	Manière d'être, comportement propres à chaque individu.
Ischémique, adj.	Qui est provoqué par une anémie locale, l'arrêt ou l'insuffisance de la circulation du sang dans un tissu ou un organe.
Laparotomie	Ouverture de la cavité abdominale.
Laparoscopie	Examen de la cavité abdominale à l'aide d'un tube portant une petite lampe (laparoscope) qu'on introduit par une courte incision.
Lipoprotéines (HDL, LDL)	Associations de lipides et de protéines constituant les lipides sanguins. On distingue des lipoprotéines de haute densité – HDL – et des lipoprotéines de basse densité – LDL – en fonction des quantités relatives de protéines.
Mastectomie, n.f.	Ablation de la glande mammaire, c'est-à-dire du sein (mammectomie).
Ménarche, n.f.	Terme employé pour désigner les premières menstruations.

* Terme expliqué dans le présent Glossaire.

Ménorragie, n.f.	Règles anormalement abondantes.
Métabolisme de base	Dépense énergétique minimale, évaluée par mètre carré de surface corporelle.
Métrorragie, n.f.	Hémorragie utérine en dehors des règles, ou après la ménopause.
Nogestriénone, n.f. Noréthistérone, n.f. Noréthynodrel, n.m. Norgestrel, n.m.	Progestatifs de synthèse utilisés en association avec des œstrogènes comme inhibiteurs de l'ovulation.
Œstradiol, n.m.	Hormone œstrogène naturelle, élaborée par l'ovaire.
Œstrogènes, n.m.pl.	Groupe de stéroïdes hormonaux synthétisés chez la femme dans les follicules ovariens, dans le placenta au cours de la grossesse et chez l'homme dans les testicules. La sécrétion des œstrogènes est cyclique, atteint un maximum au 14e jour du cycle, diminue puis a un deuxième maximum dans la deuxième partie du cycle, est liée aux gonadotrophines * hypophysaires FSH et LH. Les œstrogènes ont une action physiologique sur les voies génitales. Ils sont utilisés seuls en cas d'aménorrhée et en association avec les progestatifs comme inhibiteurs de l'ovulation et dans les troubles menstruels.
Œstrone, n.f. Œstriol, n.m.	Œstrogènes utilisés par voie buccale ou intramusculaire.
Ostéoporose, n.f.	Fragilité des os due à une raréfaction et à un amincissement du tissu osseux.
Phéromone, n.f.	Substance chimique qui, émise en faible quantité par un animal, provoque chez ses congénères des comportements déterminés.
Prolapsus	Glissement anormal d'un organe vers le bas.
Progestatifs (hormones progestatives)	Sécrétés surtout par le corps jaune (et le placenta en cas de grossesse), utilisés dans les métrorragies, aménorrhées, endométrioses, etc. En association avec les œstrogènes, inhibent l'ovulation.
Progestérone, n.f.	Principale hormone progestative sécrétée pendant la deuxième partie du cycle ovarien. Son rôle est de préparer la muqueuse utérine à la nidation de l'œuf fécondé. A une action inhibitrice des contractions utérines.
Puerpéralité n.f. ou état puerpéral	Période qui suit l'accouchement jusqu'au retour des règles.
Quiescence, n.f.	Repos, tranquillité; ralentissement, pause des fonctions biologiques.
Rétroversion (de l'utérus)	Situation où le corps de l'utérus est basculé en arrière.

* Terme expliqué dans le présent Glossaire.

Salpingectomie	Ablation d'une trompe utérine.
Substance fondamentale	Gel formé d'eau, de sels minéraux, de protéines, dans lequel baignent les cellules des tissus conjonctifs.
Surrénales (glandes)	Situées sur le rein, sécrètent surtout des catécholamines et des androgènes.
Sympathique, n.m.	Formation nerveuse destinée à régler la vie végétative en fonction des différents besoins, en synergie avec le système parasympathique.
Sympathomimétique	Qui reproduit les effets provoqués par la stimulation du sympathique (accélération cardiaque, hypertension...)
Vagotonie	État où prédomine le système parasympathique (ralentissement cardiaque, hypotension artérielle), contraire de *sympathicotonie*, où l'on observe les effets inverses.
Vasomoteur, trice	Qui se rapporte à la dilatation des vaisseaux; qui la provoque.

Cet ouvrage a été réalisé par la
SOCIÉTÉ NOUVELLE FIRMIN-DIDOT
Mesnil-sur-l'Estrée
pour le compte de la Librairie Plon
en septembre 1992

Imprimé en France
Dépôt légal : septembre 1992
N° d'édition : 12192 – N° d'impression : 21508